2009中国城市（镇）生活与价格年鉴

CHINA URBAN LIFE AND PRICE YEARBOOK

国家统计局城市社会经济调查司　编
Compiled by
Department of Urban Society and Economic Statistics,
National Bureau of Statistics of China

中国统计出版社
China Statistics Press

(京)新登字 041 号

图书在版编目（CIP）数据

中国城市(镇)生活与价格年鉴. 2009/ 国家统计局城市社会经济调查司编.
- 北京：中国统计出版社，2009. 8
ISBN 978-7-5037-5736-5

Ⅰ. 中… Ⅱ. 国… Ⅲ. ①城镇 - 职工家庭收支调查 - 统计资料 - 中国 -2009- 年鉴②物价管理 - 统计资料 - 中国 -2009- 年鉴 Ⅳ. F126.2-66 F726.7-66

中国版本图书馆 CIP 数据核字（2009）第 128654 号

中国城市(镇)生活与价格年鉴— 2009

作　　者 / 国家统计局城市社会经济调查司
责任编辑 / 马　平
E-mail /cbsebs@stats.gov.cn
封面设计 / 艺编广告
出版发行 / 中国统计出版社
通信地址 / 北京市西城区月坛南街 57 号
邮政编码 /100826
办公地址 / 北京市丰台区西三环南路甲 6 号
网　　址 /www.stats.gov.cn/tjshujia
电　　话 / 邮购（010）63376907　书店（010）68783172
印　　刷 / 河北天普润印刷厂
经　　销 / 新华书店
开　　本 /880 × 1230 毫米　1/16
字　　数 /700 千字
印　　张 /23.75
版　　别 /2009 年 11 月第 1 版
版　　次 /2009 年 11 月第 1 次印刷
书　　号 /ISBN 978-7-5037-5736-5/F · 2840
定　　价 /208. 00 元

《中国城市（镇）生活与价格年鉴—2009》

编委会和编辑人员

2009 CHINA URBAN LIFE AND PRICE YEARBOOK

Editorial Board And Staff

编者说明

一、《中国城市（镇）生活与物价年鉴—2009》是在《城镇居民家庭收支调查资料》与《中国物价统计年鉴》的基础上，对资料进行了充实和重新编排，增加了英文对照。本年鉴系统收录了2008年度城镇居民家庭收支调查资料、城市发展基本情况资料、价格调查资料，是一部比较全面地反映中国城市（镇）人民生活水平和各类价格指数的专业性综合年鉴。

二、年鉴分四个主要部分，第一部分，城镇居民家庭收入和消费；第二部分，城市资源与经济；第三部分，城市生活质量与环境；第四部分，价格指数。篇末附有统计指标解释。

三、本年鉴所涉及的全国性统计数据，均未包括香港、澳门特别行政区和台湾省数据。

四、年鉴资料中所使用的度量单位均采用国际统一标准计量单位。

五、资料中的城市为地级及以上城市。城市统计数据由各市统计部门或调查队采集。城市中的“全市”为城市全部行政区域，包括城区、郊区、市辖县；“市辖区”包括城区、郊区，不包括市辖县。

六、资料中的城镇居民家庭收支调查资料和物价调查资料为抽样调查资料，引用时须注意代表性误差。

七、城镇居民家庭收支调查（又称住户调查）和价格指数调查，是由国家统计局城市社会经济调查司组织实施，国家统计局各调查总队及抽中市（县）的调查队依据国家统计局统一制定的调查方案具体操作的。

八、年鉴符号使用说明：“空格”表示无该项数据或数据不详；* 号表示本表下有注释，# 号表示其中数。

PREFACE

I. *China Urban Life and Price Yearbook 2009* mainly uses data of two books *Data of urban households' income and expenditure and China Price Statistical Yearbook*, with the English explanation and abundance in contents and re-organization in editing mode. The yearbook is a professional annual statistics publication, which covers very comprehensive data in 2008 of urban households' income and expenditure, basic condition of urban development and price indices.

II. The yearbook contains four main chapters, 1.the urban households' income and expenditure; 2.Resources and economics in urban area; 3.Quality of life and circumstance in urban area; 4.Price indices. In addition, Explanatory Notes on Main Statistical Indicators are provided at the end of the yearbook.

III.The national data in this yearbook do not include that of Hong Kong SAR (Special Administrative Region), Macao SAR and Taiwan province.

IV.The units of measurement used in this yearbook are in accordance with internationally standard measurement units.

V. The urban areas in this yearbook are the cities at prefecture level and above. The urban data are collected by the municipal statistical sector or the survey organization at different level; "All cities" in this yearbook is the whole administrative district of a city, including the city and suburb district and counties under the jurisdiction of city government; "Districts under city" include city and suburban district, excluded counties.

VI.The data of urban households' income and expenditure and price indices, both are collected by sample survey; attention must be paid when the data are used as quotation.

VII.Department of Urban Surveys of National Bureau of statistics in China organizes urban household's survey and price indices survey. The survey organizations of provinces, autonomous regions and municipalities directly under the central government as well as the survey organizations of the selected cities and countries collect the data in accordance with the survey scheme stipulated by NBS.

VIII.Notations used in the yearbook: "blank space" indicates that the data are unknown or are not available; "#" indicates a major breakdown of the total; "*" indicates footnotes at the end of the table.

目 录

CONTENTS

第1篇 收入与消费

Ⅰ.Income and Consumption

第2篇　城市资源与经济
Ⅱ.Urban Resources and Economy

第3篇　城市生活质量与环境
Ⅲ. Urban Life Quality and Environment

第4篇　价格指数
Ⅳ.Price Indices

附录 **Appendix**

收入与消费

Income and Consumption

第 *1* 篇

1-1-1 城镇居民家庭可支配收入和消费支出

The Cash Income and Expenditure of Urban Household

年 份 Year	城镇居民家庭人均可支配收入 Per Capita Annual Disposable Income of Urban Household			城镇居民人均消费性支出 Per Capita Annual Consumption Expenditure of Urban Household		
	绝对数 Value (元) (yuan)	增长率 Growth Rate		绝对数 Value (元) (yuan)	增长率 Growth Rate	
		1978=100	上年=100 Preceding Year=100		1978=100	上年=100 Preceding Year=100
1978	343.4	100.0		311.2		
1979	405.0	115.7	115.7			
1980	477.6	127.0	109.7	412.4	121.0	
1981	500.4	129.9	102.2	456.8	130.9	108.1
1982	535.3	136.3	104.9	471.0	132.3	101.1
1983	564.6	141.5	103.9	505.9	139.3	105.3
1984	652.1	158.7	112.2	559.4	150.0	107.7
1985	739.1	160.4	101.1	673.2	161.2	107.5
1986	900.9	182.7	113.9	799.0	178.8	110.9
1987	1002.1	186.8	102.2	884.4	182.0	101.7
1988	1180.2	182.3	97.6	1104.0	188.1	103.4
1989	1373.9	182.5	100.1	1211.0	177.5	94.3
1990	1510.2	198.1	108.5	1278.9	185.1	104.3
1991	1700.6	212.4	107.1	1453.8	200.3	108.2
1992	2026.6	232.9	109.7	1671.7	212.0	105.9
1993	2577.4	255.1	109.5	2110.8	230.6	108.8
1994	3496.2	276.8	108.5	2851.3	249.1	108.1
1995	4283.0	290.3	104.9	3537.6	264.6	106.2
1996	4838.9	301.6	103.8	3919.5	269.5	101.8
1997	5160.3	311.9	103.4	4185.6	279.1	103.6
1998	5425.1	329.9	105.8	4331.6	290.6	104.1
1999	5854.0	360.6	109.3	4615.9	313.8	108.0
2000	6280.0	383.7	106.4	4998.0	337.0	107.4
2001	6859.6	416.3	108.5	5309.0	355.5	105.5
2002	7702.8	472.1	113.4	6029.9	407.9	114.7
2003	8472.2	514.6	109.0	6510.9	436.5	107.0
2004	9421.6	554.2	107.7	7182.1	466.1	106.8
2005	10493.0	607.4	109.6	7942.9	507.4	108.9
2006	11759.5	670.7	110.4	8696.7	547.4	107.9
2007	13785.8	752.5	112.2	9997.5	602.1	110.0
2008	15780.8	815.7	108.4	11242.9	641.3	106.5

1-1-2 城镇居民家庭基本情况

项 目	Item	单位	Unit	1985	1990	1995
调查户数	**Number of Households Surveyed**	**户**	**household**	**17143**	**35660**	**35520**
平均每户家庭人口	**Average Household Size**	**人**	**person**	**3.82**	**3.50**	**3.23**
平均每户就业人口	**Average Number of Employed Persons Per Household**	**人**	**person**	**2.20**	**1.98**	**1.87**
平均每户就业面	**Proportion of Employment per Household**	**%**	**%**	**57.59**	**56.57**	**57.89**
平均每一就业者负担人数	**Number of Dependents per Employee**					
（包括就业者本人）	**(Including the Employee Himself or Herself)**	**人**	**person**	**1.74**	**1.77**	**1.73**
平均每人全部年收入	**Per Capita Annual Income**	**元**	**yuan**	**821.40**	**1516.21**	**4279.02**
工薪收入	Income of Wages and Salaries	元	yuan		1149.70	3390.21
经营净收入	Net Business Income	元	yuan		22.50	72.62
财产性收入	Income from Property	元	yuan		15.60	90.43
转移性收入	Income from Transfer	元	yuan		328.41	725.76
#可支配收入	#Disposable Income	元	yuan	752.40	1510.16	4282.95
平均每人消费性支出	**Per Capita Annual Consumption Expenditures**	**元**	**yuan**	**732.24**	**1278.89**	**3537.57**
食 品	Food	元	yuan	390.36	693.77	1771.99
衣 着	Clothing	元	yuan	112.32	170.90	479.20
居 住	Housing	元	yuan	25.56	60.86	283.76
家庭设备用品及服务	Household Appliances and Service	元	yuan	81.48	108.45	263.36
医疗保健	Health Care and Medical Services	元	yuan	5.52	25.67	110.11
交通通信	Transport and Communications	元	yuan	9.24	40.51	183.22
教育文化娱乐服务	Education, Cultural and Recreation Services	元	yuan	75.48	112.26	331.01
杂项商品与服务	Miscellaneous Goods and Services	元	yuan	32.28	66.57	114.92
平均每人消费性支出构成	**Composition of Per Capita Annual Consumption**					
（人均消费性支出=100）	**Expenditures**	%	%			
食 品	Food	%	%	53.31	54.25	50.09
衣 着	Clothing	%	%	15.34	13.36	13.55
居 住	Housing	%	%	3.49	6.98	8.02
家庭设备用品及服务	Household Appliances and Service	%	%	11.13	10.14	7.44
医疗保健	Health Care and Medical Services	%	%	0.75	2.01	3.11
交通通信	Transport and Communications	%	%	1.26	1.20	5.18
教育文化娱乐服务	Education, Cultural and Recreation Services	%	%	10.31	11.12	9.36
杂项商品与服务	Miscellaneous Goods and Services	%	%	4.41	0.94	3.25

注：从2002年起，城市住户调查对象由原来的非农业人口改为城市市区和县城关镇区，相关资料按新口径计算，历史数据相应调整。
Since 2002, the objects of unban households survey are the permanent residents of city districts and county towns. The relative data in the chapter are calculated according to the new standard, and history data have been adjusted accordingly.

Basic Conditions of Urban Households

2000	2001	2002	2003	2004	2005	2006	2007	2008
42220	**43840**	**45317**	**48028**	**50430**	**54496**	**56094**	**59305**	**64675**
3.13	**3.10**	**3.04**	**3.01**	**2.98**	**2.96**	**2.95**	**2.91**	**2.91**
1.68	**1.65**	**1.58**	**1.58**	**1.56**	**1.51**	**1.53**	**1.54**	**1.48**
53.67	**53.23**	**51.97**	**52.49**	**52.35**	**51.01**	**51.86**	**52.92**	**50.86**
1.86	**1.88**	**1.92**	**1.91**	**1.91**	**1.96**	**1.93**	**1.89**	**1.97**
6295.91	**6868.88**	**8177.40**	**9061.22**	**10128.51**	**11320.77**	**12719.19**	**14908.61**	**17067.78**
4480.50	4829.86	5739.96	6410.22	7152.76	7797.54	8766.96	10234.76	11298.96
246.24	274.05	332.16	403.82	493.87	679.62	809.56	940.72	1453.57
128.38	134.62	102.12	134.98	161.15	192.91	244.01	348.53	387.02
1440.78	1630.36	2003.16	2112.20	2320.73	2650.70	2898.66	3384.60	3928.23
6279.98	6859.58	7702.80	8472.20	9421.61	10493.03	11759.45	13785.81	15780.76
4998.00	**5309.01**	**6029.88**	**6510.94**	**7182.10**	**7942.88**	**8696.55**	**9997.47**	**11242.85**
1971.32	2027.99	2271.84	2416.92	2709.60	2914.39	3111.92	3628.03	4259.81
500.46	533.66	590.88	637.72	686.79	800.51	901.78	1042.00	1165.91
565.29	610.67	624.36	699.38	733.53	808.66	904.19	982.28	1145.41
374.49	376.22	388.68	410.34	407.37	446.52	498.48	601.80	691.83
318.07	343.28	430.08	475.98	528.15	600.85	620.54	699.09	786.20
426.95	493.94	626.04	721.12	843.62	996.72	1147.12	1357.41	1417.12
669.58	736.63	902.28	934.38	1032.80	1097.46	1203.03	1329.16	1358.26
171.83	186.61	195.84	215.10	240.24	277.75	309.49	357.70	418.31
39.44	38.20	37.68	37.12	37.73	36.69	35.78	36.29	37.89
10.01	10.05	9.80	9.79	9.56	10.08	10.37	10.42	10.37
11.31	11.50	10.35	10.74	10.21	10.18	10.40	9.83	10.19
7.49	7.09	6.45	6.30	5.67	5.62	5.73	6.02	6.15
6.36	6.47	7.13	7.31	7.35	7.56	7.14	6.99	6.99
8.54	9.30	10.38	11.08	11.75	12.55	13.19	13.58	12.60
13.40	13.88	14.96	14.35	14.38	13.82	13.83	13.29	12.08
3.44	3.51	3.25	3.30	3.34	3.50	3.56	3.58	3.72

1-1-3 最低收入户城镇居民家庭基本情况

项 目	Item	单位	Unit	1985
调查户数	**Number of Households Surveyed**	**户**	**household**	**1714**
一、家庭人口数	**Households Size**	**人**	**person**	**4.47**
(一)有收入者人数	**Number of Persons with Income**	**人**	**person**	
1.就业人口数	Number of Employed Persons	**人**	**person**	1.82
(1)国有经济单位职工人数	Staff and Workers in State-owned Economic Units	人	person	
(2)城镇集体经济单位职工人数	Staff and Workers in Collective-owned Economic Units	人	person	
(3)其他各种经济类型单位职工人数	Staff and Workers in Units of Other Economic Type	人	person	
(4)城镇个体经营者人员数	Urban Self-employed Individuals or Owners of Private Enterprises	人	person	
(5)城镇个体被雇人员数	Employed Persons of Urban Self-employed or Private Enterprises	人	person	
(6)离退休再就业人员数	Retired Staff and Veteran Cadres of Reemployment	人	person	
(7)其他就业人员数	Other Employed	人	person	
2.离退休人数	Number of Retired Staff and Veteran Cadres	人	person	
3.其他有收入者人数	Number of Other Persons Earning Income	人	person	
(二)无收入者人数	**Number of Persons Without Income**	**人**	**person**	
二、期末家庭人口数	**Number of Households Members at the end of Period**	**人**	**person**	

1-1-4 困难户城镇居民家庭基本情况

项 目	Item	单位	Unit	1985
调查户数	**Number of Households Surveyed**	**户**	**household**	**857**
一、家庭人口数	**Households Size**	**人**	**person**	**4.55**
(一)有收入者人数	**Number of Persons with Income**	**人**	**person**	
1.就业人口数	Number of Employed Persons	**人**	**person**	1.70
(1)国有经济单位职工人数	Staff and Workers in State-owned Economic Units	人	person	
(2)城镇集体经济单位职工人数	Staff and Workers in Collective-owned Economic Units	人	person	
(3)其他各种经济类型单位职工人数	Staff and Workers in Units of Other Economic Type	人	person	
(4)城镇个体经营者人员数	Urban Self-employed Individuals or Owners of Private Enterprises	人	person	
(5)城镇个体被雇人员数	Employed Persons of Urban Self-employed or Private Enterprises	人	person	
(6)离退休再就业人员数	Retired Staff and Veteran Cadres of Reemployment	人	person	
(7)其他就业人员数	Other Employed	人	person	
2.离退休人数	Number of Retired Staff and Veteran Cadres	人	person	
3.其他有收入者人数	Number of Other Persons Earning Income	人	person	
(二)无收入者人数	**Number of Persons Without Income**	**人**	**person**	
二、期末家庭人口数	**Number of Households Members at the end of Period**	**人**	**person**	

Basic Conditions of Lowest Income Households

1990	1995	2000	2001	2002	2003	2004	2005	2006	2007	2008
3566	**3552**	**4222**	**4383**	**4532**	**4783**	**5060**	**5376**	**5594**	**5940**	**6353**
4.09	**3.67**	**3.56**	**3.51**	**3.43**	**3.40**	**3.36**	**3.34**	**3.31**	**3.30**	**3.33**
	2.05	**1.93**	**1.90**	**1.77**	**1.76**	**1.79**	**1.75**	**1.77**	**1.72**	**1.68**
1.75	1.71	1.59	1.54	1.36	1.35	1.36	1.26	1.30	1.34	1.27
	1.11	0.87	0.80	0.61	0.57	0.53	0.41	0.44	0.42	0.32
	0.45	0.31	0.29	0.17	0.14	0.13	0.10	0.09	0.09	0.06
	0.01	0.06	0.06	0.07	0.07	0.12	0.13	0.16	0.17	0.14
	0.05	0.16	0.18	0.21	0.22	0.23	0.22	0.22	0.21	0.17
	0.02	0.10	0.12	0.18	0.19	0.21	0.26	0.25	0.30	0.39
	0.03	0.02	0.02	0.01	0.01	0.01	0.01	0.01		0.01
	0.02	0.07	0.06	0.13	0.14	0.14	0.13	0.14	0.15	0.18
	0.32	0.31	0.34	0.28	0.25	0.27	0.30	0.30	0.29	0.26
	0.02	0.03	0.03	0.13	0.16	0.16	0.19	0.18	0.10	0.16
	1.62	**1.64**	**1.60**	**1.66**	**1.64**	**1.57**	**1.59**	**1.53**	**1.58**	**1.65**
	3.66	**3.56**	**3.50**	**3.42**	**3.38**	**3.35**	**3.35**	**3.28**	**3.30**	**3.30**

Basic Conditions of Poor Households

1990	1995	2000	2001	2002	2003	2004	2005	2006	2007	2008
1783	**1861**	**2111**	**2291**	**2266**	**2383**	**2524**	**2666**	**2801**	**2967**	**3137**
4.13	**3.73**	**3.60**	**3.57**	**3.49**	**3.46**	**3.42**	**3.38**	**3.33**	**3.30**	**3.34**
	2.01	**1.87**	**1.86**	**1.68**	**1.66**	**1.70**	**1.61**	**1.66**	**1.59**	**1.54**
1.63	1.65	1.54	1.52	1.27	1.25	1.27	1.13	1.17	1.23	1.16
	1.05	0.82	0.76	0.53	0.49	0.46	0.33	0.32	0.33	0.24
	0.46	0.32	0.30	0.16	0.14	0.11	0.09	0.07	0.08	0.06
	0.01	0.05	0.07	0.06	0.06	0.10	0.12	0.13	0.15	0.12
	0.06	0.16	0.18	0.20	0.21	0.23	0.20	0.23	0.21	0.16
	0.02	0.10	0.12	0.20	0.20	0.19	0.24	0.25	0.29	0.38
	0.03	0.01	0.01		0.01		0.01	0.01		0.01
	0.02	0.07	0.08	0.11	0.14	0.16	0.15	0.15	0.16	0.19
	0.33	0.30	0.31	0.24	0.22	0.23	0.25	0.26	0.24	0.20
	0.02	0.03	0.03	0.16	0.19	0.20	0.24	0.23	0.12	0.19
	1.72	**1.73**	**1.71**	**1.81**	**1.81**	**1.72**	**1.77**	**1.66**	**1.71**	**1.80**
	3.72	**3.60**	**3.56**	**3.48**	**3.43**	**3.41**	**3.39**	**3.30**	**3.30**	**3.31**

1-1-5 低收入户城镇居民家庭基本情况

项 目	Item	单位	Unit	1985
调查户数	**Number of Households Surveyed**	**户**	**household**	**1714**
一、家庭人口数	**Household Size**	**人**	**person**	**4.19**
(一)有收入者人数	**Number of Persons with Income**	**人**	**person**	
1.就业人口数	Number of Employed Persons	人	person	2.03
(1)国有经济单位职工人数	State-owned Units	人	person	
(2)城镇集体经济单位职工人数	Urban Collective-owned Units	人	person	
(3)其他各种经济类型单位职工人数	Staff and Workers in Units of Other Economic Type	人	person	
(4)城镇个体经营者人员数	Urban Self-employed Individuals or Owners of Private Enterprises	人	person	
(5)城镇个体被雇人员数	Employed Persons of Urban Self-employed or Private Enterprises	人	person	
(6)离退休再就业人员数	Retired Staff and Veteran Cadres of Reemployment	人	person	
(7)其他就业人员数	Other Employed	人	person	
2.离退休人数	Number of Retire	人	person	
3.其他有收入者人数	Number of Other Persons Earning Income	人	person	
(二)无收入者人数	**Number of Persons Without Income**	**人**	**person**	
二、期末家庭人口数	**Number of Households Members at the end of Period**	**人**	**person**	

1-1-6 中等偏下收入户城镇居民家庭基本情况

项 目	Item	单位	Unit	1985
调查户数	**Number of Households Surveyed**	**户**	**household**	**3429**
一、家庭人口数	**Households Size**	**人**	**person**	**3.99**
(一)有收入者人数	**Number of Persons with Income**	**人**	**person**	
1.就业人口数	Number of Employed Persons	人	person	2.12
(1)国有经济单位职工人数	Staff and Workers in State-owned Economic Units	人	person	
(2)城镇集体经济单位职工人数	Staff and Workers in Collective-owned Economic Units	人	person	
(3)其他各种经济类型单位职工人数	Staff and Workers in Units of Other Economic Type	人	person	
(4)城镇个体经营者人员数	Urban Self-employed Individuals or Owners of Private Enterprises	人	person	
(5)城镇个体被雇人员数	Employed Persons of Urban Self-employed or Private Enterprises	人	person	
(6)离退休再就业人员数	Retired Staff and Veteran Cadres of Reemployment	人	person	
(7)其他就业人员数	Other Employed	人	person	
2.离退休人数	Number of Retired Staff and Veteran Cadres	人	person	
3.其他有收入者人数	Number of Other Persons Earning Income	人	person	
(二)无收入者人数	**Number of Persons Without Income**	**人**	**person**	
二、期末家庭人口数	**Number of Households Members at the end of Period**	**人**	**person**	

Basic Conditions of Low income Households

1990	1995	2000	2001	2002	2003	2004	2005	2006	2007	2008
3566	**3552**	**4222**	**4384**	**4532**	**4849**	**5055**	**5454**	**5607**	**5936**	**6485**
3.88	**3.49**	**3.40**	**3.38**	**3.34**	**3.28**	**3.24**	**3.22**	**3.20**	**3.20**	**3.22**
	2.16	**2.03**	**2.02**	**1.99**	**1.98**	**1.99**	**1.96**	**2.00**	**1.98**	**1.95**
1.92	1.81	1.66	1.62	1.54	1.53	1.52	1.45	1.52	1.55	1.44
	1.29	1.01	0.95	0.86	0.81	0.79	0.66	0.67	0.66	0.46
	0.39	0.27	0.24	0.18	0.16	0.14	0.11	0.11	0.10	0.08
	0.02	0.07	0.08	0.09	0.12	0.14	0.20	0.22	0.20	0.19
	0.05	0.16	0.15	0.18	0.17	0.17	0.17	0.19	0.17	0.18
	0.01	0.09	0.11	0.14	0.15	0.19	0.21	0.22	0.29	0.39
	0.04	0.02	0.03	0.02	0.01	0.01	0.01	0.02	0.01	0.01
	0.01	0.05	0.05	0.08	0.10	0.09	0.09	0.10	0.11	0.13
	0.34	0.36	0.38	0.37	0.36	0.38	0.41	0.39	0.39	0.42
	0.01	0.01	0.02	0.09	0.09	0.10	0.11	0.09	0.04	0.09
	1.33	**1.37**	**1.36**	**1.34**	**1.30**	**1.25**	**1.26**	**1.20**	**1.22**	**1.28**
	3.47	**3.40**	**3.37**	**3.33**	**3.26**	**3.24**	**3.21**	**3.19**	**3.20**	**3.20**

Basic Conditions of Lower Middle income Households

1990	1995	2000	2001	2002	2003	2004	2005	2006	2007	2008
7132	**7104**	**8444**	**8768**	**9063**	**9691**	**10124**	**10943**	**11251**	**11880**	**12983**
3.71	**3.36**	**3.28**	**3.25**	**3.20**	**3.13**	**3.10**	**3.10**	**3.09**	**3.05**	**3.06**
	2.19	**2.13**	**2.10**	**2.10**	**2.07**	**2.08**	**2.09**	**2.10**	**2.10**	**2.06**
1.98	1.87	1.69	1.66	1.62	1.58	1.57	1.55	1.56	1.57	1.52
	1.43	1.14	1.09	1.04	0.99	0.94	0.84	0.87	0.81	0.67
	0.33	0.23	0.22	0.16	0.15	0.13	0.11	0.10	0.09	0.08
	0.02	0.08	0.08	0.11	0.12	0.15	0.19	0.21	0.20	0.20
	0.04	0.12	0.13	0.12	0.12	0.12	0.14	0.13	0.14	0.15
	0.01	0.07	0.08	0.12	0.12	0.14	0.17	0.16	0.22	0.30
	0.04	0.03	0.03	0.02	0.02	0.02	0.02	0.02	0.02	0.01
	0.01	0.04	0.04	0.06	0.07	0.07	0.07	0.07	0.08	0.09
	0.31	0.43	0.43	0.41	0.43	0.44	0.48	0.48	0.50	0.49
	0.01	0.01	0.01	0.06	0.07	0.07	0.07	0.06	0.03	0.06
	1.17	**1.15**	**1.15**	**1.10**	**1.06**	**1.02**	**1.01**	**0.99**	**0.95**	**1.00**
	3.35	**3.28**	**3.24**	**3.19**	**3.12**	**3.09**	**3.09**	**3.09**	**3.05**	**3.04**

1-1-7 中等收入户城镇居民家庭基本情况

项　目	Item	单位	Unit	1985
调查户数	**Number of Households Surveyed**	**户**	**household**	**3429**
一、家庭人口数	**Households Size**	**人**	**person**	**3.80**
(一)有收入者人数	**Number of Persons with Income**	**人**	**person**	
1.就业人口数	Number of Employed Persons	**人**	**person**	2.22
(1)国有经济单位职工人数	Staff and Workers in State-owned Economic Units	人	person	
(2)城镇集体经济单位职工人数	Staff and Workers in Collective-owned Economic Units	人	person	
(3)其他各种经济类型单位职工人数	Staff and Workers in Units of Other Economic Type	人	person	
(4)城镇个体经营者人员数	Urban Self-employed Individuals or Owners of Private Enterprises	人	person	
(5)城镇个体被雇人员数	Employed Persons of Urban Self-employed or Private Enterprises	人	person	
(6)离退休再就业人员数	Retired Staff and Veteran Cadres of Reemployment	人	person	
(7)其他就业人员数	Other Employed	人	person	
2.离退休人数	Number of Retired Staff and Veteran Cadres	人	person	
3.其他有收入者人数	Number of Other Persons Earning Income	人	person	
(二)无收入者人数	**Number of Persons Without Income**	**人**	**person**	
二、期末家庭人口数	**Number of Households Members at the end of Period**	**人**	**person**	

1-1-8 中等偏上收入户城镇居民家庭基本情况

项　目	Item	单位	Unit	1985
调查户数	**Number of Households Surveyed**	**户**	**household**	**3429**
一、家庭人口数	**Households Size**	**人**	**person**	**3.62**
(一)有收入者人数	**Number of Persons with Income**	**人**	**person**	
1.就业人口数	Number of Employed Persons	**人**	**person**	2.30
(1)国有经济单位职工人数	Staff and Workers in State-owned Economic Units	人	person	
(2)城镇集体经济单位职工人数	Staff and Workers in Collective-owned Economic Units	人	person	
(3)其他各种经济类型单位职工人数	Staff and Workers in Units of Other Economic Type	人	person	
(4)城镇个体经营者人员数	Urban Self-employed Individuals or Owners of Private Enterprises	人	person	
(5)城镇个体被雇人员数	Employed Persons of Urban Self-employed or Private Enterprises	人	person	
(6)离退休再就业人员数	Retired Staff and Veteran Cadres of Reemployment	人	person	
(7)其他就业人员数	Other Employed	人	person	
2.离退休人数	Number of Retired Staff and Veteran Cadres	人	person	
3.其他有收入者人数	Number of Other Persons Earning Income	人	person	
(二)无收入者人数	**Number of Persons Without Income**	**人**	**person**	
二、期末家庭人口数	**Number of Households Members at the end of Period**	**人**	**person**	

Basic Conditions of Middle Income Households

1990	1995	2000	2001	2002	2003	2004	2005	2006	2007	2008
7132	**7104**	**8444**	**8768**	**9063**	**9663**	**10108**	**10966**	**11236**	**11869**	**12993**
3.49	**3.23**	**3.14**	**3.11**	**3.04**	**3.03**	**2.99**	**2.95**	**2.92**	**2.88**	**2.89**
	2.22	**2.16**	**2.13**	**2.15**	**2.16**	**2.16**	**2.14**	**2.15**	**2.14**	**2.12**
2.04	1.92	1.72	1.67	1.63	1.65	1.63	1.56	1.56	1.57	1.50
	1.54	1.28	1.21	1.15	1.14	1.10	0.97	0.97	0.94	0.79
	0.26	0.17	0.16	0.12	0.11	0.10	0.08	0.08	0.08	0.08
	0.02	0.07	0.08	0.11	0.12	0.15	0.19	0.20	0.21	0.20
	0.03	0.08	0.09	0.09	0.09	0.09	0.11	0.11	0.11	0.14
	0.01	0.05	0.06	0.09	0.10	0.10	0.11	0.12	0.14	0.21
	0.04	0.04	0.04	0.03	0.03	0.03	0.04	0.04	0.03	0.02
	0.01	0.03	0.03	0.04	0.05	0.06	0.06	0.05	0.06	0.07
	0.29	0.43	0.46	0.47	0.46	0.49	0.53	0.54	0.55	0.58
	0.01	0.01	0.01	0.04	0.05	0.05	0.05	0.04	0.02	0.04
	1.02	**0.98**	**0.97**	**0.90**	**0.87**	**0.83**	**0.81**	**0.78**	**0.74**	**0.77**
	3.23	**3.13**	**3.10**	**3.03**	**3.02**	**2.98**	**2.94**	**2.91**	**2.88**	**2.88**

Basic Conditions of Upper Middle Income Households

1990	1995	2000	2001	2002	2003	2004	2005	2006	2007	2008
7132	**7104**	**8444**	**8768**	**9063**	**9615**	**10094**	**10920**	**11225**	**11865**	**12998**
3.30	**3.12**	**2.97**	**2.97**	**2.91**	**2.87**	**2.84**	**2.79**	**2.79**	**2.74**	**2.74**
	2.24	**2.17**	**2.18**	**2.20**	**2.18**	**2.18**	**2.17**	**2.17**	**2.16**	**2.15**
2.04	1.92	1.71	1.70	1.61	1.61	1.58	1.54	1.55	1.54	1.49
	1.60	1.35	1.33	1.19	1.17	1.11	1.03	1.00	0.96	0.85
	0.20	0.12	0.11	0.09	0.09	0.08	0.07	0.08	0.07	0.05
	0.02	0.07	0.08	0.12	0.12	0.15	0.18	0.20	0.21	0.21
	0.03	0.07	0.07	0.06	0.07	0.08	0.09	0.09	0.09	0.13
	0.01	0.04	0.04	0.06	0.07	0.08	0.07	0.08	0.10	0.17
	0.05	0.04	0.05	0.06	0.05	0.05	0.05	0.06	0.05	0.04
	0.01	0.01	0.01	0.03	0.03	0.04	0.04	0.05	0.05	0.04
	0.31	0.46	0.48	0.54	0.53	0.56	0.59	0.59	0.61	0.63
				0.04	0.04	0.03	0.04	0.04	0.02	0.03
	0.88	**0.80**	**0.80**	**0.71**	**0.69**	**0.66**	**0.62**	**0.62**	**0.58**	**0.59**
	3.11	**2.97**	**2.96**	**2.90**	**2.86**	**2.83**	**2.78**	**2.78**	**2.74**	**2.73**

1-1-9 高收入户城镇居民家庭基本情况

项　目	Item	单位	Unit	1985
调查户数	**Number of Households Surveyed**	**户**	**household**	**1714**
一、家庭人口数	**Households Size**	**人**	**person**	**3.48**
(一)有收入者人数	**Number of Persons with Income**	**人**	**person**	
1.就业人口数	Number of Employed Persons	人	person	2.43
(1)国有经济单位职工人数	Staff and Workers in State-owned Economic Units	人	person	
(2)城镇集体经济单位职工人数	Staff and Workers in Collective-owned Economic Units	人	person	
(3)其他各种经济类型单位职工人数	Staff and Workers in Units of Other Economic Type	人	person	
(4)城镇个体经营者人员数	Urban Self-employed Individuals or Owners of Private Enterprises	人	person	
(5)城镇个体被雇人员数	Employed Persons of Urban Self-employed or Private Enterprises	人	person	
(6)离退休再就业人员数	Retired Staff and Veteran Cadres of Reemployment	人	person	
(7)其他就业人员数	Other Employed	人	person	
2.离退休人数	Number of Retired Staff and Veteran Cadres	人	person	
3.其他有收入者人数	Number of Other Persons Earning Income	人	person	
(二)无收入者人数	**Number of Persons Without Income**	**人**	**person**	
二、期末家庭人口数	**Number of Households Members at the end of Period**	**人**	**person**	

1-1-10 最高收入户城镇居民家庭基本情况

项　目	Item	单位	Unit	1985
调查户数	**Number of Households Surveyed**	**户**	**household**	**1714**
一、家庭人口数	**Households Size**	**人**	**person**	**3.24**
(一)有收入者人数	**Number of Persons with Income**	**人**	**person**	
1.就业人口数	Number of Employed Persons	人	person	2.41
(1)国有经济单位职工人数	Staff and Workers in State-owned Economic Units	人	person	
(2)城镇集体经济单位职工人数	Staff and Workers in Collective-owned Economic Units	人	person	
(3)其他各种经济类型单位职工人数	Staff and Workers in Units of Other Economic Type	人	person	
(4)城镇个体经营者人员数	Urban Self-employed Individuals or Owners of Private Enterprises	人	person	
(5)城镇个体被雇人员数	Employed Persons of Urban Self-employed or Private Enterprises	人	person	
(6)离退休再就业人员数	Retired Staff and Veteran Cadres of Reemployment	人	person	
(7)其他就业人员数	Other Employed	人	person	
2.离退休人数	Number of Retired Staff and Veteran Cadres	人	person	
3.其他有收入者人数	Number of Other Persons Earning Income	人	person	
(二)无收入者人数	**Number of Persons Without Income**	**人**	**person**	
二、期末家庭人口数	**Number of Households Members at the end of Period**	**人**	**person**	

Basic Conditions of High Income Households

1990	1995	2000	2001	2002	2003	2004	2005	2006	2007	2008
3566	**3552**	**4222**	**4384**	**4532**	**4767**	**5012**	**5440**	**5610**	**5919**	**6445**
3.14	**2.99**	**2.87**	**2.83**	**2.78**	**2.76**	**2.74**	**2.68**	**2.69**	**2.63**	**2.62**
	2.24	**2.19**	**2.18**	**2.21**	**2.21**	**2.21**	**2.18**	**2.19**	**2.15**	**2.13**
2.05	1.90	1.69	1.66	1.57	1.57	1.60	1.54	1.56	1.54	1.51
	1.61	1.38	1.35	1.15	1.11	1.11	1.03	1.00	0.97	0.87
	0.16	0.09	0.08	0.07	0.06	0.07	0.06	0.06	0.06	0.06
	0.03	0.06	0.07	0.13	0.16	0.17	0.19	0.22	0.23	0.23
	0.03	0.06	0.06	0.05	0.06	0.07	0.08	0.10	0.10	0.13
		0.03	0.03	0.05	0.07	0.07	0.06	0.07	0.09	0.13
	0.06	0.06	0.06	0.08	0.08	0.08	0.07	0.08	0.07	0.05
	0.01	0.01	0.01	0.02	0.02	0.03	0.03	0.04	0.03	0.03
	0.34	0.50	0.52	0.62	0.60	0.58	0.62	0.61	0.60	0.59
				0.03	0.03	0.03	0.03	0.03	0.01	0.03
	0.75	**0.67**	**0.65**	**0.56**	**0.55**	**0.53**	**0.50**	**0.50**	**0.47**	**0.49**
	2.99	**2.86**	**2.82**	**2.77**	**2.74**	**2.73**	**2.67**	**2.68**	**2.62**	**2.61**

Basic Conditions of Highest Income Households

1990	1995	2000	2001	2002	2003	2004	2005	2006	2007	2008
3566	**3552**	**4222**	**4384**	**4532**	**4660**	**4977**	**5398**	**5571**	**5894**	**6418**
2.87	**2.79**	**2.66**	**2.64**	**2.68**	**2.68**	**2.65**	**2.64**	**2.62**	**2.58**	**2.51**
	2.24	**2.16**	**2.15**	**2.22**	**2.20**	**2.17**	**2.16**	**2.16**	**2.13**	**2.07**
1.99	1.81	1.60	1.60	1.58	1.62	1.60	1.59	1.62	1.60	1.57
	1.53	1.30	1.31	1.07	1.09	1.05	1.00	1.01	0.97	0.86
	0.12	0.07	0.07	0.07	0.07	0.06	0.06	0.07	0.06	0.05
	0.03	0.08	0.07	0.19	0.21	0.22	0.25	0.26	0.26	0.27
	0.03	0.06	0.06	0.07	0.07	0.08	0.11	0.12	0.12	0.17
	0.01	0.01	0.02	0.04	0.05	0.05	0.05	0.05	0.07	0.12
	0.08	0.07	0.07	0.12	0.11	0.10	0.10	0.10	0.09	0.08
		0.01	0.01	0.02	0.02	0.02	0.02	0.02	0.03	0.03
	0.43	0.57	0.55	0.62	0.55	0.54	0.54	0.51	0.53	0.48
				0.02	0.03	0.03	0.03	0.03	0.01	0.02
	0.54	**0.49**	**0.49**	**0.46**	**0.48**	**0.48**	**0.48**	**0.46**	**0.44**	**0.44**
	2.79	**2.65**	**2.63**	**2.66**	**2.66**	**2.64**	**2.62**	**2.61**	**2.57**	**2.49**

1-1-11　最低收入户城镇居民家庭现金收支表

单位：元

项　目	Item	1985	1990	1995
平均每人全部年收入	**Per Capita Annual Income**	**482.76**	**859.92**	**2177.72**
工薪收入	Income of Wages and Salaries			1655.32
经营净收入	Net Business Income			52.79
财产性收入	Income from Property			23.18
转移性收入	Income from Transfer			446.43
#可支配收入	#Disposable Income	437.40	761.16	2169.75
平均每人消费性支出	**Per Capita Annual Consumption Expenditures**	**455.64**	**782.28**	**2060.96**
食　品	Food	278.88	479.83	1226.06
衣　着	Clothing	60.00	90.16	208.86
居　住	Housing	20.40	47.56	167.89
家庭设备用品及服务	Household Appliances and Service	35.76	51.88	107.93
医疗保健	Health Care and Medical Services	4.56	18.11	67.53
交通通信	Transport and Communications	4.68	7.06	62.77
教育文化娱乐服务	Education, Cultural and Recreation Services	33.48	60.62	162.99
其它商品和服务	Miscellaneous Goods and Services	17.88	27.15	56.94
平均每人消费性支出构成	**Composition of Per Capita Annual Consumption**			
(人均消费性支出=100)	**Expenditures (%)**			
食　品	Food	61.21	61.34	59.49
衣　着	Clothing	13.17	11.53	10.13
居　住	Housing	4.48	6.08	8.15
家庭设备用品及服务	Household Appliances and Service	7.85	6.63	5.24
医疗保健	Health Care and Medical Services	1.00	2.32	3.28
交通通信	Transport and Communications	1.03	0.90	3.05
教育文化娱乐服务	Education, Cultural and Recreation Services	7.35	7.75	7.91
其它商品和服务	Miscellaneous Goods and Services	3.92	3.47	2.76

Income and Expenditure in Cash of Lowest Income Households

Unit: yuan

2000	2001	2002	2003	2004	2005	2006	2007	2008
2678.32	**2834.70**	**2527.68**	**2762.43**	**3084.83**	**3377.68**	**3871.37**	**4604.09**	**5203.83**
1839.81	1882.74	1642.06	1768.14	1946.41	2066.49	2434.11	2981.82	3361.62
185.01	222.61	261.87	316.69	350.96	405.02	441.39	510.96	520.94
52.47	54.38	26.02	27.10	33.33	32.47	35.29	53.56	57.60
601.05	674.96	597.73	650.50	754.13	873.70	960.59	1057.73	1263.66
2653.02	2802.83	2408.60	2590.17	2862.39	3134.88	3568.73	4210.06	4753.59
2540.13	**2690.98**	**2387.91**	**2562.36**	**2855.15**	**3111.47**	**3422.98**	**4036.32**	**4532.88**
1256.62	1301.05	1127.41	1222.76	1417.76	1475.67	1586.02	1904.09	2182.29
190.07	200.02	193.09	198.71	213.50	243.66	286.12	360.89	398.03
301.40	332.54	282.74	309.01	323.05	384.08	427.16	469.05	556.19
118.49	120.77	86.69	91.99	97.78	109.21	139.99	163.91	190.78
162.71	168.38	164.63	175.77	185.05	232.50	234.50	281.13	323.93
142.73	163.90	157.64	174.17	197.80	228.37	257.72	314.24	345.31
286.83	317.03	317.57	327.71	353.76	363.61	406.05	445.71	424.20
81.28	87.29	58.15	62.25	66.46	74.36	85.42	97.29	112.16
49.47	48.35	47.21	47.72	49.66	47.43	46.33	47.17	48.14
7.48	7.43	8.09	7.75	7.48	7.83	8.36	8.94	8.78
11.87	12.36	11.84	12.06	11.31	12.34	12.48	11.62	12.27
4.66	4.49	3.63	3.59	3.42	3.51	4.09	4.06	4.21
6.41	6.26	6.89	6.86	6.48	7.47	6.85	6.97	7.15
5.62	6.09	6.60	6.80	6.93	7.34	7.53	7.79	7.62
11.29	11.78	13.30	12.79	12.39	11.69	11.86	11.04	9.36
3.20	3.24	2.44	2.43	2.33	2.39	2.50	2.41	2.47

1-1-12 困难户城镇居民家庭现金收支表

单位：元

项　目	Item	1985	1990	1995
平均每人全部年收入	**Per Capita Annual Income(yuan)**	**438.36**	**782.93**	**1984.92**
工薪收入	Income of Wages and Salaries			1477.81
经营净收入	Net Business Income			50.61
财产性收入	Income from Property			22.77
转移性收入	Income from Transfer			433.74
#可支配收入	#Disposable Income	394.80	688.97	1975.84
平均每人消费性支出	**Per Capita Annual Consumption Expenditures(yuan)**	**417.96**	**724.80**	**1904.41**
食　品	Food	261.84	452.44	1153.86
衣　着	Clothing	53.40	78.56	184.13
居　住	Housing	10.92	45.34	154.79
家庭设备用品及服务	Household Appliances and Service	29.76	46.34	95.27
医疗保健	Health Care and Medical Services	4.20	17.01	62.35
交通通信	Transport and Communications	4.44	6.71	47.76
教育文化娱乐服务	Education, Cultural and Recreation Services	29.28	52.86	155.11
其它商品和服务	Miscellaneous Goods and Services	24.12	25.54	51.14
平均每人消费性支出构成	**Composition of Per Capita Annual Consumption**			
（人均消费性支出=100）	**Expenditures(%)**			
食　品	Food	62.65	62.42	60.59
衣　着	Clothing	12.78	10.84	9.67
居　住	Housing	2.61	6.26	8.13
家庭设备用品及服务	Household Appliances and Service	7.12	6.39	5.00
医疗保健	Health Care and Medical Services	1.00	2.35	3.27
交通通信	Transport and Communications	1.06	0.93	2.51
教育文化娱乐服务	Education, Cultural and Recreation Services	7.01	7.29	8.14
其它商品和服务	Miscellaneous Goods and Services	5.77	3.52	2.69

Income and Expenditure in Cash of Poor Income Households

Unit: yuan

2000	2001	2002	2003	2004	2005	2006	2007	2008
2350.75	**2497.32**	**2063.95**	**2278.29**	**2531.46**	**2733.30**	**3129.34**	**3744.87**	**4187.20**
1607.22	1681.61	1299.77	1411.26	1521.63	1628.94	1840.18	2331.57	2647.33
171.74	196.78	226.79	250.34	309.83	320.06	403.28	453.08	404.46
44.32	45.60	18.93	22.71	23.07	23.06	29.19	40.53	49.66
527.45	573.33	518.47	593.97	676.93	761.24	856.69	919.70	1085.76
2325.05	2464.80	1957.46	2098.92	2312.50	2495.75	2838.87	3357.91	3734.35
2320.36	**2450.91**	**2079.52**	**2237.27**	**2441.12**	**2656.41**	**2953.27**	**3447.68**	**3862.72**
1172.77	1209.15	988.19	1087.20	1248.87	1290.09	1387.70	1672.36	1889.87
166.66	175.57	152.38	157.02	169.55	189.78	225.02	288.50	309.97
280.56	318.84	261.45	286.93	280.44	338.74	391.51	415.66	489.27
106.15	96.70	71.49	76.85	76.02	90.39	121.23	130.58	146.62
140.69	142.35	150.74	144.97	158.63	206.52	213.39	250.27	293.11
124.55	144.58	126.34	137.67	157.13	180.86	205.60	243.21	265.44
258.18	289.37	280.53	293.00	297.91	293.17	332.64	366.54	378.33
70.79	74.34	48.39	53.62	52.56	66.86	76.18	80.55	90.11
50.54	49.33	47.52	48.59	51.16	48.57	46.99	48.51	48.93
7.18	7.16	7.33	7.02	6.95	7.14	7.62	8.37	8.02
12.09	13.01	12.57	12.83	11.49	12.75	13.26	12.06	12.67
4.57	3.95	3.44	3.43	3.11	3.40	4.10	3.79	3.80
6.06	5.81	7.25	6.48	6.50	7.77	7.23	7.26	7.59
5.37	5.90	6.08	6.15	6.44	6.81	6.96	7.05	6.87
11.13	11.81	13.49	13.10	12.20	11.04	11.26	10.63	9.79
3.05	3.03	2.33	2.40	2.15	2.52	2.58	2.34	2.33

1-1-13 低收入户城镇居民家庭现金收支表

单位：元

项　目	Item	1985	1990	1995
平均每人全部年收入	**Per Capita Annual Income**	**599.16**	**1077.12**	**2778.49**
工薪收入	Income of Wages and Salaries			2164.41
经营净收入	Net Business Income			62.54
财产性收入	Income from Property			32.88
转移性收入	Income from Transfer			518.66
#可支配收入	#Disposable Income	546.72	968.64	2774.94
平均每人消费性支出	**Per Capita Annual Consumption Expenditures**	**551.28**	**960.72**	**2516.22**
食　品	Food	319.56	564.51	1462.42
衣　着	Clothing	81.36	119.91	287.63
居　住	Housing	12.72	59.17	185.88
家庭设备用品及服务	Household Appliances and Service	51.12	71.75	133.54
医疗保健	Health Care and Medical Services	5.04	21.41	82.93
交通通信	Transport and Communications	6.48	9.65	79.84
教育文化娱乐服务	Education, Cultural and Recreation Services	43.68	79.94	205.85
其它商品和服务	Miscellaneous Goods and Services	31.32	34.38	78.12
平均每人消费性支出构成（人均消费性支出=100）	**Composition of Per Capita Annual Consumption Expenditures(%)**			
食　品	Food	57.97	58.76	58.12
衣　着	Clothing	14.76	12.48	11.43
居　住	Housing	2.31	6.16	7.39
家庭设备用品及服务	Household Appliances and Service	9.27	7.47	5.31
医疗保健	Health Care and Medical Services	0.91	2.23	3.30
交通通信	Transport and Communications	1.18	1.00	3.17
教育文化娱乐服务	Education, Cultural and Recreation Services	7.92	8.32	8.18
其它商品和服务	Miscellaneous Goods and Services	5.68	3.58	3.10

Income and Expenditure in Cash of Low Income Households

Unit: yuan

2000	2001	2002	2003	2004	2005	2006	2007	2008
3658.53	**3888.13**	**3833.01**	**4209.16**	**4697.62**	**5202.12**	**5946.10**	**6992.55**	**7916.53**
2571.64	2674.66	2644.30	2913.14	3239.22	3475.95	4040.28	4807.36	5175.38
237.92	239.36	302.58	324.83	366.79	435.64	546.58	589.33	762.91
64.58	68.50	31.22	36.25	39.34	54.00	57.89	73.95	78.98
784.39	905.61	854.91	934.93	1052.26	1236.53	1301.35	1521.91	1899.26
3633.51	3856.49	3649.16	3970.03	4429.05	4885.32	5540.71	6504.60	7363.28
3274.93	**3452.27**	**3259.59**	**3549.28**	**3942.23**	**4295.35**	**4765.55**	**5634.15**	**6195.32**
1524.48	1569.77	1457.87	1594.67	1827.42	1926.01	2073.45	2451.15	2846.26
279.10	295.12	309.49	329.15	352.04	408.63	470.00	565.19	598.65
368.20	387.28	355.12	387.88	413.37	472.21	530.06	605.01	688.39
184.27	176.30	144.67	156.26	154.45	171.60	212.02	282.51	309.58
198.92	207.88	225.67	236.76	271.56	308.13	350.01	378.69	457.21
212.52	234.65	257.63	300.65	329.77	375.86	431.13	548.82	532.52
390.21	453.07	425.33	454.53	488.77	518.77	572.38	646.99	594.68
117.22	128.19	83.81	89.41	104.84	114.14	126.50	155.79	168.04
46.55	45.47	44.73	44.93	46.35	44.84	43.51	43.51	45.94
8.52	8.55	9.49	9.27	8.93	9.51	9.86	10.03	9.66
11.24	11.22	10.89	10.93	10.49	10.99	11.12	10.74	11.11
5.63	5.11	4.44	4.40	3.92	4.00	4.45	5.01	5.00
6.07	6.02	6.92	6.67	6.89	7.17	7.34	6.72	7.38
6.49	6.80	7.90	8.47	8.37	8.75	9.05	9.74	8.60
11.92	13.12	13.05	12.81	12.40	12.08	12.01	11.48	9.60
3.58	3.71	2.57	2.52	2.66	2.66	2.65	2.77	2.71

1-1-14 中等偏下收入户城镇居民家庭现金收支表

单位：元

项　目	Item	1985	1990	1995
平均每人全部年收入	**Per Capita Annual Income**	**691.68**	**1266.60**	**3363.67**
工薪收入	Income of Wages and Salaries			2716.94
经营净收入	Net Business Income			54.62
财产性收入	Income from Property			42.15
转移性收入	Income from Transfer			549.96
#可支配收入	#Disposable Income	632.88	1144.44	3359.84
平均每人消费性支出	**Per Capita Annual Consumption Expenditures**	**626.88**	**1097.76**	**2934.16**
食　品	Food	352.44	627.91	1606.15
衣　着	Clothing	95.76	144.73	380.85
居　住	Housing	23.52	58.81	208.14
家庭设备用品及服务	Household Appliances and Service	62.88	95.32	186.34
医疗保健	Health Care and Medical Services	5.04	23.20	93.77
交通通信	Transport and Communications	7.44	11.50	113.14
教育文化娱乐服务	Education, Cultural and Recreation Services	55.32	94.21	242.65
其它商品和服务	Miscellaneous Goods and Services	24.48	42.09	103.13
平均每人消费性支出构成（人均消费性支出=100）	**Composition of Per Capita Annual Consumption Expenditures(%)**			
食　品	Food	56.22	57.20	54.74
衣　着	Clothing	15.28	13.18	12.98
居　住	Housing	3.75	5.36	7.09
家庭设备用品及服务	Household Appliances and Service	10.03	8.68	6.35
医疗保健	Health Care and Medical Services	0.80	2.11	3.20
交通通信	Transport and Communications	1.19	1.05	3.86
教育文化娱乐服务	Education, Cultural and Recreation Services	8.82	8.58	8.27
其它商品和服务	Miscellaneous Goods and Services	3.91	3.83	3.51

Income and Expenditure in Cash of Lower Middle Income Households

Unit: Yuan

2000	2001	2002	2003	2004	2005	2006	2007	2008
4651.72	**4983.50**	**5209.18**	**5705.67**	**6423.89**	**7177.05**	**8103.73**	**9568.02**	**10974.63**
3286.94	3487.48	3758.89	4060.66	4560.07	4960.55	5669.97	6622.03	7427.34
223.11	263.46	270.19	317.25	373.79	475.75	532.86	656.81	881.78
82.82	96.00	48.32	50.81	72.03	83.79	88.77	109.31	138.87
1058.85	1136.56	1131.78	1276.94	1417.99	1656.96	1812.12	2179.86	2526.63
4623.54	4946.60	4931.96	5377.25	6024.10	6710.58	7554.16	8900.51	10195.56
3947.91	**4197.57**	**4205.97**	**4557.82**	**5096.15**	**5574.32**	**6108.33**	**7123.69**	**7993.67**
1748.90	1790.57	1772.88	1926.06	2201.88	2336.30	2484.28	2942.78	3428.85
375.07	392.14	438.38	456.14	489.78	565.13	665.74	776.85	843.20
407.82	451.46	421.90	459.56	514.62	580.01	655.61	718.26	841.30
256.85	264.95	226.42	228.41	235.95	268.81	301.42	385.04	437.18
247.84	273.78	286.56	325.14	355.53	408.12	425.48	501.69	587.61
281.32	316.34	367.72	427.79	479.48	536.22	610.03	710.05	764.13
469.16	529.59	576.71	605.57	675.28	720.40	781.97	877.36	851.83
160.95	178.74	115.38	129.17	143.61	159.32	183.79	211.66	239.59
44.30	42.66	42.15	42.26	43.21	41.91	40.67	41.31	42.89
9.50	9.34	10.42	10.01	9.61	10.14	10.90	10.91	10.55
10.33	10.76	10.03	10.08	10.10	10.41	10.73	10.08	10.52
6.51	6.31	5.38	5.01	4.63	4.82	4.93	5.41	5.47
6.28	6.52	6.81	7.13	6.98	7.32	6.97	7.04	7.35
7.13	7.54	8.74	9.39	9.41	9.62	9.99	9.97	9.56
11.88	12.62	13.71	13.29	13.25	12.92	12.80	12.32	10.66
4.08	4.26	2.74	2.83	2.82	2.86	3.01	2.97	3.00

1-1-15 中等收入户城镇居民家庭现金收支表

单位：元

项　目	Item	1985	1990	1995
平均每人全部年收入	**Per Capita Annual Income**	**805.20**	**1489.08**	**4073.88**
工薪收入	Income of Wages and Salaries			3360.22
经营净收入	Net Business Income			57.65
财产性收入	Income from Property			57.74
转移性收入	Income from Transfer			598.28
#可支配收入	#Disposable Income	737.28	1351.68	4068.66
平均每人消费性支出	**Per Capita Annual Consumption Expenditures**	**724.20**	**1275.12**	**3446.12**
食　品	Food	392.76	696.79	1770.12
衣　着	Clothing	113.52	174.53	483.70
居住	Housing	24.84	67.25	238.48
家庭设备用品及服务	Household Appliances and Service	77.16	124.20	253.28
医疗保健	Health Care and Medical Services	5.76	25.77	107.96
交通通信	Transport and Communications	9.24	14.60	156.28
教育文化娱乐服务	Education, Cultural and Recreation Services	70.56	118.44	293.02
其它商品和服务	Miscellaneous Goods and Services	30.36	53.54	143.28
平均每人消费性支出构成	**Composition of Per Capita Annual Consumption**			
（人均消费性支出=100）	**Expenditures (%)**			
食　品	Food	54.23	54.65	51.37
衣　着	Clothing	15.68	13.69	14.04
居住	Housing	3.43	5.27	6.92
家庭设备用品及服务	Household Appliances and Service	10.65	9.74	7.35
医疗保健	Health Care and Medical Services	0.80	2.02	3.13
交通通信	Transport and Communications	1.28	1.14	4.53
教育文化娱乐服务	Education, Cultural and Recreation Services	9.74	9.29	8.50
其它商品和服务	Miscellaneous Goods and Services	4.19	4.20	4.16

Income and Expenditure in Cash of Middle Income Households

Unit: yuan

2000	2001	2002	2003	2004	2005	2006	2007	2008
5930.82	**6406.16**	**7061.37**	**7753.86**	**8746.65**	**9886.96**	**11052.05**	**12978.61**	**15054.73**
4335.70	4583.49	5162.40	5684.84	6375.79	6961.71	7744.63	9082.90	10097.99
210.79	249.35	279.98	320.58	364.12	539.60	609.86	719.35	1067.63
107.20	117.76	68.31	75.50	101.26	112.37	123.14	173.87	218.09
1277.12	1453.55	1550.68	1672.94	1905.48	2273.27	2574.42	3002.49	3671.02
5897.92	6366.24	6656.81	7278.75	8166.54	9190.05	10269.70	12042.32	13984.23
4794.56	**5131.55**	**5452.94**	**5848.02**	**6498.36**	**7308.06**	**7905.41**	**9097.35**	**10344.70**
1960.82	2032.81	2140.34	2293.98	2581.24	2838.83	3019.37	3538.30	4181.25
504.70	528.79	571.19	617.54	661.21	784.56	884.74	1017.66	1136.46
470.95	529.26	563.31	588.75	642.85	745.49	799.32	873.89	1060.58
376.25	377.96	331.54	343.06	349.63	397.17	444.57	545.18	616.31
300.29	335.52	382.83	415.13	466.86	561.82	590.45	646.52	748.68
353.19	421.09	505.78	598.16	696.36	764.70	859.87	993.43	1078.83
597.55	660.70	797.52	811.91	901.80	985.68	1047.48	1172.43	1171.44
230.82	245.41	160.43	179.54	198.42	229.81	259.60	309.95	351.14
40.90	39.61	39.25	39.23	39.72	38.85	38.19	38.89	40.42
10.53	10.30	10.47	10.56	10.18	10.74	11.19	11.19	10.99
9.82	10.31	10.33	10.07	9.89	10.20	10.11	9.61	10.25
7.85	7.37	6.08	5.87	5.38	5.43	5.62	5.99	5.96
6.26	6.54	7.02	7.10	7.18	7.69	7.47	7.11	7.24
7.37	8.21	9.28	10.23	10.72	10.46	10.88	10.92	10.43
12.46	12.88	14.63	13.88	13.88	13.49	13.25	12.89	11.32
4.81	4.78	2.94	3.07	3.05	3.14	3.28	3.41	3.39

1-1-16 中等偏上户城镇居民家庭现金收支表

单位：元

项　目	Item	1985	1990	1995
平均每人全部年收入	**Per Capita Annual Income**	**935.52**	**1756.56**	**4958.42**
工薪收入	Income of Wages and Salaries			4013.78
经营净收入	Net Business Income			82.64
财产性收入	Income from Property			95.97
转移性收入	Income from Transfer			766.02
#可支配收入	#Disposable Income	861.96	1598.28	4954.54
平均每人消费性支出	**Per Capita Annual Consumption Expenditures**	**830.28**	**1456.68**	**4045.52**
食　品	Food	430.80	766.19	1946.42
衣　着	Clothing	130.56	203.40	585.74
居　住	Housing	27.72	77.54	275.79
家庭设备用品及服务	Household Appliances and Service	96.36	163.92	358.76
医疗保健	Health Care and Medical Services	5.88	26.88	121.20
交通通信	Transport and Communications	10.68	17.66	214.28
教育文化娱乐服务	Education, Cultural and Recreation Services	91.69	138.21	362.64
其它商品和服务	Miscellaneous Goods and Services	36.59	62.88	180.68
平均每人消费性支出构成	**Composition of Per Capita Annual Consumption**			
（人均消费性支出=100）	**Expenditures (%)**			
食　品	Food	51.89	52.60	48.11
衣　着	Clothing	15.72	13.96	14.48
居　住	Housing	3.34	5.32	6.82
家庭设备用品及服务	Household Appliances and Service	11.61	11.25	8.87
医疗保健	Health Care and Medical Services	0.71	1.85	3.00
交通通信	Transport and Communications	1.29	1.21	5.30
教育文化娱乐服务	Education, Cultural and Recreation Services	11.04	9.49	8.96
其它商品和服务	Miscellaneous Goods and Services	4.41	4.32	4.47

Income and Expenditure in Cash of Urban Middle Income Households

Unit: yuan

2000	2001	2002	2003	2004	2005	2006	2007	2008
7524.98	**8213.66**	**9437.99**	**10463.66**	**11870.79**	**13596.66**	**15199.70**	**17684.55**	**20784.19**
5496.09	5967.59	6772.64	7553.70	8450.05	9462.00	10579.93	12232.34	13717.52
238.54	252.01	266.87	347.37	464.35	628.84	719.67	837.98	1495.65
143.27	150.43	86.91	115.28	140.00	178.41	233.24	312.21	373.16
1647.07	1843.64	2311.58	2447.30	2816.40	3327.41	3666.86	4302.02	5197.87
7487.37	8164.22	8869.51	9763.37	11050.89	12603.37	14049.17	16385.80	19254.08
5894.92	**6241.50**	**6939.95**	**7547.31**	**8345.70**	**9410.77**	**10218.25**	**11570.39**	**13316.63**
2215.56	2272.11	2596.95	2762.75	3130.75	3425.91	3647.94	4229.78	5043.63
627.81	676.22	737.20	791.36	849.19	1010.63	1120.40	1278.22	1432.93
578.89	614.13	643.15	779.81	813.24	921.67	1009.55	1095.36	1265.94
526.42	524.81	460.99	472.55	480.60	546.06	583.94	716.89	837.63
373.83	405.29	510.15	560.89	665.82	764.91	762.37	861.43	977.89
487.11	580.63	718.92	826.32	938.65	1074.90	1264.52	1420.31	1633.57
758.84	820.73	1046.46	1102.89	1182.09	1336.77	1469.14	1544.20	1630.13
326.64	347.57	226.13	250.79	285.36	329.92	360.39	424.19	494.91
37.58	36.40	37.42	36.61	37.51	36.40	35.70	36.56	37.87
10.65	10.83	10.62	10.49	10.18	10.74	10.96	11.05	10.76
9.82	9.84	9.27	10.33	9.74	9.79	9.88	9.47	9.51
8.93	8.41	6.64	6.26	5.76	5.80	5.71	6.20	6.29
6.34	6.49	7.35	7.43	7.98	8.13	7.46	7.45	7.34
8.26	9.30	10.36	10.95	11.25	11.42	12.38	12.28	12.27
12.87	13.15	15.08	14.61	14.16	14.20	14.38	13.35	12.24
5.54	5.57	3.26	3.32	3.42	3.51	3.53	3.67	3.72

1-1-17 高收入户城镇居民家庭现金收支表

单位：元

项　目	Item	1985	1990	1995
平均每人全部年收入	**Per Capita Annual Income**	**1098.24**	**2071.92**	**6036.43**
工薪收入	Income of Wages and Salaries			4821.69
经营净收入	Net Business Income			108.94
财产性收入	Income from Property			98.02
转移性收入	Income from Transfer			1007.78
#可支配收入	#Disposable Income	1012.32	1889.52	6031.61
平均每人消费性支出	**Per Capita Annual Consumption Expenditures**	**963.24**	**1685.28**	**4665.91**
食　品	Food	473.88	858.16	2127.00
衣　着	Clothing	152.64	231.88	688.67
居　住	Housing	29.64	92.27	308.99
家庭设备用品及服务	Household Appliances and Service	118.44	197.78	445.87
医疗保健	Health Care and Medical Services	6.00	32.42	139.85
交通通信	Transport and Communications	12.12	22.42	277.40
教育文化娱乐服务	Education, Cultural and Recreation Services	120.24	172.56	443.55
其它商品和服务	Miscellaneous Goods and Services	50.28	77.80	234.58
平均每人消费性支出构成	**Composition of Per Capita Annual Consumption**			
（人均消费性支出=100）	**Expenditures (%)**			
食　品	Food	49.20	50.92	45.59
衣　着	Clothing	15.85	13.76	14.76
居　住	Housing	3.08	5.48	6.62
家庭设备用品及服务	Household Appliances and Service	12.30	11.74	9.56
医疗保健	Health Care and Medical Services	0.62	1.92	3.00
交通通信	Transport and Communications	1.26	1.33	5.95
教育文化娱乐服务	Education, Cultural and Recreation Services	12.48	10.24	9.51
其它商品和服务	Miscellaneous Goods and Services	5.22	4.62	5.03

Income and Expenditure in Cash of Urban High Income Households

Unit: yuan

2000	2001	2002	2003	2004	2005	2006	2007	2008
9484.67	**10441.61**	**12555.07**	**14076.07**	**16156.02**	**18687.74**	**20699.63**	**24106.62**	**28518.85**
6824.31	7439.91	8727.13	9795.67	11441.10	12826.09	14207.10	16552.82	19153.53
251.73	289.11	344.69	450.19	544.81	852.18	1056.18	1236.30	1972.55
185.50	201.55	138.42	212.10	247.76	340.27	409.62	544.86	711.84
2223.14	2511.04	3344.82	3618.08	3922.36	4669.20	5026.73	5772.65	6680.93
9434.21	10374.92	11772.82	13123.08	14970.91	17202.93	19068.95	22233.56	26250.10
7102.33	**7495.09**	**8919.94**	**9627.58**	**10749.35**	**12102.51**	**13169.82**	**15297.73**	**17888.18**
2458.60	2509.80	3171.36	3337.82	3740.68	4151.09	4392.35	5062.13	6087.25
760.39	810.10	866.38	945.33	1071.52	1255.95	1350.76	1579.06	1857.49
681.61	739.72	906.67	965.22	1100.61	1195.48	1341.89	1436.69	1795.45
780.47	735.26	645.72	687.17	685.43	754.85	842.34	967.68	1209.95
442.70	487.26	657.33	757.57	821.16	997.59	1020.20	1108.59	1257.64
628.15	688.10	991.17	1106.03	1274.18	1590.28	1801.04	2467.69	2632.91
925.35	1040.60	1373.85	1482.57	1673.76	1700.23	1901.68	2092.01	2297.17
425.06	484.27	307.46	345.91	382.00	457.03	519.56	583.88	750.33
34.62	33.49	35.55	34.67	34.80	34.30	33.35	33.09	34.03
10.71	10.81	9.71	9.82	9.97	10.38	10.26	10.32	10.38
9.60	9.87	10.16	10.03	10.24	9.88	10.19	9.39	10.04
10.99	9.81	7.24	7.14	6.38	6.24	6.40	6.33	6.76
6.23	6.50	7.37	7.87	7.64	8.24	7.75	7.25	7.03
8.84	9.18	11.11	11.49	11.85	13.14	13.68	16.13	14.72
13.03	13.88	15.40	15.40	15.57	14.05	14.44	13.68	12.84
5.98	6.46	3.45	3.59	3.55	3.78	3.95	3.82	4.19

1-1-18 最高收入户城镇居民家庭现金收支表

单位：元

项　目	Item	1985	1990	1995
平均每人全部年收入	**Per Capita Annual Income**	**1383.72**	**2675.64**	**8231.31**
工薪收入	Income of Wages and Salaries			5890.70
经营净收入	Net Business Income			178.98
财产性收入	Income from Property			353.61
转移性收入	Income from Transfer			1808.01
#可支配收入	#Disposable Income	1276.20	2447.92	8221.94
平均每人消费性支出	**Per Capita Annual Consumption Expenditures**	**1162.92**	**2039.76**	**6033.10**
食　品	Food	546.12	991.95	2440.91
衣　着	Clothing	178.68	271.23	831.51
居　住	Housing	35.28	133.43	443.81
家庭设备用品及服务	Household Appliances and Service	167.04	265.69	801.85
医疗保健	Health Care and Medical Services	6.60	38.77	189.21
交通通信	Transport and Communications	17.16	32.81	385.31
教育文化娱乐服务	Education, Cultural and Recreation Services	153.24	197.68	597.42
其它商品和服务	Miscellaneous Goods and Services	58.80	108.20	343.08
平均每人消费性支出构成（人均消费性支出=100）	**Composition of Per Capita Annual Consumption Expenditures(%)**			
食　品	Food	46.96	48.63	40.46
衣　着	Clothing	15.36	13.30	13.78
居　住	Housing	3.03	6.54	7.36
家庭设备用品及服务	Household Appliances and Service	14.36	13.03	13.29
医疗保健	Health Care and Medical Services	0.57	1.90	3.14
交通通信	Transport and Communications	1.48	1.61	6.39
教育文化娱乐服务	Education, Cultural and Recreation Services	13.18	9.69	9.90
其它商品和服务	Miscellaneous Goods and Services	5.06	5.30	5.69

Income and Expenditure in Cash of Highest Income Households

Unit: yuan

2000	2001	2002	2003	2004	2005	2006	2007	2008
13390.49	**15219.98**	**20208.43**	**23483.95**	**27506.23**	**31237.52**	**34834.39**	**40019.22**	**47422.40**
8748.89	9831.37	13557.84	16272.22	19114.53	21427.02	23724.14	26979.75	30638.65
562.94	561.81	776.79	1017.82	1422.67	2149.30	2726.40	3020.55	5587.65
378.11	350.30	425.44	632.98	775.23	937.09	1279.28	1911.30	2059.22
3700.73	4476.51	5448.37	5560.93	6193.80	6724.11	7104.57	8107.62	9136.87
13311.02	15114.85	18995.85	21837.32	25377.17	28773.11	31967.34	36784.51	43613.75
9250.63	**9834.20**	**13040.69**	**14515.68**	**16841.82**	**19153.73**	**21061.68**	**23337.33**	**26982.13**
2847.03	2921.26	4100.79	4332.62	4914.64	5367.27	5746.72	6439.53	7874.14
933.52	1022.75	1103.16	1276.08	1461.11	1757.59	1956.60	2162.63	2643.01
864.71	972.10	1485.72	1794.64	1812.28	1897.91	2196.59	2290.13	2681.92
1219.75	1243.00	1014.63	1172.69	1195.98	1287.53	1415.42	1597.44	1925.62
638.30	648.58	933.10	1070.24	1218.42	1287.67	1311.35	1472.54	1589.70
876.61	1024.75	1731.09	2081.14	2828.09	3769.58	4316.82	4815.64	4985.66
1223.97	1273.10	2148.56	2208.97	2707.79	2907.99	3176.07	3526.23	3959.34
646.73	728.66	523.68	579.33	703.50	878.19	942.10	1033.17	1322.74
30.78	29.71	31.45	29.85	29.18	28.02	27.29	27.59	29.18
10.09	10.40	8.46	8.79	8.68	9.18	9.29	9.27	9.80
9.35	9.88	11.39	12.36	10.76	9.91	10.43	9.81	9.94
13.19	12.64	7.78	8.08	7.10	6.72	6.72	6.84	7.14
6.90	6.60	7.16	7.37	7.23	6.72	6.23	6.31	5.89
9.48	10.42	13.27	14.34	16.79	19.68	20.50	20.63	18.48
13.23	12.95	16.48	15.22	16.08	15.18	15.08	15.11	14.67
6.99	7.41	4.02	3.99	4.18	4.58	4.47	4.43	4.90

1-1-19 城镇居民家庭平均每人全年购买主要商品数量

项　目	Item	单位 Unit	1957	1964	1981	1982	1983	1984	1985	1986	1987	1988
粮　食	Grain	千克 kg	167.2	155.8	145.4	144.6	144.5	142.1	131.2	137.9	133.9	137.2
鲜　菜	Fresh Vegetables	千克 kg	109.1	130.3	152.3	159.1	165.0	149.0	147.7	148.3	142.6	147.0
食用植物油	Edible Vegetable Oil	千克 kg	4.2	2.2	4.8	5.8	6.5	7.1	6.4	6.2	6.4	7.0
猪　肉	Pork	千克 kg	6.7		16.9	16.9	18.0	17.1	17.2	19.0	18.9	16.9
牛羊肉	Beef and Mutton	千克 kg	1.2		1.7	1.8	1.9	2.8	3.0	2.6	3.1	2.8
家　禽	Poultry	千克 kg	1.2	0.5	1.9	2.3	2.6	2.9	3.8	3.7	3.4	4.0
鲜　蛋	Fresh Eggs	千克 kg	3.3	2.0	5.2	5.9	6.9	7.6	8.8	7.1	6.6	6.9
水产品	Aquatic Products	千克 kg	7.6	4.7	7.3	7.7	8.1	7.8	7.8	8.2	7.9	7.1
鲜　奶	Milk	千克 kg										
水果(瓜果)	Fresh Melons and Fruits	千克 kg										
酒	Liquor	千克 kg	2.5	1.0	4.4	4.5	5.3	6.8	8.0	9.4	9.9	9.5
煤　炭	Coal	千克 kg	274.6	285.5	240.0	226.5	229.3	254.8	258.7	267.6	236.3	280.8

1-1-20 城镇居民家庭平均每百户年底耐用消费品拥有量

项　目	Item	单位	Unit	1985	1990	1991	1992	1993	1994
摩托车	Motorcycle	辆	unit	1.04	1.94	2.25	2.80	3.53	5.26
洗衣机	Washing Machine	台	set	52.83	78.41	80.58	83.41	86.36	87.29
电冰箱	Refrigerator	台	set	9.57	42.33	48.70	52.60	56.68	62.10
彩色电视机	Colour Television Set	台	set	18.43	59.04	68.41	74.87	79.46	86.21
组合音响	Hi-Fi Stereo Component System	套	set				3.99	5.69	8.68
照相机	Camera	架	set	12.09	19.22	21.32	24.32	26.48	29.83
空调器	Air Conditioner	台	unit	0.08	0.34	0.71	1.19	2.33	5.00
淋浴热水器	Shower	台	unit				13.00	17.74	25.24
家用电脑	Computer	台	unit						
摄像机	Pickup Camera	架	unit						
微波炉	Oven	台	unit						
健身器材	Healthy Equipment	套	unit						
移动电话	Mobile Telephone	部	unit						
家用汽车	Automobile	辆	unit						

Per Capita Annual Purchases of Major Commodities of Urban Households

1989	1990	1991	1992	1993	1994	1995	1999	2000	2003	2004	2005	2006	2007	2008
133.9	130.7	127.9	111.5	97.8	101.7	97.0	84.9	82.3	79.5	78.2	77.0	75.9	77.6	
144.6	138.7	132.2	124.9	120.6	120.7	116.5	114.9	114.7	118.3	122.32	118.6	117.6	117.8	123.2
6.2	6.4	6.9	6.7	7.1	7.5	7.1	7.8	8.2	9.2	9.29	9.3	9.4	9.6	10.3
17.5	18.5	18.9	17.7	17.4	17.1	17.2	16.9	16.7	20.4	19.19	20.2	20.0	18.2	19.3
2.7	3.3	3.3	3.7	3.4	3.1	2.4	3.1	3.3	3.3	3.7	3.7	3.8	3.9	3.4
3.7	3.4	4.4	5.1	3.7	4.1	4.0	4.9	5.4	9.2	6.4	9.0	8.3	9.7	
7.1	7.3	8.3	9.5	8.9	9.7	9.7	10.9	11.2	11.2	10.35	10.4	10.4	10.3	10.7
7.6	7.7	8.0	8.2	8.0	8.5	9.2	10.3	11.7	13.4	12.5	12.6	13.0	14.2	
	4.6		5.5	5.4	5.3	4.6	7.9	9.9	18.6	18.83	17.9	18.3	17.8	15.2
	41.1		47.4	38.9	40.0	45.0	54.2	57.5	57.8	56.5	56.7	60.2	59.5	54.5
9.0	9.3	9.5	9.9	9.7	10.0	9.9	9.6	10.0	9.4	8.94	8.9	9.1	9.1	
217.5	206.0	195.4	164.7	136.0	130.5	129.5	115.5	128.1	104.7	91.97	84.0	70.9	51.0	55.7

Number of Major Durable Consumer Goods Owned Per 100 Urban Households at the Year-end

1995	1999	2000	2001	2002	2003	2004	2005	2006	2007	2008
6.29	15.12	18.80	20.24	22.19	24.00	24.84	25.00	25.30	24.81	21.39
88.97	91.44	90.50	92.22	92.90	94.41	95.90	95.51	96.77	96.77	94.65
66.22	77.74	80.10	81.87	87.38	88.73	90.15	90.72	91.75	95.03	93.63
89.79	111.57	116.60	120.52	126.38	130.50	133.44	134.80	137.43	137.79	132.89
10.52	19.66	22.20	23.84	25.16	26.89	28.29	28.79	29.05	30.20	27.43
30.56	38.11	38.40	39.79	44.08	45.36	47.04	46.94	47.99	45.06	39.11
8.09	24.48	30.80	35.79	51.10	61.79	69.81	80.67	87.79	95.08	100.28
30.05	45.49	49.10	52.00	62.42	66.61	69.40	72.65	75.13	79.52	80.65
	5.91	9.70	13.31	20.63	27.81	33.11	41.52	47.20	53.77	59.26
	1.06	1.30	1.63	1.92	2.45	3.17	4.32	5.11	6.17	7.12
	12.15	17.60	22.27	30.91	36.96	41.70	47.61	50.61	53.39	54.57
	3.83	3.50	3.98	3.74	4.07	4.22	4.68	5.00	4.39	3.95
	7.14	19.50	33.97	62.89	90.07	111.35	137.00	152.88	165.18	172.02
	0.34	0.50	0.60	0.88	1.36	2.18	3.37	4.32	6.06	8.83

1-2-1 按收入等级分城镇居民家庭基本情况(2008年)

项目	Item	单位	Unit	全国 National
调查户数	Number of Households Surveyed	户	household	64675
调查户比重	Proportion	%	%	100.00
平均每户家庭人口	Average Household Size	人	person	2.91
平均每户就业人口	Average Number of Employed Persons per Household	人	person	1.48
平均每户就业面	Proportion of Employment per Household	%	%	50.86
平均每一就业者负担人数	Number of Dependents per Employee			1.97
(包括就业者本人)	(including the employee himself or herself)	人	person	
平均每人全部年收入	Per Capita Annual Income	元	yuan	17067.78
平均每人可支配收入	Per Capita Disposable Income	元	yuan	15780.76
平均每人消费性支出(元)	Per Capita Annual Consumption Expenditure	元	yuan	11242.85

Basic Condition of Urban Households by Level of Income (2008)

按收入等级分 Grouped by Percentile of Households							
最低收入户 Lowest Income Households (first decile)	困难户 Poor Households (first five percent)	低收入户 Low Income Households (second decile)	中等偏下户 Lower Middle Income Households (second quintile)	中等收入户 Middle Income Households (third quintile)	中等偏上户 Upper Middle Income Households (fourth quintile)	高收入户 High Income Households (ninth decile)	最高收入户 Highest Income Households (tenth decile)
6353	3137	6485	12983	12993	12998	6445	6418
9.82	4.85	10.03	20.07	20.09	20.10	9.96	9.92
3.33	3.34	3.22	3.06	2.89	2.74	2.62	2.51
1.27	1.16	1.44	1.52	1.50	1.49	1.51	1.57
38.14	34.73	44.72	49.67	51.90	54.38	57.63	62.55
2.62	2.88	2.24	2.01	1.93	1.84	1.74	1.60
5203.83	4187.20	7916.53	10974.63	15054.73	20784.19	28518.85	47422.40
4753.59	3734.35	7363.28	10195.56	13984.23	19254.08	26250.10	43613.75
4532.88	3862.72	6195.32	7993.67	10344.70	13316.63	17888.18	26982.13

1-2-2 按收入等级分城镇居民家庭现金收入和支出（平均每人全年,2008年）

单位：元

项 目	Item	总平均 Average	最低收入户 Lowest Income Households (first decile)	困难户 Poor Households (first five percent)
一、期初手存现金	**Deposited Cash at Beginning of the Period**	**519.85**	**217.71**	**183.01**
二、家庭总收入	**Total Income of Living Expenditure**	**17067.78**	**5203.83**	**4187.20**
#可支配收入	Disposable Income	15780.76	4753.59	3734.35
（一）工薪收入	Income of Wages and Salaries	11298.96	3361.62	2647.33
1.工资及补贴收入	Income of Wages and Allowances	11006.26	3089.49	2400.79
2.其他劳动收入	Other Working Income	292.70	272.13	246.54
（二）经营净收入	Net Income from Management	1453.57	520.94	404.46
（三）财产性收入	Property Income	387.02	57.60	49.66
1.利息收入	Interest Income	43.70	5.83	2.67
2.股息与红利收入	Bonus and Dividends	75.52	6.71	3.90
3.保险收益	Insurance Yield	6.60	1.30	0.44
4.其它投资收入	Other Investment Income	42.58	0.86	0.59
5.出租房屋收入	House Leasing Income	203.75	39.80	39.52
6.知识产权收入	Intellectual Property Income	0.16	0.01	0.02
7.其他财产性收入	Other Property Income	14.70	3.11	2.52
（四）转移性收入	Transfer Income	3928.23	1263.66	1085.76
1.养老金或离退休金	Pension	3147.72	797.44	569.67
2.社会救济收入	Social Assistance Grants	39.42	174.08	241.23
3.辞退金	Compensation for Dismissal	9.94	0.56	0.47
4.赔偿收入	Compensation Income	13.45	1.13	0.58
5.保险收入	Insurance Proceeds	17.70	15.86	13.76
#失业保险金	Insurance for Unemployment	11.79	15.13	13.25
6.赡养收入	Solatium Income	173.67	88.01	83.54
7.捐赠收入	Donation Income	311.18	100.92	89.52
8.提取住房公积金	Withdrawal of Public Accumulation Fund for Housing Construct	57.17	0.43	0.04
9.记帐补贴	Bookkeeping Allowance	89.67	60.09	59.29
10.其他转移性收入	Other Transfer Income	68.31	25.13	27.65
三、出售财物收入	**Income from Selling Property**	**139.24**	**8.63**	**11.19**
1.出售住房收入	House Leasing Income	124.52	3.56	5.19
2.出售其他物品收入	Other Articles	14.72	5.07	6.00
四、借贷收入	**Debit and Credit Income**	**4153.60**	**1356.68**	**1213.89**
1.提取储蓄存款	Withdrawal of Deposit	3694.37	1101.31	990.19
2.借入款	Borrowing	177.59	147.43	184.85
3.收回借出款	Withdrawal of Debts	43.40	17.01	14.21
4.收回储蓄性保险本	Withdrawal of Saving Insurance Principal	6.78	0.95	0.96
5.兑售有价证券	Changing or Sale Securities	40.47	17.29	2.55
6.收回投资本金	Withdrawal of Investment Principal	12.65	2.83	5.52
7.住房贷款	Housing Loans	134.72	50.11	1.03
8.汽车贷款	Car loans	7.96	9.96	
9.教育贷款	Education Loans	1.61	0.82	1.57
10.其他贷款	Other loans	12.15	1.90	3.03
11.其他借贷收入	Other Debit and Credit Income	21.90	7.07	9.99

Per Capita Annual Cash Income and Expenditure (2008)

Unit: yuan

低收入户 Low Income Households (second decile)	中等偏下户 Lower Middle Income Households (second quintile)	中等收入户 Middle Income Households (third quintile)	中等偏上户 Upper Middle Income Households (fourth quintile)	高收入户 High Income Households (ninth decile)	最高收入户 Highest Income Households (tenth decile)
290.81	**361.94**	**473.54**	**624.29**	**820.95**	**1248.80**
7916.53	**10974.63**	**15054.73**	**20784.19**	**28518.85**	**47422.40**
7363.28	10195.56	13984.23	19254.08	26250.10	43613.75
5175.38	7427.34	10097.99	13717.52	19153.53	30638.65
4920.30	7192.84	9863.85	13444.26	18774.63	30008.38
255.08	234.50	234.14	273.25	378.90	630.27
762.91	881.78	1067.63	1495.65	1972.55	5587.65
78.98	138.87	218.09	373.16	711.84	2059.22
9.77	16.68	25.83	52.61	97.99	184.11
5.95	20.50	34.79	67.82	142.95	465.69
1.74	2.73	3.14	7.98	16.18	26.64
2.91	4.51	8.77	19.84	32.54	406.11
54.21	87.21	138.71	214.69	405.38	881.69
0.05	0.01	0.16	0.15	0.07	1.09
4.35	7.23	6.69	10.07	16.73	93.89
1899.26	2526.63	3671.02	5197.87	6680.93	9136.87
1488.61	2075.40	3116.79	4404.01	5488.94	6408.46
56.50	29.03	15.48	13.70	10.32	5.65
1.45	5.17	5.95	12.23	16.58	45.53
2.63	1.36	1.74	23.43	30.67	66.77
16.70	16.13	14.65	17.19	24.35	27.59
13.96	12.08	10.18	10.50	12.07	9.89
109.58	120.35	134.53	185.21	263.86	503.07
124.74	169.76	238.01	329.40	521.25	1167.84
0.55	2.51	6.11	35.50	72.07	524.41
66.25	73.89	85.17	102.72	125.70	150.00
32.26	33.04	52.59	74.47	127.20	237.55
50.52	**20.28**	**53.32**	**116.63**	**246.45**	**919.45**
45.03	11.35	44.55	105.89	223.73	847.26
5.50	8.93	8.78	10.73	22.72	72.19
1572.77	**2069.24**	**3155.57**	**4889.02**	**7459.18**	**14643.72**
1367.39	1867.39	2833.64	4452.71	6738.84	12727.90
120.07	130.93	131.22	194.38	268.29	408.18
12.59	16.61	30.30	46.05	87.56	175.99
5.07	1.50	7.11	4.64	12.44	29.68
2.91	2.26	11.50	28.36	52.16	316.52
8.87	2.53	5.51	17.26	44.07	32.99
33.39	29.50	113.02	118.73	195.74	706.74
	1.44	0.38	2.15	24.18	48.96
1.25	1.94	0.31	0.87		8.92
4.26	3.04	4.66	5.27	5.64	103.36
16.98	12.11	17.92	18.60	30.27	84.48

1-2-2 续表

单位：元

项　目	Item	总平均 Average	最低收入户 Lowest Income Households (first decile)
五、家庭总支出	**Total Expenditure of Household**	**14747.92**	**5495.55**
(一)消费支出	Living Expenditure	11242.85	4532.88
其中:服务性消费支出	Living Expenditure for Services	2918.85	930.60
1.食品	Food	4259.81	2182.29
2.衣着	Clothing	1165.91	398.03
3.居住	Residence	1145.41	556.19
4.家庭设备用品及服务	Household Facilities, Articles and Services	691.83	190.78
5.医疗保健	Medicine and Medical Services	786.20	323.93
6.交通和通信	Transportation and Communication	1417.12	345.31
7.教育文化娱乐服务	Education, Cultural and Recreation Services	1358.26	424.20
8.杂项商品和服务	Miscellaneous Commodities and Services	418.31	112.16
(二)购房与建房支出	Expenditure for Purchasing and Building House	602.33	73.14
1.购房	Purchasing House	586.79	65.50
2.建房	Building House	15.54	7.65
(三)转移性支出	Transfer Expenditure	1746.35	498.60
1.交纳的个人收入税	Tax	103.45	1.54
2.捐赠支出	Contribution	1036.19	319.06
3.购买彩票	Expenditure for Purchasing Lotteries	11.20	2.55
4.赡养支出	Expenditure for support	454.63	147.83
其中:在外就学子女费用	Expenditure for Children Studying Out Of Current Cities	264.23	105.25
5.各种非储蓄性保险支出	Expenditure on all Kinds of Non-saving Insurances	71.89	9.07
其中:车辆保险支出	Expenditure on Car Insurance	30.01	0.98
6.其他转移性支出	Other Transfer Expenditure	68.98	18.55
(四)财产性支出	Property Expenditure	62.49	2.32
1.非生产性利息支出	Expenditure on Non-productional Loan Interests	50.14	0.69
2.其他	Others	12.35	1.63
(五)社会保障支出	Expenditure on Social Securities	1093.89	388.61
1.个人交纳的养老基金	Individually Paid Pension Fund	461.23	271.52
2.个人交纳的住房公积金	Individually Paid Public Accumulation Fund for Housing Construction	445.13	39.82
3.个人交纳的医疗基金	Individually Paid Medical Fund	148.31	69.00
4.个人交纳的失业基金	Individually Paid Unemployment Fund	31.04	5.50
5.其他社会保障支出	Other Expenditure on Social Securities	8.19	2.77
六、借贷支出	**Expenditure on Debit and Credit**	**5791.18**	**777.33**
1.存入储蓄款	Deposited Saving Money	5021.46	646.23
2.借出款	Loans	53.95	6.43
3.归还借款	Returning Loans	120.90	29.59
4.储蓄性保险支出	Expenditure on Saving Insurance	118.66	26.30
5.购买有价证券	Purchasing Securities	71.14	27.32
6.其它投资支出	Other Investment Expenses	43.01	21.25
7.归还住房贷款	Returning Housing Loans	317.10	13.92
8.归还汽车贷款	Returning Car Loans	10.59	
9.归还教育贷款	Returning Education Loans	0.67	0.47
10.归还其他贷款	Returning Other Loan	10.80	1.01
11.其他借贷支出	Other Debit and Credit Expenses	22.89	4.81
七、期末手存现金	**Deposited Cash at the end of Period**	**1319.73**	**500.04**

1-2-2 Continued

Unit: yuan

困难户 Poor Households(first five percent)	低收入户 Low Income Households (second decile)	中等偏下户 Lower Middle Income Households (second quintile)	中等收入户 Middle Income Households (third quintile)	中等偏上户 Upper Middle Income Households (fourth quintile)	高收入户 High Income Households (ninth decile)	最高收入户 Highest Income Households (tenth decile)
4659.26	**7556.69**	**9914.54**	**13173.39**	**17615.22**	**24074.44**	**38380.15**
3862.72	6195.32	7993.67	10344.70	13316.63	17888.18	26982.13
798.62	1339.55	1850.20	2519.71	3468.90	4983.65	8363.05
1889.87	2846.26	3428.85	4181.25	5043.63	6087.25	7874.14
309.97	598.65	843.20	1136.46	1432.93	1857.49	2643.01
489.27	688.39	841.30	1060.58	1265.94	1795.45	2681.92
146.62	309.58	437.18	616.31	837.63	1209.95	1925.62
293.11	457.21	587.61	748.68	977.89	1257.64	1589.70
265.44	532.52	764.13	1078.83	1633.57	2632.91	4985.66
378.33	594.68	851.83	1171.44	1630.13	2297.17	3959.34
90.11	168.04	239.59	351.14	494.91	750.33	1322.74
24.18	139.89	145.44	358.70	730.80	1073.57	3044.19
16.92	132.33	139.44	352.86	711.48	1024.07	3001.11
7.26	7.56	6.00	5.84	19.33	49.51	43.08
378.15	733.54	1071.61	1492.91	2165.18	3056.30	5030.17
0.78	3.93	10.71	28.83	82.91	216.43	749.18
238.65	499.95	709.41	973.58	1292.73	1747.60	2494.99
2.07	5.65	8.97	10.67	15.33	19.83	19.91
114.80	177.50	276.98	373.93	597.24	805.08	1259.40
85.77	116.24	177.90	212.57	358.28	453.85	642.14
9.58	20.51	29.21	48.69	86.49	145.67	293.72
0.55	1.61	3.91	10.51	29.14	70.47	188.73
12.27	26.00	36.32	57.21	90.48	121.69	212.97
1.43	4.87	9.35	20.59	58.13	129.76	414.20
0.35	2.86	6.57	15.94	45.65	108.47	337.03
1.08	2.01	2.79	4.65	12.47	21.29	77.17
392.77	483.07	694.47	956.50	1344.48	1926.62	2909.46
293.22	280.06	356.47	421.82	531.54	684.36	966.58
25.36	96.94	201.48	356.00	581.28	948.09	1539.94
66.86	89.50	111.74	141.55	179.82	224.01	305.71
4.79	12.23	19.19	28.85	41.11	55.53	81.83
2.54	4.34	5.60	8.27	10.73	14.61	15.40
498.76	**1514.57**	**2572.74**	**4325.09**	**7159.31**	**10868.55**	**22679.81**
429.42	1338.68	2283.12	3855.75	6305.07	9343.48	19128.97
5.12	12.00	24.55	36.69	61.37	113.49	221.79
31.92	44.29	62.87	84.84	147.54	242.37	413.56
20.69	41.20	59.06	88.55	132.91	236.90	435.08
0.18	1.39	9.34	17.92	53.10	137.07	501.49
1.40	8.99	13.79	31.70	41.64	70.31	202.95
3.92	52.84	105.82	186.82	364.91	614.15	1584.55
	0.01	0.92	1.55	12.34	34.42	59.66
0.73	0.08	0.19	0.17	0.12	1.56	4.62
1.40	2.28	3.78	6.85	15.26	39.52	24.71
3.98	12.81	9.31	14.26	25.05	35.28	102.42
424.83	**743.14**	**924.54**	**1225.73**	**1615.44**	**2081.08**	**3102.14**

1-2-3 按收入等级分城镇居民家庭消费支出(2008年)

单位：元

项　目	Item	总平均 Average	最低收入户 Lowest Income Households (first decile)	困难户 Poor Households (first five percent)
消费支出	**Total Consumption Expenditures**	**11242.85**	**4532.88**	**3862.72**
#服务性消费支出	#Service Consumption Expenditure	2918.85	930.60	798.62
一、食品	**Food**	**4259.81**	**2182.29**	**1889.87**
(一)粮油类	Grain and Oil	575.97	450.03	421.33
1.粮食	Grain	328.26	259.95	244.41
2.淀粉及薯类	Starches and Tubers	28.40	22.56	21.81
3.干豆类及豆制品	Beans and Bean Products	54.61	38.30	34.49
4.油脂类	Oil and Fats	164.69	129.20	120.63
(二)肉禽蛋水产品类	Meat,Poultry,Egg,Aquatic Products and Related Products	1268.83	714.51	603.56
1.肉类	Meat Products	681.26	417.52	357.31
2.禽类	Poultry Products	215.61	117.11	94.43
3.蛋类	Eggs	91.68	64.63	58.44
4.水产品类	Aquatic Products	280.28	115.24	93.39
(三)蔬菜类	Vegetables	409.31	273.12	247.11
1.鲜菜	Fresh Vegetables	372.67	253.95	230.79
2.干菜	Dried Vegetables	23.18	11.24	9.73
3.菜制品	Vegetable Products	13.46	7.94	6.60
(四)调味品	Condiments	52.26	33.38	30.59
(五)糖烟酒饮料类	Sugar,Tobacco,Liquor and Beverages	433.39	197.18	159.20
1. 糖类	Sugar	35.74	18.36	15.64
2. 烟草类	Tobacco	205.01	96.06	75.52
3. 酒类	Liquor	111.14	50.79	42.15
4. 饮料	Beverages	81.51	31.97	25.89
(六)干鲜瓜果类	Dried and Fresh Melons and Fruits	293.48	135.84	118.80
1. 鲜果	Fruits	188.03	89.61	78.25
2. 鲜瓜	Melons	35.10	16.64	14.90
3. 其它干鲜瓜果类及制品	Dried Fruits	70.35	29.59	25.65
(七)糕点、奶及奶制品	Cake, Milk and Its Products	273.28	123.16	104.50
1. 糕点	Cake	83.44	36.48	30.29
2. 奶及奶制品	Milk and Its Products	189.84	86.68	74.21
(八)其他食品	Other Food	73.85	32.83	28.34
(九)饮食服务	Bite and Sup Service	879.44	222.24	176.43
1. 食品加工服务费	Food Processing Service Fees	1.59	0.87	0.64
2. 在外饮食	Dining Out	877.85	221.37	175.79
二、衣着	**Clothing**	**1165.91**	**398.03**	**309.97**
(一)服装	Garments	839.07	268.67	205.78
(二)衣着材料	Clothing Materials	10.96	4.38	3.96
(三)鞋类	Shoes	270.42	106.77	84.14
(四)其他衣着用品	Other Clothing	38.00	15.24	13.47
(五)衣着加工服务费	Tailoring and Laundering Services	7.46	2.96	2.63

Per Capita Annual Living Expenditure of Urban Households (2008)

Unit：yuan

低收入户 Low Income Households (second decile)	中等偏下户 Lower Middle Income Households (second quintile)	中等收入户 Middle Income Households (third quintile)	中等偏上户 Upper Middle Income Households (fourth quintile)	高收入户 High Income Households (ninth decile)	最高收入户 Highest Income Households (tenth decile)
6195.32	**7993.67**	**10344.70**	**13316.63**	**17888.18**	**26982.13**
1339.55	1850.20	2519.71	3468.90	4983.65	8363.05
2846.26	**3428.85**	**4181.25**	**5043.63**	**6087.25**	**7874.14**
506.61	541.41	591.31	626.28	668.97	691.65
286.61	305.37	335.58	355.87	384.74	403.34
24.56	25.80	28.72	31.21	33.72	36.21
45.79	50.32	55.89	62.10	66.08	68.99
149.64	159.92	171.12	177.09	184.44	183.11
941.81	1104.13	1297.01	1491.41	1713.47	1900.51
539.20	620.31	710.16	784.46	866.96	910.50
159.83	186.18	219.95	255.25	293.68	327.39
78.00	85.96	95.93	102.51	108.37	111.23
164.78	211.68	270.97	349.18	444.47	551.39
332.90	371.72	417.61	466.89	516.82	542.91
307.48	341.08	380.17	422.32	464.49	486.57
15.96	18.99	23.69	28.82	33.60	36.16
9.46	11.65	13.75	15.75	18.74	20.18
40.92	46.62	53.36	60.81	67.02	72.01
271.21	339.62	431.86	523.52	632.62	832.95
23.09	28.12	34.09	41.62	52.50	71.40
133.68	164.65	207.08	248.17	287.76	375.75
69.74	88.49	111.00	133.40	159.87	212.99
44.70	58.37	79.69	100.33	132.49	172.82
185.12	232.50	291.00	362.82	438.76	525.68
121.30	150.69	185.27	230.86	279.13	333.28
22.90	29.05	36.39	43.12	49.26	58.03
40.92	52.76	69.33	88.84	110.38	134.37
172.09	221.48	273.16	336.80	405.74	480.86
51.34	66.27	81.98	102.80	127.58	153.43
120.75	155.21	191.18	234.00	278.16	327.43
48.00	60.69	76.56	93.70	103.54	119.77
347.59	510.67	749.37	1081.41	1540.30	2707.79
1.70	1.54	1.69	1.85	1.59	1.74
345.89	509.13	747.68	1079.56	1538.71	2706.05
598.65	**843.20**	**1136.46**	**1432.93**	**1857.49**	**2643.01**
409.92	588.68	808.08	1031.23	1363.95	2001.14
7.23	8.82	11.67	13.38	16.74	17.79
155.35	211.00	271.98	332.43	407.36	531.60
22.37	29.25	37.54	47.25	57.46	74.92
3.78	5.44	7.19	8.64	11.98	17.56

单位：元

项　目	Item	总平均 Average	最低收入户 Lowest Income Households (first decile)	困难户 Poor Households (first five percent)
三、居住	**Residence**	**1145.41**	**556.19**	**489.27**
(一)住房	House	345.06	74.70	63.34
(二)水电燃料及其他	Water, Electricity and Fuels	724.28	462.07	410.08
(三)居住服务费	Housing Services	76.08	19.42	15.85
四、家庭设备用品及服务	**Household Appliances and Services**	**691.83**	**190.78**	**146.62**
(一)耐用消费品	Durable Consumer Goods	309.31	57.06	35.74
1. 家具	Furniture	85.26	8.78	6.26
2. 家庭设备	Household Appliances	217.49	45.12	28.26
(二)室内装饰品	Room Decorations	20.34	2.40	2.19
(三)床上用品	Bed Articles	62.21	16.31	13.07
(四)家庭日用杂品	Household Articles for Daily Use	238.86	106.76	90.29
(五)家具材料	Furniture Materials	11.64	1.92	0.50
(六)家庭服务	Household Services	49.47	6.33	4.84
1. 家政服务	Housekeeping Services	32.55	1.87	1.41
2. 加工维修服务费	Manufacturing Upkeep	16.62	4.33	3.33
五、医疗保健	**Health Care and Medical Services**	**786.20**	**323.93**	**293.11**
(一)医疗器具	Medical Appliances	6.44	1.90	0.56
(二)保健器具	Health Care Appliances	15.20	1.86	2.23
(三)药品费	Medicine	392.70	190.32	179.03
(四)滋补保健品	Health Products	101.06	8.31	6.34
(五)医疗费	Health Care Services	256.67	118.42	103.12
(六)其他	Other	14.13	3.12	1.83
六、交通和通讯	**Transport and Communications**	**1417.12**	**345.31**	**265.44**
(一)交通	Transport	804.41	125.59	94.88
1. 家庭交通工具	Transportation Facility	293.05	24.68	16.59
2. 车辆用燃料及零配件	Fuels and Parts	173.18	23.47	14.60
3. 交通工具服务支出	Using and Upkeep Fare	100.99	10.10	6.38
4. 交通费	Traffic Fare	237.20	67.34	57.31
(二)通信	Communication	612.71	219.73	170.56
1. 通信工具	Communication Facility	97.23	20.63	13.23
2. 通信服务	Communication Services	515.48	199.10	157.33
七、教育文化娱乐服务	**Recreation, Education and Culture**	**1358.26**	**424.20**	**378.33**
(一)文化娱乐用品	Cultural and Recreational Articles	354.82	69.36	50.61
(二)文化娱乐服务	Expenditure of Culture and Recreation	381.27	51.43	43.03
(三)教育	Education	622.16	303.41	284.69
1. 教材	Teaching material	67.37	45.33	42.53
2. 教育费用	Tuition	552.27	254.38	240.65
八、其它商品和服务	**Miscellaneous Goods and Services**	**418.31**	**112.16**	**90.11**
(一)杂项商品	Miscellaneous Goods	269.19	63.64	49.33
(二)服务	Services	149.12	48.52	40.78

1-2-3 Continued

Unit：yuan

低收入户 Low Income Households (second decile)	中等偏下户 Lower Middle Income Households (second quintile)	中等收入户 Middle Income Households (third quintile)	中等偏上户 Upper Middle Income Households (fourth quintile)	高收入户 High Income Households (ninth decile)	最高收入户 Highest Income Households (tenth decile)
688.39	**841.30**	**1060.58**	**1265.94**	**1795.45**	**2681.92**
107.93	164.72	269.50	350.82	687.74	1355.75
551.64	635.11	731.73	828.67	956.59	1072.42
28.82	41.47	59.36	86.45	151.11	253.76
309.58	**437.18**	**616.31**	**837.63**	**1209.95**	**1925.62**
110.23	174.82	268.58	379.07	564.73	977.71
19.25	35.66	61.32	94.36	175.01	362.92
84.81	132.22	200.70	276.99	382.46	607.42
4.68	9.37	16.29	23.59	33.81	85.56
28.17	42.17	59.24	76.05	108.96	154.81
149.79	186.30	229.57	287.17	366.12	469.12
5.70	6.35	11.51	14.76	23.74	28.31
11.03	18.17	31.11	56.99	112.59	210.12
3.85	7.51	15.35	35.83	83.19	165.22
6.60	10.41	15.47	20.74	29.22	44.80
457.21	**587.61**	**748.68**	**977.89**	**1257.64**	**1589.70**
2.13	3.09	5.74	11.38	9.03	15.72
3.88	5.84	13.73	19.12	32.55	51.46
265.73	317.66	389.91	492.42	570.21	648.98
20.67	43.66	83.24	125.38	214.32	368.17
159.39	207.25	242.79	311.86	405.10	471.83
5.42	10.12	13.27	17.73	26.44	33.55
532.52	**764.13**	**1078.83**	**1633.57**	**2632.91**	**4985.66**
194.93	309.21	488.89	877.94	1649.44	3671.61
39.08	72.92	132.02	303.89	660.08	1607.49
34.33	60.30	100.94	185.17	363.07	834.16
13.85	24.67	46.12	96.15	212.34	586.40
107.66	151.32	209.81	292.73	413.95	643.57
337.58	454.91	589.94	755.63	983.46	1314.06
40.10	65.84	90.40	123.70	172.59	246.42
297.48	389.08	499.54	631.93	810.87	1067.64
594.68	**851.83**	**1171.44**	**1630.13**	**2297.17**	**3959.34**
122.20	198.22	301.81	438.25	669.93	1112.90
100.37	155.18	271.14	470.09	755.92	1524.13
372.10	498.44	598.49	721.79	871.32	1322.31
49.23	60.05	68.40	74.02	85.96	106.11
321.17	436.44	527.67	644.49	784.05	1212.77
168.04	**239.59**	**351.14**	**494.91**	**750.33**	**1322.74**
100.62	150.83	223.77	321.45	492.87	870.83
67.42	88.76	127.38	173.46	257.47	451.92

1-2-4 按收入等级分城镇居民家庭消费支出构成(2008年)

单位: %

项 目	Item	总平均 Average	最低收入户 Lowest Income Households (first decile)	困难户 Poor Households (first five percent)
消费支出	**Total Consumption Expenditures**	**100.00**	**100.00**	**100.00**
#服务性消费支出	#Service Consumption Expenditure	25.96	20.53	20.68
一、食品	**Food**	**37.89**	**48.14**	**48.93**
(一)粮油类	Grain and Oil	5.12	9.93	10.91
1.粮食	Grain	2.92	5.73	6.33
2.淀粉及薯类	Starches and Tubers	0.25	0.50	0.56
3.干豆类及豆制品	Beans and Bean Products	0.49	0.84	0.89
4.油脂类	Oil and Fats	1.46	2.85	3.12
(二)肉禽蛋水产品类	Meat,Poultry,Egg,Aquatic Products and Related Products	11.29	15.76	15.63
1.肉类	Meat Products	6.06	9.21	9.25
2.禽类	Poultry Products	1.92	2.58	2.44
3.蛋类	Eggs	0.82	1.43	1.51
4.水产品类	Aquatic Products	2.49	2.54	2.42
(三)蔬菜类	Vegetables	3.64	6.03	6.40
1.鲜菜	Fresh Vegetables	3.31	5.60	5.97
2.干菜	Dried Vegetables	0.21	0.25	0.25
3.菜制品	Vegetable Products	0.12	0.18	0.17
(四)调味品	Condiments	0.46	0.74	0.79
(五)糖烟酒饮料类	Sugar,Tobacco,Liquor and Beverages	3.85	4.35	4.12
1. 糖类	Sugar	0.32	0.41	0.40
2. 烟草类	Tobacco	1.82	2.12	1.96
3. 酒类	Liquor	0.99	1.12	1.09
4. 饮料	Beverages	0.72	0.71	0.67
(六)干鲜瓜果类	Dried and Fresh Melons and Fruits	2.61	3.00	3.08
1. 鲜果	Fruits	1.67	1.98	2.03
2. 鲜瓜	Melons	0.31	0.37	0.39
3. 其它干鲜瓜果类及制品	Dried Fruits	0.63	0.65	0.66
(七)糕点、奶及奶制品	Cake, Milk and Its Products	2.43	2.72	2.71
1. 糕点	Cake	0.74	0.80	0.78
2. 奶及奶制品	Milk and Its Products	1.69	1.91	1.92
(八)其他食品	Other Food	0.66	0.72	0.73
(九)饮食服务	Bite and Sup Service	7.82	4.90	4.57
1. 食品加工服务费	Food Processing Service Fees	0.01	0.02	0.02
2. 在外饮食	Dining Out	7.81	4.88	4.55
二、衣着	**Clothing**	**10.37**	**8.78**	**8.02**
(一)服装	Garments	7.46	5.93	5.33
(二)衣着材料	Clothing Materials	0.10	0.10	0.10
(三)鞋类	Shoes	2.41	2.36	2.18
(四)其他衣着用品	Other Clothing	0.34	0.34	0.35
(五)衣着加工服务费	Tailoring and Laundering Services	0.07	0.07	0.07

Composition of Per Capita Annual Living Expenditure of Urban Households (2008)

Unit: %

低收入户 Low Income Households (second decile)	中等偏下户 Lower Middle Income Households (second quintile)	中等收入户 Middle Income Households (third quintile)	中等偏上户 Upper Middle Income Households (fourth quintile)	高收入户 High Income Households (ninth decile)	最高收入户 Highest Income Households (tenth decile)
100.00	**100.00**	**100.00**	**100.00**	**100.00**	**100.00**
21.62	23.15	24.36	26.05	27.86	30.99
45.94	**42.89**	**40.42**	**37.87**	**34.03**	**29.18**
8.18	6.77	5.72	4.70	3.74	2.56
4.63	3.82	3.24	2.67	2.15	1.49
0.40	0.32	0.28	0.23	0.19	0.13
0.74	0.63	0.54	0.47	0.37	0.26
2.42	2.00	1.65	1.33	1.03	0.68
15.20	13.81	12.54	11.20	9.58	7.04
8.70	7.76	6.86	5.89	4.85	3.37
2.58	2.33	2.13	1.92	1.64	1.21
1.26	1.08	0.93	0.77	0.61	0.41
2.66	2.65	2.62	2.62	2.48	2.04
5.37	4.65	4.04	3.51	2.89	2.01
4.96	4.27	3.68	3.17	2.60	1.80
0.26	0.24	0.23	0.22	0.19	0.13
0.15	0.15	0.13	0.12	0.10	0.07
0.66	0.58	0.52	0.46	0.37	0.27
4.38	4.25	4.17	3.93	3.54	3.09
0.37	0.35	0.33	0.31	0.29	0.26
2.16	2.06	2.00	1.86	1.61	1.39
1.13	1.11	1.07	1.00	0.89	0.79
0.72	0.73	0.77	0.75	0.74	0.64
2.99	2.91	2.81	2.72	2.45	1.95
1.96	1.89	1.79	1.73	1.56	1.24
0.37	0.36	0.35	0.32	0.28	0.22
0.66	0.66	0.67	0.67	0.62	0.50
2.78	2.77	2.64	2.53	2.27	1.78
0.83	0.83	0.79	0.77	0.71	0.57
1.95	1.94	1.85	1.76	1.55	1.21
0.77	0.76	0.74	0.70	0.58	0.44
5.61	6.39	7.24	8.12	8.61	10.04
0.03	0.02	0.02	0.01	0.01	0.01
5.58	6.37	7.23	8.11	8.60	10.03
9.66	**10.55**	**10.99**	**10.76**	**10.38**	**9.80**
6.62	7.36	7.81	7.74	7.62	7.42
0.12	0.11	0.11	0.10	0.09	0.07
2.51	2.64	2.63	2.50	2.28	1.97
0.36	0.37	0.36	0.35	0.32	0.28
0.06	0.07	0.07	0.06	0.07	0.07

单位: %

项 目	Item	总平均 Average	最低收入户 Lowest Income Households (first decile)	困难户 Poor Households (first five percent)
三、居住	**Residence**	**10.19**	**12.27**	**12.67**
(一)住房	House	3.07	1.65	1.64
(二)水电燃料及其他	Water, Electricity and Fuels	6.44	10.19	10.62
(三)居住服务费	Housing Services	0.68	0.43	0.41
四、家庭设备用品及服务	**Household Appliances and Services**	**6.15**	**4.21**	**3.80**
(一)耐用消费品	Durable Consumer Goods	2.75	1.26	0.93
1. 家具	Furniture	0.76	0.19	0.16
2. 家庭设备	Household Appliances	1.93	1.00	0.73
(二)室内装饰品	Room Decorations	0.18	0.05	0.06
(三)床上用品	Bed Articles	0.55	0.36	0.34
(四)家庭日用杂品	Household Articles for Daily Use	2.12	2.36	2.34
(五)家具材料	Furniture Materials	0.10	0.04	0.01
(六)家庭服务	Household Services	0.44	0.14	0.13
1. 家政服务	Housekeeping Services	0.29	0.04	0.04
2. 加工维修服务费	Manufacturing Upkeep	0.15	0.10	0.09
五、医疗保健	**Health Care and Medical Services**	**6.99**	**7.15**	**7.59**
(一)医疗器具	Medical Appliances	0.06	0.04	0.01
(二)保健器具	Health Care Appliances	0.14	0.04	0.06
(三)药品费	Medicine	3.49	4.20	4.63
(四)滋补保健品	Health Products	0.90	0.18	0.16
(五)医疗费	Health Care Services	2.28	2.61	2.67
(六)其他	Other	0.13	0.07	0.05
六、交通和通讯	**Transport and Communications**	**12.60**	**7.62**	**6.87**
(一)交通	Transport	7.15	2.77	2.46
1. 家庭交通工具	Transportation Facility	2.61	0.54	0.43
2. 车辆用燃料及零配件	Fuels and Parts	1.54	0.52	0.38
3. 交通工具服务支出	Using and Upkeep Fare	0.90	0.22	0.17
4. 交通费	Traffic Fare	2.11	1.49	1.48
(二)通信	Communication	5.45	4.85	4.42
1. 通信工具	Communication Facility	0.86	0.46	0.34
2. 通信服务	Communication Services	4.58	4.39	4.07
七、教育文化娱乐服务	**Recreation, Education and Culture**	**12.08**	**9.36**	**9.79**
(一)文化娱乐用品	Cultural and Recreational Articles	3.16	1.53	1.31
(二)文化娱乐服务	Expenditure of Culture and Recreation	3.39	1.13	1.11
(三)教育	Education	5.53	6.69	7.37
1. 教材	Teaching material	0.60	1.00	1.10
2. 教育费用	Tuition	4.91	5.61	6.23
八、杂项商品和服务	**Miscellaneous Goods and Services**	**3.72**	**2.47**	**2.33**
(一)杂项商品	Miscellaneous Goods	2.39	1.40	1.28
(二)服务	Services	1.33	1.07	1.06

1-2-4 Continued

Unit: %

低收入户 Low Income Households (second decile)	中等偏下户 Lower Middle Income Households (second quintile)	中等收入户 Middle Income Households (third quintile)	中等偏上户 Upper Middle Income Households (fourth quintile)	高收入户 High Income Households (ninth decile)	最高收入户 Highest Income Households (tenth decile)
11.11	**10.52**	**10.25**	**9.51**	**10.04**	**9.94**
1.74	2.06	2.61	2.63	3.84	5.02
8.90	7.95	7.07	6.22	5.35	3.97
0.47	0.52	0.57	0.65	0.84	0.94
5.00	**5.47**	**5.96**	**6.29**	**6.76**	**7.14**
1.78	2.19	2.60	2.85	3.16	3.62
0.31	0.45	0.59	0.71	0.98	1.35
1.37	1.65	1.94	2.08	2.14	2.25
0.08	0.12	0.16	0.18	0.19	0.32
0.45	0.53	0.57	0.57	0.61	0.57
2.42	2.33	2.22	2.16	2.05	1.74
0.09	0.08	0.11	0.11	0.13	0.10
0.18	0.23	0.30	0.43	0.63	0.78
0.06	0.09	0.15	0.27	0.47	0.61
0.11	0.13	0.15	0.16	0.16	0.17
7.38	**7.35**	**7.24**	**7.34**	**7.03**	**5.89**
0.03	0.04	0.06	0.09	0.05	0.06
0.06	0.07	0.13	0.14	0.18	0.19
4.29	3.97	3.77	3.70	3.19	2.41
0.33	0.55	0.80	0.94	1.20	1.36
2.57	2.59	2.35	2.34	2.26	1.75
0.09	0.13	0.13	0.13	0.15	0.12
8.60	**9.56**	**10.43**	**12.27**	**14.72**	**18.48**
3.15	3.87	4.73	6.59	9.22	13.61
0.63	0.91	1.28	2.28	3.69	5.96
0.55	0.75	0.98	1.39	2.03	3.09
0.22	0.31	0.45	0.72	1.19	2.17
1.74	1.89	2.03	2.20	2.31	2.39
5.45	5.69	5.70	5.67	5.50	4.87
0.65	0.82	0.87	0.93	0.96	0.91
4.80	4.87	4.83	4.75	4.53	3.96
9.60	**10.66**	**11.32**	**12.24**	**12.84**	**14.67**
1.97	2.48	2.92	3.29	3.75	4.12
1.62	1.94	2.62	3.53	4.23	5.65
6.01	6.24	5.79	5.42	4.87	4.90
0.79	0.75	0.66	0.56	0.48	0.39
5.18	5.46	5.10	4.84	4.38	4.49
2.71	**3.00**	**3.39**	**3.72**	**4.19**	**4.90**
1.62	1.89	2.16	2.41	2.76	3.23
1.09	1.11	1.23	1.30	1.44	1.67

1-2-5 按收入等级分城镇居民家庭每人全年购买主要商品数量(2008年)

项 目	Item	单位	Unit	总平均 Average	最低收入户 Lowest Income Households (first decile)	困难户 Poor Households (first five percent)
大米	Rice	千克	kg	45.02	39.94	37.35
面粉	Flour	千克	kg	13.43	17.22	18.66
食用植物油	Edible Vegetable Oil	千克	kg	10.27	8.69	8.26
猪肉	Pork	千克	kg	19.26	13.12	11.17
牛肉	Beef	千克	kg	2.22	1.36	1.23
羊肉	Mutton	千克	kg	1.22	0.85	0.89
鸡	Chicken	千克	kg	6.06	3.95	3.35
鸭	Duck	千克	kg	1.94	1.06	0.84
鲜蛋	Fresh eggs	千克	kg	10.74	8.23	7.65
鱼	Fish	千克	kg	10.44	6.46	5.44
虾	Shrimp	千克	kg	1.45	0.5	0.39
鲜菜	Fresh Vegetables	千克	kg	123.15	100.31	95.09
白酒	Liquor	千克	kg	2.15	1.89	1.74
果酒	Fruit Wine	千克	kg	0.22	0.08	0.06
啤酒	Beer	千克	kg	5.25	3.31	2.95
碳酸饮料	Soda Pop	千克	kg	2.03	1.04	0.93
茶叶	Tea	千克	kg	0.28	0.19	0.17
鲜果	Fruits	千克	kg	38.19	22.93	20.18
鲜瓜	Melons	千克	kg	16.29	9.99	9.12
糕点	Cake	千克	kg	4.83	2.67	2.29
鲜乳品	Milk	千克	kg	15.19	7.56	6.66
奶粉	Milk Powder	千克	kg	0.57	0.37	0.32
酸奶	Yogurt	千克	kg	3.54	1.6	1.36
服装	Clothing	件	piece	7.7	3.64	3.06
鞋类	Shoes	双	pair	2.76	1.73	1.5
水	Water	吨	ton	41.13	25.39	21.64
电	Electricity	度	degree	560.14	317.27	279.11
煤炭	Coal	千克	kg	55.69	110.45	115.78
液化石油气	LPG	千克	kg	14.77	12.87	11.41
管道煤气	Coal Gas	立方米	stere	16.93	7.91	6.95

Per Capita Annual Purchases of Major Commodities of Urban Households by Level of Income (2008)

低收入户 Low Income Households (second decile)	中等偏下户 Lower Middle Income Households (second quintile)	中等收入户 Middle Income Households (third quintile)	中等偏上户 Upper Middle Income Households (fourth quintile)	高收入户 High Income Households (ninth decile)	最高收入户 Highest Income Households (tenth decile)
44.12	44.5	46.48	46.6	46.66	45.84
14.6	14.23	14.01	12.45	10.61	8.07
9.8	10.3	10.72	10.73	10.81	10.37
16.64	18.37	20.06	21.28	23.22	23.15
1.71	2.03	2.38	2.65	2.73	2.7
0.91	1.12	1.39	1.45	1.38	1.29
5.09	5.49	6.21	6.83	7.57	8.19
1.56	1.85	2.1	2.23	2.47	2.3
9.58	10.33	11.37	11.76	12.02	11.71
8.19	9.44	10.64	12.06	13.61	14.35
0.79	1.08	1.47	1.85	2.36	2.76
113.27	119.93	128.22	132.33	135.87	130.58
2.14	2.19	2.33	2.23	2.06	1.9
0.12	0.16	0.2	0.28	0.38	0.49
4.31	4.9	5.59	6.09	6.33	6.39
1.34	1.71	2.09	2.54	2.76	3.15
0.2	0.23	0.3	0.32	0.38	0.39
29.22	34.21	39.82	44.87	49.14	51.97
12.85	14.96	17.51	18.82	19.75	21.13
3.56	4.38	5.05	5.7	6.32	6.72
10.3	13.17	15.84	18.81	20.8	22.37
0.45	0.52	0.61	0.65	0.68	0.71
2.43	2.98	3.74	4.32	5.04	5.49
5.05	6.4	7.73	8.91	11.02	14.3
2.18	2.57	2.85	3.05	3.42	3.92
31.28	35.32	41.52	47.17	55.37	62.85
389.8	467.38	560.6	656.98	781.03	934.5
80.19	62.97	54.01	32.37	26.74	13.11
14.49	15.44	15.42	15.22	15.25	12.88
11.65	14.11	18.04	21.28	22.08	26.49

1-2-6　按收入等级分城镇居民家庭平均每百户购买主要耐用消费品数量(2008年)

项　目	Item	单位	Unit	总平均 Average	最低收入户 Lowest Income Households (first decile)	困难户 Poor Households (first five percent)
洗衣机	Washing Machine	台	set	4.95	1.68	0.89
电冰箱	Refrigerator	台	set	3.49	0.98	0.69
微波炉	Microwave	台	unit	3.59	0.88	0.41
空调器	Air Conditioner	台	unit	4.61	0.73	0.41
淋浴热水器	Shower	台	unit	5.00	1.18	0.54
消毒碗柜	Disinfection Cupboard	台	unit	0.54	0.12	0.14
摩托车	Motorcycle	辆	unit	0.80	0.30	0.19
助力车	Helping Hand Car	辆	unit	3.65	0.85	0.48
家用汽车	Automobile	辆	unit	0.59	0.04	0.06
电话机	Telephone	部	unit	10.15	4.10	4.23
移动电话	Mobile Telephone	部	unit	24.97	7.61	5.43
彩色电视机	Color Television Set	台	set	5.06	1.11	0.71
组合音响	Hi-Fi Stereo Component	台	set	1.55	0.48	0.97
摄像机	Pickup Camera	架	set	0.39	0.01	0.01
照相机	Camera	架	set	2.85	0.21	0.08
钢琴	Piano	架	set	0.1		
其他中高档乐器	Other Medium and High Grade Musical Instrument	件	unit	0.59	0.31	0.01

1-2-7　按收入等级分城镇居民家庭平均每百户年底主要耐用消费品拥有量(2008年)

项　目	Item	单位	Unit	总平均 Average	最低收入户 Lowest Income Households (first decile)	困难户 Poor Households (first five percent)
摩托车	Motorcycle	辆	unit	21.39	16.66	12.80
助力车	Helping Hand Car	辆	unit	23.12	14.91	12.21
家用汽车	Automobile	辆	unit	8.83	0.82	0.51
洗衣机	Washing Machine	台	set	94.65	83.58	80.62
电冰箱	Refrigerator(	台	set	93.63	71.91	64.86
彩色电视机	Colour Television Set	台	set	132.89	109.58	106.30
家用电脑	Computer	台	set	59.26	20.27	14.07
组合音响	Hi-Fi Stereo Component	套	set	27.43	12.05	8.61
摄像机	Pickup Camera	架	set	7.12	0.52	0.39
照相机	Camera	架	set	39.11	9.61	7.26
钢琴	Piano	架	set	2.29	0.20	0.06
其他中高档乐器	Other Medium and High Grade Musical Instrument	件	unit	4.33	0.84	0.56
微波炉	Oven	台	unit	54.57	19.51	13.73
空调器	Air Conditioner	台	unit	100.28	29.63	19.06
淋浴热水器	Shower	台	unit	80.65	46.90	39.21
消毒碗柜	Disinfection Cupboard	台	unit	18.01	6.76	4.71
洗碗机	Dishwasher	台	unit	0.77	0.24	0.17
健身器材	Healthy Equipment	套	unit	3.95	0.46	0.41
固定电话	Telephone	部	unit	82.01	66.00	63.36
移动电话	Mobile Telephone	部	unit	172.02	116.88	101.61

Purchases of Number of Durable Consumer Goods Per 100 Urban Households by Level of Income (2008)

低收入户 Low Income Households (second decile)	中等偏下户 Lower Middle Income Households (second quintile)	中等收入户 Middle Income Households (third quintile)	中等偏上户 Upper Middle Income Households (fourth quintile)	高收入户 High Income Households (ninth decile)	最高收入户 Highest Income Households (tenth decile)
2.54	3.75	4.60	6.89	6.44	8.94
1.91	2.33	3.47	4.16	5.58	6.96
1.76	3.42	3.55	4.93	3.95	5.76
1.18	2.53	4.01	6.95	6.55	11.54
2.54	3.55	3.93	6.79	8.09	10.41
0.20	0.34	0.46	0.54	1.00	1.53
0.26	0.86	1.44	0.76	0.88	0.38
2.52	3.50	3.77	5.05	4.89	3.75
0.05	0.12	0.25	0.64	1.34	2.69
6.60	8.19	10.50	11.93	15.53	14.85
15.88	20.70	24.98	28.96	35.52	43.52
2.42	3.23	4.18	5.45	7.87	14.35
0.98	1.32	2.54	2.43	0.49	0.90
0.08	0.12	0.32	0.50	0.87	1.16
1.09	1.50	2.42	3.70	5.62	6.87
0.02	0.04	0.12	0.1	0.07	0.35
0.22	0.29	0.86	0.73	0.82	0.80

Number of Durable Consumer Goods Owned Per 100 Urban Households at Year-end by Level of Income(2008)

低收入户 Low Income Households (second decile)	中等偏下户 Lower Middle Income Households (second quintile)	中等收入户 Middle Income Households (third quintile)	中等偏上户 Upper Middle Income Households (fourth quintile)	高收入户 High Income Households (ninth decile)	最高收入户 Highest Income Households (tenth decile)
21.01	24.34	23.75	21.46	19.47	17.07
21.65	23.72	25.09	25.30	23.70	22.89
1.80	3.17	5.67	10.24	16.98	33.04
89.05	93.35	96.38	97.13	99.36	101.84
83.73	91.95	96.70	99.21	102.05	104.70
117.70	122.88	131.19	140.37	151.45	165.60
34.24	47.61	60.87	71.31	82.91	101.45
17.74	22.08	27.48	31.76	37.10	47.32
1.36	2.64	5.95	9.24	13.57	21.87
15.96	24.86	36.82	50.42	65.34	82.04
0.25	0.92	1.95	2.91	4.33	7.12
1.72	3.16	4.69	5.51	6.49	8.01
33.18	44.25	57.58	67.80	75.27	83.30
54.79	73.55	95.44	121.66	152.41	197.15
65.19	74.09	83.13	91.22	96.97	104.26
10.79	12.47	16.51	21.33	27.28	36.97
0.46	0.49	0.64	0.81	1.15	2.06
1.00	1.67	2.92	4.92	7.85	12.18
74.23	77.22	83.01	87.52	92.43	94.07
144.47	163.99	176.57	187.32	198.11	210.69

1-3 按绝对收入分组城镇居民家庭基本情况(2008年)

项 目	Item	单位	Unit	全 国 National	按户总收入分 10000元以下	10000～15000
调查户数	**Number of Households Surveyed**	**户**	**household**	**64675**	**957**	**2486**
调查户比重	**Proportion**	**%**	**%**	**100**	**1.48**	**3.84**
平均每户家庭人口	**Average Household Size**	**人**	**person**	**2.91**	**2.25**	**2.48**
平均每户就业人口	**Average Number of Employed Persons Per Household**	**人**	**person**	**1.48**	**0.63**	**0.84**
平均每户就业面	**Proportion of Employment per Household**	**%**	**%**	**50.86**	**27.89**	**33.94**
平均每一就业者负担人数	**Number of Dependents per Employee**					
(包括就业者本人)	**(Including the employee himself or herself)**	**人**	**person**	**1.97**	**3.59**	**2.95**
平均每人全部年收入	**Per Capita Annual Income**	**元**	**yuan**	**17067.78**	**3508.36**	**5176.19**
工薪收入	Income of Wages and Salaries	元	yuan	11298.96	1543.86	2547.7
经营净收入	Net Business Income	元	yuan	1453.57	258.15	406.03
财产性收入	Income from Property	元	yuan	387.02	45.23	78.81
转移性收入	Income from Transfer	元	yuan	3928.23	1661.12	2143.65
#可支配收入	#Disposable Income	元	yuan	15780.76	3284.70	4898.42
平均每人消费性支出	**Per Capita Annual Consumption Expenditures**	**元**	**yuan**	**11242.85**	**3981.04**	**4748.46**
食 品	Food	元	yuan	4259.81	2010.33	2366.21
衣 着	Clothing	元	yuan	1165.91	288.36	376.28
居 住	Housing	元	yuan	1145.41	541.07	635.49
家庭设备用品及服务	Household Appliances and Service	元	yuan	691.83	142.58	198.71
医疗保健	Health Care and Medical Services	元	yuan	786.20	371.72	393.80
交通通信	Transport and Communications	元	yuan	1417.12	232.59	304.39
教育文化娱乐服务	Education, Cultural and Recreation Services	元	yuan	1358.26	303.03	367.46
其它商品与服务	Miscellaneous Goods and Services	元	yuan	418.31	91.37	106.12
平均每人消费性支出构成	**Composition of Per Capita Annual Consumption Expenditures**	**%**	**%**			
食 品	Food	%	%	37.89	50.50	49.83
衣 着	Clothing	%	%	10.37	7.24	7.92
居 住	Housing	%	%	10.19	13.59	13.38
家庭设备用品及服务	Household Appliances and Service	%	%	6.15	3.58	4.18
医疗保健	Health Care and Medical Services	%	%	6.99	9.34	8.29
交通通信	Transport and Communications	%	%	12.60	5.84	6.41
教育文化娱乐服务	Education, Cultural and Recreation Services	%	%	12.08	7.61	7.74
其它商品与服务	Miscellaneous Goods and Services	%	%	3.72	2.30	2.23

Basic Conditions of Urban Households by Level of Income (2008)

By Level of Income							
15000 ~ 20000	20000 ~ 25000	25000 ~ 30000	30000 ~ 35000	35000 ~ 40000	40000 ~ 45000	45000 ~ 50000	50000 ~ 55000
3943	**5493**	**5982**	**6019**	**5816**	**5152**	**4527**	**3769**
6.10	**8.49**	**9.25**	**9.31**	**8.99**	**7.97**	**7.00**	**5.83**
2.63	**2.71**	**2.78**	**2.84**	**2.90**	**2.94**	**2.99**	**3.00**
1.07	**1.14**	**1.27**	**1.34**	**1.46**	**1.55**	**1.61**	**1.66**
40.76	**41.92**	**45.59**	**47.15**	**50.52**	**52.78**	**53.75**	**55.37**
2.45	**2.39**	**2.19**	**2.12**	**1.98**	**1.89**	**1.86**	**1.81**
6722.99	**8349.02**	**9879.72**	**11422.50**	**12911.45**	**14412.70**	**15859.82**	**17491.88**
3792.17	4612.81	5769.52	6909.76	8211.61	9557.75	10697.42	11965.71
526.31	681.53	706.84	828.01	958.45	1004.99	1141.39	1315.79
54.51	77.22	107.89	130.78	170.65	175.92	224.35	316.58
2350.00	2977.47	3295.47	3553.97	3570.74	3674.04	3796.66	3893.81
6383.23	7932.85	9340.74	10768.80	12084.07	13450.18	14761.90	16260.34
5671.75	**6735.11**	**7523.47**	**8361.20**	**9095.23**	**9858.72**	**10674.63**	**11531.69**
2739.39	3151.22	3371.22	3627.46	3804.93	4064.50	4185.35	4419.89
518.93	621.19	753.18	857.15	965.18	1088.54	1180.83	1295.57
690.17	761.12	826.95	905.62	960.86	989.51	1154.02	1126.59
263.19	339.77	401.71	476.74	539.84	585.50	665.88	722.69
463.94	557.26	627.52	666.29	711.71	725.89	800.89	838.70
425.45	563.35	637.26	738.03	865.61	971.23	1083.33	1296.71
430.34	552.83	684.46	836.00	953.16	1095.56	1215.95	1421.31
140.35	188.36	221.15	253.91	293.95	337.99	388.38	410.24
48.30	46.79	44.81	43.38	41.83	41.23	39.21	38.33
9.15	9.22	10.01	10.25	10.61	11.04	11.06	11.23
12.17	11.30	10.99	10.83	10.56	10.04	10.81	9.77
4.64	5.04	5.34	5.70	5.91	5.94	6.24	6.27
8.18	8.27	8.34	7.97	7.83	7.36	7.50	7.27
7.50	8.36	8.47	8.83	9.52	9.85	10.15	11.24
7.59	8.21	9.10	10.00	10.48	11.11	11.39	12.33
2.47	2.80	2.94	3.04	3.23	3.43	3.64	3.56

项　目	Item	单位	Unit	按户总收入分	
				55000～60000	60000～65000
调查户数	**Number of Households Surveyed**	**户**	**household**	**3232**	**2794**
调查户比重	**Proportion**	**%**	**%**	**5.00**	**4.32**
平均每户家庭人口	**Average Household Size**	**人**	**person**	**3.01**	**3.09**
平均每户就业人口	**Average Number of Employed Persons Per Household**	**人**	**person**	**1.68**	**1.74**
平均每户就业面	**Proportion of Employment per Household**	**%**	**%**	**55.91**	**56.36**
平均每一就业者负担人数（包括就业者本人）	**Number of Dependents per Employee (Including the employee himself or herself)**	**人**	**person**	**1.79**	**1.77**
平均每人全部年收入	**Per Capita Annual Income**	**元**	**yuan**	**19082.48**	**20218.84**
工薪收入	Income of Wages and Salaries	元	yuan	12975.83	13784.03
经营净收入	Net Business Income	元	yuan	1396.75	1712.44
财产性收入	Income from Property	元	yuan	329.97	419.50
转移性收入	Income from Transfer	元	yuan	4379.93	4302.86
#可支配收入	#Disposable Income	元	yuan	17714.73	18752.28
平均每人消费性支出	**Per Capita Annual Consumption Expenditures**	**元**	**yuan**	**11954.01**	**12768.96**
食　品	Food	元	yuan	4545.64	4780.86
衣　着	Clothing	元	yuan	1319.71	1438.46
居　住	Housing	元	yuan	1202.22	1216.62
家庭设备用品及服务	Household Appliances and Service	元	yuan	755.56	810.19
医疗保健	Health Care and Medical Services	元	yuan	865.70	926.28
交通通信	Transport and Communications	元	yuan	1286.19	1502.37
教育文化娱乐服务	Education, Cultural and Recreation Services	元	yuan	1533.47	1602.64
其它商品与服务	Miscellaneous Goods and Services	元	yuan	445.51	491.55
平均每人消费性支出构成	**Composition of Per Capita Annual Consumption Expenditures**	%	%		
食　品	Food	%	%	38.03	37.44
衣　着	Clothing	%	%	11.04	11.27
居　住	Housing	%	%	10.06	9.53
家庭设备用品及服务	Household Appliances and Service	%	%	6.32	6.34
医疗保健	Health Care and Medical Services	%	%	7.24	7.25
交通通信	Transport and Communications	%	%	10.76	11.77
教育文化娱乐服务	Education, Cultural and Recreation Services	%	%	12.83	12.55
其它商品与服务	Miscellaneous Goods and Services	%	%	3.73	3.85

1-3 Continued

By Level of Income							
65000～70000	70000～75000	75000～80000	80000～85000	85000～90000	90000～95000	95000～100000	100000元以上
2251	**1894**	**1501**	**1314**	**1045**	**943**	**724**	**4834**
3.48	**2.93**	**2.32**	**2.03**	**1.62**	**1.46**	**1.12**	**7.47**
3.08	**3.11**	**3.12**	**3.12**	**3.13**	**3.22**	**3.18**	**3.28**
1.73	**1.77**	**1.83**	**1.78**	**1.84**	**1.90**	**1.89**	**1.97**
56.07	**56.91**	**58.67**	**57.22**	**58.72**	**59.01**	**59.35**	**60.04**
1.78	**1.76**	**1.70**	**1.75**	**1.70**	**1.69**	**1.68**	**1.67**
21858.82	**23316.79**	**24799.93**	**26477.39**	**27944.47**	**28748.35**	**30562.98**	**43536.27**
14951.74	16071.61	17661.66	18349.47	19630.93	20645.38	21444.16	30016.12
1661.45	1620.79	1884.85	1950.25	2029.00	2077.52	2600.91	5438.44
424.86	468.85	561.23	799.14	803.04	751.92	733.65	1950.10
4820.77	5155.55	4692.18	5378.53	5481.50	5273.53	5784.25	6131.61
20063.47	21424.22	22654.69	24163.20	25422.47	26147.59	27656.62	39421.22
13830.24	**14526.34**	**15902.35**	**16760.87**	**17401.47**	**17670.03**	**18252.80**	**24793.29**
4933.82	5051.38	5397.98	5645.31	5712.39	5975.34	6110.04	7214.57
1500.70	1577.71	1683.10	1731.44	1842.09	1914.25	1844.66	2382.68
1326.20	1324.80	1541.76	1542.07	1605.57	1736.56	1870.07	2378.79
870.39	952.02	1009.40	1055.84	1156.08	1173.04	1388.65	1704.03
894.20	996.80	1038.29	1073.68	1085.43	1047.96	1178.17	1290.82
1919.86	2159.20	2443.58	2748.32	2890.46	2781.42	2655.09	4805.46
1851.80	1898.12	2199.77	2252.44	2378.90	2253.84	2504.39	3811.78
533.27	566.30	588.47	711.77	730.54	787.62	701.73	1205.15
35.67	34.77	33.94	33.68	32.83	33.82	33.47	29.10
10.85	10.86	10.58	10.33	10.59	10.83	10.11	9.61
9.59	9.12	9.70	9.20	9.23	9.83	10.25	9.59
6.29	6.55	6.35	6.30	6.64	6.64	7.61	6.87
6.47	6.86	6.53	6.41	6.24	5.93	6.45	5.21
13.88	14.86	15.37	16.40	16.61	15.74	14.55	19.38
13.39	13.07	13.83	13.44	13.67	12.76	13.72	15.37
3.86	3.90	3.70	4.25	4.20	4.46	3.84	4.86

1-4-1 各地区城镇居民家庭人口就业情况(平均每户,2008年)

Employment Status of Urban Households by Region (2008)

单位：人 Unit: person

地 区	Region	调查户数(户) Number of Households Surveyed (household)	一、家庭人口数 Households Size	(一)有收入者人数 Number of Persons with Income	1.就业人口数 Number of Employed Persons	(1)国有经济单位职工人数 Staff and Workers in State-owned Economic Units	(2)城镇集体经济单位职工人数 Staff and Workers in Collective-owned Economic Units	(3)其他各种经济类型单位职工 Staff and Workers in Units of Other Economic Type	(4)城镇个体经营者人员数 Urban Self-employed Individuals or Owners of Private Enterprises
合 计	**Total**	**64675**	**2.91**	**2.05**	**1.48**	**0.71**	**0.07**	**0.20**	**0.15**
北 京	Beijing	5000	2.76	2.20	1.46	0.81	0.06	0.25	0.04
天 津	Tianjin	1500	2.89	2.29	1.50	0.69	0.02	0.28	0.08
河 北	Hebei	2520	2.91	2.04	1.44	0.86	0.07	0.11	0.12
山 西	Shanxi	1810	2.90	1.86	1.33	0.86	0.04	0.11	0.11
内蒙古	Inner Mongolia	2349	2.84	1.91	1.44	0.81	0.05	0.11	0.18
辽 宁	Liaoning	4300	2.75	2.07	1.39	0.59	0.06	0.14	0.12
吉 林	Jilin	1450	2.86	2.03	1.44	0.77	0.04	0.12	0.13
黑龙江	Heilongjiang	2250	2.73	1.89	1.30	0.66	0.04	0.12	0.13
上 海	Shanghai	999	2.97	2.34	1.63	0.78	0.05	0.44	0.09
江 苏	Jiangsu	5100	2.84	2.12	1.42	0.45	0.07	0.41	0.17
浙 江	Zhejiang	4450	2.72	1.92	1.39	0.46	0.06	0.28	0.20
安 徽	Anhui	2350	2.87	2.02	1.44	0.66	0.04	0.32	0.14
福 建	Fujian	1800	3.14	2.20	1.69	0.78	0.07	0.29	0.20
江 西	Jiangxi	1280	2.90	2.10	1.61	0.91	0.03	0.13	0.15
山 东	Shandong	3299	2.87	2.03	1.64	0.89	0.17	0.22	0.11
河 南	Henan	2399	2.88	2.01	1.44	0.87	0.08	0.09	0.13
湖 北	Hubei	1900	2.96	2.08	1.50	0.75	0.07	0.18	0.15
湖 南	Hunan	1250	2.92	2.03	1.39	0.63	0.06	0.16	0.24
广 东	Guangdong	3150	3.27	2.10	1.63	0.58	0.08	0.27	0.20
广 西	Guangxi	1340	3.02	2.19	1.64	0.90	0.05	0.15	0.19
海 南	Hainan	600	3.32	2.09	1.54	0.71	0.08	0.18	0.16
重 庆	Chongqing	1500	2.93	2.23	1.58	0.62	0.07	0.15	0.14
四 川	Sichuan	2583	2.90	2.03	1.47	0.65	0.07	0.18	0.15
贵 州	Guizhou	1490	3.07	1.98	1.37	0.80	0.04	0.09	0.14
云 南	Yunnan	1750	2.87	1.98	1.40	0.66	0.06	0.13	0.18
西 藏	Tibet	800	3.39	1.66	1.53	1.22	0.09	0.02	0.06
陕 西	Shaanxi	1475	2.90	1.96	1.42	1.01	0.03	0.09	0.07
甘 肃	Gansu	880	2.80	1.87	1.40	0.80	0.03	0.14	0.10
青 海	Qinghai	592	3.00	1.83	1.32	0.68	0.01	0.13	0.15
宁 夏	Ningxia	950	2.92	1.80	1.36	0.62		0.19	0.26
新 疆	Xinjiang	1560	2.99	1.86	1.51	0.91	0.03	0.08	0.17

1-4-1 续表 Continued 1

单位：人 Unit: person

地 区	Region	(5)城镇个体被雇人员数 Employed Persons of Urban Self-employed or Private Enterprises	(6)离退休再就业人员数 Retired Staff and Veteran Cadres of Reemployment	(7)其他就业人员数 Other Employed	2.离退休人数 Number of Retired Staff and Veteran Cadres	3.其他有收入者人数 Number of Other Persons Earning Income	(二)无收入者人数 Number of Persons Without Income	二、期末家庭人口数 Number of Households Members at the end of Period
合 计	**Total**	**0.24**	**0.03**	**0.08**	**0.51**	**0.06**	**0.86**	**2.90**
北 京	Beijing	0.15	0.10	0.05	0.69	0.05	0.56	2.73
天 津	Tianjin	0.16	0.13	0.12	0.75	0.05	0.60	2.87
河 北	Hebei	0.21	0.01	0.07	0.57	0.03	0.87	2.90
山 西	Shanxi	0.15	0.01	0.03	0.47	0.06	1.04	2.87
内蒙古	Inner Mongolia	0.18	0.02	0.09	0.41	0.06	0.93	2.83
辽 宁	Liaoning	0.32	0.04	0.13	0.65	0.03	0.68	2.74
吉 林	Jilin	0.24	0.03	0.12	0.55	0.05	0.83	2.84
黑龙江	Heilongjiang	0.24	0.02	0.10	0.53	0.06	0.84	2.72
上 海	Shanghai	0.08	0.13	0.05	0.63	0.08	0.62	2.95
江 苏	Jiangsu	0.24	0.04	0.04	0.67	0.04	0.71	2.81
浙 江	Zhejiang	0.31	0.03	0.04	0.48	0.05	0.80	2.70
安 徽	Anhui	0.23	0.01	0.04	0.53	0.05	0.85	2.86
福 建	Fujian	0.25	0.04	0.06	0.42	0.10	0.94	3.13
江 西	Jiangxi	0.31	0.02	0.05	0.45	0.04	0.80	2.89
山 东	Shandong	0.20	0.01	0.05	0.35	0.04	0.84	2.87
河 南	Henan	0.21	0.02	0.04	0.54	0.04	0.87	2.86
湖 北	Hubei	0.26	0.02	0.06	0.52	0.06	0.88	2.95
湖 南	Hunan	0.17	0.01	0.13	0.50	0.13	0.89	2.90
广 东	Guangdong	0.39	0.01	0.10	0.41	0.06	1.18	3.26
广 西	Guangxi	0.20	0.02	0.12	0.50	0.05	0.83	3.02
海 南	Hainan	0.27		0.13	0.46	0.09	1.23	3.30
重 庆	Chongqing	0.40	0.08	0.12	0.59	0.06	0.69	2.91
四 川	Sichuan	0.25	0.03	0.15	0.49	0.06	0.87	2.85
贵 州	Guizhou	0.15	0.01	0.13	0.54	0.07	1.09	3.04
云 南	Yunnan	0.18	0.01	0.19	0.51	0.07	0.89	2.87
西 藏	Tibet	0.03	0.02	0.09	0.10	0.02	1.74	3.39
陕 西	Shaanxi	0.19	0.03	0.02	0.48	0.05	0.94	2.90
甘 肃	Gansu	0.26		0.07	0.41	0.06	0.93	2.80
青 海	Qinghai	0.22	0.01	0.12	0.43	0.08	1.16	3.00
宁 夏	Ningxia	0.26	0.02	0.01	0.37	0.07	1.12	2.90
新 疆	Xinjiang	0.25	0.01	0.05	0.30	0.05	1.14	2.99

1-4-2 各地区城镇居民家庭现金收入(平均每人全年，2008年)

Per Capita Annual Cash Income of Urban by Region (2008)

单位：元　　　　Unit: yuan

地区	Region	一、期初手存现金 Deposited Cash at Beginning of the Period	二、家庭总收入 Total Income of Living Expenditure	可支配收入 Disposable Income	(一)工薪收入 Income of Wages and Salaries	1.工资及补贴收入 Income of Wages and Allowances	2.其他劳动收入 Other Working Income	(二)经营净 Net Business Income
合　计	**National Average**	**519.85**	**17067.78**	**15780.76**	**11298.96**	**11006.26**	**292.70**	**1453.57**
北　京	Beijing	652.77	27677.94	24724.89	18738.96	18110.62	628.34	778.36
天　津	Tianjin	794.35	21174.04	19422.53	12849.73	12740.31	109.43	863.52
河　北	Hebei	558.31	14141.41	13441.09	8891.50	8640.40	251.10	1078.67
山　西	Shanxi	396.54	13858.98	13119.05	9019.35	8581.83	437.52	983.21
内蒙古	Inner Mongolia	212.95	15195.44	14432.55	10284.43	9393.75	890.68	1555.31
辽　宁	Liaoning	642.05	15836.25	14392.69	9494.59	9283.71	210.88	1483.30
吉　林	Jilin	337.76	13606.03	12829.45	8677.27	8384.54	292.73	1154.14
黑龙江	Heilongjiang	341.18	12264.06	11581.28	7393.39	6919.99	473.40	1241.37
上　海	Shanghai	1606.06	29759.13	26674.90	21791.11	21611.11	180.00	1399.14
江　苏	Jiangsu	644.33	20175.57	18679.52	12319.86	12182.79	137.07	1999.61
浙　江	Zhejiang	719.95	24980.78	22726.66	15538.83	15293.31	245.51	3161.87
安　徽	Anhui	389.34	14159.46	12990.35	9302.38	9085.89	216.50	959.43
福　建	Fujian	472.81	19686.15	17961.45	12668.82	12114.58	554.25	2185.13
江　西	Jiangxi	756.68	13463.58	12866.44	9105.96	8980.19	125.77	1106.31
山　东	Shandong	487.72	17548.97	16305.41	12940.62	12687.46	253.16	1194.40
河　南	Henan	339.81	13907.80	13231.11	9043.52	8805.15	238.37	1161.96
湖　北	Hubei	339.73	14174.27	13152.86	9474.81	9061.61	413.20	1114.68
湖　南	Hunan	393.87	14577.27	13821.16	9070.97	8613.14	457.83	1575.08
广　东	Guangdong	744.70	21678.51	19732.86	15188.39	14934.67	253.72	2405.92
广　西	Guangxi	345.73	15393.18	14146.04	10321.20	9657.39	663.81	1314.40
海　南	Hainan	183.19	13598.60	12607.84	8999.75	8409.22	590.53	1311.38
重　庆	Chongqing	512.73	15217.73	14367.55	10957.62	10749.91	207.71	788.26
四　川	Sichuan	323.16	13685.10	12633.38	9117.00	8991.67	125.33	1040.14
贵　州	Guizhou	379.67	12185.62	11758.76	7811.16	7503.85	307.32	770.86
云　南	Yunnan	358.93	14118.03	13250.22	8596.88	8308.12	288.76	1165.96
西　藏	Tibet	492.96	13647.53	12481.51	12314.69	12001.49	313.19	303.34
陕　西	Shaanxi	408.21	13847.12	12857.89	9794.82	9684.65	110.16	544.00
甘　肃	Gansu	262.49	11669.33	10969.41	8354.63	8064.15	290.48	638.76
青　海	Qinghai	174.45	12867.33	11640.43	8595.48	8344.26	251.21	763.07
宁　夏	Ningxia	147.51	14118.64	12931.53	8793.54	8604.78	188.75	1856.94
新　疆	Xinjiang	263.88	12478.61	11432.10	9422.22	9303.90	118.32	938.15

1-4-2 续表 1 Continued 1

单位：元 Unit: yuan

地 区	Region	(三)财产性收入 Income from Properties	1.利息收入 Interest Income	2.股息与红利收入 Bonus and Dividends	3.保险收益 Insurance Yield	4.其它投资收入 Other Investment Income	5.出租房屋收入 House Leasing Income	6.知识产权收入 Intellectual Property Income
合 计	**National Average**	**387.02**	**43.70**	**75.52**	**6.60**	**42.58**	**203.75**	**0.16**
北 京	Beijing	452.75	69.51	54.05	20.77	41.24	263.34	
天 津	Tianjin	256.87	97.47	42.44	2.86		107.13	
河 北	Hebei	224.86	33.41	60.59	3.45	30.08	78.24	0.26
山 西	Shanxi	202.31	38.33	33.60	8.32	31.37	79.54	0.03
内蒙古	Inner Mongolia	324.64	39.84	68.14	12.64	22.88	94.36	
辽 宁	Liaoning	248.04	42.94	58.23	9.10	64.46	69.11	0.02
吉 林	Jilin	97.74	13.89	7.25	0.81	7.89	64.22	
黑龙江	Heilongjiang	122.83	10.79	25.40	2.01	54.77	22.99	0.34
上 海	Shanghai	369.12	27.65	4.02	1.55	1.69	333.91	
江 苏	Jiangsu	307.31	41.48	49.43	5.99	64.06	143.41	0.36
浙 江	Zhejiang	1324.94	122.52	215.19	8.64	298.21	652.14	
安 徽	Anhui	293.92	55.22	71.12	11.91	16.66	133.40	0.32
福 建	Fujian	952.91	93.62	169.23	4.94	39.69	638.39	
江 西	Jiangxi	265.35	48.44	40.72	6.39	38.67	118.29	
山 东	Shandong	346.90	79.39	106.50	14.80	20.92	101.10	
河 南	Henan	156.46	34.99	49.68	1.95	8.93	55.91	
湖 北	Hubei	244.13	40.56	73.76	1.84	7.54	112.74	0.19
湖 南	Hunan	316.48	40.37	28.60	9.66	34.76	190.24	
广 东	Guangdong	701.25	20.13	156.49	10.68	21.03	484.03	0.65
广 西	Guangxi	441.15	60.30	66.35	1.19	40.50	268.44	1.24
海 南	Hainan	396.89	23.95	59.41	0.39	32.40	274.86	
重 庆	Chongqing	205.94	30.22	12.10	3.11	15.34	138.75	
四 川	Sichuan	262.90	26.18	92.58	1.91	47.94	88.68	
贵 州	Guizhou	110.90	1.71	6.91	0.32	10.11	90.36	0.04
云 南	Yunnan	849.45	6.19	108.72	1.79	4.90	513.29	
西 藏	Tibet	138.08	1.77	5.74		11.49	103.79	
陕 西	Shaanxi	151.46	26.88	28.44	7.64	0.75	86.57	
甘 肃	Gansu	65.33	13.23	4.55	0.03	12.08	29.39	
青 海	Qinghai	50.17	12.25	11.03	2.55	0.34	23.99	
宁 夏	Ningxia	182.67	10.96	46.11	1.94	24.92	74.27	
新 疆	Xinjiang	141.75	4.32	5.97	0.69	8.08	121.54	

1-4-2 续表 2 Continued 2

单位：元 Unit: yuan

地 区	Region	7.其他财产性收入 Other Property Income	(四)转移性收入 Income from Transfer	1.养老金或离退休金 Pension	2.社会救济收入 Social Assistance Grants	3.辞退金 Compensation for Dismissal	4.赔偿收入 Compensation Income	5.保险收入 Insurance Proceeds
合 计	**National Average**	**14.70**	**3928.23**	**3147.72**	**39.42**	**9.94**	**13.45**	**17.70**
北 京	Beijing	3.84	7707.87	6530.00	31.83	10.18	4.89	19.18
天 津	Tianjin	6.96	7203.93	5470.26	41.43	14.24	0.88	13.56
河 北	Hebei	18.83	3946.39	3526.81	25.13	11.51	5.43	14.37
山 西	Shanxi	11.12	3654.11	2966.83	66.20	59.08	2.36	23.09
内蒙古	Inner Mongolia	86.79	3031.05	2577.74	46.25	2.69	11.97	8.84
辽 宁	Liaoning	4.17	4610.32	3865.03	53.02	7.69	15.92	20.46
吉 林	Jilin	3.68	3676.88	3057.18	43.47	33.87	0.01	5.99
黑龙江	Heilongjiang	6.54	3506.48	2890.65	42.79	33.08	0.45	10.18
上 海	Shanghai	0.30	6199.77	5098.78	94.67	38.68	0.82	65.32
江 苏	Jiangsu	2.58	5548.78	4584.79	29.43	16.44	4.43	18.64
浙 江	Zhejiang	28.26	4955.14	3729.50	23.75	0.71	2.18	18.50
安 徽	Anhui	5.30	3603.72	2774.64	50.48	1.32	2.42	26.44
福 建	Fujian	7.04	3879.29	2446.52	14.77	10.46	9.31	34.09
江 西	Jiangxi	12.83	2985.96	2276.86	27.38		0.43	1.77
山 东	Shandong	24.19	3067.05	2513.09	18.40	0.85	81.31	3.54
河 南	Henan	5.00	3545.86	2932.09	32.64	0.11	0.90	12.34
湖 北	Hubei	7.49	3340.65	2732.35	32.34	3.39	0.50	30.84
湖 南	Hunan	12.86	3614.74	2643.68	42.33	5.32	10.26	8.20
广 东	Guangdong	8.25	3382.95	2401.23	19.38	4.21	6.46	22.11
广 西	Guangxi	3.13	3316.44	2720.10	19.56	31.07	0.25	41.31
海 南	Hainan	5.87	2890.59	2084.48	27.93		0.61	16.38
重 庆	Chongqing	6.42	3265.92	2769.64	63.44		0.86	8.48
四 川	Sichuan	5.60	3265.06	2631.27	74.50	0.69	5.05	16.09
贵 州	Guizhou	1.46	3492.70	3002.09	68.25	24.54	0.26	0.32
云 南	Yunnan	214.55	3505.74	2920.53	48.24	10.86	191.74	18.16
西 藏	Tibet	15.29	891.42	674.63	59.53		2.07	0.02
陕 西	Shaanxi	1.18	3356.85	2750.44	53.13	0.04	0.03	20.16
甘 肃	Gansu	6.04	2610.61	2269.00	97.66	7.13	4.56	4.82
青 海	Qinghai	0.01	3458.63	3035.01	104.01		0.24	3.39
宁 夏	Ningxia	24.47	3285.49	2754.65	72.93	14.41	1.07	8.34
新 疆	Xinjiang	1.16	1976.49	1722.28	36.14	1.12	0.21	2.64

1-4-2 续表 3 Continued 3

单位：元 Unit: yuan

地 区	Region	失业保险金 Insurance for Unemployment	6.赡养收入 Solatium Income	7.捐赠收入 Donation Income	8.提取住房公积金 Withdrawal of Public Accumulation Fund for Housing Construct	9.记帐补贴 Bookkeeping Allowance	10.其他转移性收入 Other Transfer Income	三、出售财物收入 Income from Selling Property
合 计	**National Average**	**11.79**	**173.67**	**311.18**	**57.17**	**89.67**	**68.31**	**139.24**
北 京	Beijing	4.55	255.43	273.38	310.66	250.09	22.23	209.68
天 津	Tianjin	13.22	212.62	529.30	817.17	49.05	55.42	532.37
河 北	Hebei	10.68	97.94	180.96	26.68	29.82	27.74	17.98
山 西	Shanxi	6.67	154.63	291.28	23.42	35.96	31.26	15.99
内蒙古	Inner Mongolia	1.34	96.52	208.23	15.57	41.29	21.96	43.94
辽 宁	Liaoning	9.92	196.29	306.19	33.35	79.30	33.06	267.81
吉 林	Jilin	3.44	118.52	260.93	42.28	98.32	16.31	55.70
黑龙江	Heilongjiang	8.91	117.41	228.86	87.76	84.03	11.27	87.00
上 海	Shanghai	60.33	171.89	368.68	19.82	202.32	138.79	1419.32
江 苏	Jiangsu	13.37	175.73	431.03	34.14	116.82	137.33	193.70
浙 江	Zhejiang	16.90	220.92	516.76	154.80	143.46	144.54	483.32
安 徽	Anhui	12.99	123.71	374.82	123.03	62.02	64.83	141.15
福 建	Fujian	30.40	453.90	539.45	63.20	155.64	151.96	103.11
江 西	Jiangxi	1.18	230.04	218.84	16.69	73.75	140.20	81.48
山 东	Shandong	1.71	105.73	242.54	35.56	45.14	20.90	86.98
河 南	Henan	9.73	173.74	307.30	9.70	56.90	20.13	12.62
湖 北	Hubei	15.28	162.51	278.99	16.56	48.88	34.29	6.06
湖 南	Hunan	3.62	146.50	577.25		103.38	77.83	5.91
广 东	Guangdong	13.05	293.82	384.48	40.47	114.41	96.37	52.12
广 西	Guangxi	36.02	76.98	206.62	49.47	93.59	77.48	24.28
海 南	Hainan	3.30	239.14	252.45	23.67	103.21	142.73	197.00
重 庆	Chongqing	3.52	81.98	172.47	11.26	91.81	65.97	15.78
四 川	Sichuan	11.08	171.52	140.81	20.47	85.17	119.49	41.72
贵 州	Guizhou	0.08	120.08	167.67	2.59	59.81	47.08	13.87
云 南	Yunnan	11.80	68.21	115.55	9.41	72.98	50.05	64.35
西 藏	Tibet	0.02	2.95	2.84	34.89	57.20	57.30	122.22
陕 西	Shaanxi	17.70	149.09	270.39	2.50	84.82	26.25	6.38
甘 肃	Gansu	3.95	39.53	119.32	12.07	49.37	7.15	1.04
青 海	Qinghai	3.39	90.42	62.52	0.69	122.19	40.16	0.63
宁 夏	Ningxia	5.62	130.87	169.01	26.57	65.23	42.42	192.17
新 疆	Xinjiang	0.25	73.35	100.93	3.11	33.84	2.85	11.87

1-4-2 续表 4 Continued 4

单位：元 Unit: yuan

地 区	Region	1.出售住房收入 House Leasing Income	2.出售其他物品收入 Other Articles	四、借贷收入 Debit and Credit Income	1.提取储蓄存款 Withdrawal of Deposit	2.借入款 Borrowing	3.收回借出款 Withdrawal of Debts	4.收回储蓄性保险本 Withdrawal of Saving Insurance Principal
合 计	**National Average**	**124.52**	**14.72**	**4153.60**	**3694.37**	**177.59**	**43.40**	**6.78**
北 京	Beijing	167.74	41.95	7057.69	6116.32	230.81	109.27	45.29
天 津	Tianjin	530.01	2.36	5580.04	4679.78	358.95	18.46	2.63
河 北	Hebei	12.54	5.44	2622.53	2084.51	300.31	53.84	17.76
山 西	Shanxi	8.71	7.28	2809.82	2127.81	483.76	115.14	13.72
内蒙古	Inner Mongolia	39.83	4.12	3397.37	3043.29	136.38	38.35	0.28
辽 宁	Liaoning	257.75	10.06	3366.92	2889.20	185.42	79.61	7.35
吉 林	Jilin	51.89	3.81	2536.44	2273.81	73.51	23.95	2.03
黑龙江	Heilongjiang	83.28	3.71	1667.24	1534.99	75.40	8.02	0.87
上 海	Shanghai	1348.20	71.13	6149.44	4674.06	67.38		2.93
江 苏	Jiangsu	173.61	20.09	3298.07	2866.79	142.02	36.12	2.27
浙 江	Zhejiang	472.29	11.02	6068.72	5686.55	105.01	71.25	4.76
安 徽	Anhui	116.40	24.75	2863.53	2226.97	186.33	45.27	15.38
福 建	Fujian	72.89	30.22	10676.55	9675.02	170.11	84.47	23.85
江 西	Jiangxi	77.40	4.08	1814.81	1434.51	178.85	13.89	2.99
山 东	Shandong	50.29	36.69	7618.02	7110.24	201.31	60.90	1.35
河 南	Henan	0.07	12.54	2112.20	1921.99	130.64	18.58	2.57
湖 北	Hubei	3.74	2.32	2620.82	2225.50	288.47	59.50	0.95
湖 南	Hunan	4.02	1.90	2417.44	2257.74	83.63	18.99	0.03
广 东	Guangdong	35.43	16.70	6054.95	5760.77	96.02	15.96	0.70
广 西	Guangxi	17.66	6.61	5056.18	4445.90	231.79	119.63	4.48
海 南	Hainan	194.42	2.58	2569.74	2409.53	88.61	33.06	8.04
重 庆	Chongqing	14.03	1.75	3183.23	2947.24	128.04	29.86	0.70
四 川	Sichuan	29.35	12.37	2211.46	1859.40	230.72	24.27	20.49
贵 州	Guizhou	10.10	3.77	1802.29	1689.76	87.59	7.44	0.29
云 南	Yunnan	62.24	2.11	6102.31	5515.66	351.32	13.00	2.56
西 藏	Tibet	122.22		1539.29	390.34	93.74	32.21	1.26
陕 西	Shaanxi	0.04	6.34	2555.89	2191.16	187.50	43.93	1.41
甘 肃	Gansu	0.01	1.03	2636.46	2294.47	145.73	49.24	12.73
青 海	Qinghai		0.63	6865.39	6701.87	95.86	9.39	16.08
宁 夏	Ningxia	191.43	0.74	9931.81	9085.61	387.96	105.70	6.08
新 疆	Xinjiang	0.79	11.09	2752.07	2005.67	173.81	11.27	2.93

1-4-2 续表 5 Continued 5

单位：元 Unit: yuan

地 区	Region	5.兑售有价证券 Changing or Sale Securities	6.收回投资本金 Withdrawal of Investment Principal	7.住房贷款 Housing Loans	8.汽车贷款 Car loans	9.教育贷款 Education Loans	10.其他贷款 Other loans	11.其他借贷收入 Other Debit and Credit Income
合 计	**National Average**	**40.47**	**12.65**	**134.72**	**7.96**	**1.61**	**12.15**	**21.90**
北 京	Beijing	144.09	34.59	330.95	0.11		5.62	40.65
天 津	Tianjin	79.96		435.87				4.38
河 北	Hebei	15.98	8.05	128.44			2.15	11.49
山 西	Shanxi	41.03	2.47	17.11	5.77	0.42	1.33	1.26
内蒙古	Inner Mongolia			149.15	17.19	1.74	10.14	0.84
辽 宁	Liaoning	119.52	13.51	43.45	8.00	1.57	9.14	10.15
吉 林	Jilin	6.26	11.46	132.02				13.38
黑龙江	Heilongjiang	1.06	0.74	20.34			0.25	25.57
上 海	Shanghai	123.10	6.75	1269.53		4.05		1.65
江 苏	Jiangsu	3.69	10.53	228.38		0.95	4.25	3.06
浙 江	Zhejiang	53.89	6.60	45.40	4.43	0.94	3.54	86.35
安 徽	Anhui	16.11	14.92	156.00	5.97	0.05	172.81	23.71
福 建	Fujian	129.90	221.61	212.43	12.66	25.76	51.79	68.93
江 西	Jiangxi	30.69	0.89	108.47	40.85		1.12	2.57
山 东	Shandong	19.02	10.87	186.91	0.14	0.15	5.29	21.84
河 南	Henan	1.35	5.03	27.86			1.95	2.23
湖 北	Hubei	35.06		1.10		4.63	3.31	2.28
湖 南	Hunan	13.72		41.14			0.20	1.98
广 东	Guangdong	108.87		62.06			0.36	10.20
广 西	Guangxi	24.52	5.13	33.64	172.66		10.67	7.76
海 南	Hainan	5.63	0.18	16.89		3.58	0.31	3.91
重 庆	Chongqing	40.76	5.96	3.32			27.18	0.17
四 川	Sichuan	2.79	1.52	44.13	24.22		0.80	3.10
贵 州	Guizhou			1.66		11.81	0.83	2.91
云 南	Yunnan	0.27	0.67	188.93	2.75		16.14	11.01
西 藏	Tibet			971.08	30.45	0.43		19.79
陕 西	Shaanxi	5.93	4.65	83.77		2.30	6.77	28.47
甘 肃	Gansu	18.41	7.27	98.39			5.50	4.73
青 海	Qinghai	0.06		42.00			0.13	
宁 夏	Ningxia	1.84	13.38	278.71			21.13	31.39
新 疆	Xinjiang		1.11	60.32	0.21		0.75	495.99

1-4-3 各地区城镇居民家庭现金支出(平均每人全年，2008年)

Per Capita Annual Living Expenditure of Urban Households by Region (2008)

单位：元 Unit: yuan

地 区	Region	家庭总支出 Total Consumption Expenditures	(一)消费支出 Consumption Expenditure	服务性消费 Expense for Services Consumption	1.食品 Food	2.衣着 Clothing	3.居住 Housing	4.家庭设备用品及服务 Household Appliances and Service	5.医疗保健 Health Care and Medical Services
合 计	**National Average**	**14747.92**	**11242.85**	**2918.85**	**4259.81**	**1165.91**	**1145.41**	**691.83**	**786.20**
北 京	Beijing	22135.90	16460.26	4559.42	5561.54	1571.74	1286.32	1096.57	1563.10
天 津	Tianjin	18855.2	13422.47	3646.05	5005.09	1153.66	1528.28	817.18	1220.92
河 北	Hebei	11555.6	9086.73	1872.67	3155.4	1137.22	1097.41	574.84	808.88
山 西	Shanxi	12097.99	8806.55	2307.1	2974.76	1137.71	1250.87	471.65	769.79
内蒙古	Inner Mongolia	13605.56	10828.62	2612.88	3553.48	1616.56	1028.19	672.64	869.71
辽 宁	Liaoning	15110.12	11231.48	2863.05	4378.14	1187.41	1270.95	507.4	913.13
吉 林	Jilin	12494.65	9729.05	2373.96	3307.14	1259.62	1285.28	510.49	914.47
黑龙江	Heilongjiang	10903.54	8622.97	2069.86	3128.1	1217.04	941.25	494.49	864.89
上 海	Shanghai	27757.75	19397.89	6286.85	7108.62	1520.61	1646.19	1182.24	755.29
江 苏	Jiangsu	16133.29	11977.55	3123.02	4544.64	1166.91	1042.1	813.45	794.63
浙 江	Zhejiang	20641.51	15158.3	4529.89	5522.56	1546.46	1333.69	713.31	933.11
安 徽	Anhui	12863.94	9524.04	2212.88	3905.05	1010.61	988.12	579.59	633.93
福 建	Fujian	17081.19	12501.12	3334.83	5078.85	1105.31	1300.1	722.17	540.63
江 西	Jiangxi	11101.47	8717.37	1835.92	3633.05	969.58	851.15	623.17	483.96
山 东	Shandong	14646.42	11006.61	2417.9	3699.42	1394.11	1247.04	806.35	799.79
河 南	Henan	11135.44	8837.46	2149.85	3079.82	1141.76	963.59	633.32	790.87
湖 北	Hubei	12470.98	9477.51	2204.74	3996.27	1099.16	914.26	604.4	675.32
湖 南	Hunan	13309.26	9945.52	2545.18	3970.42	1090.72	960.82	674.84	790.95
广 东	Guangdong	19248.36	15527.97	4618.42	5866.91	975.06	1748.16	947.54	836.39
广 西	Guangxi	12839.98	9627.4	2349.57	4082.99	772.28	891.33	603.84	529.36
海 南	Hainan	11701.97	9408.48	2446	4226.9	491.84	1106.39	565.51	536.4
重 庆	Chongqing	13780.02	11146.8	2801.01	4418.34	1294.3	1096.82	842.09	878.25
四 川	Sichuan	12228.69	9679.14	2331.77	4255.48	1042.45	819.28	590.51	564.93
贵 州	Guizhou	10236.67	8349.21	2115.23	3597.94	851.5	836.54	525.7	471.39
云 南	Yunnan	11681.21	9076.61	2176.19	4272.29	1026.5	739.2	331.94	606.86
西 藏	Tibet	11361.49	8323.54	1759.26	4262.77	1011.82	634.94	310.22	317.08
陕 西	Shaanxi	12439.97	9772.07	2710.29	3586.13	1047.61	1007.68	618.16	862.7
甘 肃	Gansu	10241.06	8308.62	2110.66	3183.79	1022.62	846.26	546.23	654.82
青 海	Qinghai	10678.05	8192.56	2011.02	3315.94	945.14	802.73	538.54	610.02
宁 夏	Ningxia	13547.63	9558.29	2354.11	3352.83	1178.88	1069.15	596.81	816.87
新 疆	Xinjiang	11363.63	8669.36	2128.48	3235.77	1245.02	781.9	535.31	643.48

1-4-3 续表 1 Continued 1

单位：元 Unit: yuan

地 区	Region	6.交通和通信 Transport and Communications	7.教育文化娱乐服务 Education, Cultural and Recreation Services	8.其它商品和服务 Miscellaneous Goods and Services	(二)购房与建房支出 Expenditure for Purchasing and Building House	1.购房 Purchasing House	2.建房 Building House	(三)转移性支出 Transfer Expenditure	1.交纳的个人收入税 Tax
合 计	**National Average**	**1417.12**	**1358.26**	**418.31**	**602.33**	**586.79**	**15.54**	**1746.35**	**103.45**
北 京	Beijing	2293.23	2383.52	704.24	874.58	873.58	1	2501.92	441.26
天 津	Tianjin	1567.87	1608.97	520.49	1813.06	1813.06		1925.24	130.61
河 北	Hebei	1062.31	946.38	304.28	680.92	624.52	56.41	1109.02	18.72
山 西	Shanxi	931.33	1041.91	228.53	624.47	561	63.47	1965.79	28.98
内蒙古	Inner Mongolia	1191.7	1383.53	512.81	358.88	357.06	1.82	1743.97	57.76
辽 宁	Liaoning	1295.7	1145.46	533.29	795.84	792.51	3.33	1782.35	83.27
吉 林	Jilin	954.96	1071.8	425.3	511.24	511.1	0.14	1610.38	38.09
黑龙江	Heilongjiang	749.05	906.19	321.95	204.71	204.71		1480.78	11.65
上 海	Shanghai	3373.19	2874.54	937.21	3395.87	3395.87		2434.34	586.92
江 苏	Jiangsu	1357.96	1799.75	458.1	839.27	831.61	7.67	1970.43	83.2
浙 江	Zhejiang	2392.63	2195.58	520.95	770.62	728.76	41.85	2572.56	250.38
安 徽	Anhui	920.77	1160.14	325.82	544.37	520.5	23.87	1712.17	39
福 建	Fujian	1777.06	1453.18	523.83	975.33	974.58	0.75	2015.6	131.69
江 西	Jiangxi	872.57	945.99	337.91	478.38	432.05	46.33	1399.74	19.98
山 东	Shandong	1410.45	1277.43	372.01	749.36	703.1	46.26	1725.36	45.6
河 南	Henan	915.12	988.95	324.03	313.14	305.87	7.26	1375.23	19.8
湖 北	Hubei	890.12	1037.24	260.74	353.19	353.19		1703.67	41.88
湖 南	Hunan	971.05	1110.11	376.62	179.16	162.38	16.78	2561.67	34.02
广 东	Guangdong	2623.08	1936.38	594.45	199.12	199.12		1747.29	276.39
广 西	Guangxi	1376.03	1081.54	290.04	357.02	344.36	12.66	1757.51	66.03
海 南	Hainan	1303.5	930.87	247.08	128.74	128.74		1343.8	67.42
重 庆	Chongqing	1044.36	1267.03	305.6	352.25	352.14	0.11	1511.25	56.41
四 川	Sichuan	1121.45	947.01	338.03	385.8	380.94	4.86	1191.38	22.78
贵 州	Guizhou	871.15	934.73	260.27	82.96	82.96		1442.97	9.98
云 南	Yunnan	1216.46	732.95	150.42	393.86	378.31	15.54	1458.9	46.09
西 藏	Tibet	966.74	419.59	400.38	1092.57	857.04	235.53	834.22	1.9
陕 西	Shaanxi	967.52	1281.58	400.68	397.52	388.82	8.7	1388.85	30.36
甘 肃	Gansu	817.17	936.33	301.4	212.18	212.18		1095.47	41.76
青 海	Qinghai	787.63	880.86	311.72	287.71	285.84	1.86	1126.19	36.94
宁 夏	Ningxia	1096.32	1043.72	403.71	1126.27	1112.73	13.54	1725.32	47.03
新 疆	Xinjiang	1003.89	812.36	411.63	374.02	373.89	0.13	1331.51	26.65

1-4-3 续表 2 Continued 2

单位：元 Unit: yuan

地 区	Region	2.捐赠支出 Contribution	3.购买彩票 Expenditure for Purchasing Lotteries	4.赡养支出 Expenditure for support	在外就学子女费用 Expenditure for Children Studying Out Of Current Cities	5.各种非储蓄性保险支出 Expenditure on all Kinds of Non-saving Insurances	车辆保险支出 Expenditure on Car Insurance	6.其他转移性支出 Other Transfer Expenditure
合 计	**National Average**	**1036.19**	**11.20**	**454.63**	**264.23**	**71.89**	**30.01**	**68.98**
北 京	Beijing	1058.2	24.16	618.21	143.12	259.59	124.71	100.49
天 津	Tianjin	1432.9	4.53	269.78	75.87	47.89	22.13	39.53
河 北	Hebei	623.61	10.93	373.5	252.14	43.18	16.04	39.1
山 西	Shanxi	1033.95	8.76	755.32	541.69	75.26	25.25	63.51
内蒙古	Inner Mongolia	1218.4	6.74	363.2	285.67	55.35	16.98	42.53
辽 宁	Liaoning	890.59	21.83	614.26	433	116.61	20.04	55.79
吉 林	Jilin	1123.96	12.85	343.19	240.59	41.54	7.58	50.75
黑龙江	Heilongjiang	1053.86	4.73	340.48	263.81	35.99	2.36	34.07
上 海	Shanghai	1391.33	11.44	324.66	158.27	68.45	61.93	51.55
江 苏	Jiangsu	1378.7	7.87	356.47	239.36	73.21	36.69	70.98
浙 江	Zhejiang	1521.68	19	504.57	261.13	183.41	117.89	93.51
安 徽	Anhui	932.7	22.22	557.57	368.47	93.74	13.94	66.94
福 建	Fujian	1251.03	6.75	472.03	277.29	70.06	35.3	84.04
江 西	Jiangxi	912.35	1.98	386.92	259.86	36.55	6.11	41.97
山 东	Shandong	1085.79	7.89	415.87	229.46	98.07	44.03	72.15
河 南	Henan	801.78	4.87	453.67	311.19	37.56	4.79	57.56
湖 北	Hubei	1172.18	7.12	389.46	216.43	32.49	7.25	60.52
湖 南	Hunan	1929.5	5.74	472	308.49	42.08	4.8	78.32
广 东	Guangdong	756.2	9.73	538.25	170.11	87.84	55.38	78.89
广 西	Guangxi	981.33	7.97	564.9	390.21	41.69	10.8	95.59
海 南	Hainan	579.2	74.15	547.43	396.57	19.43	4.97	56.16
重 庆	Chongqing	1029.89	10.44	301.24	150.47	47.15	12.29	66.12
四 川	Sichuan	590.06	4.42	379.42	204.91	45.3	11.5	149.4
贵 州	Guizhou	1102.74	11.97	253.91	182.64	18.8	4.77	45.57
云 南	Yunnan	723.43	51.2	593	368.84	21.74	16.92	23.44
西 藏	Tibet	143.22	25.78	581.7	366.67	16.43	9.64	65.19
陕 西	Shaanxi	771.8	7.05	504.61	289.56	27.15	9.8	47.88
甘 肃	Gansu	618.35	4.04	350.6	215.37	32.81	3.93	47.9
青 海	Qinghai	658.73	6.88	343.68	224.08	12.25	0.73	67.71
宁 夏	Ningxia	929.63	10.93	671.73	424	22.01	4.66	44
新 疆	Xinjiang	735.04	10.91	448.76	296.47	34.96	5.58	75.19

1-4-3 续表 3 Continued 3

单位：元 Unit: yuan

地 区	Region	(四)财产性支出 Property Expenditure	1.非生产性利息支出 Expenditure on Non-productional Loan Interests	2.其他 Others	(五)社会保障支出 Expenditure on Social Securities	1.个人交纳的养老基金 Individually Paid Pension Fund	2.个人交纳的住房公积金 Individually Paid Public Accumulation Fund for Housing Construction	3.个人交纳的医疗基金 Individually Paid Medical Fund	4.个人交纳的失业基金 Individually Paid Unemployment Fund
合 计	**National Average**	**62.49**	**50.14**	**12.35**	**1093.89**	**461.23**	**445.13**	**148.31**	**31.04**
北 京	Beijing	37.45	31.95	5.5	2261.69	796.1	1084.6	284.42	75.5
天 津	Tianjin	122.6	72.26	50.34	1571.84	526.46	829.55	167.46	47.37
河 北	Hebei	27.14	17.3	9.84	651.78	271.48	236.49	117.73	18.69
山 西	Shanxi	26.19	10.41	15.78	675	309.79	221.58	111.17	23.45
内蒙古	Inner Mongolia	10.24	6.08	4.16	663.84	264.84	268.06	86.74	14.54
辽 宁	Liaoning	19.46	12.47	6.99	1280.99	646.97	379.42	215.61	31.8
吉 林	Jilin	3.8	0.08	3.72	640.18	285.09	236.47	82.93	17.23
黑龙江	Heilongjiang	7.99	0.18	7.82	587.08	273.83	173.5	118.22	18.86
上 海	Shanghai	234.65	176.73	57.92	2295	1021.82	887.22	266.43	119.34
江 苏	Jiangsu	50.01	19.38	30.64	1296.02	578.6	506.7	173.82	27.84
浙 江	Zhejiang	279.76	235.28	44.48	1860.27	720.27	894.61	199.4	44.87
安 徽	Anhui	15.27	2.92	12.35	1068.09	386.2	507.31	130.28	26.3
福 建	Fujian	151.77	137.13	14.64	1437.37	507.34	657.89	218.85	37.42
江 西	Jiangxi	2.58	1.39	1.18	503.40	215.41	204.50	60.60	12.00
山 东	Shandong	12.26	3.34	8.92	1152.82	513.47	442.62	141.48	40.3
河 南	Henan	9.62	5.76	3.86	599.99	239.79	242.38	99.98	17.14
湖 北	Hubei	5.96	1.25	4.7	930.65	423.71	342.24	139.37	15.97
湖 南	Hunan	4.2	0.22	3.98	618.71	250.89	261.12	89.16	15.13
广 东	Guangdong	219.12	214.81	4.3	1554.85	713.84	605.4	191.12	40.6
广 西	Guangxi	10.53	7.49	3.04	1087.52	373.45	550.13	126.86	32.24
海 南	Hainan	0.82		0.82	820.13	331.38	336.32	118.56	24.59
重 庆	Chongqing	67.76	57.77	9.99	701.96	362.8	229.47	80.65	20.17
四 川	Sichuan	28.6	18.24	10.36	943.77	410.37	379.83	129.95	18.42
贵 州	Guizhou	4.45	1.66	2.78	357.08	158.55	123.3	57.35	10.69
云 南	Yunnan	3.09	1.75	1.35	748.74	201.06	361.21	142.43	30.78
西 藏	Tibet	4.24	1.34	2.89	1106.93	136.99	745.96	206.48	16.76
陕 西	Shaanxi	7.48	5.64	1.84	874.06	400.47	301.87	132.25	34.7
甘 肃	Gansu	15.98	2.93	13.05	608.8	226.03	265.31	83.33	22.07
青 海	Qinghai	3.82		3.82	1067.77	370.63	496.88	158.3	29.28
宁 夏	Ningxia	62.89	51.47	11.42	1074.85	401.68	512.59	134.53	24.87
新 疆	Xinjiang	2.72	0.35	2.37	986.02	381.16	393.11	168.2	38.26

1-4-3 续表 4 Continued 4

单位：元 Unit: yuan

地 区	Region	5.其他社会保障支出 Other Expenditure on Social Securities	(六)借贷支出 Expenditure on Debit and Credit	1.存入储蓄款 Deposited Saving Money	2.借出款 Loans	3.归还借款 Returning Loans	4.储蓄性保险支出 Expenditure on Saving Insurance	5.购买有价证券 Purchasing Securities
合 计	**National Average**	**8.19**	**5791.18**	**5021.46**	**53.95**	**120.90**	**118.66**	**71.14**
北 京	Beijing	21.09	11731.51	9978	136.04	167.25	241.5	355.03
天 津	Tianjin	1	6483.88	5635.22	60.7	229.69	123.64	79.33
河 北	Hebei	7.39	4260.86	3855.03	35.25	96.52	37.78	40.55
山 西	Shanxi	9	3859.34	3345.6	67.33	210.02	82	7.87
内蒙古	Inner Mongolia	29.67	5114.49	4527.47	21.34	112.83	123.16	17.85
辽 宁	Liaoning	7.18	3518.97	2870.97	60.58	71.59	67.7	164.52
吉 林	Jilin	18.46	3094.46	2699.69	29.48	49.53	52.78	43.82
黑龙江	Heilongjiang	2.67	2495.47	2260.21	12.94	27.11	57.81	29.71
上 海	Shanghai	0.19	7780.2	6816.71	30.18	49.7	327.41	69.93
江 苏	Jiangsu	9.06	6147.55	5361.06	27.63	111.15	161.94	32.28
浙 江	Zhejiang	1.13	9306.13	7872.64	103.53	152.27	139.15	141.81
安 徽	Anhui	18	3432.5	2351.28	67.65	206.26	152.76	27.41
福 建	Fujian	15.87	12965.35	11082.29	97.84	200.88	154.78	155.98
江 西	Jiangxi	10.90	3708.66	3269.83	27.64	66.49	65.80	31.66
山 东	Shandong	14.96	10219.08	9481.36	77.67	114.95	120.71	57.5
河 南	Henan	0.7	4327.14	3940.01	45.89	98.07	93.15	19.26
湖 北	Hubei	9.36	3923.05	3277.33	85	220.52	120.94	55.28
湖 南	Hunan	2.41	2898.63	2583.26	15.27	47.14	78.76	14.45
广 东	Guangdong	3.89	7447.34	6354.61	47.64	105.85	153.87	150.53
广 西	Guangxi	4.83	7371.63	6464.17	103.13	231.83	126.8	67.88
海 南	Hainan	9.27	4181.33	3924.6	27.49	18.66	25.33	11.97
重 庆	Chongqing	8.88	3481.01	3030.25	34.48	45.92	67.02	8.85
四 川	Sichuan	5.19	2957	2471.98	44.52	106.4	67.94	29.33
贵 州	Guizhou	7.19	2851.94	2526.66	2.87	62.69	43.88	2.64
云 南	Yunnan	13.25	8432.39	7237.59	68.59	272.62	87.26	42.75
西 藏	Tibet	0.73	3052.96	2075.92	29.99	87.09	0.61	0.04
陕 西	Shaanxi	4.76	3283.42	2693.68	32.74	94.64	172.36	63.02
甘 肃	Gansu	12.05	3734.9	3075.99	62.8	151.54	120.42	78.53
青 海	Qinghai	12.69	9062.17	8609.97	14.49	92.7	77.56	4.53
宁 夏	Ningxia	1.17	10659.64	9670.7	94.68	177.34	174.6	19.65
新 疆	Xinjiang	5.3	3566.2	2788.19	20.97	141.04	214.58	13.91

1-4-3 续表 5 Continued 5

单位：元 Unit: yuan

地 区	Region	6.其它投资支出 Other Investment Expenses	7.归还住房贷款 Returning Housing Loans	8.归还汽车贷款 Returning Car Loans	9.归还教育贷款 Returning Education Loans	10.归还其他贷款 Returning Other Loan	11.其他借贷支出 Other Debit and Credit Expenses	(七)期末手存现金 Deposited Cash at the end of Period
合 计	**National Average**	**43.01**	**317.10**	**10.59**	**0.67**	**10.80**	**22.89**	**1319.73**
北 京	Beijing	105.46	639.51	41.89	0.94	7.71	58.17	1658.88
天 津	Tianjin		334.42	4.61		0.3	15.97	2624.66
河 北	Hebei	14.45	143.73	5.7		2.22	29.62	1558.84
山 西	Shanxi	13.77	95.65	9.27	0.57	7.64	19.61	1105.50
内蒙古	Inner Mongolia	15.6	267.47	4.28		18.99	5.51	418.65
辽 宁	Liaoning	40.79	217.18	8.4	0.4	5.07	11.76	1441.50
吉 林	Jilin	3.41	172.92	0.31	0.23	3	39.29	927.61
黑龙江	Heilongjiang	6.69	52.56	0.83		2.07	45.54	965.52
上 海	Shanghai	36.73	448.11				1.42	3409.94
江 苏	Jiangsu	8.73	427.22	2.13	0.03	4.9	10.49	2031.56
浙 江	Zhejiang	14.99	741.08	23.89		44.17	72.59	2223.46
安 徽	Anhui	215.71	379.11	9.65	0.25	10.87	11.56	1232.41
福 建	Fujian	526.95	614.33	32.07		42.78	57.47	897.21
江 西	Jiangxi	54.09	170.91	0.89	9.20	8.16	4.00	1307.99
山 东	Shandong	42.48	292.51	3.4	0.12	9.68	18.7	879.86
河 南	Henan	7.27	116.49	1.06		1.19	4.76	924.29
湖 北	Hubei	27.76	109.06	16.31	0.13	7.32	3.41	731.25
湖 南	Hunan	13.74	124.15			8.36	13.5	1193.62
广 东	Guangdong	1.46	571.25	32.5	0.25	2.3	27.08	1798.25
广 西	Guangxi	6.17	271.09		9.14	61.92	29.5	602.50
海 南	Hainan	21.42	136.68	2.72		6.69	5.78	657.30
重 庆	Chongqing	6.86	258.62	20.86		4.38	3.77	1616.74
四 川	Sichuan	11.75	213.01	4.29	0.09	1.04	6.67	1018.82
贵 州	Guizhou	9.3	165.44		0.31	14.48	23.67	1210.50
云 南	Yunnan	35.7	614.72	25.96	1.34	14.8	31.06	513.87
西 藏	Tibet	24.01	761.07	40.9	14.03	16.56	2.74	1429.39
陕 西	Shaanxi	9.36	176.27		0.31	6.38	34.66	957.34
甘 肃	Gansu	11.89	215.68		0.41	11.61	6.03	545.58
青 海	Qinghai	3.38	244.81			2.08	12.65	163.21
宁 夏	Ningxia	2.71	391.2	7.78	3.95	5.69	111.32	183.88
新 疆	Xinjiang	18.81	256.28	7.04	0.6	72.32	32.48	552.40

1-4-4 各地区城镇居民家庭年末主要耐用消费品拥有量(2008年)

Number of Major Durable Consumer Goods Owned Per 100 Urban Households at the Year-end by Region (2008)

地 区	Region	1.摩托车 (辆) Motorcycle (unit)	2.助力车 (辆) Helping Hand Car (unit)	3.家用汽车 (辆) Automobile (unit)	4.洗衣机 (台) Washing Machine (set)	5.电冰箱 (台) Refrigerator (set)
全 国	**National Average**	**21.39**	**23.12**	**8.83**	**94.65**	**93.63**
北 京	Beijing	3.36	7.36	22.7	98.63	102.77
天 津	Tianjin	2.16	24.29	7.6	98.95	108.53
河 北	Hebei	29.23	36.6	9.07	97.05	96.26
山 西	Shanxi	22.09	23.01	8.4	98.87	85.56
内蒙古	Inner Mongolia	28.82	16.69	8.04	93.04	91.07
辽 宁	Liaoning	5.98	7.11	4.66	92.53	94.77
吉 林	Jilin	9.72	4.35	3.89	91.45	86.7
黑龙江	Heilongjiang	7.42	2.11	2.36	88.86	81.97
上 海	Shanghai	1.79	30.05	11.34	97.81	103.78
江 苏	Jiangsu	20.95	61.18	10.39	100.39	96.67
浙 江	Zhejiang	25.85	39.82	19.65	91.23	97.87
安 徽	Anhui	21.84	22.55	2.33	94.75	94.21
福 建	Fujian	49.32	25.54	8.08	98.32	101.75
江 西	Jiangxi	20.07	24.94	3.1	91.85	94.01
山 东	Shandong	34.75	46.57	12.91	93.01	99.11
河 南	Henan	17.94	38.91	4.15	94.75	87.02
湖 北	Hubei	17.63	9.47	3.54	96.01	97.35
湖 南	Hunan	16.58	12.16	4.1	93.57	92.05
广 东	Guangdong	47.21	11.49	19.6	94.85	94.39
广 西	Guangxi	47.68	33.02	8.49	94.83	95.14
海 南	Hainan	43.73	25.55	9.57	67.47	76.29
重 庆	Chongqing	8.67	1.98	4.41	96.4	99.96
四 川	Sichuan	7.19	11.04	6.08	94.61	90.86
贵 州	Guizhou	5.13	0.76	3.29	96.73	92.54
云 南	Yunnan	29.42	13.16	11.11	90.19	78.77
西 藏	Tibet	9.42	2.76	10.47	80.75	74.85
陕 西	Shaanxi	13.03	13.02	4.5	95.44	88.08
甘 肃	Gansu	6.12	6.05	2.15	94.94	82.48
青 海	Qinghai	3.19	0.23	2.78	94.97	84.99
宁 夏	Ningxia	18.05	13.06	2.57	90.85	82.5
新 疆	Xinjiang	14.95	6.14	4.62	91.63	87.53

1-4-4 续表 1 Continued 1

地 区	Region	6.彩色电视机 (台) Color Television (set)	7.家用电脑 (台) Computer (set)	8.组合音响 (套) Hi-Fi Stereo Component (set)	9.摄像机 (架) Pickup Camera (set)	10.照相机 (架) Camera (set)
全 国	**National Average**	**132.89**	**59.26**	**27.43**	**7.12**	**39.11**
北 京	Beijing	134	85.93	27.35	18.84	81.63
天 津	Tianjin	129.91	70.83	29.11	10.94	57.97
河 北	Hebei	117.77	55.27	22.07	5.31	36.79
山 西	Shanxi	110.53	47.21	17.79	4.6	26.24
内蒙古	Inner Mongolia	109.4	37.28	18.37	4.36	31.5
辽 宁	Liaoning	119.34	51.2	25.87	10.63	44.26
吉 林	Jilin	117.65	45.55	11.53	6.34	27.03
黑龙江	Heilongjiang	106.87	37.91	11.95	5.45	21.99
上 海	Shanghai	180.4	108.95	48.56	15.42	85.97
江 苏	Jiangsu	162.88	68.17	26.91	6.91	43.95
浙 江	Zhejiang	176.18	79.45	33.4	8.55	45.8
安 徽	Anhui	137.39	50.73	21.31	3.2	26.47
福 建	Fujian	169.48	80.92	30.69	7.68	40.36
江 西	Jiangxi	143.01	50.66	28.13	4.11	31.45
山 东	Shandong	119.54	63.97	22.95	9.04	50.04
河 南	Henan	120.31	46.64	16.28	5.41	28.13
湖 北	Hubei	126.31	51.89	28.04	4.98	29.42
湖 南	Hunan	124.34	43.12	23.65	2.41	22.31
广 东	Guangdong	143.07	83.23	51.05	11.01	54.44
广 西	Guangxi	132.8	67.62	39.64	5.02	39.31
海 南	Hainan	117.99	47.52	26.61	4.88	20.78
重 庆	Chongqing	141.56	58.21	32.67	7.54	33.14
四 川	Sichuan	129.38	49.14	25.96	4.69	27.46
贵 州	Guizhou	118.85	43.37	35.41	4.99	25.25
云 南	Yunnan	119.38	40.19	37.41	4.42	33.05
西 藏	Tibet	121.78	29.95	37.26	5.07	33
陕 西	Shaanxi	123.67	55.85	24.92	6.54	41.69
甘 肃	Gansu	107.39	35.18	18.48	2.39	21.9
青 海	Qinghai	103.02	35.31	11.59	2.79	22.71
宁 夏	Ningxia	104.14	38.56	19.19	4.17	19.01
新 疆	Xinjiang	104.49	41.32	14.61	4.5	25.31

1-4-4 续表 2 Continued 2

地 区	Region	11.钢琴 (架) Piano (set)	12.其他中高档乐器 (件) Other Medium and High Grade Musical Instrument (unit)	13.微波炉 (台) Microwave (unit)	14.空调器 (台) Air Conditioner (unit)	15.淋浴热水器 (台) Shower (unit)
全 国	**National Average**	**2.29**	**4.33**	**54.57**	**100.28**	**80.65**
北 京	Beijing	3.64	5.63	85.6	152.48	95.39
天 津	Tianjin	1.48	1.73	84.86	124.91	90.23
河 北	Hebei	2.03	5.12	47.17	82.41	74.65
山 西	Shanxi	2.04	2.18	30.5	33.33	51.48
内蒙古	Inner Mongolia	1.9	4.96	33.88	7.72	46.16
辽 宁	Liaoning	3.09	4.68	56	26.85	66.55
吉 林	Jilin	1.02	4.13	42.24	6.16	44.72
黑龙江	Heilongjiang	1.28	2.28	30.75	7.55	31.98
上 海	Shanghai	5.77	6.47	96.02	190.95	95.32
江 苏	Jiangsu	2.47	4.34	86.21	155.2	92.51
浙 江	Zhejiang	2.7	4.59	66.35	170.73	96.68
安 徽	Anhui	0.97	3.82	50.37	108	81.94
福 建	Fujian	3.32	4.02	75.77	164.34	106.99
江 西	Jiangxi	1.03	5.81	53.06	96.46	90.56
山 东	Shandong	3.38	6.8	47.89	89.73	85.02
河 南	Henan	1.72	3.74	34.63	102.96	59.05
湖 北	Hubei	1.49	4.56	50.77	106	80.06
湖 南	Hunan	1.94	2.01	36.83	96.95	79.4
广 东	Guangdong	3.36	4.34	64.04	187.52	109.69
广 西	Guangxi	1.8	6.24	62.91	100.62	100.21
海 南	Hainan	2.05	1.2	29.85	65.26	82.9
重 庆	Chongqing	1.85	2.62	66.12	155.12	99.7
四 川	Sichuan	1.87	3.21	47.67	86.52	85.56
贵 州	Guizhou	1.84	3.89	43.77	16.25	69.36
云 南	Yunnan	1.91	3.28	45.99	1.26	84.95
西 藏	Tibet	1.12	0.63	22.43	5.84	18.37
陕 西	Shaanxi	1.33	6.54	49.67	99.9	76.4
甘 肃	Gansu	1.14	2.18	31.34	6.03	57.38
青 海	Qinghai	1.12	3.98	40.64	1.81	41.9
宁 夏	Ningxia	0.76	4.76	38.08	8.43	67.33
新 疆	Xinjiang	1.95	4.82	32.4	11.18	69.98

1-4-4 续表 3 Continued 3

地 区	Region	16.消毒碗柜(台) Disinfection Cupboard (unit)	17.洗碗机(台) Dishwasher (unit)	18.健身器材(套) Healthy Equipment (unit)	19.固定电话(部) Telephone (unit)	20.移动电话(部) Mobile Telephone (unit)
全 国	**National Average**	**18.01**	**0.77**	**3.95**	**82.01**	**172.02**
北 京	Beijing	6.96	0.95	5.97	99.86	191.35
天 津	Tianjin	1.79	0.12	2.53	84.61	175.77
河 北	Hebei	3.11	0.68	4.01	75.91	160.95
山 西	Shanxi	1.84	0.19	1.63	85.58	136.39
内蒙古	Inner Mongolia	2.52	0.24	2.59	62.49	161.98
辽 宁	Liaoning	7.18	0.96	4.13	85.05	155.18
吉 林	Jilin	6.55	0.42	2.86	68.87	184.97
黑龙江	Heilongjiang	3.55	0.77	1.55	72.98	149.29
上 海	Shanghai	14.53	0.2	7.46	99.3	218.61
江 苏	Jiangsu	8.31	0.76	5	113.16	166.43
浙 江	Zhejiang	23.67	1	5.4	90.07	188.95
安 徽	Anhui	6.25	0.86	2.49	86.27	152.3
福 建	Fujian	44.08	0.93	5.46	93.23	204
江 西	Jiangxi	13.38	0.57	3.27	73.29	166.17
山 东	Shandong	6.77	0.84	6.33	76.08	181.42
河 南	Henan	6.85	0.27	2.74	68.38	156.15
湖 北	Hubei	10.44	0.8	3.23	70.62	154.78
湖 南	Hunan	22.05	0.18	3.22	75.81	154.49
广 东	Guangdong	80.52	2.01	4.8	92.35	210.35
广 西	Guangxi	65.53	1.19	4.57	76.67	196.81
海 南	Hainan	56.16	1.28	2.16	91.11	165.36
重 庆	Chongqing	17.84	0.76	4.15	87.71	176.74
四 川	Sichuan	12.76	0.79	3.13	77.24	161.18
贵 州	Guizhou	30.42	1.15	2.86	70.87	163.27
云 南	Yunnan	13.43	0.43	3.13	60.13	177.16
西 藏	Tibet	4.13	0.36	1.08	76.9	148.03
陕 西	Shaanxi	8.39	0.14	3.52	67.66	183.29
甘 肃	Gansu	1.62	0.16	1.62	59.3	146.04
青 海	Qinghai	2.18	0.51	1.44	80.46	142.92
宁 夏	Ningxia	2.07	0.37	2.67	64.01	163.47
新 疆	Xinjiang	4.01	0.28	2.88	82.19	144.4

1-4-5 各地区城镇居民家庭消费支出(平均每人全年,2008年)

Per Capita Annual Consumption Expenditure of Urban Households by Region (2008)

单位：元 Unit：yuan

地 区	Region	消费支出 Consumption Expenditure	服务性消费支出 Service Consumption Expenditure	一、食品 Food	(一) 粮油类 Grain and Oil	1.粮食 Grain	2.淀粉及薯类 Starches and Tubers	3.干豆类及豆制品 Beans and Bean Products	4.油脂类 Oil and Fats
全 国	**National Average**	**11242.85**	**2918.85**	**4259.81**	**575.97**	**328.26**	**28.4**	**54.61**	**164.69**
北 京	Beijing	16460.26	4559.42	5561.54	647.89	369.83	41.27	62.51	174.29
天 津	Tianjin	13422.47	3646.05	5005.09	498.21	259.71	37.45	46.8	154.24
河 北	Hebei	9086.73	1872.67	3155.4	521.94	279.12	22.44	38.8	181.58
山 西	Shanxi	8806.55	2307.1	2974.76	610.69	387.21	57.23	46.26	119.99
内蒙古	Inner Mongolia	10828.62	2612.88	3553.48	528.25	352.47	27.13	29.9	118.75
辽 宁	Liaoning	11231.48	2863.05	4378.14	555.35	318.54	19.56	49.8	167.45
吉 林	Jilin	9729.05	2373.96	3307.14	545.54	314.38	34.22	64.34	132.6
黑龙江	Heilongjiang	8622.97	2069.86	3128.1	601.03	339.24	43.28	49.84	168.67
上 海	Shanghai	19397.89	6286.85	7108.62	672.38	376.65	47.08	93.18	155.47
江 苏	Jiangsu	11977.55	3123.02	4544.64	518.76	278.58	31.4	71.04	137.74
浙 江	Zhejiang	15158.3	4529.89	5522.56	536.84	298.26	27.84	69.89	140.85
安 徽	Anhui	9524.04	2212.88	3905.05	540.51	298.55	18.27	60.93	162.76
福 建	Fujian	12501.12	3334.83	5078.85	626.03	387.25	29.24	57.6	151.94
江 西	Jiangxi	8717.37	1835.92	3633.05	600.49	307.89	12.96	62.86	216.77
山 东	Shandong	11006.61	2417.9	3699.42	517.46	311.59	26.29	43.68	135.9
河 南	Henan	8837.46	2149.85	3079.82	520.19	306.17	35.66	50.91	127.44
湖 北	Hubei	9477.51	2204.74	3996.27	703.51	400.38	21.12	77.7	204.31
湖 南	Hunan	9945.52	2545.18	3970.42	640.61	349.83	17.01	68.29	205.48
广 东	Guangdong	15527.97	4618.42	5866.91	657.61	400.88	24.81	48.69	183.22
广 西	Guangxi	9627.4	2349.57	4082.99	526.08	300.22	19.94	53	152.92
海 南	Hainan	9408.48	2446	4226.9	404.31	229.55	17.36	21.21	136.18
重 庆	Chongqing	11146.8	2801.01	4418.34	589.85	273.17	34.98	52.56	229.15
四 川	Sichuan	9679.14	2331.77	4255.48	612.89	308.33	31.59	40.75	232.22
贵 州	Guizhou	8349.21	2115.23	3597.94	550.88	303.11	12.54	42.93	192.3
云 南	Yunnan	9076.61	2176.19	4272.29	443.98	296.74	17.18	45.72	84.34
西 藏	Tibet	8323.54	1759.26	4262.77	634.66	425.55	34.31	10.19	164.61
陕 西	Shaanxi	9772.07	2710.29	3586.13	565.34	320.45	36.97	55.52	152.4
甘 肃	Gansu	8308.62	2110.66	3183.79	544.18	306.91	26.49	30.78	180.01
青 海	Qinghai	8192.56	2011.02	3315.94	536.76	338.96	25.08	26.87	145.85
宁 夏	Ningxia	9558.29	2354.11	3352.83	518.84	306.16	34.13	36.06	142.5
新 疆	Xinjiang	8669.36	2128.48	3235.77	566.53	347.67	27.54	29.27	162.05

1-4-5 续表 1 Continued 1

单位：元 Unit：yuan

地 区	Region	(二)肉禽蛋水产品类 Meat,Poultry, Egg,Aquatic Products and Related Products	1.肉类 Meat Products	2.禽类 Poultry Products	3.蛋类 Eggs	4.水产品类 Aquatic Products	(三）蔬菜类 Vegetables	1.鲜菜 Fresh Vegetables	2.干菜 Dried Vegetables
全 国	**National Average**	**1268.83**	**681.26**	**215.61**	**91.68**	**280.28**	**409.31**	**372.67**	**23.18**
北 京	Beijing	1295.34	803.02	167.44	104.12	220.76	428.94	380.88	32.63
天 津	Tianjin	1301.84	675.85	141.58	133.23	351.18	406.29	373.85	23.57
河 北	Hebei	839.35	477.76	106.02	110.75	144.81	362.9	324.18	26.57
山 西	Shanxi	609.91	388.44	66.8	97.4	57.27	312.34	284.58	18.36
内蒙古	Inner Mongolia	872.92	632.48	80.13	62.41	97.9	290.43	269.42	12.63
辽 宁	Liaoning	1213.21	640.77	133.53	120.53	318.38	462.19	416.2	31.11
吉 林	Jilin	873.01	531.38	102.38	83.56	155.69	406.74	373.21	20.33
黑龙江	Heilongjiang	858.55	527.48	96.32	86.54	148.2	295.64	268.84	18.63
上 海	Shanghai	1934.95	771.2	356.5	99.19	708.05	508.4	449.98	30.11
江 苏	Jiangsu	1418.87	693.68	275.09	93.98	356.12	424.59	386.84	20.55
浙 江	Zhejiang	1482.99	568.24	245.08	73.91	595.76	413.54	370.04	25.62
安 徽	Anhui	1091.49	564.88	217.23	125.32	184.06	402.41	368.19	24.98
福 建	Fujian	2074.66	827.16	289.13	99.3	859.07	423.27	361.6	45.41
江 西	Jiangxi	1188.73	684.45	214.05	77.53	212.7	489.66	444.91	30.35
山 东	Shandong	1044.46	531.64	126.31	123.4	263.11	318.65	288.31	17.73
河 南	Henan	730.71	438.55	130.86	96.05	65.25	323.69	303.26	13.06
湖 北	Hubei	1204.41	725.22	160.78	91.41	227	488.61	448.52	23.18
湖 南	Hunan	1230.81	749.77	209.6	68.78	202.67	413.02	377.9	19.07
广 东	Guangdong	2174.57	1067.68	480.96	76.12	549.8	517.63	466.52	33.7
广 西	Guangxi	1641.24	892.15	420.07	65.22	263.79	358.99	319.21	20.74
海 南	Hainan	1842.54	827.24	402.78	45.25	567.26	394.54	368.56	14.57
重 庆	Chongqing	1470.76	898.24	307.04	94.42	171.07	425.45	395.07	22.21
四 川	Sichuan	1398.34	919.72	262.01	90.46	126.16	477.88	448.82	18.78
贵 州	Guizhou	1058.11	746.68	181.13	63.81	66.49	378.46	342.39	22.13
云 南	Yunnan	1085.83	695.09	197.59	78.26	114.89	471.39	449.62	14.38
西 藏	Tibet	1152.15	972.74	79.43	45.63	54.34	491.6	458.14	28.85
陕 西	Shaanxi	649.84	404.28	100.01	70.67	74.88	337.75	311.72	15.37
甘 肃	Gansu	613.25	403.6	88.91	62.16	58.58	333.6	319.14	10.68
青 海	Qinghai	844.55	610.45	96.64	65.58	71.87	334.04	317.34	9.84
宁 夏	Ningxia	706.89	475.83	114.7	54.25	62.1	294.19	281.27	7.96
新 疆	Xinjiang	836.11	587.75	115.96	59.63	72.77	305.59	288.07	11.79

1-4-5 续表 2 Continued 2

单位：元 Unit：yuan

地 区	Region	3.菜制品 Vegetable Products	（四）调味品 Condiments	（五）糖烟酒饮料类 Sugar,Tobacco, Liquor and Beverages	1.糖 类 Sugar	2.烟草类 Tobacco	3.酒 类 Liquor	4.饮 料 Beverages
全 国	**National Average**	**13.46**	**52.26**	**433.39**	**35.74**	**205.01**	**111.14**	**81.51**
北 京	Beijing	15.43	97.63	595.38	54.87	181.22	147.64	211.64
天 津	Tianjin	8.87	80.15	495.74	39.22	185.34	164.18	106.99
河 北	Hebei	12.15	43.68	424.79	31	146.76	152.15	94.87
山 西	Shanxi	9.4	35.44	335.69	20.37	197.23	59.02	59.07
内蒙古	Inner Mongolia	8.38	39.66	492.23	24.93	223.77	170.79	72.74
辽 宁	Liaoning	14.88	65.74	536.75	28.77	242.32	149.92	115.74
吉 林	Jilin	13.2	46.7	287.28	26.01	123.2	73.08	64.98
黑龙江	Heilongjiang	8.17	47.56	249.81	25.76	104.19	72.53	47.33
上 海	Shanghai	28.31	73.18	753.29	92.85	361.49	137.52	161.44
江 苏	Jiangsu	17.19	51.62	512.53	33.98	280.43	127.2	70.92
浙 江	Zhejiang	17.88	45.26	670.65	40.16	398.06	138.99	93.44
安 徽	Anhui	9.24	28.25	603.15	30.25	293.2	190.45	89.25
福 建	Fujian	16.26	57.84	386.96	32.03	161.16	89.79	103.99
江 西	Jiangxi	14.4	40.92	285.23	29.24	157.53	62.71	35.75
山 东	Shandong	12.61	47.85	384.02	27.68	110.75	159.4	86.19
河 南	Henan	7.37	42.66	358.25	19.46	158.64	117.45	62.69
湖 北	Hubei	16.9	57.71	392.93	30.49	226.16	90.85	45.44
湖 南	Hunan	16.05	46.69	368.19	33.65	199.76	84.83	49.95
广 东	Guangdong	17.41	52.02	361.9	50.3	127.91	66.24	117.44
广 西	Guangxi	19.04	36.34	253.73	36	106.07	66.4	45.26
海 南	Hainan	11.41	40.92	222.82	23.66	121.58	37.72	39.86
重 庆	Chongqing	8.16	73.3	411.06	43.09	236.52	86.49	44.97
四 川	Sichuan	10.28	80.15	454.52	49.23	236.73	112.76	55.8
贵 州	Guizhou	13.94	46.3	432.85	39.74	258.42	81.9	52.79
云 南	Yunnan	7.4	46.8	564.86	33.52	408.95	51.27	71.12
西 藏	Tibet	4.61	36.98	758.11	59.87	445.64	160.27	92.33
陕 西	Shaanxi	10.65	52.36	370.33	27.95	191.94	85.17	65.27
甘 肃	Gansu	3.79	48.35	357.17	24.57	174.39	102.66	55.56
青 海	Qinghai	6.86	40.95	359.91	31.59	161.84	113.55	52.92
宁 夏	Ningxia	4.96	40.49	376.66	33.45	203.84	70.38	68.99
新 疆	Xinjiang	5.72	34.85	259.33	42.11	98.94	69.25	49.03

1-4-5 续表 3 Continued 3

单位：元 Unit：yuan

地区	Region	(六)干鲜瓜果类 Dried and Fresh Melons and Fruits	1.鲜果 Fruits	2.鲜瓜 Melons	3.其它干鲜瓜果类及制品 Dried Fruits	(七)糕点、奶及奶制品 Cake,Milk and Its Products	1.糕点 Cake	2.奶及奶制品 Milk and Its Products
全 国	**National Average**	**293.48**	**188.03**	**35.1**	**70.35**	**273.28**	**83.44**	**189.84**
北 京	Beijing	495.45	295.39	50.99	149.07	516.92	184.8	332.13
天 津	Tianjin	420.63	249.43	45.47	125.74	356.99	145.88	211.11
河 北	Hebei	232.15	148.86	36.67	46.62	238.68	69.54	169.14
山 西	Shanxi	213.79	123.32	28.01	62.46	263.75	58.29	205.47
内蒙古	Inner Mongolia	248.85	169.01	26.59	53.25	203.49	43.69	159.8
辽 宁	Liaoning	385.51	284.05	48.39	53.07	308.16	95.01	213.15
吉 林	Jilin	353.74	245.64	56.31	51.79	184.52	57.96	126.55
黑龙江	Heilongjiang	265.84	175.03	35.21	55.6	180.5	50.92	129.59
上 海	Shanghai	486.93	256.11	80.5	150.32	525.37	183.68	341.69
江 苏	Jiangsu	285.41	156.85	41.16	87.4	296.97	80.53	216.44
浙 江	Zhejiang	382.11	222.24	52.41	107.47	310.38	100.18	210.2
安 徽	Anhui	237.01	131.12	45.11	60.78	325.85	87.07	238.78
福 建	Fujian	308.3	211.13	23.31	73.86	268.33	66.91	201.42
江 西	Jiangxi	248.77	165.18	33.64	49.94	234.17	64.87	169.3
山 东	Shandong	319.58	191.18	46.75	81.65	313.21	97.26	215.95
河 南	Henan	198.81	114.42	28.14	56.25	201.93	61.12	140.81
湖 北	Hubei	215.1	133.5	27.3	54.29	231.48	82.61	148.87
湖 南	Hunan	277.25	178.37	38.21	60.67	197.95	63	134.95
广 东	Guangdong	345.3	254.25	21.13	69.92	310.23	102.73	207.5
广 西	Guangxi	260.6	183.85	26.06	50.69	201.79	62.2	139.58
海 南	Hainan	233.21	193.08	16.52	23.61	175.63	62.46	113.17
重 庆	Chongqing	238.25	163.27	15.59	59.39	269.52	65.35	204.16
四 川	Sichuan	222.9	162.6	13.7	46.6	253.74	63.59	190.15
贵 州	Guizhou	226.16	172.98	10.98	42.2	174.56	56.21	118.35
云 南	Yunnan	258.05	200.21	8.11	49.72	134.41	68.94	65.48
西 藏	Tibet	203.65	174.16	17.37	12.12	339.94	28.21	311.74
陕 西	Shaanxi	272.45	159	36.36	77.08	296.34	98.46	197.88
甘 肃	Gansu	244.55	148.42	31.58	64.55	186.75	46.38	140.37
青 海	Qinghai	233.2	138.54	27.59	67.07	190.52	49.64	140.87
宁 夏	Ningxia	286.04	166.53	42.8	76.71	254.23	54.82	199.4
新 疆	Xinjiang	290.98	155.93	30.7	104.35	216.13	67.62	148.52

1-4-5 续表 4 Continued 4

单位：元 Unit：yuan

地 区	Region	(八)其他食品 Other Food	(九)饮食服务 bite and sup service	1.食品加工服务费 Food Processing Service Fees	2.在外饮食 Dine Out	二、衣着 Clothing	(一)服装 Garments	(二)衣着材料 Clothing Materials
全 国	**National Average**	**73.85**	**879.44**	**1.59**	**877.85**	**1165.91**	**839.07**	**10.96**
北 京	Beijing	75.94	1408.05	1.31	1406.74	1571.74	1101.49	16.49
天 津	Tianjin	98	1347.24	0.31	1346.93	1153.66	812.52	12.84
河 北	Hebei	45.51	446.41	1.6	444.81	1137.22	754.78	17.14
山 西	Shanxi	37.57	555.58	0.53	555.04	1137.71	820.81	9.61
内蒙古	Inner Mongolia	156.87	720.8	0.84	719.96	1616.56	1178.43	4.93
辽 宁	Liaoning	74.23	777	2.35	774.65	1187.41	722	28.35
吉 林	Jilin	82.96	526.65	1.93	524.73	1259.62	871.35	12.99
黑龙江	Heilongjiang	66.48	562.69	0.79	561.9	1217.04	830.49	7.14
上 海	Shanghai	86.07	2068.06	0.11	2067.95	1520.61	1135.21	16.49
江 苏	Jiangsu	108.05	927.85	2.14	925.71	1166.91	856.63	12.35
浙 江	Zhejiang	81.07	1599.72	0.75	1598.97	1546.46	1184.12	12.82
安 徽	Anhui	57.45	618.93	3.31	615.62	1010.61	679.29	19.36
福 建	Fujian	46.31	887.17	0.5	886.66	1105.31	862.22	2.92
江 西	Jiangxi	107.13	437.95	1.45	436.51	969.58	739.16	11.49
山 东	Shandong	77.47	676.73	1.55	675.17	1394.11	996.87	12.06
河 南	Henan	65.02	638.56	0.72	637.84	1141.76	841.95	7.28
湖 北	Hubei	41.16	661.37	1.73	659.63	1099.16	816.15	7.91
湖 南	Hunan	96.05	699.85	0.95	698.89	1090.72	787.87	9.25
广 东	Guangdong	64.28	1383.39	0.59	1382.8	975.06	727.04	2.24
广 西	Guangxi	60.62	743.58	1	742.58	772.28	557.15	8.24
海 南	Hainan	34.31	878.63	1.08	877.55	491.84	379.89	0.7
重 庆	Chongqing	52.44	887.72	3.95	883.77	1294.3	947.72	5.69
四 川	Sichuan	63.02	692.03	6.28	685.74	1042.45	770.82	7.28
贵 州	Guizhou	87.19	643.43	1.34	642.09	851.5	590.18	11.34
云 南	Yunnan	54.24	1212.73	0.67	1212.05	1026.5	728.64	10.72
西 藏	Tibet	66.31	579.36	1.57	577.79	1011.82	759.37	8.9
陕 西	Shaanxi	91.36	950.36	0.82	949.54	1047.61	753.86	12.17
甘 肃	Gansu	133.12	722.82	0.57	722.25	1022.62	715.35	13.26
青 海	Qinghai	147.2	628.82	1.07	627.75	945.14	680.89	5.22
宁 夏	Ningxia	117.09	758.4	0.3	758.11	1178.88	868.5	11.92
新 疆	Xinjiang	62.32	663.93	1.81	662.12	1245.02	877.73	16.02

1-4-5 续表 5 Continued 5

单位：元 Unit：yuan

地 区	Region	（三）鞋类 Shoes	㈣其他衣着用品 Other Clothing	㈤衣着加工服务费 Tailoring and Laundering Services	三、居住 Residence	（一）住房 House	（二）水电燃料及其他 Water, Electricity and Fuels	1.水 Water
全 国	**National Average**	**270.42**	**38**	**7.46**	**1145.41**	**345.06**	**724.28**	**81.07**
北 京	Beijing	390.71	49.84	13.2	1286.32	552.31	639.08	76.67
天 津	Tianjin	278.07	40.71	9.53	1528.28	512.98	952.98	87.88
河 北	Hebei	311.31	45.1	8.9	1097.41	209.23	845.16	58.65
山 西	Shanxi	263.38	39.47	4.45	1250.87	394.07	796.28	47.46
内蒙古	Inner Mongolia	351.57	69.88	11.76	1028.19	288.23	656.01	36.04
辽 宁	Liaoning	360.93	65.95	10.18	1270.95	262.32	936.51	64.25
吉 林	Jilin	315.97	49.74	9.56	1285.28	267.28	952.28	55.93
黑龙江	Heilongjiang	327.07	42.99	9.34	941.25	173.05	728.58	59.03
上 海	Shanghai	317.75	36.14	15.02	1646.19	808.99	673.02	100.65
江 苏	Jiangsu	250.96	37.8	9.17	1042.1	448.52	544.12	75.33
浙 江	Zhejiang	306.39	34.99	8.14	1333.69	480.01	783.71	109.94
安 徽	Anhui	266.78	35.55	9.63	988.12	350.85	571.11	62.9
福 建	Fujian	209.61	27.37	3.19	1300.1	392.7	827.08	130.32
江 西	Jiangxi	193.2	21.38	4.35	851.15	166.67	648.09	76.29
山 东	Shandong	321.7	55.25	8.24	1247.04	411.37	779.73	56.5
河 南	Henan	255.8	30.45	6.27	963.59	270.97	629.28	68.16
湖 北	Hubei	241.18	28.33	5.59	914.26	225.29	646.9	84.12
湖 南	Hunan	255.21	32.84	5.54	960.82	241.03	660.7	82.43
广 东	Guangdong	211.14	29.64	5	1748.16	500.75	1038.59	141.66
广 西	Guangxi	179.29	22.79	4.8	891.33	204.52	649.56	96.24
海 南	Hainan	99.59	10.05	1.6	1106.39	476.47	567.66	91.42
重 庆	Chongqing	298.64	35.56	6.69	1096.82	418.79	586.69	106.66
四 川	Sichuan	226.45	32.38	5.52	819.28	203.13	543.16	84.15
贵 州	Guizhou	218.72	28.12	3.14	836.54	175.59	625.11	83.12
云 南	Yunnan	258.68	27.08	1.38	739.2	274.27	436.87	91.47
西 藏	Tibet	229.71	12.21	1.63	634.94	72.4	546.16	37.94
陕 西	Shaanxi	242.02	30.95	8.61	1007.68	279.03	665.29	63.11
甘 肃	Gansu	246.75	39.69	7.56	846.26	213.28	585.71	35.45
青 海	Qinghai	202.76	50.4	5.87	802.73	196.99	542.58	31.58
宁 夏	Ningxia	258.06	32.97	7.44	1069.15	363.22	637.38	34.27
新 疆	Xinjiang	293.33	43.69	14.26	781.9	196.14	545.63	36.62

1-4-5 续表 6 Continued 6

单位：元 Unit：yuan

地 区	Region	2.电 Electricity	3.燃 料 Fuels	4.取暖费	5.其 他 Other	（三）居住服务费 Housing Services	1.物 业 管理费 Realty Management	2.维 修 服务费 Fitment Service Fees
全 国	**National Average**	**310.94**	**196.02**	**119.2**	**17.05**	**76.08**	**49.56**	**13.16**
北 京	Beijing	277.45	129.17	145.31	10.47	94.94	83.47	5.37
天 津	Tianjin	401.15	110.63	319.93	33.39	62.31	41.39	4.62
河 北	Hebei	217.98	180.79	373.96	13.79	43.02	23.78	9.96
山 西	Shanxi	220.4	223.51	280.72	24.19	60.52	21.56	18.56
内蒙古	Inner Mongolia	193.3	150.19	262.09	14.39	83.95	36.13	19.35
辽 宁	Liaoning	260.96	152.76	446.61	11.92	72.12	48.28	15.26
吉 林	Jilin	240.71	151.22	493.47	10.95	65.72	30.4	20.81
黑龙江	Heilongjiang	229.05	138.47	288.27	13.77	39.61	18.45	11.93
上 海	Shanghai	391.23	179.27		1.87	164.18	153.26	7.85
江 苏	Jiangsu	302.35	146.14	3.74	16.56	49.46	26.26	15.42
浙 江	Zhejiang	442.86	218.12		12.79	69.97	53.24	9.02
安 徽	Anhui	293.35	195.15	3.46	16.26	66.17	31.8	23.47
福 建	Fujian	471.02	221.06	0.06	4.63	80.32	53.27	9.61
江 西	Jiangxi	354.88	201.59	0.02	15.31	36.39	13.87	10.57
山 东	Shandong	229.58	158.53	286.32	48.8	55.94	28.08	16.22
河 南	Henan	269.7	197.9	65.01	28.52	63.34	20.08	18.12
湖 北	Hubei	343.57	198.91	2.46	17.85	42.06	17.16	13.26
湖 南	Hunan	315.53	248.12	0.41	14.21	59.09	27.54	23.61
广 东	Guangdong	509.02	374.92	0.03	12.96	208.82	181.92	10.14
广 西	Guangxi	323.41	214.35	0.05	15.51	37.25	21.37	5.83
海 南	Hainan	261.71	200.59		13.94	62.26	49.04	6.52
重 庆	Chongqing	307.34	168.67	0.44	3.58	91.34	60.24	10.65
四 川	Sichuan	274.41	168.7	0.64	15.26	72.99	36.74	11.74
贵 州	Guizhou	332.22	205.27	0.57	3.92	35.85	11.79	11.82
云 南	Yunnan	227.19	117.22		0.99	28.06	15.54	3.9
西 藏	Tibet	176.28	250.25	10.28	71.41	16.38	7.99	0.51
陕 西	Shaanxi	230.42	172.3	183.32	16.15	63.37	36.52	12.05
甘 肃	Gansu	165.66	117.53	259.16	7.91	47.28	26.24	5.84
青 海	Qinghai	176.48	121.41	210.42	2.68	63.16	35.25	13.78
宁 夏	Ningxia	177.73	118.95	268.32	38.11	68.54	41.22	14.18
新 疆	Xinjiang	141.5	134.91	221.85	10.75	40.14	22.36	3.63

1-4-5 续表 7 Continued 7

单位：元 Unit：yuan

地 区	Region	3.其它 Other	四、家庭设备用品及服务 Household Appliances and Services	（一）耐用消费品 Durable Consumer Goods	1.家具 Furniture	2.家庭设备 Household Appliances	（二）室内装饰品 Room Decorations	（三）床上用品 Bed Articles
全 国	**National Average**	**13.36**	**691.83**	**309.31**	**85.26**	**217.49**	**20.34**	**62.21**
北 京	Beijing	6.1	1096.57	548.55	226.91	321.64	25.83	82.72
天 津	Tianjin	16.3	817.18	467.75	193.38	274.37	32.13	55.96
河 北	Hebei	9.29	574.84	305.7	79.33	226.38	23.12	64.44
山 西	Shanxi	20.41	471.65	259.05	64.54	194.5	10.66	26.71
内蒙古	Inner Mongolia	28.47	672.64	307.92	105.53	202.38	24.91	60.13
辽 宁	Liaoning	8.58	507.4	235.46	69.85	165.61	28.15	69.43
吉 林	Jilin	14.51	510.49	214.28	33.75	137.93	22.12	54.19
黑龙江	Heilongjiang	9.23	494.49	192.87	27.83	156.71	15.52	48.58
上 海	Shanghai	3.07	1182.24	545.3	214.8	330.5	42	114.39
江 苏	Jiangsu	7.77	813.45	365.56	98.33	267.22	11.88	72.96
浙 江	Zhejiang	7.72	713.31	306.86	73.71	233.15	19.96	85.16
安 徽	Anhui	10.9	579.59	249.32	44.61	192.56	24.08	61.71
福 建	Fujian	17.44	722.17	320.38	95.74	224.64	12.12	55.82
江 西	Jiangxi	11.96	623.17	229.82	24.22	182.79	13.5	54.06
山 东	Shandong	11.63	806.35	426.8	149.92	276.62	37.28	60.57
河 南	Henan	25.14	633.32	332.85	103.86	228.99	19.22	59.93
湖 北	Hubei	11.65	604.4	265.01	41.9	202.32	10.57	38.67
湖 南	Hunan	7.94	674.84	254.18	45.44	208.74	15.61	67.82
广 东	Guangdong	16.75	947.54	348.66	90.71	244.91	17.79	71.25
广 西	Guangxi	10.05	603.84	294.83	92.79	200.1	8.95	52.88
海 南	Hainan	6.71	565.51	255.76	75.22	167.71	9.29	32.26
重 庆	Chongqing	20.44	842.09	405.48	102.03	295.84	24.98	100.28
四 川	Sichuan	24.51	590.51	211.86	42.46	151.47	21.27	55.51
贵 州	Guizhou	12.24	525.7	186.1	52.92	133.18	5.75	41.98
云 南	Yunnan	8.62	331.94	158.97	62.09	96.88	10.62	35.78
西 藏	Tibet	7.88	310.22	39.8	0.67	39.13	17.08	68.09
陕 西	Shaanxi	14.8	618.16	287.22	53.65	212.36	18.45	44.74
甘 肃	Gansu	15.19	546.23	238.04	64.69	173.35	22.77	43.76
青 海	Qinghai	14.13	538.54	242.21	43.69	184.95	23.29	46.92
宁 夏	Ningxia	13.14	596.81	303.8	110.83	189.59	30.51	40.16
新 疆	Xinjiang	14.15	535.31	223.22	76.48	146.75	30.03	42.25

1-4-5 续表 8 Continued 8

单位：元 Unit：yuan

地区	Region	（四）家庭日用杂品 Household Articles for Daily Use	（五）家具材料 Furniture Materials	（六）家庭服务 Household Services	1.家政服务 Housekeeping Services	2.加工维修服务费 Manufacturing Upkeep	五、医疗保健 Health Care and Medical Services	（一）医疗器具 Medical Appliances
全 国	**National Average**	**238.86**	**11.64**	**49.47**	**32.55**	**16.62**	**786.2**	**6.44**
北 京	Beijing	346.66	8.1	84.71	55.09	29.62	1563.1	12.16
天 津	Tianjin	211.86	3.97	45.5	30.12	15.39	1220.92	6.7
河 北	Hebei	144.52	8.2	28.84	12.27	16.57	808.88	11.69
山 西	Shanxi	132.2	7.65	35.38	19	16.37	769.79	6.42
内蒙古	Inner Mongolia	233.4	15.79	30.49	15.28	15.21	869.71	2.99
辽 宁	Liaoning	133.01	10.96	30.4	23.6	6.8	913.13	7.29
吉 林	Jilin	185.96	12.7	21.25	11.46	9.37	914.47	6.47
黑龙江	Heilongjiang	201.25	20.17	16.11	8.91	6.86	864.89	9.78
上 海	Shanghai	335.57	5.12	139.86	99.56	40.3	755.29	10.05
江 苏	Jiangsu	281.67	9.29	72.09	47.57	24.52	794.63	5.07
浙 江	Zhejiang	213.82	8.84	78.67	60	18.66	933.11	5.66
安 徽	Anhui	185.41	27.5	31.57	18.07	12.1	633.93	5.6
福 建	Fujian	249.7	5.87	78.29	61.82	16.46	540.63	4.43
江 西	Jiangxi	280.39	17.44	27.95	11.17	14.89	483.96	2.04
山 东	Shandong	236.81	11.39	33.5	17.16	16.33	799.79	10.64
河 南	Henan	191.08	6.88	23.36	10.6	12.76	790.87	8.77
湖 北	Hubei	250.33	11.62	28.21	14.68	12.43	675.32	2.81
湖 南	Hunan	280.07	18.66	38.49	20.06	18.43	790.95	3.18
广 东	Guangdong	377.12	12.69	120.04	97.65	22.18	836.39	7.43
广 西	Guangxi	208.24	8.7	30.24	14.54	15.7	529.36	8.34
海 南	Hainan	236.93	6.61	24.66	11.38	11.39	536.4	1.38
重 庆	Chongqing	244.95	18.24	48.15	31.13	16.12	878.25	5.74
四 川	Sichuan	258.67	13.18	30.03	14.51	14.76	564.93	1.26
贵 州	Guizhou	263.75	2.77	25.36	12.01	13.35	471.39	0.97
云 南	Yunnan	112.61	2.07	11.89	5.06	6.83	606.86	4.36
西 藏	Tibet	175.54	6.14	3.58	0.82	2.75	317.08	0.86
陕 西	Shaanxi	216.72	11.16	39.86	18.98	20.03	862.7	7.88
甘 肃	Gansu	196.65	25.7	19.3	3.58	15.72	654.82	2.7
青 海	Qinghai	212.93	3.45	9.74	2.51	6.91	610.02	0.84
宁 夏	Ningxia	189.64	4.77	27.94	14.68	13.25	816.87	13.59
新 疆	Xinjiang	203.19	12.71	23.89	14.22	9.67	643.48	1.35

1-4-5 续表 9 Continued 9

单位：元 Unit：yuan

地 区	Region	(二) 保健器具 Health Care Appliances	(三) 药品费 Medicine	(四) 滋补保健品 Health Products	(五) 医疗费 Health Care Services	(六) 其他 Other	六、交通和通讯 Transport and Communications	(一) 交通 Transport
全 国	**National Average**	**15.2**	**392.7**	**101.06**	**256.67**	**14.13**	**1417.12**	**804.41**
北 京	Beijing	32.84	837.01	154.84	508.82	17.43	2293.23	1466.34
天 津	Tianjin	25.01	653.48	61.54	465.55	8.66	1567.87	889.99
河 北	Hebei	27.81	410.04	101.4	239.37	18.57	1062.31	556.27
山 西	Shanxi	5.46	422.39	35.8	284.94	14.77	931.33	452.47
内蒙古	Inner Mongolia	21.5	441.73	54.8	326.26	22.42	1191.7	719.84
辽 宁	Liaoning	10.6	374.72	168.64	319.56	32.31	1295.7	679.96
吉 林	Jilin	17.99	439.36	115	326.83	8.81	954.96	516.17
黑龙江	Heilongjiang	13.97	441.27	68.89	319.99	10.98	749.05	349.26
上 海	Shanghai	40.8	320.82	193.68	183.13	6.82	3373.19	2321.78
江 苏	Jiangsu	20.12	377.42	137.7	241.66	12.66	1357.96	854.38
浙 江	Zhejiang	11.6	425.92	252.76	224.07	13.09	2392.63	1454.63
安 徽	Anhui	12.25	268.05	103.31	222.18	22.53	920.77	437.85
福 建	Fujian	10.22	234.36	73.57	203.99	14.06	1777.06	929.07
江 西	Jiangxi	7.75	268.35	40.16	157.12	8.54	872.57	401.45
山 东	Shandong	26.54	364.78	113.25	265.41	19.18	1410.45	898.17
河 南	Henan	9.99	444.97	41.5	275	10.64	915.12	390.37
湖 北	Hubei	5.7	316.43	41.03	293.78	15.56	890.12	436.56
湖 南	Hunan	10.28	428	97.11	240.06	12.32	971.05	454.13
广 东	Guangdong	17.44	420.27	155.37	222.14	13.73	2623.08	1618.43
广 西	Guangxi	4.49	267.49	52.99	191.62	4.44	1376.03	781.38
海 南	Hainan	2.05	253.57	39.07	237.34	2.99	1303.5	836.14
重 庆	Chongqing	11.36	474.21	77.66	302.57	6.73	1044.36	470.32
四 川	Sichuan	9.84	322.18	40.73	173.48	17.44	1121.45	548.48
贵 州	Guizhou	3	257.51	16.9	187.75	5.27	871.15	400.19
云 南	Yunnan	4.61	316.11	66.59	205.76	9.44	1216.46	685.69
西 藏	Tibet	0.61	204.99	27.14	82.02	1.47	966.74	357.2
陕 西	Shaanxi	22.06	508.9	41.33	278.02	4.5	967.52	461.65
甘 肃	Gansu	3.26	393.52	34.55	211.64	9.16	817.17	380.32
青 海	Qinghai	4.86	286.71	31.69	278.36	7.56	787.63	389.43
宁 夏	Ningxia	10.2	531.9	32.94	224.04	4.21	1096.32	592.15
新 疆	Xinjiang	5.17	293.57	47.04	290.08	6.27	1003.89	552.94

1-4-5 续表 10 Continued 10

单位：元 Unit：yuan

地 区	Region	1.家庭交通工具 Transportation Facility	2.车辆用燃料及零配件 Fuels and Parts	3.交通工具服务支出 Using and Upkeep Fare	4.交通费 Traffic Fare	(二)通 信 Communication	1.通信工具 Communication Facility	2.通信服务 Communication Service
全 国	**National Average**	**293.05**	**173.18**	**100.99**	**237.2**	**612.71**	**97.23**	**515.48**
北 京	Beijing	547.27	369.09	208.97	341	826.89	187.7	639.19
天 津	Tianjin	417.48	108.61	129.18	234.73	677.88	104.84	573.03
河 北	Hebei	263.2	110.66	45.87	136.53	506.05	94.73	411.32
山 西	Shanxi	201.62	75.29	52.46	123.1	478.86	64.72	414.14
内蒙古	Inner Mongolia	343.33	86.61	79.25	210.66	471.86	125.64	346.21
辽 宁	Liaoning	198.18	141.28	35.13	305.36	615.74	88.53	527.22
吉 林	Jilin	120.3	59.52	23.14	313.22	438.78	89.16	349.62
黑龙江	Heilongjiang	63.58	43.46	17.9	224.31	399.79	81.89	317.9
上 海	Shanghai	911.18	258.1	420.24	732.26	1051.41	165.59	885.82
江 苏	Jiangsu	392.31	172.25	107.26	182.56	503.58	106.91	396.67
浙 江	Zhejiang	566.35	470.6	192.38	225.31	938	109.2	828.79
安 徽	Anhui	132.58	70.34	39.05	195.87	482.92	82.05	400.88
福 建	Fujian	390.35	258.7	87.42	192.6	847.99	93.23	754.77
江 西	Jiangxi	190.11	35.72	20.13	155.49	471.12	70.33	400.79
山 东	Shandong	418.23	195.9	111.01	173.03	512.28	115.75	396.53
河 南	Henan	177.96	65.69	23.5	123.23	524.75	91.84	432.91
湖 北	Hubei	107.16	72.03	34.18	223.19	453.56	81.8	371.76
湖 南	Hunan	55.21	86.59	74.63	237.69	516.92	82.8	434.13
广 东	Guangdong	523.25	467.79	289.06	338.33	1004.65	113.87	890.78
广 西	Guangxi	409.83	135.31	75.31	160.92	594.64	72.9	521.75
海 南	Hainan	313.16	214.23	53.46	255.29	467.36	59.83	407.53
重 庆	Chongqing	69.3	65.29	42.82	292.91	574.04	121	453.04
四 川	Sichuan	136.64	89.03	65.78	257.03	572.96	65.7	507.26
贵 州	Guizhou	73.42	57.01	29.37	240.4	470.96	63.54	407.41
云 南	Yunnan	302.45	204.93	79.01	99.3	530.77	59.81	470.96
西 藏	Tibet	44.75	83.35	21.34	207.76	609.54	15.49	594.05
陕 西	Shaanxi	106.16	61.48	53.02	240.99	505.88	96.27	409.61
甘 肃	Gansu	70.57	38.77	22.71	248.27	436.85	69.85	367
青 海	Qinghai	9.08	34.66	21.35	324.34	398.2	81.68	316.52
宁 夏	Ningxia	188.26	53.76	32.62	317.52	504.17	131.04	373.12
新 疆	Xinjiang	123.46	58.52	40.37	330.59	450.95	78.58	372.37

单位：元 Unit：yuan

地 区	Region	七、教育文化娱乐服务 Recreation, Education and Culture	(一) 文化娱乐用品 Cultural and Recreational Articles	(二)文化娱乐服务 Expenditure of Culture and Recreation	1.参观游览 Touring and Outgoing	2.健身活动 Body Moves	3.团体旅游 Team Travel	4.其它文娱活动 Other Entertainment
全 国	**National Average**	**1358.26**	**354.82**	**381.27**	**47.7**	**13.63**	**203.38**	**107.2**
北 京	Beijing	2383.52	800.12	774.16	122.71	55.74	453.26	132.55
天 津	Tianjin	1608.97	497.75	395.98	31.24	16.31	191.85	146.32
河 北	Hebei	946.38	373.89	185.9	33.56	7.61	101.18	37.97
山 西	Shanxi	1041.91	214.38	256.74	44.37	1.4	143.48	61.13
内蒙古	Inner Mongolia	1383.53	433.52	381.66	85.07	3.86	171.2	114.06
辽 宁	Liaoning	1145.46	287	188.33	33.22	30.47	89.23	33.39
吉 林	Jilin	1071.8	284.3	211.34	27.98	9.64	68.78	98.04
黑龙江	Heilongjiang	906.19	186.59	167.87	34.87	3.58	38.04	87.39
上 海	Shanghai	2874.54	834.7	873.88	41.54	57.78	553.22	198.12
江 苏	Jiangsu	1799.75	500.05	548.73	71.85	14.3	309.23	144.93
浙 江	Zhejiang	2195.58	438.42	578.61	54.4	17.87	398.45	98.64
安 徽	Anhui	1160.14	250.33	276.37	36.3	10.59	150.14	75.04
福 建	Fujian	1453.18	335.87	430.96	27.46	9.37	313.44	74.68
江 西	Jiangxi	945.99	234.75	322.77	67.15	5.35	85.36	147.89
山 东	Shandong	1277.43	434.99	262.34	61.32	17.09	102.96	71.11
河 南	Henan	988.95	278.34	246.26	25.1	2.66	142.48	72.62
湖 北	Hubei	1037.24	215.71	250.54	27.52	3.69	103.81	89.55
湖 南	Hunan	1110.11	244.17	322.43	34.04	6.3	134.6	139.97
广 东	Guangdong	1936.38	456.49	759.31	65.88	23.5	479.35	179.2
广 西	Guangxi	1081.54	278.45	319.48	36.2	4.39	182.69	86.29
海 南	Hainan	930.87	241.78	229.35	25.08	3.44	81.51	101
重 庆	Chongqing	1267.03	370.63	359.97	40.73	11.13	211.29	89.91
四 川	Sichuan	947.01	216.68	308.27	40.49	4.18	79.43	173.82
贵 州	Guizhou	934.73	221.73	276.76	31.59	4.84	127.71	105.68
云 南	Yunnan	732.95	183.89	254.77	51.11	4.7	138.63	55.8
西 藏	Tibet	419.59	109.54	104.59	2.25	25.45	3.53	72.97
陕 西	Shaanxi	1281.58	286.8	297.49	47.26	11.98	106.24	110.72
甘 肃	Gansu	936.33	254.68	253.25	70.23	3.95	87.55	81.22
青 海	Qinghai	880.86	245.99	245.91	65.67	3.59	23.73	147.58
宁 夏	Ningxia	1043.72	301.01	277.62	30.74	6.75	74.3	158.43
新 疆	Xinjiang	812.36	251.77	143.53	27.71	4.74	49.91	58.69

1-4-5 续表 12 Continued 12

单位：元 Unit：yuan

地 区	Region	5.文娱用品修理服务费 Fixing Service Fees for Recreation Expense	（三）教育 Education	1.教材 Teaching Material	2.教育费用 Tuition	八、其它商品和服务 Miscellaneous Goods and Services	（一）其它商品 Miscellaneous Goods	（二）服务 Services
全 国	**National Average**	**8.91**	**622.16**	**67.37**	**552.27**	**418.31**	**269.19**	**149.12**
北 京	Beijing	9.89	809.25	91.77	717.47	704.24	491.66	212.57
天 津	Tianjin	10.25	715.24	87.31	627.94	520.49	352.97	167.52
河 北	Hebei	5.58	386.6	34.64	351.96	304.28	187.27	117.01
山 西	Shanxi	6.36	570.79	47.32	523.46	228.53	126.87	101.66
内蒙古	Inner Mongolia	7.48	568.35	20.7	547.65	512.81	364.88	147.93
辽 宁	Liaoning	2.02	670.13	53.51	616.62	533.29	282.64	250.65
吉 林	Jilin	5.88	576.17	84.65	491.52	425.3	240.26	185.04
黑龙江	Heilongjiang	3.75	551.73	71.4	477.13	321.95	195.29	126.66
上 海	Shanghai	23.22	1165.96	82.45	1083.52	937.21	642.89	294.33
江 苏	Jiangsu	8.42	750.97	24.18	726.78	458.1	299.24	158.86
浙 江	Zhejiang	9.26	1178.54	51.52	1127.02	520.95	362.99	157.96
安 徽	Anhui	4.3	633.45	277.8	355.64	325.82	181.69	144.12
福 建	Fujian	6.01	686.35	35.95	650.4	523.83	306.06	217.77
江 西	Jiangxi	12.37	388.48	73.81	304.45	337.91	217.52	120.39
山 东	Shandong	9.86	580.1	51.04	528.81	372.01	264.73	107.28
河 南	Henan	3.41	464.35	32.26	432.08	324.03	217.44	106.59
湖 北	Hubei	23.84	570.99	110.79	441.55	260.74	167.14	93.6
湖 南	Hunan	7.52	543.5	12.33	531.17	376.62	217.09	159.52
广 东	Guangdong	11.27	720.58	97.17	614.94	594.45	393.79	200.66
广 西	Guangxi	9.92	483.61	25.79	457.24	290.04	202.46	87.57
海 南	Hainan	17.06	459.74	33.7	426.04	247.08	177.8	69.28
重 庆	Chongqing	5.02	536.43	39.55	496.88	305.6	216.57	89.03
四 川	Sichuan	9.03	422.07	100.16	316.09	338.03	180.01	158.02
贵 州	Guizhou	6.94	436.24	18.49	417.75	260.27	168.61	91.65
云 南	Yunnan	4.53	294.29	16.77	277.52	150.42	103.12	47.3
西 藏	Tibet	0.39	205.45	34.89	170.56	400.38	192.76	207.62
陕 西	Shaanxi	18.77	697.29	98.34	595.42	400.68	274.89	125.79
甘 肃	Gansu	10.31	428.4	34.85	393.55	301.4	203.21	98.19
青 海	Qinghai	2.36	388.96	126.32	262.63	311.72	223.84	87.88
宁 夏	Ningxia	7.41	465.08	83.53	381.55	403.71	296.54	107.17
新 疆	Xinjiang	2.48	417.06	31.81	385.25	411.63	309.81	101.82

1-4-6 各地区城镇居民家庭消费支出构成(2008年)

Composition of Per Capita Annual Consumption Expenditure of Urban Households by Region (2008)

单位：% unit:%

地区	Region	消费支出 Consumption Expenditure	服务性消费 Service Consumption Expenditure	一、食品 Food	(一)粮油类 Grain and Oil	1.粮食 Grain	2.淀粉及薯类 Starches and Tubers	3.干豆类及豆制品 Beans and Bean Products	4.油脂类 Oil and Fats
全国	**National Average**	**100.00**	**25.96**	**37.89**	**5.12**	**2.92**	**0.25**	**0.49**	**1.46**
北京	Beijing	100.00	27.70	33.79	3.94	2.25	0.25	0.38	1.06
天津	Tianjin	100.00	27.16	37.29	3.71	1.93	0.28	0.35	1.15
河北	Hebei	100.00	20.61	34.73	5.74	3.07	0.25	0.43	2.00
山西	Shanxi	100.00	26.20	33.78	6.93	4.40	0.65	0.53	1.36
内蒙古	Inner Mongolia	100.00	24.13	32.82	4.88	3.25	0.25	0.28	1.10
辽宁	Liaoning	100.00	25.49	38.98	4.94	2.84	0.17	0.44	1.49
吉林	Jilin	100.00	24.40	33.99	5.61	3.23	0.35	0.66	1.36
黑龙江	Heilongjiang	100.00	24.00	36.28	6.97	3.93	0.50	0.58	1.96
上海	Shanghai	100.00	32.41	36.65	3.47	1.94	0.24	0.48	0.80
江苏	Jiangsu	100.00	26.07	37.94	4.33	2.33	0.26	0.59	1.15
浙江	Zhejiang	100.00	29.88	36.43	3.54	1.97	0.18	0.46	0.93
安徽	Anhui	100.00	23.23	41.00	5.68	3.13	0.19	0.64	1.71
福建	Fujian	100.00	26.68	40.63	5.01	3.10	0.23	0.46	1.22
江西	Jiangxi	100.00	21.06	41.68	6.89	3.53	0.15	0.72	2.49
山东	Shandong	100.00	21.97	33.61	4.70	2.83	0.24	0.40	1.23
河南	Henan	100.00	24.33	34.85	5.89	3.46	0.40	0.58	1.44
湖北	Hubei	100.00	23.26	42.17	7.42	4.22	0.22	0.82	2.16
湖南	Hunan	100.00	25.59	39.92	6.44	3.52	0.17	0.69	2.07
广东	Guangdong	100.00	29.74	37.78	4.24	2.58	0.16	0.31	1.18
广西	Guangxi	100.00	24.41	42.41	5.46	3.12	0.21	0.55	1.59
海南	Hainan	100.00	26.00	44.93	4.30	2.44	0.18	0.23	1.45
重庆	Chongqing	100.00	25.13	39.64	5.29	2.45	0.31	0.47	2.06
四川	Sichuan	100.00	24.09	43.97	6.33	3.19	0.33	0.42	2.40
贵州	Guizhou	100.00	25.33	43.09	6.60	3.63	0.15	0.51	2.30
云南	Yunnan	100.00	23.98	47.07	4.89	3.27	0.19	0.50	0.93
西藏	Tibet	100.00	21.14	51.21	7.62	5.11	0.41	0.12	1.98
陕西	Shaanxi	100.00	27.74	36.70	5.79	3.28	0.38	0.57	1.56
甘肃	Gansu	100.00	25.40	38.32	6.55	3.69	0.32	0.37	2.17
青海	Qinghai	100.00	24.55	40.48	6.55	4.14	0.31	0.33	1.78
宁夏	Ningxia	100.00	24.63	35.08	5.43	3.20	0.36	0.38	1.49
新疆	Xinjiang	100.00	24.55	37.32	6.53	4.01	0.32	0.34	1.87

1-4-6 续表 1 Continued 1

单位：% unit:%

地区	Region	(二)肉禽蛋水产品类 Meat,Poultry, Egg,Aquatic Products and Related Products	1.肉类 Meat Products	2.禽类 Poultry Products	3.蛋类 Eggs	4.水产品类 Aquatic Products	(三)蔬菜类 Vegetables	1.鲜菜 Fresh Vegetables	2.干菜 Dried Vegetables
全　国	**National Average**	**11.29**	**6.06**	**1.92**	**0.82**	**2.49**	**3.64**	**3.31**	**0.21**
北　京	Beijing	7.87	4.88	1.02	0.63	1.34	2.61	2.31	0.20
天　津	Tianjin	9.70	5.04	1.05	0.99	2.62	3.03	2.79	0.18
河　北	Hebei	9.24	5.26	1.17	1.22	1.59	3.99	3.57	0.29
山　西	Shanxi	6.93	4.41	0.76	1.11	0.65	3.55	3.23	0.21
内蒙古	Inner Mongolia	8.06	5.84	0.74	0.58	0.90	2.68	2.49	0.12
辽　宁	Liaoning	10.80	5.71	1.19	1.07	2.83	4.12	3.71	0.28
吉　林	Jilin	8.97	5.46	1.05	0.86	1.60	4.18	3.84	0.21
黑龙江	Heilongjiang	9.96	6.12	1.12	1.00	1.72	3.43	3.12	0.22
上　海	Shanghai	9.98	3.98	1.84	0.51	3.65	2.62	2.32	0.16
江　苏	Jiangsu	11.85	5.79	2.30	0.78	2.97	3.54	3.23	0.17
浙　江	Zhejiang	9.78	3.75	1.62	0.49	3.93	2.73	2.44	0.17
安　徽	Anhui	11.46	5.93	2.28	1.32	1.93	4.23	3.87	0.26
福　建	Fujian	16.60	6.62	2.31	0.79	6.87	3.39	2.89	0.36
江　西	Jiangxi	13.64	7.85	2.46	0.89	2.44	5.62	5.10	0.35
山　东	Shandong	9.49	4.83	1.15	1.12	2.39	2.90	2.62	0.16
河　南	Henan	8.27	4.96	1.48	1.09	0.74	3.66	3.43	0.15
湖　北	Hubei	12.71	7.65	1.70	0.96	2.40	5.16	4.73	0.24
湖　南	Hunan	12.38	7.54	2.11	0.69	2.04	4.15	3.80	0.19
广　东	Guangdong	14.00	6.88	3.10	0.49	3.54	3.33	3.00	0.22
广　西	Guangxi	17.05	9.27	4.36	0.68	2.74	3.73	3.32	0.22
海　南	Hainan	19.58	8.79	4.28	0.48	6.03	4.19	3.92	0.15
重　庆	Chongqing	13.19	8.06	2.75	0.85	1.53	3.82	3.54	0.20
四　川	Sichuan	14.45	9.50	2.71	0.93	1.30	4.94	4.64	0.19
贵　州	Guizhou	12.67	8.94	2.17	0.76	0.80	4.53	4.10	0.27
云　南	Yunnan	11.96	7.66	2.18	0.86	1.27	5.19	4.95	0.16
西　藏	Tibet	13.84	11.69	0.95	0.55	0.65	5.91	5.50	0.35
陕　西	Shaanxi	6.65	4.14	1.02	0.72	0.77	3.46	3.19	0.16
甘　肃	Gansu	7.38	4.86	1.07	0.75	0.71	4.02	3.84	0.13
青　海	Qinghai	10.31	7.45	1.18	0.80	0.88	4.08	3.87	0.12
宁　夏	Ningxia	7.40	4.98	1.20	0.57	0.65	3.08	2.94	0.08
新　疆	Xinjiang	9.64	6.78	1.34	0.69	0.84	3.52	3.32	0.14

1-4-6 续表 2 Continued 2

单位：% unit:%

地 区	Region	3.菜制品 Vegetable Products	（四）调味品 Condiments	（五）糖烟酒饮料类 Sugar,Tobacco, Liquor and Beverages	1.糖类 Sugar	2.烟草类 Tobacco	3.酒类 Liquor	4.饮料 Beverages
全 国	**National Average**	**0.12**	**0.46**	**3.85**	**0.32**	**1.82**	**0.99**	**0.72**
北 京	Beijing	0.09	0.59	3.62	0.33	1.10	0.90	1.29
天 津	Tianjin	0.07	0.60	3.69	0.29	1.38	1.22	0.80
河 北	Hebei	0.13	0.48	4.67	0.34	1.62	1.67	1.04
山 西	Shanxi	0.11	0.40	3.81	0.23	2.24	0.67	0.67
内蒙古	Inner Mongolia	0.08	0.37	4.55	0.23	2.07	1.58	0.67
辽 宁	Liaoning	0.13	0.59	4.78	0.26	2.16	1.33	1.03
吉 林	Jilin	0.14	0.48	2.95	0.27	1.27	0.75	0.67
黑龙江	Heilongjiang	0.09	0.55	2.90	0.30	1.21	0.84	0.55
上 海	Shanghai	0.15	0.38	3.88	0.48	1.86	0.71	0.83
江 苏	Jiangsu	0.14	0.43	4.28	0.28	2.34	1.06	0.59
浙 江	Zhejiang	0.12	0.30	4.42	0.26	2.63	0.92	0.62
安 徽	Anhui	0.10	0.30	6.33	0.32	3.08	2.00	0.94
福 建	Fujian	0.13	0.46	3.10	0.26	1.29	0.72	0.83
江 西	Jiangxi	0.17	0.47	3.27	0.34	1.81	0.72	0.41
山 东	Shandong	0.11	0.43	3.49	0.25	1.01	1.45	0.78
河 南	Henan	0.08	0.48	4.05	0.22	1.80	1.33	0.71
湖 北	Hubei	0.18	0.61	4.15	0.32	2.39	0.96	0.48
湖 南	Hunan	0.16	0.47	3.70	0.34	2.01	0.85	0.50
广 东	Guangdong	0.11	0.34	2.33	0.32	0.82	0.43	0.76
广 西	Guangxi	0.20	0.38	2.64	0.37	1.10	0.69	0.47
海 南	Hainan	0.12	0.43	2.37	0.25	1.29	0.40	0.42
重 庆	Chongqing	0.07	0.66	3.69	0.39	2.12	0.78	0.40
四 川	Sichuan	0.11	0.83	4.70	0.51	2.45	1.16	0.58
贵 州	Guizhou	0.17	0.55	5.18	0.48	3.10	0.98	0.63
云 南	Yunnan	0.08	0.52	6.22	0.37	4.51	0.56	0.78
西 藏	Tibet	0.06	0.44	9.11	0.72	5.35	1.93	1.11
陕 西	Shaanxi	0.11	0.54	3.79	0.29	1.96	0.87	0.67
甘 肃	Gansu	0.05	0.58	4.30	0.30	2.10	1.24	0.67
青 海	Qinghai	0.08	0.50	4.39	0.39	1.98	1.39	0.65
宁 夏	Ningxia	0.05	0.42	3.94	0.35	2.13	0.74	0.72
新 疆	Xinjiang	0.07	0.40	2.99	0.49	1.14	0.80	0.57

1-4-6 续表 3 Continued 3

单位：% unit:%

地 区	Region	（六）干鲜瓜果类 Dried and Fresh Melons and Fruits	1.鲜果 Fruits	2.鲜瓜 Melons	3.其它干鲜瓜果类及制品 Dried Fruits	（七）糕点、奶及奶制品 Cake,Milk and Its Products	1.糕点 Cake	2.奶及奶制品 Milk and Its Products
全 国	**National Average**	**2.61**	**1.67**	**0.31**	**0.63**	**2.43**	**0.74**	**1.69**
北 京	Beijing	3.01	1.79	0.31	0.91	3.14	1.12	2.02
天 津	Tianjin	3.13	1.86	0.34	0.94	2.66	1.09	1.57
河 北	Hebei	2.55	1.64	0.40	0.51	2.63	0.77	1.86
山 西	Shanxi	2.43	1.40	0.32	0.71	2.99	0.66	2.33
内蒙古	Inner Mongolia	2.30	1.56	0.25	0.49	1.88	0.40	1.48
辽 宁	Liaoning	3.43	2.53	0.43	0.47	2.74	0.85	1.90
吉 林	Jilin	3.64	2.52	0.58	0.53	1.90	0.60	1.30
黑龙江	Heilongjiang	3.08	2.03	0.41	0.64	2.09	0.59	1.50
上 海	Shanghai	2.51	1.32	0.41	0.77	2.71	0.95	1.76
江 苏	Jiangsu	2.38	1.31	0.34	0.73	2.48	0.67	1.81
浙 江	Zhejiang	2.52	1.47	0.35	0.71	2.05	0.66	1.39
安 徽	Anhui	2.49	1.38	0.47	0.64	3.42	0.91	2.51
福 建	Fujian	2.47	1.69	0.19	0.59	2.15	0.54	1.61
江 西	Jiangxi	2.85	1.89	0.39	0.57	2.69	0.74	1.94
山 东	Shandong	2.90	1.74	0.42	0.74	2.85	0.88	1.96
河 南	Henan	2.25	1.29	0.32	0.64	2.28	0.69	1.59
湖 北	Hubei	2.27	1.41	0.29	0.57	2.44	0.87	1.57
湖 南	Hunan	2.79	1.79	0.38	0.61	1.99	0.63	1.36
广 东	Guangdong	2.22	1.64	0.14	0.45	2.00	0.66	1.34
广 西	Guangxi	2.71	1.91	0.27	0.53	2.10	0.65	1.45
海 南	Hainan	2.48	2.05	0.18	0.25	1.87	0.66	1.20
重 庆	Chongqing	2.14	1.46	0.14	0.53	2.42	0.59	1.83
四 川	Sichuan	2.30	1.68	0.14	0.48	2.62	0.66	1.96
贵 州	Guizhou	2.71	2.07	0.13	0.51	2.09	0.67	1.42
云 南	Yunnan	2.84	2.21	0.09	0.55	1.48	0.76	0.72
西 藏	Tibet	2.45	2.09	0.21	0.15	4.08	0.34	3.75
陕 西	Shaanxi	2.79	1.63	0.37	0.79	3.03	1.01	2.02
甘 肃	Gansu	2.94	1.79	0.38	0.78	2.25	0.56	1.69
青 海	Qinghai	2.85	1.69	0.34	0.82	2.33	0.61	1.72
宁 夏	Ningxia	2.99	1.74	0.45	0.80	2.66	0.57	2.09
新 疆	Xinjiang	3.36	1.80	0.35	1.20	2.49	0.78	1.71

1-4-6 续表 4 Continued 4

单位：% unit:%

地 区	Region	（八）其他食品 Other Food	(九)饮食服务 Bite and Sup Service	1.食品加工服务费 Food Processing Service Fees	2.在外饮食 Dining Out	二、衣着 Clothing	(一)服装 Garments	(二)衣着材料 Clothing Materials
全 国	**National Average**	**0.66**	**7.82**	**0.01**	**7.81**	**10.37**	**7.46**	**0.10**
北 京	Beijing	0.46	8.55	0.01	8.55	9.55	6.69	0.10
天 津	Tianjin	0.73	10.04	0.00	10.03	8.59	6.05	0.10
河 北	Hebei	0.50	4.91	0.02	4.90	12.52	8.31	0.19
山 西	Shanxi	0.43	6.31	0.01	6.30	12.92	9.32	0.11
内蒙古	Inner Mongolia	1.45	6.66	0.01	6.65	14.93	10.88	0.05
辽 宁	Liaoning	0.66	6.92	0.02	6.90	10.57	6.43	0.25
吉 林	Jilin	0.85	5.41	0.02	5.39	12.95	8.96	0.13
黑龙江	Heilongjiang	0.77	6.53	0.01	6.52	14.11	9.63	0.08
上 海	Shanghai	0.44	10.66	0.00	10.66	7.84	5.85	0.09
江 苏	Jiangsu	0.90	7.75	0.02	7.73	9.74	7.15	0.10
浙 江	Zhejiang	0.53	10.55	0.00	10.55	10.20	7.81	0.08
安 徽	Anhui	0.60	6.50	0.03	6.46	10.61	7.13	0.20
福 建	Fujian	0.37	7.10	0.00	7.09	8.84	6.90	0.02
江 西	Jiangxi	1.23	5.02	0.02	5.01	11.12	8.48	0.13
山 东	Shandong	0.70	6.15	0.01	6.13	12.67	9.06	0.11
河 南	Henan	0.74	7.23	0.01	7.22	12.92	9.53	0.08
湖 北	Hubei	0.43	6.98	0.02	6.96	11.60	8.61	0.08
湖 南	Hunan	0.97	7.04	0.01	7.03	10.97	7.92	0.09
广 东	Guangdong	0.41	8.91	0.00	8.91	6.28	4.68	0.01
广 西	Guangxi	0.63	7.72	0.01	7.71	8.02	5.79	0.09
海 南	Hainan	0.36	9.34	0.01	9.33	5.23	4.04	0.01
重 庆	Chongqing	0.47	7.96	0.04	7.93	11.61	8.50	0.05
四 川	Sichuan	0.65	7.15	0.06	7.08	10.77	7.96	0.08
贵 州	Guizhou	1.04	7.71	0.02	7.69	10.20	7.07	0.14
云 南	Yunnan	0.60	13.36	0.01	13.35	11.31	8.03	0.12
西 藏	Tibet	0.80	6.96	0.02	6.94	12.16	9.12	0.11
陕 西	Shaanxi	0.93	9.73	0.01	9.72	10.72	7.71	0.12
甘 肃	Gansu	1.60	8.70	0.01	8.69	12.31	8.61	0.16
青 海	Qinghai	1.80	7.68	0.01	7.66	11.54	8.31	0.06
宁 夏	Ningxia	1.23	7.93	0.00	7.93	12.33	9.09	0.12
新 疆	Xinjiang	0.72	7.66	0.02	7.64	14.36	10.12	0.18

1-4-6 续表 5 Continued 5

单位: % unit:%

地 区	Region	（三）鞋类 Shoes	（四）其他衣着用品 Other Clothing	（五）衣着加工服务费 Tailoring and Laundering Services	三、居住 Residence	（一）住房 House	（二）水电燃料及其他 Water, Electricity and Fuels	1.水 Water
全 国	**National Average**	**2.41**	**0.34**	**0.07**	**10.19**	**3.07**	**6.44**	**0.72**
北 京	Beijing	2.37	0.30	0.08	7.81	3.36	3.88	0.47
天 津	Tianjin	2.07	0.30	0.07	11.39	3.82	7.10	0.65
河 北	Hebei	3.43	0.50	0.10	12.08	2.30	9.30	0.65
山 西	Shanxi	2.99	0.45	0.05	14.20	4.47	9.04	0.54
内蒙古	Inner Mongolia	3.25	0.65	0.11	9.50	2.66	6.06	0.33
辽 宁	Liaoning	3.21	0.59	0.09	11.32	2.34	8.34	0.57
吉 林	Jilin	3.25	0.51	0.10	13.21	2.75	9.79	0.57
黑龙江	Heilongjiang	3.79	0.50	0.11	10.92	2.01	8.45	0.68
上 海	Shanghai	1.64	0.19	0.08	8.49	4.17	3.47	0.52
江 苏	Jiangsu	2.10	0.32	0.08	8.70	3.74	4.54	0.63
浙 江	Zhejiang	2.02	0.23	0.05	8.80	3.17	5.17	0.73
安 徽	Anhui	2.80	0.37	0.10	10.38	3.68	6.00	0.66
福 建	Fujian	1.68	0.22	0.03	10.40	3.14	6.62	1.04
江 西	Jiangxi	2.22	0.25	0.05	9.76	1.91	7.43	0.88
山 东	Shandong	2.92	0.50	0.07	11.33	3.74	7.08	0.51
河 南	Henan	2.89	0.34	0.07	10.90	3.07	7.12	0.77
湖 北	Hubei	2.54	0.30	0.06	9.65	2.38	6.83	0.89
湖 南	Hunan	2.57	0.33	0.06	9.66	2.42	6.64	0.83
广 东	Guangdong	1.36	0.19	0.03	11.26	3.22	6.69	0.91
广 西	Guangxi	1.86	0.24	0.05	9.26	2.12	6.75	1.00
海 南	Hainan	1.06	0.11	0.02	11.76	5.06	6.03	0.97
重 庆	Chongqing	2.68	0.32	0.06	9.84	3.76	5.26	0.96
四 川	Sichuan	2.34	0.33	0.06	8.46	2.10	5.61	0.87
贵 州	Guizhou	2.62	0.34	0.04	10.02	2.10	7.49	1.00
云 南	Yunnan	2.85	0.30	0.02	8.14	3.02	4.81	1.01
西 藏	Tibet	2.76	0.15	0.02	7.63	0.87	6.56	0.46
陕 西	Shaanxi	2.48	0.32	0.09	10.31	2.86	6.81	0.65
甘 肃	Gansu	2.97	0.48	0.09	10.19	2.57	7.05	0.43
青 海	Qinghai	2.47	0.62	0.07	9.80	2.40	6.62	0.39
宁 夏	Ningxia	2.70	0.34	0.08	11.19	3.80	6.67	0.36
新 疆	Xinjiang	3.38	0.50	0.16	9.02	2.26	6.29	0.42

1-4-6 续表 6 Continued 6

单位：% unit:%

地 区	Region	2.电 Electricity	3.燃料 Fuels	4.取暖费	5.其他 Other	(三) 居住服务费 Housing Services	1.物业管理费 Realty Management	2.维修服务费 Fitment Service Fees
全 国	**National Average**	**2.77**	**1.74**	**1.06**	**0.15**	**0.68**	**0.44**	**0.12**
北 京	Beijing	1.69	0.78	0.88	0.06	0.58	0.51	0.03
天 津	Tianjin	2.99	0.82	2.38	0.25	0.46	0.31	0.03
河 北	Hebei	2.40	1.99	4.12	0.15	0.47	0.26	0.11
山 西	Shanxi	2.50	2.54	3.19	0.27	0.69	0.24	0.21
内蒙古	Inner Mongolia	1.79	1.39	2.42	0.13	0.78	0.33	0.18
辽 宁	Liaoning	2.32	1.36	3.98	0.11	0.64	0.43	0.14
吉 林	Jilin	2.47	1.55	5.07	0.11	0.68	0.31	0.21
黑龙江	Heilongjiang	2.66	1.61	3.34	0.16	0.46	0.21	0.14
上 海	Shanghai	2.02	0.92		0.01	0.85	0.79	0.04
江 苏	Jiangsu	2.52	1.22	0.03	0.14	0.41	0.22	0.13
浙 江	Zhejiang	2.92	1.44		0.08	0.46	0.35	0.06
安 徽	Anhui	3.08	2.05	0.04	0.17	0.69	0.33	0.25
福 建	Fujian	3.77	1.77	0.00	0.04	0.64	0.43	0.08
江 西	Jiangxi	4.07	2.31	0.00	0.18	0.42	0.16	0.12
山 东	Shandong	2.09	1.44	2.60	0.44	0.51	0.26	0.15
河 南	Henan	3.05	2.24	0.74	0.32	0.72	0.23	0.21
湖 北	Hubei	3.63	2.10	0.03	0.19	0.44	0.18	0.14
湖 南	Hunan	3.17	2.49	0.00	0.14	0.59	0.28	0.24
广 东	Guangdong	3.28	2.41	0.00	0.08	1.34	1.17	0.07
广 西	Guangxi	3.36	2.23	0.00	0.16	0.39	0.22	0.06
海 南	Hainan	2.78	2.13		0.15	0.66	0.52	0.07
重 庆	Chongqing	2.76	1.51	0.00	0.03	0.82	0.54	0.10
四 川	Sichuan	2.84	1.74	0.01	0.16	0.75	0.38	0.12
贵 州	Guizhou	3.98	2.46	0.01	0.05	0.43	0.14	0.14
云 南	Yunnan	2.50	1.29		0.01	0.31	0.17	0.04
西 藏	Tibet	2.12	3.01	0.12	0.86	0.20	0.10	0.01
陕 西	Shaanxi	2.36	1.76	1.88	0.17	0.65	0.37	0.12
甘 肃	Gansu	1.99	1.41	3.12	0.10	0.57	0.32	0.07
青 海	Qinghai	2.15	1.48	2.57	0.03	0.77	0.43	0.17
宁 夏	Ningxia	1.86	1.24	2.81	0.40	0.72	0.43	0.15
新 疆	Xinjiang	1.63	1.56	2.56	0.12	0.46	0.26	0.04

1-4-6 续表 7 Continued 7

单位：% unit:%

地 区	Region	3.其它 Other	四、家庭设备用品及服务 Household Appliances and Services	（一）耐用消费品 Durable Consumer Goods	1.家具 Furniture	2.家庭设备 Household Appliances	（二）室内装饰品 Room Decorations	（三）床上用品 Bed Articles
全 国	**National Average**	**0.12**	**6.15**	**2.75**	**0.76**	**1.93**	**0.18**	**0.55**
北 京	Beijing	0.04	6.66	3.33	1.38	1.95	0.16	0.50
天 津	Tianjin	0.12	6.09	3.48	1.44	2.04	0.24	0.42
河 北	Hebei	0.10	6.33	3.36	0.87	2.49	0.25	0.71
山 西	Shanxi	0.23	5.36	2.94	0.73	2.21	0.12	0.30
内蒙古	Inner Mongolia	0.26	6.21	2.84	0.97	1.87	0.23	0.56
辽 宁	Liaoning	0.08	4.52	2.10	0.62	1.47	0.25	0.62
吉 林	Jilin	0.15	5.25	2.20	0.35	1.42	0.23	0.56
黑龙江	Heilongjiang	0.11	5.73	2.24	0.32	1.82	0.18	0.56
上 海	Shanghai	0.02	6.09	2.81	1.11	1.70	0.22	0.59
江 苏	Jiangsu	0.06	6.79	3.05	0.82	2.23	0.10	0.61
浙 江	Zhejiang	0.05	4.71	2.02	0.49	1.54	0.13	0.56
安 徽	Anhui	0.11	6.09	2.62	0.47	2.02	0.25	0.65
福 建	Fujian	0.14	5.78	2.56	0.77	1.80	0.10	0.45
江 西	Jiangxi	0.14	7.15	2.64	0.28	2.10	0.15	0.62
山 东	Shandong	0.11	7.33	3.88	1.36	2.51	0.34	0.55
河 南	Henan	0.28	7.17	3.77	1.18	2.59	0.22	0.68
湖 北	Hubei	0.12	6.38	2.80	0.44	2.13	0.11	0.41
湖 南	Hunan	0.08	6.79	2.56	0.46	2.10	0.16	0.68
广 东	Guangdong	0.11	6.10	2.25	0.58	1.58	0.11	0.46
广 西	Guangxi	0.10	6.27	3.06	0.96	2.08	0.09	0.55
海 南	Hainan	0.07	6.01	2.72	0.80	1.78	0.10	0.34
重 庆	Chongqing	0.18	7.55	3.64	0.92	2.65	0.22	0.90
四 川	Sichuan	0.25	6.10	2.19	0.44	1.56	0.22	0.57
贵 州	Guizhou	0.15	6.30	2.23	0.63	1.60	0.07	0.50
云 南	Yunnan	0.09	3.66	1.75	0.68	1.07	0.12	0.39
西 藏	Tibet	0.09	3.73	0.48	0.01	0.47	0.21	0.82
陕 西	Shaanxi	0.15	6.33	2.94	0.55	2.17	0.19	0.46
甘 肃	Gansu	0.18	6.57	2.86	0.78	2.09	0.27	0.53
青 海	Qinghai	0.17	6.57	2.96	0.53	2.26	0.28	0.57
宁 夏	Ningxia	0.14	6.24	3.18	1.16	1.98	0.32	0.42
新 疆	Xinjiang	0.16	6.17	2.57	0.88	1.69	0.35	0.49

1-4-6 续表 8 Continued 8

单位：% unit:%

地 区	Region	(四)家庭日用杂品 Household Articles for Daily Use	(五)家具材料 Furniture Materials	(六)家庭服务 Household Services	1.家政服务 Housekeeping Services	2.加工维修服务费 Manufacturing Upkeep	五、医疗保健 Health Care and Medical Services	(一)医疗器具 Medical Appliances
全 国	**National Average**	**2.12**	**0.10**	**0.44**	**0.29**	**0.15**	**6.99**	**0.06**
北 京	Beijing	2.11	0.05	0.51	0.33	0.18	9.50	0.07
天 津	Tianjin	1.58	0.03	0.34	0.22	0.11	9.10	0.05
河 北	Hebei	1.59	0.09	0.32	0.14	0.18	8.90	0.13
山 西	Shanxi	1.50	0.09	0.40	0.22	0.19	8.74	0.07
内蒙古	Inner Mongolia	2.16	0.15	0.28	0.14	0.14	8.03	0.03
辽 宁	Liaoning	1.18	0.10	0.27	0.21	0.06	8.13	0.06
吉 林	Jilin	1.91	0.13	0.22	0.12	0.10	9.40	0.07
黑龙江	Heilongjiang	2.33	0.23	0.19	0.10	0.08	10.03	0.11
上 海	Shanghai	1.73	0.03	0.72	0.51	0.21	3.89	0.05
江 苏	Jiangsu	2.35	0.08	0.60	0.40	0.20	6.63	0.04
浙 江	Zhejiang	1.41	0.06	0.52	0.40	0.12	6.16	0.04
安 徽	Anhui	1.95	0.29	0.33	0.19	0.13	6.66	0.06
福 建	Fujian	2.00	0.05	0.63	0.49	0.13	4.32	0.04
江 西	Jiangxi	3.22	0.20	0.32	0.13	0.17	5.55	0.02
山 东	Shandong	2.15	0.10	0.30	0.16	0.15	7.27	0.10
河 南	Henan	2.16	0.08	0.26	0.12	0.14	8.95	0.10
湖 北	Hubei	2.64	0.12	0.30	0.15	0.13	7.13	0.03
湖 南	Hunan	2.82	0.19	0.39	0.20	0.19	7.95	0.03
广 东	Guangdong	2.43	0.08	0.77	0.63	0.14	5.39	0.05
广 西	Guangxi	2.16	0.09	0.31	0.15	0.16	5.50	0.09
海 南	Hainan	2.52	0.07	0.26	0.12	0.12	5.70	0.01
重 庆	Chongqing	2.20	0.16	0.43	0.28	0.14	7.88	0.05
四 川	Sichuan	2.67	0.14	0.31	0.15	0.15	5.84	0.01
贵 州	Guizhou	3.16	0.03	0.30	0.14	0.16	5.65	0.01
云 南	Yunnan	1.24	0.02	0.13	0.06	0.08	6.69	0.05
西 藏	Tibet	2.11	0.07	0.04	0.01	0.03	3.81	0.01
陕 西	Shaanxi	2.22	0.11	0.41	0.19	0.20	8.83	0.08
甘 肃	Gansu	2.37	0.31	0.23	0.04	0.19	7.88	0.03
青 海	Qinghai	2.60	0.04	0.12	0.03	0.08	7.45	0.01
宁 夏	Ningxia	1.98	0.05	0.29	0.15	0.14	8.55	0.14
新 疆	Xinjiang	2.34	0.15	0.28	0.16	0.11	7.42	0.02

1-4-6 续表 9 Continued 9

单位：% unit:%

地 区	Region	(二)保健器具 Health Care Appliances	(三)药品费 Medicine	(四)滋补保健品 Health Products	(五)医疗费 Health Care Services	(六)其他 Other	六、交通和通讯 Transport and Communications	(一)交通 Transport
全 国	**National Average**	**0.14**	**3.49**	**0.90**	**2.28**	**0.13**	**12.60**	**7.15**
北 京	Beijing	0.20	5.09	0.94	3.09	0.11	13.93	8.91
天 津	Tianjin	0.19	4.87	0.46	3.47	0.06	11.68	6.63
河 北	Hebei	0.31	4.51	1.12	2.63	0.20	11.69	6.12
山 西	Shanxi	0.06	4.80	0.41	3.24	0.17	10.58	5.14
内蒙古	Inner Mongolia	0.20	4.08	0.51	3.01	0.21	11.01	6.65
辽 宁	Liaoning	0.09	3.34	1.50	2.85	0.29	11.54	6.05
吉 林	Jilin	0.18	4.52	1.18	3.36	0.09	9.82	5.31
黑龙江	Heilongjiang	0.16	5.12	0.80	3.71	0.13	8.69	4.05
上 海	Shanghai	0.21	1.65	1.00	0.94	0.04	17.39	11.97
江 苏	Jiangsu	0.17	3.15	1.15	2.02	0.11	11.34	7.13
浙 江	Zhejiang	0.08	2.81	1.67	1.48	0.09	15.78	9.60
安 徽	Anhui	0.13	2.81	1.08	2.33	0.24	9.67	4.60
福 建	Fujian	0.08	1.87	0.59	1.63	0.11	14.22	7.43
江 西	Jiangxi	0.09	3.08	0.46	1.80	0.10	10.01	4.61
山 东	Shandong	0.24	3.31	1.03	2.41	0.17	12.81	8.16
河 南	Henan	0.11	5.04	0.47	3.11	0.12	10.36	4.42
湖 北	Hubei	0.06	3.34	0.43	3.10	0.16	9.39	4.61
湖 南	Hunan	0.10	4.30	0.98	2.41	0.12	9.76	4.57
广 东	Guangdong	0.11	2.71	1.00	1.43	0.09	16.89	10.42
广 西	Guangxi	0.05	2.78	0.55	1.99	0.05	14.29	8.12
海 南	Hainan	0.02	2.70	0.42	2.52	0.03	13.85	8.89
重 庆	Chongqing	0.10	4.25	0.70	2.71	0.06	9.37	4.22
四 川	Sichuan	0.10	3.33	0.42	1.79	0.18	11.59	5.67
贵 州	Guizhou	0.04	3.08	0.20	2.25	0.06	10.43	4.79
云 南	Yunnan	0.05	3.48	0.73	2.27	0.10	13.40	7.55
西 藏	Tibet	0.01	2.46	0.33	0.99	0.02	11.61	4.29
陕 西	Shaanxi	0.23	5.21	0.42	2.85	0.05	9.90	4.72
甘 肃	Gansu	0.04	4.74	0.42	2.55	0.11	9.84	4.58
青 海	Qinghai	0.06	3.50	0.39	3.40	0.09	9.61	4.75
宁 夏	Ningxia	0.11	5.56	0.34	2.34	0.04	11.47	6.20
新 疆	Xinjiang	0.06	3.39	0.54	3.35	0.07	11.58	6.38

1-4-6 续表 10 Continued 10

单位：% unit:%

地 区	Region	1.家庭交通工具 Transportation Facility	2.车辆用燃料及零配件 Fuels and Parts	3.交通工具服务支出 Using and Upkeep Fare	4.交通费 Traffic Fare	（二）通信 Communication	1.通信工具 Communication Facility	2.通信服务 Communication Service
全 国	**National Average**	**2.61**	**1.54**	**0.90**	**2.11**	**5.45**	**0.86**	**4.58**
北 京	Beijing	3.32	2.24	1.27	2.07	5.02	1.14	3.88
天 津	Tianjin	3.11	0.81	0.96	1.75	5.05	0.78	4.27
河 北	Hebei	2.90	1.22	0.50	1.50	5.57	1.04	4.53
山 西	Shanxi	2.29	0.85	0.60	1.40	5.44	0.73	4.70
内蒙古	Inner Mongolia	3.17	0.80	0.73	1.95	4.36	1.16	3.20
辽 宁	Liaoning	1.76	1.26	0.31	2.72	5.48	0.79	4.69
吉 林	Jilin	1.24	0.61	0.24	3.22	4.51	0.92	3.59
黑龙江	Heilongjiang	0.74	0.50	0.21	2.60	4.64	0.95	3.69
上 海	Shanghai	4.70	1.33	2.17	3.77	5.42	0.85	4.57
江 苏	Jiangsu	3.28	1.44	0.90	1.52	4.20	0.89	3.31
浙 江	Zhejiang	3.74	3.10	1.27	1.49	6.19	0.72	5.47
安 徽	Anhui	1.39	0.74	0.41	2.06	5.07	0.86	4.21
福 建	Fujian	3.12	2.07	0.70	1.54	6.78	0.75	6.04
江 西	Jiangxi	2.18	0.41	0.23	1.78	5.40	0.81	4.60
山 东	Shandong	3.80	1.78	1.01	1.57	4.65	1.05	3.60
河 南	Henan	2.01	0.74	0.27	1.39	5.94	1.04	4.90
湖 北	Hubei	1.13	0.76	0.36	2.35	4.79	0.86	3.92
湖 南	Hunan	0.56	0.87	0.75	2.39	5.20	0.83	4.37
广 东	Guangdong	3.37	3.01	1.86	2.18	6.47	0.73	5.74
广 西	Guangxi	4.26	1.41	0.78	1.67	6.18	0.76	5.42
海 南	Hainan	3.33	2.28	0.57	2.71	4.97	0.64	4.33
重 庆	Chongqing	0.62	0.59	0.38	2.63	5.15	1.09	4.06
四 川	Sichuan	1.41	0.92	0.68	2.66	5.92	0.68	5.24
贵 州	Guizhou	0.88	0.68	0.35	2.88	5.64	0.76	4.88
云 南	Yunnan	3.33	2.26	0.87	1.09	5.85	0.66	5.19
西 藏	Tibet	0.54	1.00	0.26	2.50	7.32	0.19	7.14
陕 西	Shaanxi	1.09	0.63	0.54	2.47	5.18	0.99	4.19
甘 肃	Gansu	0.85	0.47	0.27	2.99	5.26	0.84	4.42
青 海	Qinghai	0.11	0.42	0.26	3.96	4.86	1.00	3.86
宁 夏	Ningxia	1.97	0.56	0.34	3.32	5.27	1.37	3.90
新 疆	Xinjiang	1.42	0.68	0.47	3.81	5.20	0.91	4.30

1-4-6 续表 11 Continued 11

单位：% unit:%

地 区	Region	七、教育文化娱乐服务 Recreation, Education and Culture	(一) 文化娱乐用品 Cultural and Recreational Articles	(二)文化娱乐服务 Expenditure of Culture and Recreation	1.参观游览 Touring and Outgoing	2.健身活动 Body Moves	3.团体旅游 Team Travel	4.其它文娱活动 Other Entertainment
全 国	**National Average**	**12.08**	**3.16**	**3.39**	**0.42**	**0.12**	**1.81**	**0.95**
北 京	Beijing	14.48	4.86	4.70	0.75	0.34	2.75	0.81
天 津	Tianjin	11.99	3.71	2.95	0.23	0.12	1.43	1.09
河 北	Hebei	10.41	4.11	2.05	0.37	0.08	1.11	0.42
山 西	Shanxi	11.83	2.43	2.92	0.50	0.02	1.63	0.69
内蒙古	Inner Mongolia	12.78	4.00	3.52	0.79	0.04	1.58	1.05
辽 宁	Liaoning	10.20	2.56	1.68	0.30	0.27	0.79	0.30
吉 林	Jilin	11.02	2.92	2.17	0.29	0.10	0.71	1.01
黑龙江	Heilongjiang	10.51	2.16	1.95	0.40	0.04	0.44	1.01
上 海	Shanghai	14.82	4.30	4.51	0.21	0.30	2.85	1.02
江 苏	Jiangsu	15.03	4.17	4.58	0.60	0.12	2.58	1.21
浙 江	Zhejiang	14.48	2.89	3.82	0.36	0.12	2.63	0.65
安 徽	Anhui	12.18	2.63	2.90	0.38	0.11	1.58	0.79
福 建	Fujian	11.62	2.69	3.45	0.22	0.07	2.51	0.60
江 西	Jiangxi	10.85	2.69	3.70	0.77	0.06	0.98	1.70
山 东	Shandong	11.61	3.95	2.38	0.56	0.16	0.94	0.65
河 南	Henan	11.19	3.15	2.79	0.28	0.03	1.61	0.82
湖 北	Hubei	10.94	2.28	2.64	0.29	0.04	1.10	0.94
湖 南	Hunan	11.16	2.46	3.24	0.34	0.06	1.35	1.41
广 东	Guangdong	12.47	2.94	4.89	0.42	0.15	3.09	1.15
广 西	Guangxi	11.23	2.89	3.32	0.38	0.05	1.90	0.90
海 南	Hainan	9.89	2.57	2.44	0.27	0.04	0.87	1.07
重 庆	Chongqing	11.37	3.32	3.23	0.37	0.10	1.90	0.81
四 川	Sichuan	9.78	2.24	3.18	0.42	0.04	0.82	1.80
贵 州	Guizhou	11.20	2.66	3.31	0.38	0.06	1.53	1.27
云 南	Yunnan	8.08	2.03	2.81	0.56	0.05	1.53	0.61
西 藏	Tibet	5.04	1.32	1.26	0.03	0.31	0.04	0.88
陕 西	Shaanxi	13.11	2.93	3.04	0.48	0.12	1.09	1.13
甘 肃	Gansu	11.27	3.07	3.05	0.85	0.05	1.05	0.98
青 海	Qinghai	10.75	3.00	3.00	0.80	0.04	0.29	1.80
宁 夏	Ningxia	10.92	3.15	2.90	0.32	0.07	0.78	1.66
新 疆	Xinjiang	9.37	2.90	1.66	0.32	0.05	0.58	0.68

1-4-6 续表 12 Continued 12

单位：% unit:%

地 区	Region	5.文娱用品修理服务费 Fixing Service Fees for Recreation Expense	（三）教育 Education	1.教材 Teaching Material	2.教育费用 Tuition	八、其它商品和服务 Miscellaneous Goods and Services	（一）其它商品 Miscella-neous Goods	（二）服务 Services
全 国	**National Average**	**0.08**	**5.53**	**0.60**	**4.91**	**3.72**	**2.39**	**1.33**
北 京	Beijing	0.06	4.92	0.56	4.36	4.28	2.99	1.29
天 津	Tianjin	0.08	5.33	0.65	4.68	3.88	2.63	1.25
河 北	Hebei	0.06	4.25	0.38	3.87	3.35	2.06	1.29
山 西	Shanxi	0.07	6.48	0.54	5.94	2.60	1.44	1.15
内蒙古	Inner Mongolia	0.07	5.25	0.19	5.06	4.74	3.37	1.37
辽 宁	Liaoning	0.02	5.97	0.48	5.49	4.75	2.52	2.23
吉 林	Jilin	0.06	5.92	0.87	5.05	4.37	2.47	1.90
黑龙江	Heilongjiang	0.04	6.40	0.83	5.53	3.73	2.26	1.47
上 海	Shanghai	0.12	6.01	0.43	5.59	4.83	3.31	1.52
江 苏	Jiangsu	0.07	6.27	0.20	6.07	3.82	2.50	1.33
浙 江	Zhejiang	0.06	7.77	0.34	7.44	3.44	2.39	1.04
安 徽	Anhui	0.05	6.65	2.92	3.73	3.42	1.91	1.51
福 建	Fujian	0.05	5.49	0.29	5.20	4.19	2.45	1.74
江 西	Jiangxi	0.14	4.46	0.85	3.49	3.88	2.50	1.38
山 东	Shandong	0.09	5.27	0.46	4.80	3.38	2.41	0.97
河 南	Henan	0.04	5.25	0.37	4.89	3.67	2.46	1.21
湖 北	Hubei	0.25	6.02	1.17	4.66	2.75	1.76	0.99
湖 南	Hunan	0.08	5.46	0.12	5.34	3.79	2.18	1.60
广 东	Guangdong	0.07	4.64	0.63	3.96	3.83	2.54	1.29
广 西	Guangxi	0.10	5.02	0.27	4.75	3.01	2.10	0.91
海 南	Hainan	0.18	4.89	0.36	4.53	2.63	1.89	0.74
重 庆	Chongqing	0.05	4.81	0.35	4.46	2.74	1.94	0.80
四 川	Sichuan	0.09	4.36	1.03	3.27	3.49	1.86	1.63
贵 州	Guizhou	0.08	5.22	0.22	5.00	3.12	2.02	1.10
云 南	Yunnan	0.05	3.24	0.18	3.06	1.66	1.14	0.52
西 藏	Tibet	0.00	2.47	0.42	2.05	4.81	2.32	2.49
陕 西	Shaanxi	0.19	7.14	1.01	6.09	4.10	2.81	1.29
甘 肃	Gansu	0.12	5.16	0.42	4.74	3.63	2.45	1.18
青 海	Qinghai	0.03	4.75	1.54	3.21	3.80	2.73	1.07
宁 夏	Ningxia	0.08	4.87	0.87	3.99	4.22	3.10	1.12
新 疆	Xinjiang	0.03	4.81	0.37	4.44	4.75	3.57	1.17

1-5 大中城市居民家庭基本情况(2008年)

Basic Condition of Urban Households of Major Cities (2008)

城市	City	调查户数 (户) Number of Households Surveyed (number)	平均每户家庭人口 (人) Average Household Size (person)	平均每户就业人口 (人) Average Number of Employed Persons Per Household (person)	平均每户就业面 (%) Proportion of Employment Per Household (%)	平均每一就业者负担人数* (人) Number of Dependents per Employee (person)	平均每人全部年收入 (元) Per Capita Annual Income (yuan)
北京	Beijing	3165	2.76	1.5	54.35	1.84	29252.04
天津	Tianjin	1500	2.89	1.5	51.90	1.93	21174.04
石家庄	Shijiazhuang	300	2.72	1.30	47.79	2.09	16058.49
太原	Taiyuan	300	2.62	1.18	45.04	2.22	16299.36
呼和浩特	Hohhot	400	2.68	1.34	50.00	2.00	21387.64
沈阳	Shenyang	500	2.75	1.47	53.45	1.87	19001.95
大连	Dalian	500	2.90	1.72	59.31	1.69	19998.33
长春	Changchun	300	2.93	1.62	55.29	1.81	15967.86
哈尔滨	Harbin	500	2.73	1.30	47.62	2.10	15363.72
上海	Shanghai	999	2.97	1.63	54.88	1.82	29759.13
南京	Nanjing	800	2.69	1.32	49.07	2.04	25317.86
杭州	Hangzhou	600	2.75	1.29	46.91	2.13	27034.76
宁波	Ningbo	600	2.64	1.42	53.79	1.86	28606.72
合肥	Hefei	400	2.88	1.62	56.25	1.78	17276.02
福州	Fuzhou	350	3.10	1.64	52.90	1.89	20985.02
厦门	Xiamen	300	3.14	1.66	52.87	1.89	26944.15
南昌	Nanchang	300	2.81	1.63	58.01	1.72	15914.67
济南	Jinan	600	2.83	1.51	53.36	1.87	22327.17
青岛	Qingdao	400	2.83	1.60	56.54	1.77	22080.13
郑州	Zhengzhou	400	2.87	1.31	45.64	2.19	16984.27
武汉	Wuhan	500	2.92	1.42	48.63	2.06	18285.68
长沙	Changsha	400	2.97	1.37	46.13	2.17	19337.74
广州	Guangzhou	300	3.12	1.66	53.21	1.88	29407.01
深圳	Shenzhen	600	3.25	1.59	48.92	2.04	28703.97
南宁	Nanning	200	3.01	1.71	56.81	1.76	17231.51
海口	Haikou	300	3.16	1.37	43.35	2.31	15202.98
重庆	Chongqing	950	2.95	1.62	54.92	1.82	16740.41
成都	Chengdu	396	2.74	1.43	52.19	1.92	18320.39
贵阳	Guiyang	300	2.95	1.33	45.08	2.22	14376.53
昆明	Kunming	800	2.85	1.22	42.81	2.34	15245.7
拉萨	Lhasa	200	3.16	1.69	53.48	1.87	15658.99
西安	Xi'an	325	2.97	1.50	50.51	1.98	16183.76
兰州	Lanzhou	300	2.67	1.32	49.44	2.02	12319.04
西宁	Xining	300	2.94	1.22	41.50	2.41	12980.16
银川	Yinchuan	300	2.70	1.25	46.30	2.16	15719.58
乌鲁木齐	Urumqi	400	2.75	1.49	54.18	1.85	13478.94

*平均每一就业者负担人数包括就业者本人。

Number of dependents per employee including the employee himself or herself.

城 市	City	工薪收入（元） Income of Wages and Salaries (yuan)	经营净收入（元） Net Business Income (yuan)	财产性收入（元） Income from Property (yuan)	转移性收入（元） Income from Transfer (yuan)	可支配收 入 Disposable Income	平均每人消费性支出（元） Per Capita Annual Consumption Expenditures (yuan)
北 京	Beijing	19887.92	677.89	429.27	8256.95	26048.71	17573.48
天 津	Tianjin	12849.73	863.52	256.87	7203.93	19422.53	13422.47
石家庄	Shijiazhuang	8724.79	1377.32	60.39	5895.99	15061.50	9953.19
太 原	Taiyuan	8406.64	1073.32	217.79	6601.61	15229.95	10798.97
呼和浩特	Hohhot	12881.03	1674.56	958.11	5873.94	20375.83	13081.35
沈 阳	Shenyang	10884.65	2247.00	141.85	5728.46	17013.06	14667.90
大 连	Dalian	13698.37	1393.87	749.06	4157.04	17500.48	14101.38
长 春	Changchun	10462.80	1496.65	143.74	3864.66	15002.51	12719.70
哈尔滨	Harbin	8758.98	1454.02	366.83	4783.89	14588.57	10791.18
上 海	Shanghai	21791.11	1399.14	369.12	6199.77	26674.90	19397.89
南 京	Nanjing	16601.45	887.53	193.13	7635.75	23122.69	15132.73
杭 州	Hangzhou	16948.94	1406.95	1939.01	6739.87	24103.58	16719.10
宁 波	Ningbo	19270.04	2630.97	1209.30	5496.41	25303.98	16379.18
合 肥	Hefei	11718.68	1911.78	211.85	3433.71	15590.59	11751.96
福 州	Fuzhou	13606.55	1489.62	652.14	5236.71	19129.48	13596.49
厦 门	Xiamen	18986.29	1886.98	797.51	5273.36	23947.57	17116.56
南 昌	Nanchang	10982.19	884.29	154.44	3893.75	15112.34	11551.31
济 南	Jinan	16336.79	1229.21	142.62	4618.54	20802.17	13904.59
青 岛	Qingdao	14936.20	1507.32	380.24	5256.37	20464.41	14998.63
郑 州	Zhengzhou	10656.08	1279.98	104.16	4944.05	15940.25	9447.10
武 汉	Wuhan	11356.38	1373.26	249.84	5306.20	16712.44	11432.97
长 沙	Changsha	10798.92	2164.26	438.59	5935.96	18282.18	12960.00
广 州	Guangzhou	21960.70	1595.18	897.58	4953.55	25316.72	20835.95
深 圳	Shenzhen	19954.87	4926.75	1128.47	2693.88	26729.31	19779.09
南 宁	Nanning	13321.91	600.44	211.90	3097.25	14983.46	10267.97
海 口	Haikou	9741.60	1551.86	548.77	3360.75	14149.50	11137.52
重 庆	Chongqing	12282.68	715.80	216.97	3524.95	15708.74	12269.32
成 都	Chengdu	11055.93	1666.75	691.50	4906.22	16942.62	12849.93
贵 阳	Guiyang	8736.02	890.23	43.03	4707.25	13816.78	10507.29
昆 明	Kunming	7333.70	1252.61	2094.90	4564.48	14468.30	10045.38
拉 萨	Lhasa	14972.29	45.28	56.89	584.53	13940.56	10444.64
西 安	Xi'an	11152.81	636.28	236.84	4157.82	15035.17	11593.62
兰 州	Lanzhou	8012.27	485.05	37.90	3783.82	11676.77	9033.70
西 宁	Xining	7705.04	816.18	48.33	4410.61	11929.10	8278.32
银 川	Yinchuan	8966.81	2082.52	160.72	4509.53	14458.38	11454.91
乌鲁木齐	Urumqi	9959.56	1115.92	254.34	2149.12	12328.17	8752.00

1-5 续表 2 Continued 2

城 市	City	食 品 Food	衣 着 Clothing	居 住 Housing	家庭设备用品及服务 Household Appliances and Service	医疗保健 Health Care and Medical Services	交通通信 Transport and Communications
北 京	Beijing	5935.23	1663.32	1316.98	1164.02	1585.74	2468.48
天 津	Tianjin	5005.09	1153.66	1528.28	817.18	1220.92	1567.87
石家庄	Shijiazhuang	3516.97	1068.22	1277.21	642.15	1208.01	834.32
太 原	Taiyuan	3742.00	1258.03	1335.33	576.26	1118.71	1044.58
呼和浩特	Hohhot	4207.11	1564.35	1225.48	790.14	1398.36	1641.82
沈 阳	Shenyang	5598.67	1548.79	1544.79	636.45	1126.04	1823.95
大 连	Dalian	5351.14	1378.70	1696.67	761.03	1068.36	1752.17
长 春	Changchun	4116.42	1383.01	1669.33	555.18	1271.85	1402.29
哈尔滨	Harbin	3718.22	1540.25	1104.93	846.94	963.04	942.35
上 海	Shanghai	7108.62	1520.61	1646.19	1182.24	755.29	3373.19
南 京	Nanjing	5533.51	1228.41	1184.10	1145.58	1146.76	1766.83
杭 州	Hangzhou	6410.16	1656.81	1814.01	762.43	1132.49	2589.77
宁 波	Ningbo	6114.15	1793.23	1248.06	727.49	729.01	2662.11
合 肥	Hefei	4657.02	1340.50	1076.77	671.91	626.92	1390.71
福 州	Fuzhou	5795.13	1210.73	1253.22	798.73	649.74	1707.47
厦 门	Xiamen	6148.28	1299.42	1866.71	906.25	698.40	3465.04
南 昌	Nanchang	4131.14	1296.34	1056.03	958.87	865.65	1334.96
济 南	Jinan	4466.18	1353.62	1498.38	1076.50	1188.63	2117.55
青 岛	Qingdao	5606.43	1823.61	1472.28	1056.59	936.13	1918.52
郑 州	Zhengzhou	3283.25	1299.03	963.18	616.56	695.92	1135.03
武 汉	Wuhan	4880.31	1238.64	1101.26	763.43	926.79	1143.52
长 沙	Changsha	4779.86	1297.81	1388.04	932.80	1166.20	1614.84
广 州	Guangzhou	7020.67	1399.22	1961.58	1401.98	1229.72	3225.58
深 圳	Shenzhen	7119.19	1557.18	2310.20	1155.61	911.02	3543.82
南 宁	Nanning	4212.81	714.36	878.16	510.40	568.57	1778.68
海 口	Haikou	4622.98	538.30	1450.75	634.02	675.57	1739.17
重 庆	Chongqing	4803.06	1467.00	1173.60	878.04	960.32	1142.08
成 都	Chengdu	5125.41	1247.05	1057.06	782.70	846.67	1935.10
贵 阳	Guiyang	4382.65	975.43	991.16	621.27	658.94	1306.88
昆 明	Kunming	4643.39	1220.57	760.25	354.53	842.46	1195.91
拉 萨	Lhasa	4873.75	1434.84	662.41	535.25	428.68	1342.72
西 安	Xi'an	4226.60	1099.93	1249.43	668.22	984.33	1170.92
兰 州	Lanzhou	3429.79	995.69	803.55	619.17	748.28	970.01
西 宁	Xining	3412.35	850.29	827.24	535.40	635.53	771.12
银 川	Yinchuan	3993.39	1415.48	1091.60	686.26	978.39	1384.35
乌鲁木齐	Urumqi	3427.35	1125.98	727.14	558.33	625.11	887.63

1-5 续表 3 Continued 3

城 市	City	教育文化娱乐服务(元) Education, Cultural and Recreation Services (yuan)	其它商品与服务(元) Miscellaneous Goods and Services (yuan)	平均每人消费性支出构成(人均消费性支出=100) Composition of Per Capita Annual Consumption Expenditures (%)	食 品 Food	衣 着 Clothing	居 住 Housing
北 京	Beijing	2658.74	780.97	100.00	33.77	9.46	7.49
天 津	Tianjin	1608.97	520.49	100.00	37.29	8.59	11.39
石家庄	Shijiazhuang	968.04	438.26	100.00	35.34	10.73	12.83
太 原	Taiyuan	1476.17	247.90	100.00	34.65	11.65	12.37
呼和浩特	Hohhot	1630.09	624.00	100.00	32.16	11.96	9.37
沈 阳	Shenyang	1640.62	748.61	100.00	38.17	10.56	10.53
大 连	Dalian	1486.19	607.13	100.00	37.95	9.78	12.03
长 春	Changchun	1585.24	736.39	100.00	32.36	10.87	13.12
哈尔滨	Harbin	1341.90	333.54	100.00	34.46	14.27	10.24
上 海	Shanghai	2874.54	937.21	100.00	36.65	7.84	8.49
南 京	Nanjing	2556.54	571.00	100.00	36.57	8.12	7.82
杭 州	Hangzhou	1782.02	571.41	100.00	38.34	9.91	10.85
宁 波	Ningbo	2521.54	583.57	100.00	37.33	10.95	7.62
合 肥	Hefei	1539.40	448.74	100.00	39.63	11.41	9.16
福 州	Fuzhou	1559.21	622.26	100.00	42.62	8.90	9.22
厦 门	Xiamen	2001.32	731.14	100.00	35.92	7.59	10.91
南 昌	Nanchang	1335.73	572.59	100.00	35.76	11.22	9.14
济 南	Jinan	1770.78	432.95	100.00	32.12	9.74	10.78
青 岛	Qingdao	1665.25	519.82	100.00	37.38	12.16	9.82
郑 州	Zhengzhou	1133.88	320.26	100.00	34.75	13.75	10.20
武 汉	Wuhan	1095.43	283.59	100.00	42.69	10.83	9.63
长 沙	Changsha	1450.07	330.38	100.00	36.88	10.01	10.71
广 州	Guangzhou	3520.45	1076.74	100.00	33.69	6.72	9.41
深 圳	Shenzhen	2463.92	718.16	100.00	35.99	7.87	11.68
南 宁	Nanning	1239.62	365.37	100.00	41.03	6.96	8.55
海 口	Haikou	1194.50	282.23	100.00	41.51	4.83	13.03
重 庆	Chongqing	1498.95	346.28	100.00	39.15	11.96	9.57
成 都	Chengdu	1461.67	394.27	100.00	39.89	9.70	8.23
贵 阳	Guiyang	1206.12	364.84	100.00	41.71	9.28	9.43
昆 明	Kunming	829.56	198.71	100.00	46.22	12.15	7.57
拉 萨	Lhasa	630.98	536.01	100.00	46.66	13.74	6.34
西 安	Xi'an	1749.13	445.06	100.00	36.46	9.49	10.78
兰 州	Lanzhou	1156.63	310.58	100.00	37.97	11.02	8.90
西 宁	Xining	901.25	345.12	100.00	41.22	10.27	9.99
银 川	Yinchuan	1387.57	517.87	100.00	34.86	12.36	9.53
乌鲁木齐	Urumqi	1031.58	368.87	100.00	39.16	12.87	8.31

1-5 续表 4 Continued 4

城市 City		家庭设备用品及服务 Household Appliances and Service	医疗保健 Health Care and Medical Services	交通通信 Transport and Communications	教育文化娱乐服务 Education, Cultural and Recreation Services	其它商品与服务 Miscellaneous Goods and Services
北京	Beijing	6.62	9.02	14.05	15.13	4.44
天津	Tianjin	6.09	9.10	11.68	11.99	3.88
石家庄	Shijiazhuang	6.45	12.14	8.38	9.73	4.40
太原	Taiyuan	5.34	10.36	9.67	13.67	2.30
呼和浩特	Hohhot	6.04	10.69	12.55	12.46	4.77
沈阳	Shenyang	4.34	7.68	12.43	11.19	5.10
大连	Dalian	5.40	7.58	12.43	10.54	4.31
长春	Changchun	4.36	10.00	11.02	12.46	5.79
哈尔滨	Harbin	7.85	8.92	8.73	12.44	3.09
上海	Shanghai	6.09	3.89	17.39	14.82	4.83
南京	Nanjing	7.57	7.58	11.68	16.89	3.77
杭州	Hangzhou	4.56	6.77	15.49	10.66	3.42
宁波	Ningbo	4.44	4.45	16.25	15.39	3.56
合肥	Hefei	5.72	5.33	11.83	13.10	3.82
福州	Fuzhou	5.87	4.78	12.56	11.47	4.58
厦门	Xiamen	5.29	4.08	20.24	11.69	4.27
南昌	Nanchang	8.30	7.49	11.56	11.56	4.96
济南	Jinan	7.74	8.55	15.23	12.74	3.11
青岛	Qingdao	7.04	6.24	12.79	11.10	3.47
郑州	Zhengzhou	6.53	7.37	12.01	12.00	3.39
武汉	Wuhan	6.68	8.11	10.00	9.58	2.48
长沙	Changsha	7.20	9.00	12.46	11.19	2.55
广州	Guangzhou	6.73	5.90	15.48	16.90	5.17
深圳	Shenzhen	5.84	4.61	17.92	12.46	3.63
南宁	Nanning	4.97	5.54	17.32	12.07	3.56
海口	Haikou	5.69	6.07	15.62	10.73	2.53
重庆	Chongqing	7.16	7.83	9.31	12.22	2.82
成都	Chengdu	6.09	6.59	15.06	11.37	3.07
贵阳	Guiyang	5.91	6.27	12.44	11.48	3.47
昆明	Kunming	3.53	8.39	11.91	8.26	1.98
拉萨	Lhasa	5.12	4.10	12.86	6.04	5.13
西安	Xi'an	5.76	8.49	10.10	15.09	3.84
兰州	Lanzhou	6.85	8.28	10.74	12.80	3.44
西宁	Xining	6.47	7.68	9.31	10.89	4.17
银川	Yinchuan	5.99	8.54	12.09	12.11	4.52
乌鲁木齐	Urumqi	6.38	7.14	10.14	11.79	4.21

城市资源与经济

Urban Resources and Economy

第2篇

2-1 城市人口资源分布(2008年)*

Distribution of Urban Population Resources(2008)*

城　市	City	年末总人口(万人) Total population (10000 persons)		#非农业人口(万人) Nonagricultural Population (10000 persons)		年末总户数(万户) Total Household (year end) (10000 households)	
		全　市 Total Area of City	市辖区 Districts under City	全　市 Total Area of City	市辖区 Districts under City	全　市 Total Area of City	市辖区 Districts under City
城市合计	**Total**	**122449.84**	**37619.34**	**38124.64**	**22566.20**	**37640.11**	**12172.59**
北　京	Beijing	1299.85	1158.75	950.71	922.84	481.19	448.14
天　津	Tianjin	968.87	793.85	588.27	554.76	337.49	281.66
石家庄	Shijiazhuang	966.48	240.72	398.31	240.72	266.88	60.76
唐　山	Tangshan	729.41	305.53	244.39	177.20	224.89	95.56
秦皇岛	Qinhuangdao	285.85	81.81	120.10	81.81	96.30	28.40
邯　郸	Handan	928.08	146.67	299.70	126.63	243.77	41.61
邢　台	Xingtai	706.36	58.47	164.92	58.47	200.81	18.67
保　定	Baoding	1141.73	105.53	301.40	92.71	323.57	30.97
张家口	Zhanjiakou	459.67	89.09	147.18	74.43	165.32	31.69
承　德	Chengde	369.38	52.36	98.05	37.21	120.71	19.08
沧　州	Cangzhou	710.10	52.06	214.87	48.52	210.59	14.93
廊　坊	Langfang	408.28	80.07	122.40	47.58	115.30	20.98
衡　水	Hengshui	432.51	30.76	98.07	30.76	127.21	8.83
太　原	Taiyuan	360.23	281.29	260.65	235.67	99.92	72.94
大　同	Datong	312.00	153.37	146.45	118.93	113.33	53.90
阳　泉	Yangquan	129.34	68.02	77.17	59.33	46.83	23.23
长　治	Changzhi	327.40	69.50	97.30	53.90	99.90	20.80
晋　城	Jincheng	221.59	36.74	53.36	27.30	71.00	12.09
朔　州	Shuozhou	155.17	63.21	39.78	19.38	56.49	23.06
晋　中	Jinzhong	317.90	58.30	89.20	31.00	109.61	17.54
运　城	Yuncheng	499.40	65.75	89.61	23.67	144.50	19.87
忻　州	Xinzhou	303.26	52.34	67.55	19.35	111.63	19.89
临　汾	Linfen	431.92	82.23	108.58	37.21	143.52	36.68
吕　梁	Luliang	376.63	27.00	81.21	15.25	120.95	10.19
呼和浩特	Huhehaote	224.30	116.70	105.50	88.67	74.05	40.02
包　头	Baotou	217.76	140.46	135.58	116.62	71.94	45.94
乌　海	Wuhai	48.27	48.27	44.53	44.53	16.90	16.90
赤　峰	Chifeng	456.49	120.30	107.19	54.04	146.43	39.67
通　辽	Tongliao	316.92	82.28	119.47	44.67	101.02	21.84
鄂尔多斯	Erdos	149.69	24.83	46.89	17.14	56.15	7.79
呼伦贝尔	Hulunbeier	272.48	26.60	180.28	24.60	93.42	8.00
巴彦淖尔	Bayanzhuoer	185.00	55.77	62.79	25.11	56.41	16.48
乌兰察布	Wulanchabu	287.11	30.18	71.82	25.80	102.47	10.02
沈　阳	Shenyang	713.51	509.02	460.49	419.76	244.07	176.68
大　连	Dalian	583.37	298.31	347.83	264.98	203.44	108.06
鞍　山	Anshan	351.42	147.34	177.17	130.09	115.56	51.76
抚　顺	Fushun	223.19	139.60	147.30	125.25	81.75	53.53
本　溪	Benxi	155.66	95.73	104.27	84.03	55.94	35.48
丹　东	Dandong	242.70	76.88	101.74	60.09	80.91	28.33
锦　州	Jinzhou	310.19	92.86	123.37	75.06	102.41	33.31

*第二和第三篇资料为初步数。
Table 2 and 3 are preliminary data.

城市 City		年末总人口(万人) Total population (10000 persons)		#非农业人口(万人) Nonagricultural Population (10000 persons)		年末总户数(万户) Total Household (year end) (10000 households)	
		全市 Total Area of City	市辖区 Districts under City	全市 Total Area of City	市辖区 Districts under City	全市 Total Area of City	市辖区 Districts under City
营口	Yingkou	233.80	88.32	108.31	69.37	84.08	34.62
阜新	Fuxin	192.46	77.89	86.17	69.01	64.89	29.37
辽阳	Liaoyang	183.39	72.62	80.07	60.66	66.87	27.89
盘锦	Panjin	129.20	60.10	104.70	54.60	45.58	21.48
铁岭	Tieling	305.93	44.60	97.98	36.28	103.35	15.98
朝阳	Chaoyang	340.92	59.18	93.70	34.81	109.13	17.93
葫芦岛	Huludao	280.40	98.32	86.73	54.09	94.71	35.98
长春	Changchun	752.53	330.22	331.85	252.84	239.42	108.81
吉林	Jinlin	438.29	184.93	211.97	128.77	145.78	62.20
四平	Siping	337.56	60.89	127.36	55.23	111.93	24.36
辽源	Liaoyuan	123.33	47.73	55.60	38.61	41.89	17.75
通化	Tonghua	227.70	45.27	104.82	39.50	75.30	15.50
白山	Baishan	129.68	59.32	88.57	47.19	53.13	25.20
松原	Songyuan	285.09	54.25	79.14	33.84	87.02	19.99
白城	Baicheng	202.90	50.86	80.74	28.66	74.22	20.12
哈尔滨	Harbin	989.86	475.13	476.95	343.39	329.52	162.48
齐齐哈尔	Qiqihaer	569.20	142.49	204.70	111.76	191.60	54.60
鸡西	Jixi	190.84	88.46	120.01	73.30	72.59	35.54
鹤岗	Hegang	109.41	67.95	88.21	61.04	46.99	31.75
双鸭山	Shuangyashan	150.46	50.09	93.69	45.66	57.80	21.57
大庆	Daqing	277.23	130.74	136.80	105.08	96.03	46.47
伊春	Yichun	127.63	81.08	109.38	77.90	49.40	31.71
佳木斯	Jiamusi	251.64	82.40	124.04	60.56	87.12	30.73
七台河	Qitaihe	90.22	53.46	50.91	37.29	31.46	19.37
牡丹江	Mudanjiang	269.90	79.40	148.40	66.50	96.00	28.90
黑河	Heihe	173.90	19.18	97.58	13.44	62.73	7.00
绥化	Suihua	577.20	89.70	151.60	28.90	184.20	28.90
上海	Shanghai	1391.04	1321.70	1216.56	1192.24	506.64	477.38
南京	Nanjing	624.46	541.24	517.22	490.71	200.88	172.78
无锡	Wuxi	464.20	237.42	325.15	223.81	153.82	79.39
徐州	Xuzhou	946.86	184.40	336.65	157.98	277.76	57.15
常州	Changzhou	358.74	225.87	177.73	118.28	123.40	75.73
苏州	Suzhou	629.75	238.21	368.43	158.06	209.65	78.41
南通	Nantong	763.72	87.52	321.60	87.52	280.74	31.11
连云港	Lianyungang	488.25	80.88	233.75	63.22	128.66	25.06
淮安	Huaian	536.91	277.94	152.84	92.33	161.19	84.92
盐城	Yancheng	811.71	161.86	303.82	78.92	278.32	56.20
扬州	Yangzhou	459.79	121.78	217.03	94.53	155.35	40.61
镇江	Zhenjiang	268.77	102.81	120.50	65.85	100.07	38.75
泰州	Taizhou	500.89	80.65	178.69	56.82	171.47	28.07
宿迁	Suqian	534.58	158.00	238.29	118.67	148.60	42.91
杭州	Hangzhou	677.64	424.30	340.76	285.11	213.74	125.56

2-1 续表 2 Continued 2

城 市	City	年末总人口(万人) Total population (10000 persons)		#非农业人口(万人) Nonagricultural Population (10000 persons)		年末总户数(万户) Total Household (year end) (10000 households)	
		全 市 Total Area of City	市辖区 Districts under City	全 市 Total Area of City	市辖区 Districts under City	全 市 Total Area of City	市辖区 Districts under City
宁 波	Ningbuo	568.09	220.12	198.49	132.07	221.48	88.25
温 州	Wenzhou	771.99	143.82	164.44	66.75	228.04	42.98
嘉 兴	Jiaxing	338.07	82.55	130.14	42.03	102.40	26.89
湖 州	Huzhou	258.50	108.52	80.75	42.88	84.59	34.21
绍 兴	Shaoxing	437.06	64.90	139.97	47.00	162.23	23.55
金 华	Jinhua	461.41	92.38	105.31	31.48	181.10	37.13
衢 州	Quzhou	248.85	81.83	51.95	27.00	84.04	28.83
舟 山	Zhoushan	96.77	69.58	35.79	27.49	36.67	25.48
台 州	Taizhou	574.06	152.75	103.35	30.53	193.69	50.14
丽 水	Lishui	255.43	38.27	44.54	12.65	87.72	15.09
合 肥	Hefei	486.73	203.48	209.99	171.58	148.98	60.17
芜 湖	Wuhu	230.79	105.58	113.72	91.69	77.76	36.50
蚌 埠	Bengbu	358.31	92.51	100.26	65.50	100.99	28.80
淮 南	Huainan	240.88	166.71	112.98	97.21	73.81	50.70
马鞍山	Maanshan	128.10	63.08	63.06	51.82	39.53	20.02
淮 北	Huaibei	215.78	108.38	93.23	77.98	63.65	34.17
铜 陵	Tongling	73.89	44.08	43.47	39.00	24.43	14.16
安 庆	Anqing	613.89	74.26	108.93	46.73	175.46	25.49
黄 山	Huangshan	148.35	43.47	35.69	19.81	49.64	14.49
滁 州	Chuzhou	447.37	52.85	97.60	24.81	137.69	18.49
阜 阳	Fuyang	987.79	201.08	121.81	47.78	273.79	56.81
宿 州	Suzhou	626.06	180.64	82.27	40.64	169.69	51.61
巢 湖	Chaohu	456.80	87.80	75.21	21.60	142.53	30.48
六 安	Liuan	701.64	184.13	98.71	33.64	218.35	59.13
亳 州	Bozhou	588.77	155.53	65.06	20.56	161.44	45.49
池 州	Chizhou	158.93	65.43	27.79	13.95	52.42	21.36
宣 城	Xuancheng	276.75	85.14	49.55	16.75	89.37	27.13
福 州	Fuzhou	635.95	186.68	262.91	156.54	194.51	59.40
厦 门	Xiamen	173.67	173.67	118.58	118.58	54.18	54.18
莆 田	Putian	316.64	210.91	60.82	41.12	80.03	50.33
三 明	Sanming	270.15	28.38	93.12	21.58	76.93	9.12
泉 州	Quanhzou	677.73	102.71	194.80	62.65	182.27	27.91
漳 州	Zhangzhou	468.50	54.60	135.12	35.47	128.03	16.77
南 平	Nanping	308.13	49.15	106.98	26.14	90.12	14.35
龙 岩	Longyan	291.30	47.60	86.50	31.30	82.60	15.10
宁 德	Ningde	335.03	43.79	100.94	14.05	96.72	12.81
南 昌	Nanchang	494.73	223.09	233.16	175.29	137.98	60.11
景德镇	Jingdezhen	158.23	45.57	62.64	37.02	51.44	16.59
萍 乡	Pingxiang	185.77	84.59	57.71	44.13	55.63	26.95
九 江	Jiujiang	484.67	60.44	133.10	47.43	150.08	21.13
新 余	Xinyu	123.20	91.15	41.10	32.86	37.25	26.78
鹰 潭	Yingtan	116.11	20.49	33.89	14.24	33.11	7.81

2-1 续表 3 Continued 3

城 市	City	年末总人口(万人) Total population (10000 persons)		#非农业人口(万人) Nonagricultural Population (10000 persons)		年末总户数(万户) Total Household (year end) (10000 households)	
		全 市 Total Area of City	市辖区 Districts under City	全 市 Total Area of City	市辖区 Districts under City	全 市 Total Area of City	市辖区 Districts under City
赣 州	Ganzhou	888.95	63.76	185.30	38.50	255.72	17.93
吉 安	Jian	485.25	53.33	110.38	24.30	149.05	15.80
宜 春	Yichun	543.97	103.23	144.36	27.04	166.63	29.93
抚 州	Fuzhou	387.74	106.88	95.00	32.84	121.13	34.79
上 饶	Shangrao	716.35	39.01	133.83	20.82	199.89	11.56
济 南	Jinan	603.99	350.23			184.63	109.26
青 岛	Qingdao	761.56	276.25			243.18	91.22
淄 博	Zibuo	420.62	278.17			140.10	94.10
枣 庄	Zaozhuang	383.24	217.40			118.33	65.69
东 营	Dongying	183.97	83.14			58.44	28.31
烟 台	Yantai	651.69	179.40			237.02	64.74
潍 坊	Weifang	862.48	172.11			264.93	53.73
济 宁	Jining	822.75	109.86			238.01	33.63
泰 安	Taian	554.72	160.06			174.27	51.55
威 海	Weihai	252.23	63.94			91.60	20.95
日 照	Rizhao	284.54	122.44			95.47	39.65
莱 芜	Laiwu	125.96	125.96			43.94	43.94
临 沂	Linyi	1034.47	197.71			319.48	59.64
德 州	Dezhou	564.19	59.45			163.25	19.06
聊 城	Liaocheng	584.91	104.45			176.76	29.40
滨 州	Binzhou	375.68	63.16			111.53	19.74
菏 泽	Heze	919.94	147.01			251.97	41.72
郑 州	Zhengzhou	719.61	276.75	301.77	207.42	191.15	78.67
开 封	Kaifeng	518.48	84.80	98.36	59.72	139.12	27.90
洛 阳	Luoyang	686.50	158.36	188.02	113.69	194.11	50.57
平 顶 山	Pingdingshan	523.94	100.71	129.70	77.73	145.73	27.52
安 阳	Anyang	567.37	106.75	124.90	71.01	159.59	33.39
鹤 壁	Hebi	157.74	55.73	50.76	37.39	45.56	18.31
新 乡	Xinxiang	589.57	100.68	163.71	73.58	160.75	29.93
焦 作	Jiaozuo	361.25	82.88	106.03	64.76	96.20	22.50
濮 阳	Puyang	396.24	65.95	74.17	42.13	96.26	20.94
许 昌	Xuchang	478.95	40.81	121.24	40.81	132.46	13.31
漯 河	Luohe	272.87	137.25	65.48	46.14	74.50	39.07
三 门 峡	Sanmenxi	227.69	28.99	67.65	22.44	70.04	8.58
南 阳	Nanyang	1147.61	182.22	179.11	56.46	347.83	57.25
商 丘	Shangqiu	901.11	170.22	166.53	91.04	250.95	44.36
信 阳	Xinyang	845.21	143.56	150.47	44.00	251.58	46.73
周 口	Zhoukou	1188.08	51.88	147.97	25.15	313.50	15.38
驻 马 店	Zhumadian	865.18	64.09	130.37	27.53	222.21	19.47
武 汉	Wuhan	833.24	512.42	537.24	460.18	265.00	160.69
黄 石	Huangshi	257.31	63.73	93.68	60.49	74.94	19.87

城 市	City	年末总人口(万人) Total population (10000 persons)		#非农业人口(万人) Nonagricultural Population (10000 persons)		年末总户数(万户) Total Household (year end) (10000 households)	
		全 市 Total Area of City	市辖区 Districts under City	全 市 Total Area of City	市辖区 Districts under City	全 市 Total Area of City	市辖区 Districts under City
十 堰	Shiyan	351.03	52.36	101.92	47.67	114.42	19.11
宜 昌	Yichang	400.83	124.42	133.70	71.93	145.68	44.48
襄 樊	Xiangfan	584.38	219.53	194.71	89.19	200.91	73.51
鄂 州	Ezhou	106.82	106.82	40.99	40.99	35.22	35.22
荆 门	Jingmen	300.11	67.12	79.99	32.78	97.77	25.10
孝 感	Xiaogan	525.06	93.86	152.31	35.84	158.96	14.41
荆 州	Jingzhou	658.50	116.59	163.53	64.25	201.68	38.25
黄 冈	Huanggang	735.14	36.68	167.26	24.60	236.66	14.99
咸 宁	Xianning	288.21	59.52	78.23	25.42	85.46	19.40
随 州	Suizhou	256.11	162.58	50.63	32.91	74.37	45.52
长 沙	Changsha	645.14	238.32	234.45	187.41	196.35	73.27
株 洲	Zhuzhou	383.04	79.66	102.41	59.41	110.63	26.15
湘 潭	Xiangtan	293.99	87.80	82.50	57.91	90.15	22.84
衡 阳	Hengyang	731.14	103.03	311.25	97.08	206.62	31.60
邵 阳	Shaoyang	754.09	66.53	112.26	40.66	221.47	21.05
岳 阳	Yueyang	551.51	81.30	248.15	73.40	183.51	42.39
常 德	Changde	614.16	140.22	143.25	51.98	223.43	50.18
张家界	Zhangjiajie	164.56	50.42	29.71	15.46	55.29	17.87
益 阳	Yiyang	467.66	131.65	94.74	33.93	142.70	39.49
郴 州	Chenzhou	471.00	66.32	194.50	46.19	146.25	23.08
永 州	Yongzhou	580.16	108.95	93.12	32.58	171.53	35.92
怀 化	Huaihua	508.94	35.24	95.14	23.73	157.76	13.74
娄 底	Loudi	423.79	44.55	89.63	27.87	138.52	18.25
广 州	Guangzhou	784.14	645.83	704.17	645.83	242.56	203.65
韶 关	Shaoguan	323.09	91.48	124.80	60.52	95.95	29.98
深 圳	Shenzhen	228.07	228.07	228.07	228.07	86.73	86.73
珠 海	Zhuhai	99.48	99.48	99.48	99.48	27.71	27.71
汕 头	Shantou	506.57	499.30	502.01	499.30	112.29	110.12
佛 山	Foshan	364.34	364.34	364.34	364.34	108.75	108.75
江 门	Jiangmen	389.93	136.58	219.77	136.58	121.35	43.82
湛 江	Zhanjiang	753.88	123.16	278.88	123.16	194.65	36.46
茂 名	Maoming	725.67	128.91	270.91	128.91	188.19	33.61
肇 庆	Zhaoqing	410.28	52.77	117.88	52.77	114.51	15.79
惠 州	Huizhou	318.84	125.95	186.20	125.95	87.06	39.63
梅 州	Meizhou	505.28	31.29	124.71	23.94	130.90	10.21
汕 尾	Shanwei	335.99	51.72	167.35	51.72	74.24	10.98
河 源	Heyuan	346.64	29.74	83.02	29.74	89.00	9.54
阳 江	Yangjiang	273.29	66.21	114.34	66.21	76.93	19.88
清 远	Qingyuan	405.80	55.64	111.57	55.64	111.39	16.31
东 莞	Dongguan	174.87	174.87	76.80	76.80	50.64	50.64
中 山	Zhongshan	146.43	146.43	77.26	77.26	40.99	40.99

城市	City	年末总人口(万人) Total population (10000 persons) 全市 Total Area of City	市辖区 Districts under City	#非农业人口(万人) Nonagricultural Population (10000 persons) 全市 Total Area of City	市辖区 Districts under City	年末总户数(万户) Total Household (year end) (10000 households) 全市 Total Area of City	市辖区 Districts under City
潮州	Chaozhou	256.13	34.86	74.20	34.86	62.11	9.55
揭阳	Jieyang	641.24	68.91	219.60	68.91	144.12	16.52
云浮	Yunfu	272.68	29.22	100.59	29.22	76.72	8.48
南宁	Nanning	691.69	263.89	188.94	135.54	201.16	78.33
柳州	Liuzhou	364.90	102.83	128.45	90.77	106.14	32.43
桂林	Guilin	508.32	75.92	122.64	63.70	156.79	23.73
梧州	Wuzhou	313.20	49.72	62.65	28.80	92.10	15.31
北海	Beihai	157.71	59.31	46.68	27.97	42.81	17.59
防城港	Fangchenggang	84.76	50.74	28.58	17.59	24.35	14.41
钦州	Qinzhou	364.51	129.67	41.40	21.00	93.27	32.00
贵港	Guigang	501.86	184.24	56.49	28.56	147.80	55.38
玉林	Yulin	641.73	95.88	72.44	21.94	179.57	27.28
百色	Baise	392.37	34.28	49.02	12.62	101.18	8.55
贺州	Hezhou	221.79	106.12	31.03	16.03	58.46	29.57
河池	Hechi	404.57	32.69	57.29	11.63	116.19	10.69
来宾	Laibin	252.74	103.68	38.03	16.71	72.40	27.15
崇左	Chongzuo	240.00	35.01	40.66	8.84	66.57	10.08
海口	Haikou	155.82	155.82	94.13	94.13	47.44	47.44
三亚	Sanya	54.58	54.58	27.50	27.50	13.36	13.36
重庆	Chongqing	3257.05	1534.50	907.38	637.77	1080.15	545.85
成都	Chengdu	1124.96	510.15	612.08	404.65	405.20	183.29
自贡	Zigong	325.58	149.69	103.11	63.63	102.26	48.39
攀枝花	Panzhihua	111.18	69.17	59.58	53.75	33.77	21.32
泸州	Luzhou	493.38	144.65	86.56	46.68	141.84	44.74
德阳	Deyang	387.37	65.69	90.77	33.99	134.22	24.32
绵阳	Mianyang	540.71	120.45	135.69	64.47	183.44	42.79
广元	Guangyuan	310.37	92.60	64.45	31.50	100.81	31.40
遂宁	Suining	384.94	149.60	79.93	38.30	122.29	46.03
内江	Neijiang	425.05	141.26	84.00	34.83	145.22	45.92
乐山	Leshan	353.50	115.30	95.70	46.80	116.16	40.74
南充	Nanchong	749.49	192.50	150.10	58.12	243.58	61.75
眉山	Meishan	346.58	84.93	86.55	31.02	111.94	29.81
宜宾	Yibin	530.81	79.62	96.53	36.37	160.44	25.83
广安	Guangan	466.45	125.61	74.68	25.13	144.51	38.39
达州	Dazhou	655.97	41.62	121.69	26.09	219.53	17.05
雅安	Yaan	154.54	35.20	34.60	14.70	50.67	11.58
巴中	Bazhong	398.57	142.30	69.65	27.55	116.21	41.71
资阳	Ziyang	497.15	107.76	72.00	20.90	149.66	33.25
贵阳	Guiyang	363.93	216.65	181.42	157.02	104.32	60.48
六盘水	Liupanshui	312.97	50.16	69.08	30.86	85.89	12.49
遵义	Zunyi	744.02	84.20	115.45	42.78	205.01	26.88

城 市 City		年末总人口(万人) Total population (10000 persons)		#非农业人口(万人) Nonagricultural Population (10000 persons)		年末总户数(万户) Total Household (year end) (10000 households)	
		全 市 Total Area of City	市辖区 Districts under City	全 市 Total Area of City	市辖区 Districts under City	全 市 Total Area of City	市辖区 Districts under City
安　顺	Anshun	270.30	84.34	41.34	22.34	74.02	23.25
昆　明	Kunming	528.52	241.41	222.37	180.85	174.81	86.17
曲　靖	Qujing	608.09	68.90	76.36	25.47	175.11	22.58
玉　溪	Yuxi	212.98	41.67	38.00	13.95	68.42	14.48
保　山	Baoshan	248.22	88.14	27.09	12.75	64.16	23.57
昭　通	Shaotong	549.52	80.54	45.56	12.09	150.61	23.91
丽　江	Lijiang	119.49	15.33	17.55	6.93	34.84	4.44
思　茅	Simao	258.10	21.53	32.27	9.18	68.70	7.94
临　沧	Lincang	224.66	29.12	24.52	5.70	57.10	8.17
拉　萨	Lhasa	47.72	18.64	19.41	17.25	11.32	4.74
西　安	Xian	772.30	554.73	363.87	335.19	216.52	156.89
铜　川	Tongchuan	85.06	76.06	40.26	38.86	27.11	24.25
宝　鸡	Baoji	377.95	139.15	95.25	64.70	109.05	41.09
咸　阳	Xanyang	510.45	89.06	110.63	56.25	145.42	25.60
渭　南	Weinan	551.88	95.79	162.65	38.93	165.36	29.59
延　安	Yanan	223.31	44.20	61.09	22.14	73.76	16.33
汉　中	Hanzhong	380.14	54.41	75.56	25.04	121.70	18.80
榆　林	Yulin	353.12	49.83	64.68	17.71	112.47	17.57
安　康	Ankang	301.87	98.88	47.66	21.66	94.71	30.69
商　洛	Shangluo	242.48	54.60	39.85	15.79	70.74	14.85
兰　州	Lanzhou	322.28	209.99	201.63	187.25	96.31	65.48
嘉峪关	Jiayuguan	18.59	18.59	16.52	16.52	5.84	5.84
金　昌	Jinchang	47.29	21.41	22.68	16.49	15.55	7.64
白　银	Baiyin	178.06	49.39	45.27	31.55	49.73	15.44
天　水	Tianshui	357.21	125.23	96.79	53.24	84.10	33.12
武　威	Wuwei	197.60	102.89	35.74	28.62	51.63	28.24
张　掖	Zhangye	129.56	51.63	35.33	19.08	40.23	15.83
平　凉	Pingliang	228.23	49.63	35.40	17.38	63.54	15.28
酒　泉	Jiuquan	95.80	36.42	33.10	13.97	30.40	10.96
庆　阳	Qingyang	258.23	34.51	31.21	10.24	69.67	9.96
定　西	Dingxi	297.81	46.57	31.75	8.82	78.04	12.91
陇　南	Longnan	277.44	54.77	42.27	12.74	74.04	15.62
西　宁	Xining	217.79	112.21	115.05	97.48	65.57	32.13
银　川	Yinchuan	152.27	88.84	98.13	76.31	51.18	29.71
石嘴山	Shizuishan	74.04	45.15	44.20	36.49	24.36	14.90
吴　忠	Wuzhong	135.68	37.36	41.23	17.97	40.06	11.18
固　原	Guyuan	148.36	43.48	20.59	10.98	39.93	12.89
中　卫	Zhongwei	114.17	39.03	27.30	13.64	32.76	12.14
乌鲁木齐	Urumqi	236.05	226.94	174.48	173.28	75.62	72.76
克拉玛依	Kelamayi	38.62	38.62	26.83	26.83	9.99	9.99

2-2 城市土地资源分布(2008年)

Distribution of Urban Land Resources(2008)

城市	City	行政区域土地面积(平方公里) Land of Administrative Area (sq.km) 全市 Total Area of City	行政区域土地面积(平方公里) Land of Administrative Area (sq.km) 市辖区 Districts under City	#建成区面积(平方公里) Area of the Established District (sq.km) 市辖区 Districts under City	人口密度(人/平方公里) Density of Population (person/sq.km) 全市 Total Area of City	人口密度(人/平方公里) Density of Population (person/sq.km) 市辖区 Districts under City
城市合计	**Total**	**4704209**	**626361**	**29402**	**260.30**	**600.60**
北京	Beijing	16411	12187	1311	792.06	950.81
天津	Tianjin	11760	7399	641	823.87	1072.92
石家庄	Shijiazhuang	15848	456	191	609.84	5278.95
唐山	Tangshan	13472	1230	213	541.43	2483.98
秦皇岛	Qinhuangdao	7523	363	87	379.97	2253.72
邯郸	Handan	12062	434	104	769.42	3379.49
邢台	Xingtai	12434	132	70	568.09	4429.55
保定	Baoding	20584	312	129	554.67	3382.37
张家口	Zhanjiakou	36873	376	80	124.66	2369.41
承德	Chengde	39548	525	84	93.40	997.33
沧州	Cangzhou	14053	183	44	505.30	2844.81
廊坊	Langfang	6429	292	56	635.06	2742.12
衡水	Hengshui	8815	273	44	490.65	1126.74
太原	Taiyuan	6989	1460	238	515.42	1926.64
大同	Datong	14127	2080	91	220.85	737.36
阳泉	Yangquan	4570	651	51	283.02	1044.85
长治	Changzhi	13896	334	45	235.61	2080.84
晋城	Jincheng	9421	147	45	235.21	2499.32
朔州	Shuozhou	11066	4499	29	140.22	140.50
晋中	Jinzhong	16404	1311	38	193.79	444.70
运城	Yuncheng	14181	1203	30	352.16	546.55
忻州	Xinzhou	25117	1982	21	120.74	264.08
临汾	Linfen	20275	1316	37	213.03	624.85
吕梁	Luliang	21241	1339	15	177.31	201.64
呼和浩特	Huhehaote	17224	2054	154	130.23	568.16
包头	Baotou	27768	2591	180	78.42	542.11
乌海	Wuhai	1754	1754	75	275.20	275.20
赤峰	Chifeng	90659	7077	77	50.35	169.99
通辽	Tongliao	59535	2821	50	53.23	291.67
鄂尔多斯	Erdos	86752	2530	100	17.25	98.14
呼伦贝尔	Hulunbeier	253356	1440	28	10.75	184.72
巴彦淖尔	Bayanzhuoer	64413	2354	32	28.72	236.92
乌兰察布	Wulanchabu	54492	149	35	52.69	2025.50
沈阳	Shenyang	12980	3471	370	549.70	1466.49
大连	Dalian	12574	2415	258	463.95	1235.24
鞍山	Anshan	9252	624	148	379.83	2361.22
抚顺	Fushun	11272	714	124	198.00	1955.18
本溪	Benxi	8411	1518	107	185.07	630.63
丹东	Dandong	15030	835	53	161.48	920.72
锦州	Jinzhou	10111	436	69	306.78	2129.82

2-2 续表 1 Continued 1

城 市	City	行政区域土地面积(平方公里) Land of Administrative Area (sq.km)		#建成区面积(平方公里) Area of the Established District (sq.km)	人口密度(人/平方公里) Density of Population (person/sq.km)	
		全 市 Total Area of City	市辖区 Districts under City	市辖区 Districts under City	全 市 Total Area of City	市辖区 Districts under City
营 口	Yingkou	5402	701	97	432.80	1259.91
阜 新	Fuxin	10355	448	67	185.86	1738.62
辽 阳	Liaoyang	4743	574	92	386.65	1265.16
盘 锦	Panjin	4071	266	58	317.37	2259.40
铁 岭	Tieling	12980	659	44	235.69	676.78
朝 阳	Chaoyang	19699	1096	45	173.06	539.96
葫芦岛	Huludao	10415	2301	68	269.23	427.29
长 春	Changchun	20604	4789	328	365.23	689.54
吉 林	Jinlin	27120	3636	167	161.61	508.61
四 平	Siping	14080	741	42	239.74	821.73
辽 源	Liaoyuan	5139	442	42	239.99	1079.86
通 化	Tonghua	15195	761	47	149.85	594.88
白 山	Baishan	17485	2736	213	74.17	216.81
松 原	Songyuan	21090	1000	37	135.18	542.50
白 城	Baicheng	25745	2525	38	78.81	201.43
哈尔滨	Harbin	53068	7086	340	186.53	670.52
齐齐哈尔	Qiqihaer	42469	4365	115	134.03	326.44
鸡 西	Jixi	22531	2300	79	84.70	384.61
鹤 岗	Hegang	14648	4551	43	74.69	149.31
双鸭山	Shuangyashan	23202	1760	65	64.85	284.60
大 庆	Daqing	21219	5107	169	130.65	256.00
伊 春	Yichun	32759	19567	161	38.96	41.44
佳木斯	Jiamusi	32704	1875	62	76.94	439.47
七台河	Qitaihe	6221	1767	62	145.02	302.55
牡丹江	Mudanjiang	40583	2333	65	66.51	340.33
黑 河	Heihe	68726	14448	19	25.30	13.28
绥 化	Suihua	34964	2756	28	165.08	325.47
上 海	Shanghai	6340	5155	886	2194.07	2563.92
南 京	Nanjing	6582	4723	592	948.74	1145.97
无 锡	Wuxi	4788	1623	208	969.51	1462.85
徐 州	Xuzhou	11258	1160	187	841.06	1589.66
常 州	Changzhou	4385	1872	121	818.11	1206.57
苏 州	Suzhou	8488	1650	318	741.93	1443.70
南 通	Nantong	8001	355	69	954.53	2465.35
连云港	Lianyungang	7500	1156	95	651.00	699.65
淮 安	Huaian	10072	3171	100	533.07	876.51
盐 城	Yancheng	16972	1862	125	478.26	869.28
扬 州	Yangzhou	6634	1024	75	693.08	1189.26
镇 江	Zhenjiang	3847	1082	98	698.65	950.18
泰 州	Taizhou	5797	640	59	864.05	1260.16
宿 迁	Suqian	8555	2108	58	624.87	749.53
杭 州	Hangzhou	16596	3068	367	408.32	1382.99

2-2 续表 2 Continued 2

城 市	City	行政区域土地面积(平方公里) Land of Administrative Area (sq.km) 全 市 Total Area of City	市辖区 Districts under City	#建成区面积(平方公里) Area of the Established District (sq.km) 市辖区 Districts under City	人口密度(人/平方公里) Density of Population (person/sq.km) 全 市 Total Area of City	市辖区 Districts under City
宁 波	Ningbuo	9817	2462	242	578.68	894.07
温 州	Wenzhou	11784	1187	170	655.12	1211.63
嘉 兴	Jiaxing	3915	968	77	863.52	852.79
湖 州	Huzhou	5818	1567	72.2	444.31	692.53
绍 兴	Shaoxing	8256	362	90	529.38	1792.82
金 华	Jinhua	10941	2044	70	421.73	451.96
衢 州	Quzhou	8841	2354	48	281.47	347.62
舟 山	Zhoushan	1440	1028	50	672.01	676.85
台 州	Taizhou	9411	1536	115	609.99	994.47
丽 水	Lishui	17298	1502	26.5	147.66	254.79
合 肥	Hefei	7047	839	280	690.69	2425.27
芜 湖	Wuhu	3317	720	126	695.78	1466.39
蚌 埠	Bengbu	5952	601	100	602.00	1539.27
淮 南	Huainan	2585	1691	96	931.84	985.87
马鞍山	Maanshan	1686	340	72	759.79	1855.29
淮 北	Huaibei	2741	754	63	787.23	1437.40
铜 陵	Tongling	1113	350	47	663.88	1259.43
安 庆	Anqing	15318	821	66	400.76	904.51
黄 山	Huangshan	9807	2342	40	151.27	185.61
滁 州	Chuzhou	13523	1404	44	330.82	376.42
阜 阳	Fuyang	9775	1844	61	1010.53	1090.46
宿 州	Suzhou	9787	2868	46	639.69	629.85
巢 湖	Chaohu	9394	2031	36	486.27	432.30
六 安	Liuan	17976	3583	51	390.32	513.90
亳 州	Bozhou	8374	2226	32	703.09	698.70
池 州	Chizhou	8271	2432	26	192.15	269.04
宣 城	Xuancheng	12323	2621	34	224.58	324.84
福 州	Fuzhou	13047	1043	177	487.43	1789.84
厦 门	Xiamen	1573	1573	197	1104.07	1104.07
莆 田	Putian	4119	2284	52	768.73	923.42
三 明	Sanming	23061	1178	25	117.15	240.92
泉 州	Quanhzou	11015	850	89	615.28	1208.35
漳 州	Zhangzhou	12873	401	48	363.94	1361.60
南 平	Nanping	26315	2660	26	117.09	184.77
龙 岩	Longyan	19063	2678	35	152.81	177.74
宁 德	Ningde	13248	1537	17	252.89	284.91
南 昌	Nanchang	7402	617	109	668.37	3615.72
景德镇	Jingdezhen	5256	422	73	301.05	1079.86
萍 乡	Pingxiang	3824	1080	41	485.80	783.24
九 江	Jiujiang	18823	598	89	257.49	1010.70
新 余	Xinyu	3181	1789	46	387.30	509.50
鹰 潭	Yingtan	3554	137	26	326.70	1495.62

城 市	City	行政区域土地面积(平方公里) Land of Administrative Area (sq.km)		#建成区面积(平方公里) Area of the Established District (sq.km)	人口密度(人/平方公里) Density of Population (person/sq.km)	
		全 市 Total Area of City	市辖区 Districts under City	市辖区 Districts under City	全 市 Total Area of City	市辖区 Districts under City
赣 州	Ganzhou	39380	479	55	225.74	1331.11
吉 安	Jian	24922	1381	29	194.71	386.17
宜 春	Yichun	18669	2532	32	291.38	407.70
抚 州	Fuzhou	18820	2122	45	206.03	503.68
上 饶	Shangrao	22791	339	35	314.31	1150.74
济 南	Jinan	8177	3277	326	738.64	1068.75
青 岛	Qingdao	10978	1405	267	693.71	1966.19
淄 博	Zibuo	5965	2970	213	705.15	936.60
枣 庄	Zaozhuang	4563	3069	106	839.89	708.37
东 营	Dongying	7923	3294	97	232.20	252.40
烟 台	Yantai	13746	2722	212	474.09	659.07
潍 坊	Weifang	16005	1993	132	538.88	863.57
济 宁	Jining	11194	1043	88	734.99	1053.31
泰 安	Taian	7762	2087	98	714.66	766.94
威 海	Weihai	5698	769	120	442.66	831.47
日 照	Rizhao	5363	1915	70	530.56	639.37
莱 芜	Laiwu	2247	2247	57	560.57	560.57
临 沂	Linyi	17182	1761	143	602.07	1122.71
德 州	Dezhou	10356	539	47	544.80	1102.97
聊 城	Liaocheng	8703	1254	63	672.08	832.93
滨 州	Binzhou	9454	1041	78	397.38	606.72
菏 泽	Heze	12239	1415	60	751.65	1038.94
郑 州	Zhengzhou	7446	1010	329	966.44	2740.10
开 封	Kaifeng	6444	362	89	804.59	2342.54
洛 阳	Luoyang	15200	544	164	451.64	2911.03
平 顶 山	Pingdingshan	7882	459	62	664.73	2194.12
安 阳	Anyang	7413	544	73	765.37	1962.32
鹤 壁	Hebi	2182	609	48	722.91	915.11
新 乡	Xinxiang	8169	346	95	721.72	2909.83
焦 作	Jiaozuo	4071	424	90	887.37	1954.72
濮 阳	Puyang	4266	260	36	928.83	2536.54
许 昌	Xuchang	4996	97	65	958.67	4207.22
漯 河	Luohe	2617	1020	51	1042.68	1345.59
三 门 峡	Sanmenxi	10496	198	29	216.93	1464.14
南 阳	Nanyang	26400	1981	87	434.70	919.84
商 丘	Shangqiu	10704	1600	59	841.84	1063.88
信 阳	Xinyang	19541	3604	58	432.53	398.34
周 口	Zhoukou	11959	148	42	993.46	3505.41
驻 马 店	Zhumadian	15083	772	49	573.61	830.18
武 汉	Wuhan	8494	2718	461	980.97	1885.28
黄 石	Huangshi	4583	237	62	561.44	2689.03
十 堰	Shiyan	23680	1193	69	148.24	438.89

2-2 续表 4 Continued 4

城市	City	行政区域土地面积(平方公里) Land of Administrative Area (sq.km)		#建成区面积(平方公里) Area of the Established District (sq.km)	人口密度(人/平方公里) Density of Population (person/sq.km)	
		全市 Total Area of City	市辖区 Districts under City	市辖区 Districts under City	全市 Total Area of City	市辖区 Districts under City
宜昌	Yichang	21048	4248	82	190.44	292.89
襄樊	Xiangfan	19724	3672	95	296.28	597.85
鄂州	Ezhou	1504	1504	47	710.24	710.24
荆门	Jingmen	12404	2171	49	241.95	309.17
孝感	Xiaogan	8910	946	32	589.29	992.18
荆州	Jingzhou	14205	1576	63	463.57	739.78
黄冈	Huanggang	17446	353	27	421.38	1039.09
咸宁	Xianning	9861	1500	42	292.27	396.80
随州	Suizhou	9636	6989	86	265.78	232.62
长沙	Changsha	11819	955	243	545.85	2495.50
株洲	Zhuzhou	11276	537	90	339.69	1483.43
湘潭	Xiangtan	5015	279	71	586.22	3146.95
衡阳	Hengyang	15303	573	98	477.78	1798.08
邵阳	Shaoyang	20830	436	47	362.02	1525.92
岳阳	Yueyang	15087	1246	93	365.55	652.49
常德	Changde	18190	2749	72	337.64	510.08
张家界	Zhangjiajie	9516	2736	22	172.93	184.28
益阳	Yiyang	12144	1935	50	385.10	680.36
郴州	Chenzhou	19557	2310	41	240.83	287.10
永州	Yongzhou	22441	3177	54	258.53	342.93
怀化	Huaihua	27624	773	40	184.24	455.89
娄底	Loudi	8117	426	41	522.10	1045.77
广州	Guangzhou	7434	3843	895	1054.80	1680.54
韶关	Shaoguan	18463	2870	81	174.99	318.75
深圳	Shenzhen	1953	1953	788	1167.79	1167.79
珠海	Zhuhai	1701	1701	118	584.83	584.83
汕头	Shantou	2064	1956	170	2454.31	2552.66
佛山	Foshan	3848	3848	248	946.83	946.83
江门	Jiangmen	9541	1818	114	408.69	751.27
湛江	Zhanjiang	13225	1720	160	570.04	716.05
茂名	Maoming	11458	874	67	633.33	1474.94
肇庆	Zhaoqing	15134	761	71	271.10	693.43
惠州	Huizhou	11158	2672	180	285.75	471.37
梅州	Meizhou	15870	298	40	318.39	1050.00
汕尾	Shanwei	5271	415	13	637.43	1246.27
河源	Heyuan	15826	450	27	219.03	660.89
阳江	Yangjiang	7946	756	40	343.93	875.79
清远	Qingyuan	19153	927	42	211.87	600.22
东莞	Dongguan	2465	2465	83	709.41	709.41
中山	Zhongshan	1800	1800	38	813.50	813.50
潮州	Chaozhou	3100	155	42	826.23	2249.03
揭阳	Jieyang	5240	181	47	1223.74	3807.18

2-2 续表 5 Continued 5

城 市	City	行政区域土地面积(平方公里) Land of Administrative Area (sq.km)		#建成区面积(平方公里) Area of the Established District (sq.km)	人口密度(人/平方公里) Density of Population (person/sq.km)	
		全 市 Total Area of City	市辖区 Districts under City	市辖区 Districts under City	全 市 Total Area of City	市辖区 Districts under City
云 浮	Yunfu	7779	962	19	350.53	303.81
南 宁	Nanning	22112	6479	179	312.81	407.30
柳 州	Liuzhou	18617	658	127	196.00	1562.77
桂 林	Guilin	27809	565	60	182.79	1343.72
梧 州	Wuzhou	12611	1097	36	248.35	453.24
北 海	Beihai	3337	957	68	472.61	619.75
防城港	Fangchenggang	6181	2822	19	137.13	179.80
钦 州	Qinzhou	10843	4767	54	336.17	272.00
贵 港	Guigang	10606	3542	48	473.18	520.16
玉 林	Yulin	12838	1251	52	499.87	766.43
百 色	Baise	36201	3702	32	108.39	92.60
贺 州	Hezhou	11855	5527	29	187.09	192.00
河 池	Hechi	33508	2340	17	120.74	139.70
来 宾	Laibin	13411	4364	23	188.46	237.58
崇 左	Chongzuo	17351	2951	13	138.32	118.64
海 口	Haikou	2304	2304	91	676.30	676.30
三 亚	Sanya	1915	1915	60	285.01	285.01
重 庆	Chongqing	82826	26041	708	393.24	589.26
成 都	Chengdu	12390	2176	428	907.96	2344.44
自 贡	Zigong	4373	1438	53	744.52	1040.96
攀枝花	Panzhihua	7440	2018	55	149.44	342.77
泸 州	Luzhou	12247	2132	53	402.86	678.47
德 阳	Deyang	5954	648	43	650.60	1013.73
绵 阳	Mianyang	20249	1570	80	267.03	767.20
广 元	Guangyuan	16314	4535	33	190.25	204.19
遂 宁	Suining	5325	1875	49	722.89	797.87
内 江	Neijiang	5386	1569	37	789.18	900.32
乐 山	Leshan	12826	2514	50	275.61	458.63
南 充	Nanchong	12479	2527	64	600.60	761.77
眉 山	Meishan	7186	1331	40	482.30	638.09
宜 宾	Yibin	13283	1123	49	399.62	708.99
广 安	Guangan	6344	1457	21	735.26	862.11
达 州	Dazhou	16591	451	23	395.38	922.84
雅 安	Yaan	15302	1070	20	100.99	328.97
巴 中	Bazhong	12301	2566	16	324.01	554.56
资 阳	Ziyang	7962	1633	28	624.40	659.89
贵 阳	Guiyang	8034	2404	140	452.99	901.21
六盘水	Liupanshui	9974	488	103	313.77	1028.21
遵 义	Zunyi	30762	1316	45	241.86	639.82
安 顺	Anshun	9267	1710	32	291.68	493.22
昆 明	Kunming	20832	4061	275	253.71	594.46

2-2 续表 6 Continued 6

城 市	City	行政区域土地面积(平方公里) Land of Administrative Area (sq.km) 全 市 Total Area of City	市辖区 Districts under City	#建成区面积(平方公里) Area of the Established District (sq.km) 市辖区 Districts under City	人口密度(人/平方公里) Density of Population (person/sq.km) 全 市 Total Area of City	市辖区 Districts under City
曲 靖	Qujing	28904	1553	37	210.38	443.66
玉 溪	Yuxi	15285	1004	23	139.34	415.04
保 山	Baoshan	19637	5011	18	126.40	175.89
昭 通	Shaotong	22666	2240	22	242.44	359.55
丽 江	Lijiang	21219	1255	22	56.31	122.15
思 茅	Simao	45385	3928	20	56.87	54.81
临 沧	Lincang	24469	2652	12	91.81	109.80
拉 萨	Lhasa		554	59		336.46
西 安	Xian	10108	3582	273	764.05	1548.66
铜 川	Tongchuan	3882	2406	36	219.11	316.13
宝 鸡	Baoji	18172	3574	118	207.98	389.34
咸 阳	Xanyang	10196	527	63	500.64	1689.94
渭 南	Weinan	13046	1256	39	423.03	762.66
延 安	Yanan	37037	3556	24	60.29	124.30
汉 中	Hanzhong	27215	556	27	139.68	978.60
榆 林	Yulin	43578	7053	41	81.03	70.65
安 康	Ankang	23529	3644	29	128.30	271.35
商 洛	Shangluo	19292	2672	24	125.69	204.34
兰 州	Lanzhou	13085	1647	183	246.30	1274.98
嘉峪关	Jiayuguan	2935	2935	42	63.34	63.34
金 昌	Jinchang	8896	3019	32	53.16	70.92
白 银	Baiyin	21158	3478	51	84.16	142.01
天 水	Tianshui	14359	5861	62	248.77	213.67
武 威	Wuwei	33238	5081	27	59.45	202.50
张 掖	Zhangye	41924	4240	28	30.90	121.77
平 凉	Pingliang	11170	1936	48	204.32	256.35
酒 泉	Jiuquan	193974	3386	36	4.94	107.56
庆 阳	Qingyang	27119	996	14	95.22	346.49
定 西	Dingxi	20330	4225	23	146.49	110.22
陇 南	Longnan	27915	4683	8	99.39	116.95
西 宁	Xining	7649	380	66	284.73	2952.89
银 川	Yinchuan	9555	2311	111	159.36	384.42
石嘴山	Shizuishan	5310	2261	94	139.44	199.69
吴 忠	Wuzhong	20394	1268	28	66.53	294.64
固 原	Guyuan	12849	4489	32	115.46	96.86
中 卫	Zhongwei	17391	6619	26	65.65	58.97
乌鲁木齐	Urumqi	14216	9955	303	166.05	227.97
克拉玛依	Kelamayi	9548	9548	53	40.45	40.45

2-3 城市劳动力与就业(2008年)

Labor Force and Employees(2008)

城　市	City	年末单位从业人员数(万人) Quantity of Employees in Units(year-end) (10000 person)		城镇私营和个体从业人员(人) Private and Individual Workers in Cities and Towns (person)		城镇失业人员(人) Quantity of Registered Unemployment in Cities and Towns (person)	
		全　市 Total Area of City	市辖区 Districts under City	全　市 Total Area of City	市辖区 Districts under City	全　市 Total Area of City	市辖区 Districts under City
城市合计	**Total**	**11988.16**	**7232.46**	**98081623**	**59439828**	**6784534**	**3979503**
北　京	Beijing	570.26	556.84	3600999	3462613	103250	99956
天　津	Tianjin	200.61	191.12	1519100	1519100	129900	129900
石家庄	Shijiazhuang	84.76	54.87	358973	134963	35449	24267
唐　山	Tangshan	77.84	52.02	355789	151210	56256	17602
秦皇岛	Qinhuangdao	28.31	19.88	154173	116863	19976	15301
邯　郸	Handan	55.95	27.30	511032	258673	43370	40601
邢　台	Xingtai	33.43	14.26	307067	65865	21890	10945
保　定	Baoding	68.14	24.23	319140	22165	39684	8253
张家口	Zhanjiakou	32.71	15.59	268355	45620	31409	11267
承　德	Chengde	24.83	10.57	111449	65072	23833	15631
沧　州	Cangzhou	46.17	12.53	303235	22354	22000	7431
廊　坊	Langfang	27.08	11.86	315069	59587	11912	4047
衡　水	Hengshui	21.00	8.48	351260	50070	18647	4821
太　原	Taiyuan	79.10	75.47	297898	224375	40261	38019
大　同	Datong	47.20	39.33	157208	104988	72651	44000
阳　泉	Yangquan	22.53	18.00	104349	56138	7177	5929
长　治	Changzhi	34.98	14.00	122049	54632	13011	11013
晋　城	Jincheng	25.78	12.25	69293	23130	6285	1419
朔　州	Shuozhou	14.29	7.42	63052	38620	5429	3020
晋　中	Jinzhong	32.25	8.86	159245	38081	10575	3783
运　城	Yuncheng	30.93	6.65	499000	20500	10860	640
忻　州	Xinzhou	22.15	6.51	89213	24653	7800	890
临　汾	Linfen	35.54	9.51	102964	32627	11360	4606
吕　梁	Luliang	32.48	4.83	234500	16920	4820	1920
呼和浩特	Huhehaote	31.44	24.79	330520	301640	25555	18954
包　头	Baotou	32.95	28.57	619300	534560	35739	31392
乌　海	Wuhai	10.15	10.15	122900	122900	8000	8000
赤　峰	Chifeng	30.78	12.19	188123	94597	23530	11819
通　辽	Tongliao	23.00	9.03	136867	29474	15742	10032
鄂尔多斯	Erdos	15.14	4.67	134038	40313	11621	5131
呼伦贝尔	Hulunbeier	36.92	4.62	174000	19100	26184	3690
巴彦淖尔	Bayanzhuoer	14.76	6.12	128260	48385	12387	2740
乌兰察布	Wulanchabu	14.23	5.60	196743	33678	30787	9608
沈　阳	Shenyang	104.42	97.27	653981	611121	75542	67534
大　连	Dalian	95.01	82.68	1307893	1099901	52533	33866
鞍　山	Anshan	38.00	30.70	151423	100960	31821	25230
抚　顺	Fushun	26.99	23.08	300307	243671	37908	27431
本　溪	Benxi	23.95	20.98	130320	86092	30732	24561
丹　东	Dandong	18.69	10.82	175515	80737	23561	9476
锦　州	Jinzhou	25.83	15.51	237926	190622	16908	9753
营　口	Yingkou	17.44	13.65	348546	230844	17162	12394

城 市	City	年末单位从业人员数(万人) Quantity of Employees in Units(year-end) (10000 person)		城镇私营和个体从业人员(人) Private and Individual Workers in Cities and Towns (person)		城镇失业人员(人) Quantity of Registered Unemployment in Cities and Towns (person)	
		全 市 Total Area of City	市辖区 Districts under City	全 市 Total Area of City	市辖区 Districts under City	全 市 Total Area of City	市辖区 Districts under City
阜 新	Fuxin	16.46	12.52	186946	152336	20733	17233
辽 阳	Liaoyang	17.46	13.68	124002	85906	16812	12009
盘 锦	Panjin	50.62	27.24	154709	134668	12730	6530
铁 岭	Tieling	22.50	7.12	151593	45677	16399	4788
朝 阳	Chaoyang	21.88	8.08	142996	56360	18271	4687
葫 芦 岛	Huludao	23.34	18.53	178581	91477	23410	18362
长 春	Changchun	87.76	72.38	459883	406526	74583	73271
吉 林	Jinlin	33.50	20.08	232324	152861	22216	12993
四 平	Siping	19.87	7.93	195622	77178	36454	17047
辽 源	Liaoyuan	9.12	6.04	112638	86985	11277	8343
通 化	Tonghua	20.02	7.83	165659	60668	13017	2577
白 山	Baishan	14.65	8.15	102780	57860	10963	5429
松 原	Songyuan	23.50	12.32	151808	46887	10516	4645
白 城	Baicheng	17.75	8.64	115938	55664	12485	4612
哈 尔 滨	Harbin	145.46	120.11	718769	584235	73100	51636
齐齐哈尔	Qiqihaer	41.81	22.85	226360	136346	38247	27766
鸡 西	Jixi	28.07	13.99	97490	60419	15011	9087
鹤 岗	Hegang	26.81	12.61	119536	108269	12608	8692
双 鸭 山	Shuangyashan	33.07	8.77	85082	27252	9023	6827
大 庆	Daqing	54.16	48.05	238911	191179	24748	21635
伊 春	Yichun	18.14	14.72	105282	96482	20368	17349
佳 木 斯	Jiamusi	29.38	11.01	185694	87307	19125	9651
七 台 河	Qitaihe	13.87	11.43	79802	66183	6582	4759
牡 丹 江	Mudanjiang	24.00	9.74	240663	109228	16178	9905
黑 河	Heihe	28.54	2.80	81013	14070	7164	1579
绥 化	Suihua	24.04	3.18	183976	22973	14504	2761
上 海	Shanghai	377.22	373.53	2996800	2862000	266000	259100
南 京	Nanjing	104.13	98.48	1322767	1217804	64641	60534
无 锡	Wuxi	67.81	48.76	1257539	883234	50473	40874
徐 州	Xuzhou	61.12	31.80	587729	300462	33665	17244
常 州	Changzhou	37.04	26.72	1187912	942863	32777	25974
苏 州	Suzhou	121.13	58.09	1684556	614643	47905	29358
南 通	Nantong	60.55	21.51	507939	138231	37194	12437
连 云 港	Lianyungang	32.52	17.06	285810	140585	17737	10050
淮 安	Huaian	38.17	23.02	532854	297152	22627	13051
盐 城	Yancheng	50.35	15.57	642801	230588	25740	9935
扬 州	Yangzhou	37.20	14.89	582956	215680	26912	11980
镇 江	Zhenjiang	36.24	19.48	305814	155855	16671	8715
泰 州	Taizhou	34.89	11.76	474650	137387	21526	5501
宿 迁	Suqian	19.82	6.36	393110	157258	12998	4760
杭 州	Hangzhou	182.41	158.41	1216600	1038600	54514	41034
宁 波	Ningbuo	114.63	71.60	1153200	800200	58036	46320

城 市	City	年末单位从业人员数(万人) Quantity of Employees in Units(year-end) (10000 person)		城镇私营和个体从业人员(人) Private and Individual Workers in Cities and Towns (person)		城镇失业人员(人) Quantity of Registered Unemployment in Cities and Towns (person)	
		全 市 Total Area of City	市辖区 Districts under City	全 市 Total Area of City	市辖区 Districts under City	全 市 Total Area of City	市辖区 Districts under City
温 州	Wenzhou	103.23	36.98	790900	392500	30912	9108
嘉 兴	Jiaxing	74.60	21.19	367592	145154	27034	11163
湖 州	Huzhou	32.70	15.61	403200	93300	12295	6648
绍 兴	Shaoxing	86.12	24.51	446237	82345	30980	9234
金 华	Jinhua	40.45	11.78	904400	158100	25721	7095
衢 州	Quzhou	15.67	8.54	170728	83972	9752	4594
舟 山	Zhoushan	13.06	11.08	98045	72294	7729	5452
台 州	Taizhou	58.18	27.48	453185	175398	26310	9460
丽 水	Lishui	15.82	5.42	157900	40800	7002	1940
合 肥	Hefei	49.75	40.41	763334	544598	51728	41548
芜 湖	Wuhu	23.98	19.92	270987	129984	21279	17444
蚌 埠	Bengbu	18.24	11.77	321728	199470	23705	20656
淮 南	Huainan	28.47	24.75	117773	111773	20598	18638
马鞍山	Maanshan	15.22	13.69	102679	53509	8831	7737
淮 北	Huaibei	19.97	17.63	197091	135888	17282	13728
铜 陵	Tongling	11.57	10.06	94562	66561	10177	6627
安 庆	Anqing	24.12	9.79	207985	105965	30441	18402
黄 山	Huangshan	9.16	5.55	73290	37082	5991	3627
滁 州	Chuzhou	18.35	5.42	324737	73857	8164	3303
阜 阳	Fuyang	27.45	12.79	207698	93246	9820	1321
宿 州	Suzhou	23.28	11.80	66729	17518	13812	6097
巢 湖	Chaohu	17.12	4.53	99500	43206	14883	2375
六 安	Liuan	21.77	8.18	138661	73092	38500	2370
亳 州	Bozhou	15.83	5.27	100249	40347	5450	2126
池 州	Chizhou	7.25	3.60	441437	139952	7676	4554
宣 城	Xuancheng	11.58	2.05	144538	39307	11578	3576
福 州	Fuzhou	95.84	57.08	574365	281395	35739	28306
厦 门	Xiamen	77.82	77.82	669438	669438	29200	29200
莆 田	Putian	27.16	22.78	155677	127625	7726	4875
三 明	Sanming	21.26	7.13	177474	28107	12499	3264
泉 州	Quanhzou	128.21	32.80	509318	196958	14842	4027
漳 州	Zhangzhou	38.53	11.08	137400	58409	10920	1342
南 平	Nanping	23.24	6.99	151968	54999	13465	3801
龙 岩	Longyan	26.27	11.64	137628	65406	11718	5021
宁 德	Ningde	15.92	4.68	129159	22305	11070	2875
南 昌	Nanchang	63.00	49.11	506300	471593	49400	49400
景德镇	Jingdezhen	16.95	10.07	129900	98090	12080	8956
萍 乡	Pingxiang	13.72	10.40	285635	138125	9023	9023
九 江	Jiujiang	31.96	11.15	362778	45068	17125	8541
新 余	Xinyu	28.70	27.06	42500	30220	10672	8833
鹰 潭	Yingtan	7.98	2.27	98407	39800	9216	2580

2-3 续表 3 Continued 3

城市	City	年末单位从业人员数(万人) Quantity of Employees in Units(year-end) (10000 person)		城镇私营和个体从业人员(人) Private and Individual Workers in Cities and Towns (person)		城镇失业人员(人) Quantity of Registered Unemployment in Cities and Towns (person)	
		全市 Total Area of City	市辖区 Districts under City	全市 Total Area of City	市辖区 Districts under City	全市 Total Area of City	市辖区 Districts under City
赣州	Ganzhou	40.59	8.37	657268	74618	31758	5909
吉安	Jian	19.57	3.92	330222	56094	19231	4210
宜春	Yichun	27.26	7.69	394365	61351	23679	12292
抚州	Fuzhou	20.34	6.94	318600	72640	23888	3416
上饶	Shangrao	33.51	4.81	297620	22300	27540	1300
济南	Jinan	120.60	92.62	1899798	1324671	52973	47645
青岛	Qingdao	126.22	74.42	912758	676278	61912	50323
淄博	Zibuo	58.93	45.90	287088	231376	27651	22033
枣庄	Zaozhuang	34.58	24.54	246049	114662	20324	11934
东营	Dongying	36.98	26.81	108170	86414	9804	8235
烟台	Yantai	82.77	44.02	588637	311486	50063	38343
潍坊	Weifang	68.62	25.55	520948	183749	37643	14912
济宁	Jining	62.00	21.60	256118	73634	37689	8132
泰安	Taian	51.47	16.18	126063	62086	24680	13053
威海	Weihai	38.12	19.38	249236	166735	7598	4074
日照	Rizhao	19.30	12.94	122315	83755	13885	10092
莱芜	Laiwu	13.87	13.87	86324	86324	6871	6871
临沂	Linyi	54.39	22.45	434816	278913	22731	7588
德州	Dezhou	36.43	10.48	133949	49075	20408	7326
聊城	Liaocheng	35.11	10.90	104664	25375	24912	6982
滨州	Binzhou	36.14	9.93	87778	40573	13973	6518
菏泽	Heze	34.32	10.88	220594	95410	18908	4176
郑州	Zhengzhou	100.22	62.95	628200	341870	49410	43317
开封	Kaifeng	26.44	15.31	76439	55716	25198	10123
洛阳	Luoyang	52.01	29.63	302945	214076	30885	24381
平顶山	Pingdingshan	47.33	28.22	161608	51178	21234	9632
安阳	Anyang	42.43	19.26	206491	76145	21225	8530
鹤壁	Hebi	16.14	11.65	29358	9977	5709	4003
新乡	Xinxiang	42.25	17.47	147372	68827	21012	10155
焦作	Jiaozuo	32.26	16.08	293580	91229	21680	9876
濮阳	Puyang	31.03	20.41	106733	48402	9722	6068
许昌	Xuchang	27.84	8.06	251196	41604	9373	6167
漯河	Luohe	21.48	14.58	59321	49108	4930	3946
三门峡	Sanmenxi	23.13	7.27	68089	19170	9022	4093
南阳	Nanyang	69.29	29.53	384877	94000	45431	17501
商丘	Shangqiu	38.15	12.72	130791	56811	23692	13758
信阳	Xinyang	41.95	13.04	319238	84244	14442	4220
周口	Zhoukou	43.55	10.03	133527	43206	31569	9470
驻马店	Zhumadian	37.22	11.24	419354	37567	15529	5800
武汉	Wuhan	170.45	131.81	1123400	1123400	111900	95500
黄石	Huangshi	31.15	18.32	248858	125187	36723	21314

2-3 续表 4 Continued 4

城市	City	年末单位从业人员数(万人) Quantity of Employees in Units(year-end) (10000 person)		城镇私营和个体从业人员(人) Private and Individual Workers in Cities and Towns (person)		城镇失业人员(人) Quantity of Registered Unemployment in Cities and Towns (person)	
		全 市 Total Area of City	市辖区 Districts under City	全 市 Total Area of City	市辖区 Districts under City	全 市 Total Area of City	市辖区 Districts under City
十堰	Shiyan	39.37	23.02	278178	138536	24317	13277
宜昌	Yichang	34.53	19.52	304927	119711	30477	16430
襄樊	Xiangfan	44.51	22.83	297134	212550	41044	21803
鄂州	Ezhou	15.39	15.39	90388	90388	11900	11900
荆门	Jingmen	26.85	11.02	124700	32300	17083	8885
孝感	Xiaogan	50.96	12.17	476542	88518	29762	4647
荆州	Jingzhou	36.69	15.01	339681	116610	49374	24826
黄冈	Huanggang	36.38	5.06	330000	31000	28813	2625
咸宁	Xianning	21.35	6.65	152334	55152	21530	4848
随州	Suizhou	10.50	6.57	192000	124000	5403	3699
长沙	Changsha	86.67	59.94	572373	484718	43939	25029
株洲	Zhuzhou	31.61	19.75	283057	201556	25393	13750
湘潭	Xiangtan	28.80	17.64	231725	186076	22051	17300
衡阳	Hengyang	46.37	18.01	433316	261104	36025	16856
邵阳	Shaoyang	32.19	10.88	291300	44770	30800	7800
岳阳	Yueyang	40.62	17.81	348278	123158	27627	9669
常德	Changde	32.75	14.30	192519	25366	24787	8983
张家界	Zhangjiajie	7.34	2.32	64285	39543	3918	2934
益阳	Yiyang	22.83	10.82	175243	77790	21493	9062
郴州	Chenzhou	27.15	9.33	277625	55053	23269	7305
永州	Yongzhou	27.78	9.35	196200	74900	25067	6584
怀化	Huaihua	24.77	5.50	125600	36884	26370	3860
娄底	Loudi	23.21	9.80	245987	81365	29500	11021
广州	Guangzhou	225.54	209.76	1944446	1757740	76453	
韶关	Shaoguan	28.56	14.52	168515	89674	69417	38340
深圳	Shenzhen	200.40	200.40	2963511	2963511	28182	28182
珠海	Zhuhai	55.87	55.87	395365	395365	13181	13181
汕头	Shantou	31.65	31.14			16911	16001
佛山	Foshan	55.10	55.10	1644203	1644206	19309	19309
江门	Jiangmen	41.70	22.86	475101	241976	74217	39741
湛江	Zhanjiang	39.41	17.05	312109	137665	22212	
茂名	Maoming	30.33	9.58	289533	184368	25416	9510
肇庆	Zhaoqing	26.59	13.04	202986	80110	10733	4276
惠州	Huizhou	73.66	54.06	891800	389400	16528	10603
梅州	Meizhou	22.66	5.17	125203	37261	14378	3811
汕尾	Shanwei	14.15	5.06	128493		10611	1841
河源	Heyuan	23.33	10.18	106034	60705	13402	3445
阳江	Yangjiang	17.23	7.02	119595	46683	33138	10395
清远	Qingyuan	25.19	7.02	270100	103882	11810	2956
东莞	Dongguan	21.24	21.24	762077	762077	7630	7630
中山	Zhongshan	24.29	24.29	1097301	1097301	9295	9295

城 市 City	年末单位从业人员数(万人) Quantity of Employees in Units(year-end) (10000 person)		城镇私营和个体从业人员(人) Private and Individual Workers in Cities and Towns (person)		城镇失业人员(人) Quantity of Registered Unemployment in Cities and Towns (person)	
	全 市 Total Area of City	市辖区 Districts under City	全 市 Total Area of City	市辖区 Districts under City	全 市 Total Area of City	市辖区 Districts under City
潮 州 Chaozhou	11.96	5.39	110416	73572	8762	4291
揭 阳 Jieyang	20.56	4.99	763990	121445	11333	4142
云 浮 Yunfu	16.74	4.20	264111	63047	5922	261
南 宁 Nanning	65.20	49.93	607689	469592	29940	20877
柳 州 Liuzhou	34.22	24.11	301332	173937	34114	26974
桂 林 Guilin	31.03	15.87	285181	107438	22975	12623
梧 州 Wuzhou	15.28	7.50	149796	53041	12401	7076
北 海 Beihai	10.33	7.05	149139	94845	7920	5600
防城港 Fangchenggang	7.84	5.42	54900	26228	3478	2355
钦 州 Qinzhou	223.25	48.48	201529	40985	8268	3276
贵 港 Guigang	15.04	6.92	127248	62834	8125	2540
玉 林 Yulin	24.92	8.44	129590	45482	14616	4804
百 色 Baise	218.26	5.18	126004	17290	20127	798
贺 州 Hezhou	8.08	3.96	130621	55158	9603	5803
河 池 Hechi	17.42	4.05	144299	19666	11932	1451
来 宾 Laibin	11.17	5.17	185782	93974	5397	1523
崇 左 Chongzuo	13.28	2.55	73170	13866	5246	1094
海 口 Haikou	28.87	28.87	333984	333984	19140	19140
三 亚 Sanya	5.61	5.61	60493	60493	2471	2471
重 庆 Chongqing	241.73	184.17	3540900	2047613	130200	79189
成 都 Chengdu	155.57	112.38	1673893	1422351	69453	48451
自 贡 Zigong	21.18	15.66	92800	79300	17513	12733
攀枝花 Panzhihua	17.29	15.47	131372	119541	17090	16230
泸 州 Luzhou	26.28	15.84	119776	87540	18624	13642
德 阳 Deyang	22.62	10.07	150407	76820	14887	6646
绵 阳 Mianyang	34.55	18.51	387000	287900	31817	18615
广 元 Guangyuan	15.17	8.41	140814	72395	15039	10133
遂 宁 Suining	19.58	8.08	119821	66978	14444	6054
内 江 Neijiang	25.15	12.55	64282	24157	15736	6414
乐 山 Leshan	29.94	15.07	405820	143341	20413	10504
南 充 Nanchong	26.00	11.03	259748	101301	23184	9134
眉 山 Meishan	11.57	4.13	90682	33147	10797	4011
宜 宾 Yibin	32.13	12.06	351018	116642	20155	7945
广 安 Guangan	11.13	3.88	163620	27932	15510	2879
达 州 Dazhou	24.97	6.28	235634	33427	20561	2950
雅 安 Yaan	9.33	4.22	130100	38245	15618	6572
巴 中 Bazhong	13.27	5.46	113963	50650	10819	3360
资 阳 Ziyang	14.65	4.88	93373	51251	12248	3644
贵 阳 Guiyang	66.38	57.69	284570	171042	30280	24005
六盘水 Liupanshui	17.94	8.07	126129	62414	18000	4700
遵 义 Zunyi	29.18	10.48	247716	105488	21793	6673

2-3 续表 6 Continued 6

城 市	City	年末单位从业人员数(万人) Quantity of Employees in Units(year-end) (10000 person)		城镇私营和个体从业人员(人) Private and Individual Workers in Cities and Towns (person)		城镇失业人员(人) Quantity of Registered Unemployment in Cities and Towns (person)	
		全 市 Total Area of City	市辖区 Districts under City	全 市 Total Area of City	市辖区 Districts under City	全 市 Total Area of City	市辖区 Districts under City
安 顺	Anshun	10.80	5.76	48882	24100	8661	3700
昆 明	Kunming	92.75	61.99	1114853	668386	34700	22261
曲 靖	Qujing	30.31	6.54	217126	63324	35143	9006
玉 溪	Yuxi	17.73	6.32	161010	65902	4956	1847
保 山	Baoshan	12.34	5.96	52712	27272	7558	1858
昭 通	Shaotong	16.74	4.91	179427	40742	14880	3973
丽 江	Lijiang	7.52	2.90	33856	13032	3541	731
思 茅	Simao	13.62	4.49	160255	26923	11267	3448
临 沧	Lincang	10.61	1.95	67965	14503	7427	1610
拉 萨	Lhasa	9.01		88149			
西 安	Xian	130.85	121.75	825100	734403	93952	83972
铜 川	Tongchuan	9.31	8.86	19563	19005	8640	7210
宝 鸡	Baoji	30.34	18.71	190618	104947	19343	3046
咸 阳	Xanyang	37.32	15.81	145915	34745	21440	3510
渭 南	Weinan	34.73	10.10	216937	36948	17930	3592
延 安	Yanan	22.31	5.66	136164	37064	9329	1983
汉 中	Hanzhong	23.39	7.39	294504	54110	15191	2592
榆 林	Yulin	21.51	5.32	135679	79618	9185	2920
安 康	Ankang	12.35	5.40	69978	25524	9357	3855
商 洛	Shangluo	11.90	3.72	78160	10880	5249	1309
兰 州	Lanzhou	48.99	44.21	334441	307685	18934	17106
嘉峪关	Jiayuguan	4.21	4.21	13730	13730	2816	2816
金 昌	Jinchang	7.48	5.42	34172	22946	4785	3478
白 银	Baiyin	14.58	9.72	42233	25688	6891	4328
天 水	Tianshui	17.97	11.67	85478	45140	7402	4623
武 威	Wuwei	10.15	7.46	96080	81668	8233	6422
张 掖	Zhangye	9.38	4.61	46898	19920	4739	2866
平 凉	Pingliang	12.17	4.08	40965	23988	8816	3113
酒 泉	Jiuquan	9.88	3.61	53526	36200	5100	2281
庆 阳	Qingyang	9.37	2.86	50578	32729	9441	4323
定 西	Dingxi	10.22	2.56	76400	13340	6187	550
陇 南	Longnan	11.11	1.99	72699	16279	6185	616
西 宁	Xining	24.66	17.96	196828	148999	23019	18835
银 川	Yinchuan	28.98	23.95	210514	185449	20734	17317
石嘴山	Shizuishan	7.80	6.29	80811	50404	9744	7158
吴 忠	Wuzhong	8.38	3.00	61532	24860	6954	2397
固 原	Guyuan	5.42	2.23	39134	15121	4019	1307
中 卫	Zhongwei	4.63	2.92	22034	5612	2075	969
乌鲁木齐	Urumqi	46.57	46.14	511472	495642	20622	20622
克拉玛依	Kelamayi	16.61	16.61	42732	42732	2764	2764

2-4 城市经济主要指标(市辖区，2008年)

Main Indicators of Urban Economic(Districts under City，2008)

城市	City	地区生产总值 (万元) GDP (10000 yuan)	地方财政预算内收入 (万元) Local Financial Revenue (10000 yuan)	地方财政预算内支出 (万元) Local Financial Expenditures (10000 yuan)	城乡居民储蓄年末余额 (万元) Outstanding of Deposits of Urban and Rural Residents (10000 yuan)	社会消费品零售总额 (万元) Total Retail Sales of Consumer Goods (10000 yuan)	职工平均工资 (元) Average Wage of Staff and Workers (yuan)
城市合计	**Total**	**1861919099**	**168927156**	**212967284**	**1385437307**	**689294885**	
北京	Beijing	103251451	18215896	18940785	116856342	45023962	57025.81
天津	Tianjin	59095700	6562663	8292941	40617300	18750200	41646.40
石家庄	Shijiazhuang	11390075	649178	832019	11982365	4309705	26336.98
唐山	Tangshan	18077300	975205	1432072	9986054	3795780	32333.08
秦皇岛	Qinhuangdao	4723262	377708	548090	3879339	1670688	31959.12
邯郸	Handan	4884970	385727	516751	4866729	1554160	28620.92
邢台	Xingtai	2180085	176528	303522	2474004	581487	27395.13
保定	Baoding	3910773	334694	437104	4521821	1662761	24378.62
张家口	Zhanjiakou	2867334	260569	460703	2786399	1012156	27741.89
承德	Chengde	1804925	202759	345105	1799520	577063	26681.41
沧州	Cangzhou	2438479	244461	346105	1934679	568059	23556.23
廊坊	Langfang	2350253	248490	400990	2465586	622237	35186.95
衡水	Hengshui	1477178	85577	180999	1513186	637586	23626.45
太原	Taiyuan	12805605	993944	1251920	15585319	5756202	29988.77
大同	Datong	4493022	393608	655679	6145147	1841380	26802.07
阳泉	Yangquan	1998416	188262	265674	1578607	901023	31764.08
长治	Changzhi	2003263	260362	316348	2730097	1220031	22283.64
晋城	Jincheng	1003205	197395	247114	2729104	798381	37620.47
朔州	Shuozhou	2271391	249392	328114	1843881	439793	31653.47
晋中	Jinzhong	1055984	60044	102880	1766538	550867	19791.55
运城	Yuncheng	891698	24546	74807	1312673	918397	23255.74
忻州	Xinzhou	494702	19040	78810	1381651	318168	16987.68
临汾	Linfen	1687557	82149	130971	2723989	829764	23078.14
吕梁	Luliang	530231	211855	211968	847609	261352	21223.84
呼和浩特	Huhehaote	9123931	617720	863230	5755209	4777483	38936.37
包头	Baotou	13358746	797934	1191424	5134417	4754286	32512.23
乌海	Wuhai	2401000	179700	314700	1440000	507800	27289.95
赤峰	Chifeng	3066496	190266	539746	2096146	1263396	26847.90
通辽	Tongliao	2606818	64196	185048	821510	732295	19310.23
鄂尔多斯	Erdos	3900100	329108	313774	1442383	1320029	38560.69
呼伦贝尔	Hulunbeier	1023318	53574	84575	755366	450874	25944.22
巴彦淖尔	Bayanzhuoer	1281000	56185	119430	945090	382941	19321.10
乌兰察布	Wulanchabu	762360	21809	99972	798489	266316	23568.72
沈阳	Shenyang	33857527	2726445	3618012	23012856	13830005	34262.58
大连	Dalian	27735820	2951152	3470485	19371921	9737512	35534.26
鞍山	Anshan	11370906	807289	1165707	6121539	2058613	31482.03
抚顺	Fushun	5108470	366406	631099	4169432	2495234	29110.91
本溪	Benxi	4638672	358740	580400	2855058	1060720	25402.03
丹东	Dandong	2432402	193236	404082	2513339	876904	23822.24
锦州	Jinzhou	3603457	237297	431649	3205478	1347734	25602.06

城市	City	地区生产总值 (万元) GDP (10000 yuan)	地方财政预算内收入 (万元) Local Financial Revenue (10000 yuan)	地方财政预算内支出 (万元) Local Financial Expenditures (10000 yuan)	城乡居民储蓄年末余额 (万元) Outstanding of Deposits of Urban and Rural Residents (10000 yuan)	社会消费品零售总额 (万元) Total Retail Sales of Consumer Goods (10000 yuan)	职工平均工资 (元) Average Wage of Staff and Workers (yuan)
营口	Yingkou	4227565	297676	534285	2269107	1018400	22955.14
阜新	Fuxin	1536252	112014	333249	1714044	873638	23622.89
辽阳	Liaoyang	3366203	250910	403548	2751952	823580	25990.26
盘锦	Panjin	4570045	277822	383473	3097073	1000909	37141.08
铁岭	Tieling	1105200	143463	333946	1605414	551367	24252.35
朝阳	Chaoyang	1417081	119229	358438	1620564	360881	26341.52
葫芦岛	Huludao	2834164	233118	422181	2461983	1072135	22665.35
长春	Changchun	18881985	1042591	1753546	12704620	7477818	29324.15
吉林	Jinlin	7079309	358860	758025	5138673	3282843	32039.37
四平	Siping	1491734	202067	248000	1515785	639594	21363.54
辽源	Liaoyuan	1661196	85479	237818	820363	498662	19440.13
通化	Tonghua	1749540	84412	231692	1000552	557153	20811.90
白山	Baishan	1541413	87508	277444	1112797	514153	21727.97
松原	Songyuan	2686294	132647	233696	1109723	580734	33120.48
白城	Baicheng	809646	35201	190640	618263	629677	15812.22
哈尔滨	Harbin	20612560	1455884	2145906	15890000	10264721	27427.16
齐齐哈尔	Qiqihaer	2959411	216109	497437	2862849	1750079	25527.20
鸡西	Jixi	1274703	110842	185686	1824111	555217	20688.98
鹤岗	Hegang	1241318	81461	213339	1042423	336571	23950.24
双鸭山	Shuangyashan	1163390	83983	200459	1059292	287056	23783.25
大庆	Daqing	19217518	708301	869685	6829941	3398815	36184.19
伊春	Yichun	1242732	37076	267837	1351727	291032	11961.92
佳木斯	Jiamusi	1989580	48155	222440	1914542	1084738	22345.32
七台河	Qitaihe	1421133	108796	223853	1107295	282084	22572.14
牡丹江	Mudanjiang	1400492	113172	275628	2287786	1023911	23204.75
黑河	Heihe	332247	27791	139954	565943	37842	29007.37
绥化	Suihua	494277	12330	73031	844106	303381	15104.55
上海	Shanghai	135604400	23367730	25333665	120836600	45030319	56606.70
南京	Nanjing	34471600	3675264	3781406	24067643	15458846	40474.63
无锡	Wuxi	24218800	2251226	2141665	14269050	8880217	39710.31
徐州	Xuzhou	10391700	711740	842950	4323844	3714803	33978.87
常州	Changzhou	16640300	1527880	1510855	11181600	5696599	37570.09
苏州	Suzhou	27181200	2687467	2666404	13594829	7117595	38209.53
南通	Nantong	6080151	691720	664757	4665217	2083531	35973.22
连云港	Lianyungang	3086700	362043	408732	1944525	1251309	32013.76
淮安	Huaian	5546600	520631	712665	2449068	2136374	26122.24
盐城	Yancheng	4587600	327161	439411	2424913	1803565	27121.14
扬州	Yangzhou	7207200	600370	631183	3645700	2507589	32418.36
镇江	Zhenjiang	6296881	466140	512450	3002771	1988495	34531.41
泰州	Taizhou	4033500	386115	427677	1890500	1155161	29106.45
宿迁	Suqian	2448000	211654	393494	860711	752667	25286.17
杭州	Hangzhou	37889151	3972842	3454599	30127800	13377375	41501.38

城市	City	地区生产总值 (万元) GDP (10000 yuan)	地方财政预算内收入 (万元) Local Financial Revenue (10000 yuan)	地方财政预算内支出 (万元) Local Financial Expenditures (10000 yuan)	城乡居民储蓄年末余额 (万元) Outstanding of Deposits of Urban and Rural Residents (10000 yuan)	社会消费品零售总额 (万元) Total Retail Sales of Consumer Goods (10000 yuan)	职工平均工资 (元) Average Wage of Staff and Workers (yuan)
宁　波	Ningbuo	22514162	2701916	2981061	7096303	6582473	37283.83
温　州	Wenzhou	10145458	930717	827170	11149135	5793652	34917.23
嘉　兴	Jiaxing	4585070	427090	463976	3427224	1699524	30899.11
湖　州	Huzhou	4790404	335595	391622	3027403	1959352	31890.10
绍　兴	Shaoxing	3824596	389598	384274	4203963	1606414	28567.88
金　华	Jinhua	3223218	282218	356935	2345379	1629386	32565.31
衢　州	Quzhou	2389403	169213	297083	1297463	825560	35995.71
舟　山	Zhoushan	3501400	355469	561228	2352518	1215807	38310.43
台　州	Taizhou	7148618	537741	571577	5202204	2994126	32668.34
丽　水	Lishui	1335772	126885	218523	1014914	619152	38580.41
合　肥	Hefei	12253766	1766731	1767812	7093402	5161872	31376.93
芜　湖	Wuhu	5391741	396271	561991	2288274	1465789	27598.98
蚌　埠	Bengbu	2404009	88562	122073	1785627	1202459	24553.55
淮　南	Huainan	3229582	222322	407914	2782167	1327493	38785.86
马鞍山	Maanshan	5137100	534747	573649	2023259	815452	36877.71
淮　北	Huaibei	2722422	148728	280327	1490201	645568	31320.28
铜　陵	Tongling	2719600	198597	282932	1120715	605891	25767.89
安　庆	Anqing	2039893	165137	303969	1517524	994427	22383.58
黄　山	Huangshan	1099710	105076	225406	846677	470324	25108.11
滁　州	Chuzhou	1315912	114618	252424	801613	366212	24547.06
阜　阳	Fuyang	1728898	118700	376575	1812488	869102	19649.55
宿　州	Suzhou	1917863	91532	285071	1469087	494448	26056.99
巢　湖	Chaohu	1303827	28882	115478	864019	383656	20746.71
六　安	Liuan	1140481	119224	356112	1233482	634530	21809.27
亳　州	Bozhou	1404721	53133	209376	845564	593350	21773.92
池　州	Chizhou	1020900	106308	219156	659963	356570	25262.58
宣　城	Xuancheng	1152399	49470	117828	722321	551177	23555.49
福　州	Fuzhou	11116124	1132545	993916	10602167	8265792	30304.95
厦　门	Xiamen	15600218	2202343	2380896	9294447	4189207	32343.50
莆　田	Putian	4994888	258441	357407	2668835	1716594	22000.04
三　明	Sanming	1659958	118858	122814	802800	499028	28622.25
泉　州	Quanhzou	5779825	443964	451474	3458914	2305505	23000.35
漳　州	Zhangzhou	2577433	230579	248604	1493608	1155457	25902.39
南　平	Nanping	1422585	95579	135932	789449	534170	24112.03
龙　岩	Longyan	2751290	264497	249653	1309198	869336	28082.06
宁　德	Ningde	900284	73580	133776	326383	356057	27484.79
南　昌	Nanchang	11213992	815094	986548	7360551	4291017	29656.70
景德镇	Jingdezhen	1726302	112417	213623	972416	660825	20375.70
萍　乡	Pingxiang	2344918	166398	317580	1052167	736961	21643.43
九　江	Jiujiang	3519575	82036	118356	1328291	935734	23254.60
新　余	Xinyu	3359472	202319	342503	1404808	631317	26978.58
鹰　潭	Yingtan	574611	51180	117447	520703	284505	22730.88

2-4 续表 3 Continued 3

城 市	City	地区生产总值（万元）GDP (10000 yuan)	地方财政预算内收入（万元）Local Financial Revenue (10000 yuan)	地方财政预算内支出（万元）Local Financial Expenditures (10000 yuan)	城乡居民储蓄年末余额（万元）Outstanding of Deposits of Urban and Rural Residents (10000 yuan)	社会消费品零售总额（万元）Total Retail Sales of Consumer Goods (10000 yuan)	职工平均工资（元）Average Wage of Staff and Workers (yuan)
赣 州	Ganzhou	1549757	81879	131314	1343919	674811	23612.67
吉 安	Jian	795629	29361	92359	799060	279805	21413.13
宜 春	Yichun	957802	26090	121287	857686	567606	18762.40
抚 州	Fuzhou	1475810	46169	106819	964145	634890	15297.42
上 饶	Shangrao	828430	27813	59318	907160	522589	20570.52
济 南	Jinan	22659809	1584957	1729692	13591789	10919408	33680.38
青 岛	Qingdao	25206900	2532837	2537441	14683204	8361456	35228.53
淄 博	Zibuo	18357219	928048	1096580	8461352	5832708	27319.62
枣 庄	Zaozhuang	6157000	332009	528287	2334816	1586938	25855.17
东 营	Dongying	14701320	507397	577213	3913488	1894386	36477.20
烟 台	Yantai	14277357	791943	987635	6580420	4091159	32456.21
潍 坊	Weifang	6483060	450779	626473	3951043	2434000	25491.17
济 宁	Jining	5015300	422623	600694	2661225	2216233	28599.63
泰 安	Taian	5342700	333759	346823	2702943	1658213	22089.60
威 海	Weihai	5033182	363097	485601	2827068	1662148	23755.53
日 照	Rizhao	5421557	308257	413283	1940344	1334007	27658.05
莱 芜	Laiwu	4557900	302488	393815	2164091	1356035	28773.28
临 沂	Linyi	7445600	485656	636122	4457089	3426808	27659.87
德 州	Dezhou	2884142	220805	275794	1926682	1210854	21209.85
聊 城	Liaocheng	2008300	194164	262193	1779364	879450	22670.27
滨 州	Binzhou	2661995	228746	314996	1057000	849587	22805.49
菏 泽	Heze	1694758	162399	302547	1449474	783122	20407.22
郑 州	Zhengzhou	12763124	1954974	1937075	15533730	7521557	28815.54
开 封	Kaifeng	1679020	151719	311673	1828096	1450177	16446.89
洛 阳	Luoyang	6234537	535632	709541	5097708	2629458	25152.76
平 顶 山	Pingdingshan	3793775	336031	406324	2794169	1041552	28128.89
安 阳	Anyang	3020310	302766	429626	1981111	1137580	26232.17
鹤 壁	Hebi	1755789	125286	196438	778660	335851	20316.57
新 乡	Xinxiang	2785182	240197	336035	2044001	1126437	19987.10
焦 作	Jiaozuo	2015049	231059	331476	1776450	710784	21539.55
濮 阳	Puyang	2656829	182176	256369	1883625	441125	27157.66
许 昌	Xuchang	1335040	144245	205966	1108692	632789	20910.94
漯 河	Luohe	3206457	150268	290164	1263257	622966	17666.87
三 门 峡	Sanmenxi	833634	110784	188021	1202009	325541	23240.81
南 阳	Nanyang	3446537	216424	522728	2516431	1764608	21303.26
商 丘	Shangqiu	2085524	150448	363445	1662275	967454	15754.24
信 阳	Xinyang	2287403	116727	369745	1659549	909891	17331.58
周 口	Zhoukou	911272	80019	208194	946071	486069	18167.22
驻 马 店	Zhumadian	1429380	117857	231790	1218607	533153	16465.93
武 汉	Wuhan	33924964	2512972	3141818	21941800	16403666	28436.62
黄 石	Huangshi	2903700	150180	287832	1542344	1287500	17232.27
十 堰	Shiyan	2917501	117297	221455	1699926	1121966	20661.81

2-4 续表 4 Continued 4

城市	City	地区生产总值 (万元) GDP (10000 yuan)	地方财政预算内收入 (万元) Local Financial Revenue (10000 yuan)	地方财政预算内支出 (万元) Local Financial Expenditures (10000 yuan)	城乡居民储蓄年末余额 (万元) Outstanding of Deposits of Urban and Rural Residents (10000 yuan)	社会消费品零售总额 (万元) Total Retail Sales of Consumer Goods (10000 yuan)	职工平均工资 (元) Average Wage of Staff and Workers (yuan)
宜　昌	Yichang	5353527	252896	342565	2655942	2093635	21829.77
襄　樊	Xiangfan	5810800	190482	451309	3102513	2314293	21295.85
鄂　州	Ezhou	2697900	107000	239600	976888	1048869	16182.64
荆　门	Jingmen	1790365	80276	196018	1970087	684724	22485.09
孝　感	Xiaogan	1172000	64987	143651	1046865	476787	15119.13
荆　州	Jingzhou	2112849	92567	220229	2078264	1365434	17284.17
黄　冈	Huanggang	727709	45371	142576	488000	434440	20150.46
咸　宁	Xianning	992400	38978	186941	553259	389148	17691.24
随　州	Suizhou	2037800	41782	212286	1426227	988574	17754.41
长　沙	Changsha	18465328	1498651	1620307	12479981	9876669	32407.98
株　洲	Zhuzhou	4557003	285384	491478	2968082	1502507	29289.43
湘　潭	Xiangtan	3459888	217262	400427	2713425	1139953	22476.13
衡　阳	Hengyang	2474403	165631	420388	2800778	1054348	29225.54
邵　阳	Shaoyang	1091520	69529	286425	1157211	431903	20899.77
岳　阳	Yueyang	4946039	1299310	1276568	1858844	2136195	24491.39
常　德	Changde	4957878	282418	504446	1768443	1278779	27653.55
张家界	Zhangjiajie	921892	64802	170697	441899	331788	22962.45
益　阳	Yiyang	2046996	108300	344405	1309674	705495	23082.50
郴　州	Chenzhou	2091933	185440	364822	1797670	1374733	28155.13
永　州	Yongzhou	1736406	67352	147053	1203077	650216	24291.62
怀　化	Huaihua	1070135	238878	189595	1064947	502788	27999.79
娄　底	Loudi	1480904	61563	136521	1035315	259831	24412.23
广　州	Guangzhou	75606742	5833390	6650884	67007199	29784592	47044.75
韶　关	Shaoguan	2849925	249971	383189	2368840	1547495	31566.11
深　圳	Shenzhen	78065387	8003603	8898555	49059300	22518155	43731.49
珠　海	Zhuhai	9920616	923182	1056005	7278631	3597424	29127.23
汕　头	Shantou	9676683	508265	848690	10185856	5608016	23201.79
佛　山	Foshan	43333044	2279940	2445100	34941097	11778444	31044.06
江　门	Jiangmen	7133311	445213	515766	5936200	2090700	26075.13
湛　江	Zhanjiang	5863213	338110	560495	3752919	2435339	30943.07
茂　名	Maoming	4523029	219804	307858	1816567	1971586	32209.27
肇　庆	Zhaoqing	2671977	187037	287891	1916052	832127	25536.94
惠　州	Huizhou	8047066	595573	696123	5017201	2610535	23598.64
梅　州	Meizhou	989447	119418	221036	837950	399672	31642.41
汕　尾	Shanwei	998124	59751	121628	485511	454363	52708.63
河　源	Heyuan	1053291	78370	163627	766195	432175	24454.17
阳　江	Yangjiang	1779626	83889	186327	1240616	1200150	20875.38
清　远	Qingyuan	2509914	160750	215252	1795471	908101	30000.86
东　莞	Dongguan	37025344	2092248	2158269	26380433	8382342	39506.98
中　山	Zhongshan	14085194	1002332	1016189	10588538	4769499	31700.04
潮　州	Chaozhou	933142	78477	130610	1783110	481186	26487.09
揭　阳	Jieyang	1666789	93877	172561	1646492	780468	22479.84

2-4 续表 5 Continued 5

城市	City	地区生产总值 (万元) GDP (10000 yuan)	地方财政预算内收入 (万元) Local Financial Revenue (10000 yuan)	地方财政预算内支出 (万元) Local Financial Expenditures (10000 yuan)	城乡居民储蓄年末余额 (万元) Outstanding of Deposits of Urban and Rural Residents (10000 yuan)	社会消费品零售总额 (万元) Total Retail Sales of Consumer Goods (10000 yuan)	职工平均工资 (元) Average Wage of Staff and Workers (yuan)
云浮	Yunfu	720695	64061	115402	671608	228720	27869.88
南宁	Nanning	9414270	808753	1194402	6981182	5171138	32363.28
柳州	Liuzhou	6204008	430699	574630	3284259	2685603	32886.11
桂林	Guilin	2818196	241386	425002	2588618	1562206	26808.19
梧州	Wuzhou	1355916	102001	196063	890200	659168	27136.24
北海	Beihai	1980499	126536	206393	1202544	488182	24098.48
防城港	Fangchenggang	1518639	76206	169125	551275	238639	26290.71
钦州	Qinzhou	1584867	28816	108026		575402	30263.43
贵港	Guigang	1951199	79558	180868	1090739	824658	22353.40
玉林	Yulin	1956605	126746	224251	1614195	985796	26511.57
百色	Baise	1008209	40988	46369	465548	200839	30757.00
贺州	Hezhou	1338370	49582	93756	547088	303176	23043.48
河池	Hechi	641171	13803	43800	478115	331409	27614.89
来宾	Laibin	1413816	26997	85850	412118	248300	37569.12
崇左	Chongzuo	531146	26276	58815	202985	87659	22346.22
海口	Haikou	4431808	310313	467882	5284629	2347452	27327.62
三亚	Sanya	1443178	210925	286744	1227263	387671	26141.00
重庆	Chongqing	36381600	2629044	4070494	28218414	15486573	28363.63
成都	Chengdu	27383933	1755705	2067064	23442885	13307014	32959.17
自贡	Zigong	3192707	133438	190307	1549396	1133102	23335.59
攀枝花	Panzhihua	3347969	257550	452527	1830006	850172	28856.52
泸州	Luzhou	2619469	163190	342448	1923205	931470	23073.94
德阳	Deyang	1953958	72002	224352	1512174	524336	36933.10
绵阳	Mianyang	3455107	173869	799489	2667212	1057797	25375.83
广元	Guangyuan	1046346	41010	153351	969463	514378	23961.98
遂宁	Suining	1480941	58373	288894	1244223	579688	20968.79
内江	Neijiang	1829680	60327	272470	1188424	602852	20332.61
乐山	Leshan	2631833	178902	259870	1640107	880747	18254.66
南充	Nanchong	2160699	104030	441424	2321766	1000041	19593.50
眉山	Meishan	1304488	30515	128647	1050210	367059	20528.29
宜宾	Yibin	2703889	237619	379880	1173184	759303	25937.39
广安	Guangan	1196659	62322	197091	1205192	420582	23209.19
达州	Dazhou	849586	18674	61637	1279600	442885	26724.15
雅安	Yaan	610590	6010	79053	543653	264466	21836.74
巴中	Bazhong	820000	9836	180181	730527	227168	17210.92
资阳	Ziyang	1504367	71012	231914	880204	373100	24026.85
贵阳	Guiyang	6366667	773295	1132508	7012921	3051484	26712.89
六盘水	Liupanshui	1435513	126239	217713	854790	516395	26680.24
遵义	Zunyi	2281273	83922	145749	1495291	916564	24430.17
安顺	Anshun	674079	43981	104451	652246	251058	23652.95
昆明	Kunming	11451927	547311	725576	12690632	4904714	23167.15

2-4 续表 6 Continued 6

城　市	City	地区生产总值 (万元) GDP (10000 yuan)	地方财政预算内收入 (万元) Local Financial Revenue (10000 yuan)	地方财政预算内支出 (万元) Local Financial Expenditures (10000 yuan)	城乡居民储蓄年末余额 (万元) Outstanding of Deposits of Urban and Rural Residents (10000 yuan)	社会消费品零售总额 (万元) Total Retail Sales of Consumer Goods (10000 yuan)	职工平均工资 (元) Average Wage of Staff and Workers (yuan)
曲　靖	Qujing	2446850	63296	115480	1295650	408877	30373.10
玉　溪	Yuxi	3409939	59433	99607	1274663	440153	27868.25
保　山	Baoshan	824312	38185	120241	520316	294684	19339.87
昭　通	Shaotong	884656	30096	111959	460984	299245	26616.73
丽　江	Lijiang	352861	30546	54788	501486	137835	24120.08
思　茅	Simao	394356	28775	60157	395629	164316	23946.21
临　沧	Lincang	235783	11983	56818	196852	128222	24118.85
拉　萨	Lhasa	251600	64943			506710	
西　安	Xian	19355090	1390941	1997838	23463546	10437767	30635.37
铜　川	Tongchuan	1066500	71031	219932	992690	350094	25436.43
宝　鸡	Baoji	4073500	165249	406658	2619721	1542646	23042.04
咸　阳	Xanyang	2920200	129234	283137	2152340	836406	20631.85
渭　南	Weinan	1087472	16321	89149	1065194	374012	20856.57
延　安	Yanan	1252560	70977	101824	1080194	331952	25413.67
汉　中	Hanzhong	764820	32369	69460	1094112	412711	25333.39
榆　林	Yulin	1137920	43524	92711	1235633	215698	29557.38
安　康	Ankang	844300	15090	110493	705411	346800	22185.63
商　洛	Shangluo	380110	11282	68566	551437	151700	20422.56
兰　州	Lanzhou	7264769	467252	815962	7610386	3757344	26864.05
嘉峪关	Jiayuguan	1441043	68507	95797	538400	180016	36646.03
金　昌	Jinchang	1592999	18385	40269	491071	193343	35809.21
白　银	Baiyin	1623252	70940	200526	877244	400505	28704.26
天　水	Tianshui	1344442	36512	223260	1265759	587015	15996.49
武　威	Wuwei	1425515	16288	150008	926685	324571	16641.12
张　掖	Zhangye	767347	15140	77600	589778	283468	18260.00
平　凉	Pingliang	600216	15550	94810	505846	269275	19075.24
酒　泉	Jiuquan	626843	9381	66942	702913	263852	21660.61
庆　阳	Qingyang	585226	109159	213206	492677	198431	23051.75
定　西	Dingxi	224369	7956	84600	292745	126341	22803.92
陇　南	Longnan	251990	6104	267624	269251	107011	19513.50
西　宁	Xining	2895084	74817	121335	3527681	1560862	27339.93
银　川	Yinchuan	3535031	270820	410204	1086159	1324261	35475.96
石嘴山	Shizuishan	1728059	116333	212285	1170765	334325	29013.95
吴　忠	Wuzhong	571252	39041	148047	503227	198030	24504.58
固　原	Guyuan	315478	5594	89667	240143	119347	26886.50
中　卫	Zhongwei	595194	30261	117337	363390	135876	23922.95
乌鲁木齐	Urumqi	10081081	989867	958656	8686430	4131854	33351.23
克拉玛依	Kelamayi	6612062	391457	465476	1559869	270498	34319.23

城市生活质量与环境

Urban Life Quality and Environment

第3篇

3-1 居住情况(市辖区,2008年)

Urban Residence (Districts under City，2008)

城市	City	人均住房使用面积(平方米) Per Capita Applied Space Areas (sq.m)*	居住支出占消费支出比重 Percentage of Residence to Expenditure for Consumption (%)	住宅销售面积(万平方米) Sold Area of Commercial Houses (10000sq.m)	#别墅 Villa	住宅销售额(万元) Sales Volume of Commercial Houses (10000yuan)
城市合计	**Total**		**10.29**	**41185.10**	**2019.92**	**160959041**
北京	Beijing	21.56	7.81	1305.15	160.23	11884295
天津	Tianjin	28.53	11.38	1168.31	45.04	6098228
石家庄	Shijiazhuang	19.77	12.83	237.95	0.44	703914
唐山	Tangshan	16.88	8.71	151.31		500517
秦皇岛	Qinhuangdao	20.19	11.32	114.48	10.28	373325
邯郸	Handan	18.66	12.23	69.49	2.06	195393
邢台	Xingtai	24.11	10.54	55.83	0.16	138746
保定	Baoding	22.56	13.59	12.74		33726
张家口	Zhanjiakou	19.07	11.68	107.85		224364
承德	Chengde	18.50	12.95	26.96	3.06	81352
沧州	Cangzhou	22.45	13.12	70.27	1.51	161102
廊坊	Langfang	25.80	12.71	116.50	2.69	406254
衡水	Hengshui	21.80	15.52	28.68		71734
太原	Taiyuan	20.00	12.36	152.02	4.51	491242
大同	Datong	16.50	11.73	40.58	0.36	78411
阳泉	Yangquan	23.14	12.64	70.50		130344
长治	Changzhi	20.00	11.58	46.40	0.09	85850
晋城	Jincheng	30.28	13.94	19.80		50005
朔州	Shuozhou	27.10	12.90	46.59		74800
晋中	Jinzhong	28.23	11.24	78.60		155471
运城	Yuncheng	31.90	13.70	120.10	2.50	143535
忻州	Xinzhou	28.47	13.70	54.10		99991
临汾	Linfen	22.70	15.36	38.50		103348
吕梁	Luliang	23.23	14.46	12.25		20151
呼和浩特	Huhehaote	22.00	9.36	312.90	32.40	742518
包头	Baotou	29.20	7.56	380.62	8.00	954929
乌海	Wuhai	29.47	7.38	136.69		250100
赤峰	Chifeng	23.50	9.92	91.25		184828
通辽	Tongliao	29.00	10.18	96.00	1.20	158684
鄂尔多斯	Erdos	35.21	9.34	206.00	51.74	678878
呼伦贝尔	Hulunbeier	25.20	10.35	60.10		81805
巴彦淖尔	Bayanzhuoer	27.42	13.40	102.35		180600
乌兰察布	Wulanchabu	17.10	9.10	35.96		58606
沈阳	Shenyang	22.07	10.53	1390.03	58.63	4897729
大连	Dalian	18.06	12.03	702.47	45.90	4013711
鞍山	Anshan	18.55	13.11	191.81	2.98	532836
抚顺	Fushun	16.62	9.48	85.90	2.50	237353
本溪	Benxi	15.39	9.58	103.99	0.97	211254
丹东	Dandong	16.06	13.04	158.85	3.16	398296
锦州	Jinzhou	21.49	12.60	148.78	1.93	377272
营口	Yingkou	19.07	11.05	148.75	0.60	325939

*人均住房使用面积系住户调查数据仅供参考。

Per capita applied space areas from households survey data,for your information.

3-1 续表 1 Continued 1

城　市	City	人均住房使用面积(平方米) Per Capita Applied Space Areas (sq.m)*	居住支出占消费支出比重 Percentage of Residence to Expenditure for Consumption (%)	住宅销售面积(万平方米) Sold Area of Commercial Houses (10000sq.m)	#别墅 Villa	住宅销售额(万元) Sales Volume of Commercial Houses (10000yuan)
阜　新	Fuxin	17.70	11.49	43.95		79975
辽　阳	Liaoyang	19.33	11.14	98.98	8.11	254476
盘　锦	Panjin	22.41	6.51	39.90	0.79	84969
铁　岭	Tieling	19.00	13.77	56.60		110994
朝　阳	Chaoyang	18.85	12.93	65.97		85859
葫芦岛	Huludao	20.79	11.96	104.97	2.57	247914
长　春	Changchun	20.23	13.12	515.86	62.47	1658385
吉　林	Jinlin	21.76	12.30	165.17	4.52	464343
四　平	Siping	20.16	12.28	20.86		36563
辽　源	Liaoyuan	18.07	11.42	41.01		76408
通　化	Tonghua	20.16	13.30	35.57		68030
白　山	Baishan	18.24	14.26	28.34		47021
松　原	Songyuan	20.68	8.89	12.78		18438
白　城	Baicheng	21.86	18.42	3.30		4263
哈尔滨	Harbin	19.57	10.24	538.40	21.80	1712787
齐齐哈尔	Qiqihaer	15.56	14.04	88.77		141699
鸡　西	Jixi	22.04	10.45	10.46		22215
鹤　岗	Hegang	18.71	11.84	31.96		50292
双鸭山	Shuangyashan	21.30	8.00	32.00	1.00	51257
大　庆	Daqing	25.30	10.60	219.11	0.74	619044
伊　春	Yichun	24.12	8.97	13.51		19021
佳木斯	Jiamusi	26.26	10.29	44.54		76903
七台河	Qitaihe	47.26	10.18	33.10		60527
牡丹江	Mudanjiang	18.96	12.30	47.40		95426
黑　河	Heihe	25.98	11.43	3.50		3441
绥　化	Suihua	17.50	11.55			
上　海	Shanghai	25.06	8.49	2291.11	256.18	16047976
南　京	Nanjing	20.20	7.82	643.38	25.25	2992217
无　锡	Wuxi	23.70	8.19	325.89	16.78	1622238
徐　州	Xuzhou	19.44	9.90	124.31	5.22	325724
常　州	Changzhou	24.46	10.15	393.01	13.19	1451471
苏　州	Suzhou	23.90	11.18	407.36	50.13	2383607
南　通	Nantong	23.90	9.52	214.31	6.16	608960
连云港	Lianyungang	24.90	8.61	138.93	1.96	373017
淮　安	Huaian	24.90	7.69	176.98	1.51	424984
盐　城	Yancheng	22.50	7.77	123.10	5.13	315255
扬　州	Yangzhou	28.30	6.80	133.43	3.75	489016
镇　江	Zhenjiang	25.70	10.58	108.61	8.56	369964
泰　州	Taizhou	22.72	5.50	103.37	5.73	280990
宿　迁	Suqian	26.80	10.70	106.79	1.35	204839
杭　州	Hangzhou	29.83	10.85	625.41	21.69	4915739

城 市	City	人均住房使用面积(平方米) Per Capita Applied Space Areas (sq.m)*	居住支出占消费支出比重 Percentage of Residence to Expenditure for Consumption (%)	住宅销售面积(万平方米) Sold Area of Commercial Houses (10000sq.m)	#别墅 Villa	住宅销售额(万元) Sales Volume of Commercial Houses (10000yuan)
宁 波	Ningbuo	29.00	7.62	277.51	1.05	1675517
温 州	Wenzhou	30.16	8.17	83.29	0.62	829407
嘉 兴	Jiaxing	29.99	8.44	133.20	2.66	484146
湖 州	Huzhou	29.78	10.36	96.57	1.42	313999
绍 兴	Shaoxing	27.51	8.01	51.97	0.53	270625
金 华	Jinhua	34.32	8.04	119.15	8.70	324256
衢 州	Quzhou	37.46	7.70	61.19	6.66	141163
舟 山	Zhoushan	22.38	10.25	52.49	1.70	336106
台 州	Taizhou	39.22	7.13	87.36	1.44	419189
丽 水	Lishui	32.96	10.65	23.83	2.12	148538
合 肥	Hefei	19.36	9.16	752.50	10.06	2566452
芜 湖	Wuhu	18.59	12.60	136.65	4.44	583853
蚌 埠	Bengbu	17.67	11.42	81.65		218085
淮 南	Huainan	17.70	10.52	110.44		287804
马鞍山	Maanshan	18.99	9.83	104.72		317630
淮 北	Huaibei	18.89	7.40	69.06	0.88	154801
铜 陵	Tongling	19.20	7.57	33.80	0.18	95715
安 庆	Anqing	20.98	11.67	46.04		107801
黄 山	Huangshan	25.77	10.67	65.22	1.64	121654
滁 州	Chuzhou	29.06	11.16	41.80	0.50	104716
阜 阳	Fuyang	23.98	9.86	71.10	4.60	173947
宿 州	Suzhou	31.31	9.50	63.40		130221
巢 湖	Chaohu	26.54	8.55	63.54		16000
六 安	Liuan	26.70	7.30	59.62	1.70	127589
亳 州	Bozhou	35.97	9.61	18.52		35332
池 州	Chizhou	24.49	9.21	46.50	0.63	79178
宣 城	Xuancheng	22.27	7.19	34.44	0.20	92423
福 州	Fuzhou	27.36	9.21	206.60	4.89	1209725
厦 门	Xiamen	22.16	10.91	389.47	6.20	1342910
莆 田	Putian	30.39	13.45	73.00	0.53	207577
三 明	Sanming	20.10	6.61	18.01	0.33	75956
泉 州	Quanhzou	39.07	8.53	78.11	14.96	348209
漳 州	Zhangzhou	22.77	9.52	89.50	1.13	257942
南 平	Nanping	28.85	10.99	22.78		76271
龙 岩	Longyan	29.00	10.80	38.58	1.35	108695
宁 德	Ningde	36.12	11.31	24.50		73120
南 昌	Nanchang	20.77	9.14	202.98	1.22	784660
景德镇	Jingdezhen	21.73	11.59	30.52	1.11	44721
萍 乡	Pingxiang	35.77	11.55	46.01	0.91	79389
九 江	Jiujiang	32.11	10.92	32.78		54535
新 余	Xinyu	30.71	10.20	67.47	2.89	119347

城　市	City	人均住房使用面积（平方米） Per Capita Applied Space Areas (sq.m)*	居住支出占消费支出比重 Percentage of Residence to Expenditure for Consumption (%)	住宅销售面积（万平方米） Sold Area of Commercial Houses (10000sq.m)	#别墅 Villa	住宅销售额（万元） Sales Volume of Commercial Houses (10000yuan)
鹰　潭	Yingtan	22.22	8.67	10.63	0.63	38423
赣　州	Ganzhou	24.77	9.79	52.17	3.83	120793
吉　安	Jian	24.90	17.06	41.80	2.00	65451
宜　春	Yichun	26.39	8.27	35.21	1.67	61442
抚　州	Fuzhou	26.40	10.20	90.50		188222
上　饶	Shangrao	29.32	8.61	12.49	2.20	13250
济　南	Jinan	20.72	10.77	254.67	13.20	1141300
青　岛	Qingdao	20.13	9.81	413.52	27.12	2412752
淄　博	Zibuo	24.36	14.49	336.09	0.50	808566
枣　庄	Zaozhuang	21.44	8.81	59.20	0.15	108443
东　营	Dongying	24.49	10.27	137.80	4.88	388286
烟　台	Yantai	20.80	12.20	317.55	1.00	1242515
潍　坊	Weifang	24.28	9.89	263.22	0.37	571072
济　宁	Jining	22.70	9.15	74.60	3.00	221288
泰　安	Taian	23.86	8.45	9.37	0.09	25481
威　海	Weihai	22.03	8.81	80.08	1.02	309168
日　照	Rizhao	22.69	12.43	55.27	0.13	146472
莱　芜	Laiwu	24.02	8.79	50.09	0.13	89814
临　沂	Linyi	25.51	10.12	158.08	0.53	385848
德　州	Dezhou	23.75	10.38	65.40		133406
聊　城	Liaocheng	24.54	10.30	36.67	0.24	100791
滨　州	Binzhou	25.72	10.55	49.30		87831
菏　泽	Heze	25.40	9.64	232.32	5.60	488924
郑　州	Zhengzhou	23.94	10.19	572.78	14.86	2020441
开　封	Kaifeng	21.65	14.03	67.92	4.92	133889
洛　阳	Luoyang	20.92	10.70	228.80	13.79	563240
平顶山	Pingdingshan	21.00	10.18	69.58	1.55	119567
安　阳	Anyang	23.50	9.23	111.67		192042
鹤　壁	Hebi	24.08	13.32	31.04		53240
新　乡	Xinxiang	22.49	8.55	89.16	2.26	148652
焦　作	Jiaozuo	22.55	11.75	55.22	3.07	110128
濮　阳	Puyang	22.67	7.94	59.34		112712
许　昌	Xuchang	25.72	14.94	51.46	4.12	99758
漯　河	Luohe	27.02	10.20	65.15	0.64	106277
三门峡	Sanmenxi	22.24	15.27	24.43	2.23	44608
南　阳	Nanyang	28.54	9.42	123.49	3.77	229763
商　丘	Shangqiu	27.16	9.80	40.03	1.38	64291
信　阳	Xinyang	25.33	11.11	52.77	0.63	89126
周　口	Zhoukou	31.25	16.05	32.93	4.40	51091
驻马店	Zhumadian	25.15	9.10	56.47	0.74	95212
武　汉	Wuhan	25.00	9.63	603.85	23.58	2820000

3-1 续表 4 Continued 4

城 市	City	人均住房使用面积(平方米) Per Capita Applied Space Areas (sq.m)*	居住支出占消费支出比重 Percentage of Residence to Expenditure for Consumption (%)	住宅销售面积(万平方米) Sold Area of Commercial Houses (10000sq.m)	#别墅 Villa	住宅销售额(万元) Sales Volume of Commercial Houses (10000yuan)
黄 石	Huangshi	27.92	8.59	56.66		140445
十 堰	Shiyan	29.45	11.01	81.78		173938
宜 昌	Yichang	27.72	7.40	101.75	6.01	316884
襄 樊	Xiangfan	28.32	7.48	85.46	9.78	190200
鄂 州	Ezhou	32.30	6.14	42.35	4.03	76382
荆 门	Jingmen	39.94	8.44	37.83		67487
孝 感	Xiaogan	33.20	7.07	8.17		58612
荆 州	Jingzhou	18.40	7.87	72.30	1.20	143815
黄 冈	Huanggang	42.00	11.11	35.00		55200
咸 宁	Xianning	36.00	9.26	40.04		53755
随 州	Suizhou	41.00	7.77	41.31		54991
长 沙	Changsha	21.23	10.71	520.73	23.02	1771155
株 洲	Zhuzhou	23.70	11.99	265.93	5.42	472925
湘 潭	Xiangtan	30.50	11.54	85.51	4.32	147857
衡 阳	Hengyang	25.29	7.37	69.39		143934
邵 阳	Shaoyang	20.63	9.86	24.57		35770
岳 阳	Yueyang	38.90	10.11	82.48	0.86	122828
常 德	Changde	26.23	9.95	93.30	5.93	176908
张家界	Zhangjiajie	46.11	11.54	21.93		40915
益 阳	Yiyang	29.78	7.69	86.83	8.20	125697
郴 州	Chenzhou	22.10	12.27	46.23	1.96	79699
永 州	Yongzhou	32.89	6.93	52.51		60598
怀 化	Huaihua	30.17	8.76	32.78	0.34	34791
娄 底	Loudi	28.23	9.05	35.12		39562
广 州	Guangzhou	27.39	9.42	853.95	25.38	6840989
韶 关	Shaoguan	21.12	13.34	66.90	9.14	185269
深 圳	Shenzhen	19.50	11.68	466.71		5304125
珠 海	Zhuhai	21.48	11.14	174.27	12.50	1107242
汕 头	Shantou	21.03	11.59	134.85	6.06	362910
佛 山	Foshan	28.38	8.86	542.88	49.08	2586099
江 门	Jiangmen	28.10	11.26	107.80	30.99	363514
湛 江	Zhanjiang	21.11	10.30	36.33		123937
茂 名	Maoming	23.50	11.21	100.36		215522
肇 庆	Zhaoqing	25.90	11.69	83.25	8.52	256284
惠 州	Huizhou	23.53	15.87	233.78	25.37	913196
梅 州	Meizhou	28.60	10.66	19.86		35677
汕 尾	Shanwei	22.20	13.52	20.12	1.25	30738
河 源	Heyuan	22.83	13.77	28.36	4.14	81394
阳 江	Yangjiang	50.48	12.19	32.31	3.26	65534
清 远	Qingyuan	30.00	13.06	60.80	11.20	183441
东 莞	Dongguan	53.53	11.14	511.59	90.95	2461024

3-1 续表 5 Continued 5

城 市	City	人均住房使用面积(平方米) Per Capita Applied Space Areas (sq.m)*	居住支出占消费支出比重 Percentage of Residence to Expenditure for Consumption (%)	住宅销售面积(万平方米) Sold Area of Commercial Houses (10000sq.m)	#别墅 Villa	住宅销售额(万元) Sales Volume of Commercial Houses (10000yuan)
中 山	Zhongshan	33.39	8.99	320.43	34.14	1219072
潮 州	Chaozhou	28.70	11.02	69.38	1.42	145763
揭 阳	Jieyang	28.00	11.29	38.14		71467
云 浮	Yunfu	32.16	11.65	16.40		37986
南 宁	Nanning	32.57	7.78	436.14	25.29	1574987
柳 州	Liuzhou	31.75	9.07	146.13		420780
桂 林	Guilin	28.80	8.52	112.99	0.87	366715
梧 州	Wuzhou	23.36	9.55	43.30	1.00	78763
北 海	Beihai	35.26	14.05	99.72	3.33	261316
防城港	Fangchenggang	29.94	13.58	20.38		50951
钦 州	Qinzhou	35.94	9.53	44.23	1.44	102117
贵 港	Guigang	33.02	14.43	72.70		131244
玉 林	Yulin	51.80	14.73	77.55		145149
百 色	Baise	20.98	7.56	23.30		45602
贺 州	Hezhou	41.88	11.97	13.76	0.28	20242
河 池	Hechi	35.53	9.43	11.06		16524
来 宾	Laibin	30.71	15.46	27.75		45560
崇 左	Chongzuo	20.94	8.36	12.42		28319
海 口	Haikou	28.80	13.03	168.93	43.55	724159
三 亚	Sanya	25.23	8.99	77.27	37.33	766421
重 庆	Chongqing	27.34	9.57	2232.37	113.63	6191947
成 都	Chengdu	21.01	8.23	912.84	31.01	4390098
自 贡	Zigong	27.78	7.19	67.95		134226
攀枝花	Panzhihua	24.24	9.06	64.10	0.05	132187
泸 州	Luzhou	23.26	6.24	133.75	0.13	248001
德 阳	Deyang	25.07	6.13	50.44	2.39	113403
绵 阳	Mianyang	33.60	10.04	70.81	9.63	209461
广 元	Guangyuan	24.78	10.10	24.56		47305
遂 宁	Suining	34.66	7.35	96.82		132314
内 江	Neijiang	29.86	7.71	56.15		108199
乐 山	Leshan	27.89	6.56	60.90	0.56	152232
南 充	Nanchong	30.28	11.61	71.77	1.32	160096
眉 山	Meishan	27.00	7.99	49.80		92090
宜 宾	Yibin	28.22	9.96	88.92		189026
广 安	Guangan	39.92	6.48	58.81		66700
达 州	Dazhou	35.49	7.52	49.60		91035
雅 安	Yaan	21.52	9.45	6.16	0.28	13099
巴 中	Bazhong	31.20	9.99	17.71		21508
资 阳	Ziyang	35.23	8.57	34.18		53127
贵 阳	Guiyang	16.56	9.43	356.34	9.08	1045629
六盘水	Liupanshui	28.00	10.23	44.62		76294

3-1 续表 6 Continued 6

城　市	City	人均住房使用面积（平方米）Per Capita Applied Space Areas (sq.m)*	居住支出占消费支出比重 Percentage of Residence to Expenditure for Consumption (%)	住宅销售面积（万平方米）Sold Area of Commercial Houses (10000sq.m)	#别墅 Villa	住宅销售额（万元）Sales Volume of Commercial Houses (10000yuan)
遵　义	Zunyi	29.03	9.15	49.56		64223
安　顺	Anshun	21.29	9.78	11.22		18243
昆　明	Kunming	22.49	7.65	439.24	42.83	1515735
曲　靖	Qujing	26.43	19.08	174.36	11.20	329111
玉　溪	Yuxi	40.57	8.82	54.37	3.00	120393
保　山	Baoshan	43.81	7.70	30.72	12.76	56370
昭　通	Shaotong	23.82	8.01	33.94		40339
丽　江	Lijiang	50.61	7.22	14.18		25606
思　茅	Simao	26.57	5.74	50.01	2.77	79032
临　沧	Lincang	24.10	2.80	5.80		5789
拉　萨	Lhasa	31.35	6.34			
西　安	Xian	26.32	8.80	736.61	56.17	2847261
铜　川	Tongchuan	18.14	7.86	39.15	0.35	32014
宝　鸡	Baoji	26.34	10.57	69.62		144802
咸　阳	Xanyang	32.19	8.35	85.51		197277
渭　南	Weinan	23.10	10.00	51.25		84065
延　安	Yanan	25.19	13.90	51.79		81367
汉　中	Hanzhong	27.41	7.02	50.48		94657
榆　林	Yulin	20.29	19.02	18.17		46739
安　康	Ankang	21.70	9.29	53.38		99877
商　洛	Shangluo	33.20	10.79	16.55		23448
兰　州	Lanzhou	23.51	8.90	137.87		404541
嘉峪关	Jiayuguan	29.04	9.97	49.82	0.27	57045
金　昌	Jinchang	30.41	13.15	25.32		20898
白　银	Baiyin	23.06	7.59	31.39		39793
天　水	Tianshui	19.27	9.52	18.55		43425
武　威	Wuwei	23.90	11.32	2.30		5993
张　掖	Zhangye	22.88	12.82	28.66	0.25	49827
平　凉	Pingliang	29.67	11.62	10.89	0.30	10558
酒　泉	Jiuquan	29.23	11.84	45.81		58379
庆　阳	Qingyang	26.50	9.28	25.17		48508
定　西	Dingxi	30.49	12.35	8.04		14136
陇　南	Longnan	26.00	12.23	10.03		10498
西　宁	Xining	24.19	9.99	105.46	7.40	269563
银　川	Yinchuan	21.58	9.53	252.45	6.32	626770
石嘴山	Shizuishan	19.88	13.17	66.74		96700
吴　忠	Wuzhong	28.80	11.31	43.87	0.37	76406
固　原	Guyuan	28.40	12.70	24.18		31778
中　卫	Zhongwei	24.56	11.89	24.83		33315
乌鲁木齐	Urumqi	20.67	8.31	296.90	3.54	806461
克拉玛依	Kelamayi	27.94	4.50	78.85	1.74	95280

3-2 城市生活用水、电、气(市辖区,2008年)

Urban Consumption of Water and Power and Gas for Residential Use (Districts under City，2008)

城　市	City	生活用水量 (万吨) Volume of Water For Residential Use (10000 tons)	人均生活用水 (吨/人) Per Capita Consumption of Water for Residential Use (ton/person)	生活用电量 (万千瓦时) Volume of Power For Residential Use (10000 kw/hour)	人均生活用电 (千瓦时/人) Per Capita Consumption of Power for Residential Use (kwh/person)	家庭用煤气量 (万立方米) Volume of Coal Gas For Residential Use (10000 m3)	人均家庭煤气用量 (立方米/人) Per Capita Consumption of Coal Gas for Residential Use (m3/person)
城市合计	**Total**	**1444145**	**50.96**	**20819884**	**553.44**	**7036888**	**76.58**
北　京	Beijing	55112	38.30	1135495	979.93	601381	67.66
天　津	Tianjin	19494	30.51	535100	674.06	125109	30.32
石家庄	Shijiazhuang	7041	30.10	128739	534.81	18478	8.33
唐　山	Tangshan	10247	51.99	68165	223.10	44121	68.86
秦皇岛	Qinhuangdao	2831	31.53	65431	799.79	3837	12.70
邯　郸	Handan	4745	32.35	48045	327.57	15473	80.51
邢　台	Xingtai	2005	31.80	34493	589.93	21307	23.63
保　定	Baoding	3383	29.93	50375	477.35	5577	26.83
张家口	Zhanjiakou	2262	27.19	28981	325.30	5959	70.75
承　德	Chengde	2359	47.13	22974	438.77	1953	108.63
沧　州	Cangzhou	1480	27.42	24305	466.87	3300	15.53
廊　坊	Langfang	1950	40.99	46833	584.90	6101	59.87
衡　水	Hengshui	1293	35.04	34749	1129.68	266	26.56
太　原	Taiyuan	11227	44.68	138431	492.13	73463	82.75
大　同	Datong	4239	33.91	46457	302.91	10018	111.82
阳　泉	Yangquan	2624	47.71	17045	250.59	50648	294.77
长　治	Changzhi	4011	69.27	18181	261.60	10989	101.75
晋　城	Jincheng	696	21.09	12198	332.01	4444	153.88
朔　州	Shuozhou	877	33.81	8755	138.51	4650	69.65
晋　中	Jinzhong	800	20.83	13450	230.70	2427	93.36
运　城	Yuncheng	1095	29.59	27652	420.56	592	17.00
忻　州	Xinzhou	890	46.11	10514	200.88	3648	90.91
临　汾	Linfen	1093	27.33	27817	338.28	33814	272.31
吕　梁	Luliang	347	16.37	8381	310.41	2460	123.00
呼和浩特	Huhehaote	2001	15.42	61850	529.99	17210	23.87
包　头	Baotou	2841	21.99	73414	522.67	20016	159.05
乌　海	Wuhai	3020	70.23	14628	303.05	32927	234.95
赤　峰	Chifeng	818	16.12	37811	314.31		
通　辽	Tongliao	621	15.53	23515	285.79	240	
鄂尔多斯	Erdos	900	16.85	13181	530.85	3231	49.61
呼伦贝尔	Hulunbeier	520	27.94	10742	403.83		
巴彦淖尔	Bayanzhuoer	512	18.22	10933	196.04		
乌兰察布	Wulanchabu	587	25.27	10136	335.85		
沈　阳	Shenyang	15060	33.32	324253	637.01	22709	35.29
大　连	Dalian	6967	24.65	228257	765.17	25923	84.35
鞍　山	Anshan	5450	36.58	62471	423.99	15626	80.39
抚　顺	Fushun	1698	13.11	50775	363.72	12610	156.80
本　溪	Benxi	959	10.41	43956	459.17	4233	66.04
丹　东	Dandong	1551	25.83	32890	427.81	4101	71.21
锦　州	Jinzhou	4812	50.28	42084	453.20	7080	70.13

3-2 续表 1 Continued 1

城 市	City	生活用水量（万吨）Volume of Water For Residential Use (10000 tons)	人均生活用水（吨/人）Per Capita Consumption of Water for Residential Use (ton/person)	生活用电量（万千瓦时）Volume of Power For Residential Use (10000 kw/hour)	人均生活用电（千瓦时/人）Per Capita Consumption of Power for Residential Use (kwh/person)	家庭用煤气量（万立方米）Volume of Coal Gas For Residential Use (10000 m3)	人均家庭煤气用量（立方米/人）Per Capita Consumption of Coal Gas for Residential Use (m3/person)
营 口	Yingkou	2200	26.04	67383	762.94	1166	19.74
阜 新	Fuxin	2459	33.73	32280	414.43	2323	41.83
辽 阳	Liaoyang	1506	19.95	33512	461.47	1106	32.30
盘 锦	Panjin	2895	45.07	33983	565.44	980	35.64
铁 岭	Tieling	1218	27.62	20456	458.65	3040	53.25
朝 阳	Chaoyang	1661	49.43	18409	311.07	1826	51.54
葫 芦 岛	Huludao	1487	37.36	44066	448.19	2145	44.26
长 春	Changchun	6747	25.94	184633	559.12	33116	63.11
吉 林	Jinlin	4091	32.75	58040	313.85	4945	36.82
四 平	Siping	378	9.57	19742	324.22	2441	26.07
辽 源	Liaoyuan	344	9.83	13256	277.73		
通 化	Tonghua	853	20.50	20098	443.96	1593	52.95
白 山	Baishan	1103	35.93	17013	286.80	33	15.70
松 原	Songyuan	2672	68.69	14799	272.79	3780	182.86
白 城	Baicheng	1541	65.05	14043	276.11		
哈 尔 滨	Harbin	15278	45.42	227402	478.61	39416	59.57
齐齐哈尔	Qiqihaer	2002	19.25	75614	530.66	5805	39.14
鸡 西	Jixi	2845	38.69	20516	231.92	817	9.14
鹤 岗	Hegang	891	21.06	19711	290.08	1497	90.00
双 鸭 山	Shuangyashan	1350	28.72	15840	316.23	805	73.70
大 庆	Daqing	5693	56.25	69605	532.39	12000	94.21
伊 春	Yichun	1227	24.61	21279	262.44		
佳 木 斯	Jiamusi	2115	29.46	36595	444.11	1731	22.56
七 台 河	Qitaihe	1822	52.06	9000	168.35	3540	163.31
牡 丹 江	Mudanjiang	2794	42.98	42980	541.31		
黑 河	Heihe	143	13.00	2615	136.34	950	97.22
绥 化	Suihua	810	19.13	24835	276.87		
上 海	Shanghai	93900	49.72	1465500	1108.80	497742	129.40
南 京	Nanjing	21150	44.23	396688	732.92	1580508	52.41
无 锡	Wuxi	14451	60.99	205687	866.34	28360	230.25
徐 州	Xuzhou	4673	35.03	78557	426.01	6383	72.86
常 州	Changzhou	8280	69.18	164036	726.24	31298	50.54
苏 州	Suzhou	16983	84.80	243026	1020.22	49362	65.13
南 通	Nantong	6864	99.65	61873	706.96	4889	100.44
连 云 港	Lianyungang	2634	37.47	40496	500.69	4825	34.22
淮 安	Huaian	2930	29.90	69531	250.17	3516	31.46
盐 城	Yancheng	2547	40.56	45605	281.76	2993	46.33
扬 州	Yangzhou	2806	39.12	68292	560.78	2852	33.01
镇 江	Zhenjiang	3737	43.35	59015	574.02	14922	58.98
泰 州	Taizhou	1441	25.08	31993	396.69		
宿 迁	Suqian	1008	25.37	28019	177.34	320	27.59
杭 州	Hangzhou	27251	92.92	411542	969.93	28889	34.80

3-2 续表 2 Continued 2

城 市	City	生活用水量（万吨） Volume of Water For Residential Use (10000 tons)	人均生活用水（吨/人） Per Capita Consumption of Water for Residential Use (ton/person)	生活用电量（万千瓦时） Volume of Power For Residential Use (10000 kw/hour)	人均生活用电（千瓦时/人） Per Capita Consumption of Power for Residential Use (kwh/person)	家庭用煤气量（万立方米） Volume of Coal Gas For Residential Use (10000 m3)	人均家庭煤气用量（立方米/人） Per Capita Consumption of Coal Gas for Residential Use (m3/person)
宁 波	Ningbuo	13870	85.52	194221	882.34	6946	11.46
温 州	Wenzhou	10084	80.67	173384	1205.56	563	4.60
嘉 兴	Jiaxing	1688	33.43	47665	577.41	1772	15.00
湖 州	Huzhou	3027	38.56	56829	523.67	7454	42.44
绍 兴	Shaoxing	2186	32.48	41947	646.33	8272	123.38
金 华	Jinhua	2255	40.04	46964	508.38	1411	36.73
衢 州	Quzhou	1447	48.72	26623	325.35	1144	77.95
舟 山	Zhoushan	1383	30.07	39902	573.47	1086	17.83
台 州	Taizhou	4808	44.97	98027	641.75		
丽 水	Lishui	1407	39.98	18765	490.33		
合 肥	Hefei	13071	61.34	206696	1015.80	16306	37.19
芜 湖	Wuhu	4878	52.25	47112	446.22	11278	39.84
蚌 埠	Bengbu	2323	32.78	38510	416.28	6478	31.26
淮 南	Huainan	3026	32.52	47933	287.52	6666	80.86
马 鞍 山	Maanshan	3152	58.81	27912	442.49	7767	41.14
淮 北	Huaibei	2387	32.07	21376	197.23	2273	63.37
铜 陵	Tongling	1976	47.28	16903	383.46	4597	20.03
安 庆	Anqing	2428	43.23	33600	452.46	1437	62.36
黄 山	Huangshan	984	38.33	16490	379.34		
滁 州	Chuzhou	1036	34.53	19763	373.95	7152	36.05
阜 阳	Fuyang	2743	41.87	19329	96.13	2764	37.01
宿 州	Suzhou	2184	48.53	30882	170.96	606	28.50
巢 湖	Chaohu	830	31.92	21719	247.37	1500	22.93
六 安	Liuan	1626	40.85	12148	65.98	732	91.13
亳 州	Bozhou	950	41.79	24715	158.91	809	108.57
池 州	Chizhou	1305	60.00	14687	224.47	141	9.63
宣 城	Xuancheng	901	36.93	20835	244.71	193	58.05
福 州	Fuzhou	15129	79.86	320318	1715.87		
厦 门	Xiamen	11678	54.37	247260	1423.73	510	49.35
莆 田	Putian	2705	52.82	74939	355.31	130	3.85
三 明	Sanming	1459	59.02	18472	650.88	2474	133.70
泉 州	Quanhzou	4437	48.60	109708	1068.13	726	23.80
漳 州	Zhangzhou	2075	49.33	72432	1326.59		
南 平	Nanping	1052	54.42	30549	621.55		
龙 岩	Longyan	1527	53.17	43391	911.58		
宁 德	Ningde	871	39.74	18560	423.84		
南 昌	Nanchang	12420	62.15	128434	575.70	10197	61.62
景 德 镇	Jingdezhen	2184	49.64	24000	526.66	23609	57.90
萍 乡	Pingxiang	2580	73.63	38361	453.49	3390	221.85
九 江	Jiujiang	3537	58.34	54734	905.59	528	25.15
新 余	Xinyu	1841	52.71	27499	301.69	2653	71.45
鹰 潭	Yingtan	621	44.61	8979	438.21		

3-2 续表 3 Continued 3

城 市	City	生活用水量(万吨) Volume of Water For Residential Use (10000 tons)	人均生活用水(吨/人) Per Capita Consumption of Water for Residential Use (ton/person)	生活用电量(万千瓦时) Volume of Power For Residential Use (10000 kw/hour)	人均生活用电(千瓦时/人) Per Capita Consumption of Power for Residential Use (kwh/person)	家庭用煤气量(万立方米) Volume of Coal Gas For Residential Use (10000 m3)	人均家庭煤气用量(立方米/人) Per Capita Consumption of Coal Gas for Residential Use (m3/person)
赣 州	Ganzhou	2976	52.21	26737	419.34	1080	26.00
吉 安	Jian	1039	38.99	11966	224.38	539	26.38
宜 春	Yichun	1506	56.40	19680	190.64	945	72.96
抚 州	Fuzhou	4012	114.50	26212	245.25	7	1.82
上 饶	Shangrao	1314	55.96	27414	702.74	350	19.19
济 南	Jinan	10605	37.90	236076	674.06	27929	30.56
青 岛	Qingdao	11301	40.91	248510	899.58	30471	43.32
淄 博	Zibuo	5140	35.32	143303	515.16	56773	45.11
枣 庄	Zaozhuang	2651	32.28	45379	208.74	5715	54.23
东 营	Dongying	1790	28.99	24656	296.56	22951	164.45
烟 台	Yantai	3032	23.06	90563	504.81	9670	31.05
潍 坊	Weifang	3441	22.37	61212	355.66	11570	97.60
济 宁	Jining	3765	32.63	38688	352.16	4572	15.33
泰 安	Taian	2029	34.06	23191	144.89	9962	30.69
威 海	Weihai	1895	33.61	50851	795.29	2420	24.03
日 照	Rizhao	1220	20.73	39561	323.11	495	46.26
莱 芜	Laiwu	2464	50.98	26045	206.77	2490	63.85
临 沂	Linyi	3644	25.41	88759	448.94	10507	38.24
德 州	Dezhou	1980	33.32	28234	474.92	3388	26.37
聊 城	Liaocheng	2229	38.14	32438	310.56	2512	45.29
滨 州	Binzhou	1790	32.55	26801	424.34	3951	62.31
菏 泽	Heze	1909	18.90	32260	219.44	2616	282.58
郑 州	Zhengzhou	12022	28.11	235188	849.82	42010	48.80
开 封	Kaifeng	2498	29.80	45833	540.48	3693	56.75
洛 阳	Luoyang	5626	41.53	68649	433.50	27117	56.90
平 顶 山	Pingdingshan	3532	43.39	32467	322.38	13072	53.27
安 阳	Anyang	1765	25.58	34736	325.40	67097	59.14
鹤 壁	Hebi	1645	41.33	14291	256.43	1102	44.63
新 乡	Xinxiang	2360	33.24	53176	528.17	6890	41.02
焦 作	Jiaozuo	1758	23.35	28028	338.18	9660	74.16
濮 阳	Puyang	1376	34.97	19998	303.23	1564	69.28
许 昌	Xuchang	1086	24.74	33259	814.97	449	73.07
漯 河	Luohe	1684	37.30	31510	229.58	1329	62.45
三 门 峡	Sanmenxi	796	30.67	20814	717.97	64	15.72
南 阳	Nanyang	1713	21.06	33861	185.82	1642	52.29
商 丘	Shangqiu	2020	34.17	43779	257.19	716	195.76
信 阳	Xinyang	1158	26.02	38141	265.68	1683	60.61
周 口	Zhoukou	676	28.52	14234	274.36	1003	20.31
驻 马 店	Zhumadian	927	38.35	18172	283.54	1145	36.47
武 汉	Wuhan	39031	65.60	389415	759.95	44499	51.42
黄 石	Huangshi	7850	111.66	35210	552.49	6612	92.42
十 堰	Shiyan	4159	87.74	41994	802.02	1658	116.68

城市	City	生活用水量（万吨）Volume of Water For Residential Use (10000 tons)	人均生活用水（吨/人）Per Capita Consumption of Water for Residential Use (ton/person)	生活用电量（万千瓦时）Volume of Power For Residential Use (10000 kw/hour)	人均生活用电（千瓦时/人）Per Capita Consumption of Power for Residential Use (kwh/person)	家庭用煤气量（万立方米）Volume of Coal Gas For Residential Use (10000 m3)	人均家庭煤气用量（立方米/人）Per Capita Consumption of Coal Gas for Residential Use (m3/person)
宜昌	Yichang	3973	52.44	54257	436.08	8911	31.85
襄樊	Xiangfan	15830	121.77	62006	282.45	7000	221.98
鄂州	Ezhou	3135	78.89	29706	278.09	2600	93.35
荆门	Jingmen	2799	55.95	27427	408.63	3900	223.13
孝感	Xiaogan	1651	59.69	29237	311.50	434	93.65
荆州	Jingzhou	3158	37.73	40891	350.72	6163	31.11
黄冈	Huanggang	1900	68.59	16219	442.18	911	33.81
咸宁	Xianning	1450	53.11	17604	295.77	302	23.83
随州	Suizhou	2681	44.68	27417	168.64	698	82.09
长沙	Changsha	24870	104.91	273759	1148.70	26607	88.14
株洲	Zhuzhou	8053	123.40	47841	600.56	11724	55.33
湘潭	Xiangtan	2357	31.43	36182	412.10	106214	62.15
衡阳	Hengyang	4806	50.71	48639	472.09	21090	222.32
邵阳	Shaoyang	2712	49.94	22133	332.68	1281	70.95
岳阳	Yueyang	6449	79.32	62614	770.16	5072	98.39
常德	Changde	3354	56.56	31061	221.52	5068	50.39
张家界	Zhangjiajie	1000	48.97	12529	248.49		
益阳	Yiyang	2018	53.25	36554	277.66	1002	41.33
郴州	Chenzhou	2444	72.93	44781	675.23	100	48.48
永州	Yongzhou	3461	73.91	44290	406.52		
怀化	Huaihua	3528	107.56	26315	746.74		
娄底	Loudi	3041	90.45	14223	319.26	1825	74.76
广州	Guangzhou	73933					
韶关	Shaoguan	3996	71.36	41800	456.93	837	37.79
深圳	Shenzhen	55600	43.81	702181	3078.80	28215	56.54
珠海	Zhuhai	8973	60.58	112469	1130.57		
汕头	Shantou	12627	57.50	247707	496.11	260	26.96
佛山	Foshan	13908	66.65	375800	1031.45	10693	81.03
江门	Jiangmen	6083	55.33	79926	585.20		
湛江	Zhanjiang	4738	74.03	76543	621.49	1739	74.33
茂名	Maoming	2619	52.60	17568	136.28		
肇庆	Zhaoqing	3001	58.15	30627	580.39	792	0.40
惠州	Huizhou	6724	59.05	104239	827.62		
梅州	Meizhou	1641	54.14	28691	916.94	309	110.45
汕尾	Shanwei	1291	57.05	35984	695.75		
河源	Heyuan	2232	82.67	31782	1068.66		
阳江	Yangjiang	3365	93.47	27889	421.22	760	48.00
清远	Qingyuan	1647	35.80	31890	573.15	191	62.62
东莞	Dongguan	70670	101.69	490230	2803.40	18808	112.27
中山	Zhongshan	6662	190.34	207653	1418.10	1790	20.48
潮州	Chaozhou	2575	66.03	70375	2018.79	228887	567.97
揭阳	Jieyang	2074	28.09	19163	278.09		

城市	City	生活用水量(万吨) Volume of Water For Residential Use (10000 tons)	人均生活用水(吨/人) Per Capita Consumption of Water for Residential Use (ton/person)	生活用电量(万千瓦时) Volume of Power For Residential Use (10000 kw/hour)	人均生活用电(千瓦时/人) Per Capita Consumption of Power for Residential Use (kwh/person)	家庭用煤气量(万立方米) Volume of Coal Gas For Residential Use (10000 m3)	人均家庭煤气用量(立方米/人) Per Capita Consumption of Coal Gas for Residential Use (m3/person)
云浮	Yunfu	910	56.38	14790	506.16	10785	55.25
南宁	Nanning	14493	73.49	134021	507.87	1966	31.86
柳州	Liuzhou	5703	36.93	75763	736.78	5187	83.26
桂林	Guilin	4870	78.68	56280	741.31	656	19.15
梧州	Wuzhou	2039	51.94	24136	485.44	30	26.67
北海	Beihai	1725	53.37	28360	478.17	587	27.20
防城港	Fangchenggang	896	62.44	14029	276.49		
钦州	Qinzhou	1843	62.71	15089	116.36	130	26.00
贵港	Guigang	2177	55.94	34989	189.91	457	294.84
玉林	Yulin	2141	46.28	31208	325.49	5	0.07
百色	Baise	2015	116.61	13384	390.43		
贺州	Hezhou	1089	64.06	32520	306.45		
河池	Hechi	1721	86.05	25221	771.52	197	155.07
来宾	Laibin	1470	73.50	20979	202.34		
崇左	Chongzuo	651	55.64	6981	199.40		
海口	Haikou	7379	91.10	41478	266.19	12097	33.79
三亚	Sanya	2621	131.05	30790	564.13	1943	17.46
重庆	Chongqing	31936	44.56	722500	470.84	187936	91.70
成都	Chengdu	38835	102.17	205187	402.21	309353	230.59
自贡	Zigong	2325	38.69	21464	143.39	62870	84.77
攀枝花	Panzhihua	3131	53.97	30473	440.55	158993	133.16
泸州	Luzhou	2171	43.50	36299	250.94	69528	92.14
德阳	Deyang	1831	44.17	29431	448.03	55963	84.60
绵阳	Mianyang	3552	47.95	45016	373.73	33970	85.56
广元	Guangyuan	1354	47.79	21132	228.21	4484	107.95
遂宁	Suining	1527	40.04	21598	144.37	7073	89.57
内江	Neijiang	1441	44.45	32632	231.01	5749	78.55
乐山	Leshan	2345	32.31	20039	173.80	11944	83.79
南充	Nanchong	3120	46.36	84002	436.37	8270	73.57
眉山	Meishan	1766	67.84	36602	430.97	2968	125.09
宜宾	Yibin	1456	50.80	35181	441.86	9035	88.85
广安	Guangan	1196	54.54	5256	41.84	1820	58.18
达州	Dazhou	1765	58.83	23715	569.80	5384	94.62
雅安	Yaan	1498	63.45	15628	443.98	1879	111.28
巴中	Bazhong	1100	43.82	17000	119.47	1966	105.71
资阳	Ziyang	1071	44.89	16136	149.74	6623	101.76
贵阳	Guiyang	11460	56.45	248458	1146.82	22685	67.98
六盘水	Liupanshui	1801	35.31	13258	264.31	2935	67.50
遵义	Zunyi	7330	87.05	80517	956.26	300	24.00
安顺	Anshun	973	27.15	11556	137.02		
昆明	Kunming	10956	43.82	350621	1452.39	24393	74.83

城 市	City	生活用水量（万吨） Volume of Water For Residential Use (10000 tons)	人均生活用水（吨/人） Per Capita Consumption of Water for Residential Use (ton/person)	生活用电量（万千瓦时） Volume of Power For Residential Use (10000 kw/hour)	人均生活用电（千瓦时/人） Per Capita Consumption of Power for Residential Use (kwh/person)	家庭用煤气量（万立方米） Volume of Coal Gas For Residential Use (10000 m3)	人均家庭煤气用量（立方米/人） Per Capita Consumption of Coal Gas for Residential Use (m3/person)
曲 靖	Qujing	1941	57.63	26829	389.39		
玉 溪	Yuxi	1004	52.84	13329	319.87		
保 山	Baoshan	1780	84.52	14129	160.30	245	83.33
昭 通	Shaotong	588	25.57	9129	113.35	13	4.17
丽 江	Lijiang	340	34.34	5046	329.16		
思 茅	Simao	562	40.14	6657	309.20		
临 沧	Lincang	430	50.59	3106	106.66		
拉 萨	Lhasa	1123	36.19			81	0.15
西 安	Xian	16791	45.74	285845	515.29	84874	55.81
铜 川	Tongchuan	70	1.75	13820	181.70	2086	36.81
宝 鸡	Baoji	3097	48.16	38535	276.93	9277	194.61
咸 阳	Xanyang	4705	52.87	23991	269.38	15100	34.20
渭 南	Weinan	1221	33.18	12442	129.89	1978	58.58
延 安	Yanan	738	24.60	15743	356.18	4168	80.86
汉 中	Hanzhong	823	35.78	18705	343.78		
榆 林	Yulin	371	13.74	44722	897.49	4263	67.95
安 康	Ankang	1009	38.81	20337	205.67		
商 洛	Shangluo	738	60.99	9227	168.99		
兰 州	Lanzhou	8299	43.60	85178	405.63	51746	40.51
嘉峪关	Jiayuguan	398	22.04	10020	539.00	7220	296.99
金 昌	Jinchang	700	34.15	12466	582.25		
白 银	Baiyin	3615	74.57	15892	321.77	1480	127.82
天 水	Tianshui	1792	34.46	34781	277.74	197	57.62
武 威	Wuwei	1100	34.56	11352	110.33		
张 掖	Zhangye	520	34.57	9554	185.05		
平 凉	Pingliang	180	10.00	7652	154.18	14	14.14
酒 泉	Jiuquan	464	14.33	11218	308.02		
庆 阳	Qingyang	728	36.40	5965	172.85		
定 西	Dingxi	137	8.79	4985	107.04		
陇 南	Longnan	83	11.69	5446	99.43		
西 宁	Xining	3450	38.44	66412	591.85	48473	61.82
银 川	Yinchuan	4201	47.74	60062	676.07	87840	255.63
石嘴山	Shizuishan	1517	41.39	14046	311.10	4221	46.33
吴 忠	Wuzhong	650	45.45	7949	212.77	10860	330.41
固 原	Guyuan	172	10.05	5816	133.76		
中 卫	Zhongwei	120	10.06	7012	179.66		
乌鲁木齐	Urumqi	12255	52.03	123674	544.96	981220	72.79
克拉玛依	Kelamayi	1038	28.99	12000	310.72	1871	107.84

3-3 城市教育与文化(市辖区,2008年)

Urban Education and Culture (Districts under City，2008)

城市	City	每万人在校大学生数(人) University and College Students Per 10000 Population (person)	每万人在校高中生数(人) High School Students Per 10000 Population (person)	每万人在校中等职业学生数(人) Specialized Secondary School Students Per 10000 Population (person)	中学生数(万人) Secondary School Students (10000 person)	小学生数(万人) Primary School Students (10000 person)	每百人图书馆藏书(册) Quantity of Books Collected Public Libraries Per Hundred Population (pieces)	每十万人体育场馆数(座) Quantity of Gymnasiums Per 100000 Population (unit)	每百万人影剧院数(座) Quantity of Theatres and Movie Houses Per Million Population (unit)
城市合计	**Total**	**490.04**	**440.63**	**288.66**	**2331.88**	**2863.62**	**111.79**	**6.99**	**5.28**
北京	Beijing	496.02	394.43	202.04	50.82	61.99	349.34	49.67	13.29
天津	Tianjin	486.79	432.11	225.83	37.79	40.02	139.45	94.12	3.65
石家庄	Shijiazhuang	1314.99	1037.22	752.59	15.12	15.52	130.98	0.83	1.25
唐山	Tangshan	297.69	402.06	225.31	14.78	16.59	35.28	0.59	1.64
秦皇岛	Qinhuangdao	956.69	306.76	202.05	4.48	5.28	63.56	1.10	1.22
邯郸	Handan	382.52	748.77	420.26	11.39	10.61	34.09	0.61	1.36
邢台	Xingtai	747.94	1421.09	820.61	6.79	5.49	48.91	1.03	3.42
保定	Baoding	1403.97	221.21	491.00	5.57	6.28	71.64	0.19	1.90
张家口	Zhanjiakou	408.65	606.14	345.52	6.30	6.04	75.65	1.80	2.24
承德	Chengde	637.13	754.34	467.40	3.16	2.96	63.03	1.53	1.91
沧州	Cangzhou	558.57	983.71	473.63	5.71	5.68	47.83	0.38	5.76
廊坊	Langfang	783.65	495.74	306.77	4.42	4.99	55.33	1.50	
衡水	Hengshui	532.41	1686.80	1013.04	4.20	3.50	34.46	1.95	3.25
太原	Taiyuan	1123.01	242.34	517.95	9.66	20.33	123.47	0.96	4.62
大同	Datong	221.46	679.33	131.22	10.91	15.56	20.99	0.33	3.26
阳泉	Yangquan	103.48	477.11	262.16	4.33	5.14	61.60	0.88	2.94
长治	Changzhi	376.86	472.20	301.28	7.30	6.40	60.43	0.14	5.76
晋城	Jincheng	207.10	424.44	233.75	2.31	4.34	21.23	1.91	10.89
朔州	Shuozhou		318.51	151.87	6.20	8.40	16.61	0.79	3.16
晋中	Jinzhong	388.56	178.90	141.75	3.13	4.13	164.67	1.89	1.72
运城	Yuncheng	231.56	450.04	609.19	7.72	6.50	30.11	1.22	1.52
忻州	Xinzhou	135.63	394.75	229.27	3.21	4.93	30.00	0.57	3.82
临汾	Linfen	416.49	617.94	282.37	7.47	7.35	396.94	1.34	4.86
吕梁	Luliang	348.93	416.56	531.22	1.83	3.75	36.67	1.11	3.70
呼和浩特	Huhehaote	1580.73	758.98	462.37	10.21	11.82	199.66	1.29	5.14
包头	Baotou	486.37	313.66	243.28	11.57	12.90	210.59	1.07	9.97
乌海	Wuhai	57.47	190.59	78.72	1.60	3.50	39.36	0.41	4.14
赤峰	Chifeng	105.33	545.71	140.94	9.76	8.81	49.88	1.08	2.49
通辽	Tongliao	201.30	314.73	124.53	6.60	5.60	36.46	0.49	1.22
鄂尔多斯	Erdos	45.51	590.86	317.40	1.48	2.92	108.34	5.24	8.05
呼伦贝尔	Hulunbeier	421.20	510.94	97.89	2.20	1.60	105.26	0.75	11.28
巴彦淖尔	Bayanzhuoer	116.75	287.72	289.31	3.92	3.91	46.26	0.36	3.59
乌兰察布	Wulanchabu	636.85	723.92	172.96	1.20	2.20	92.78	0.33	16.57
沈阳	Shenyang	642.53	433.68	268.61	24.14	23.67	178.52	0.22	11.59
大连	Dalian	772.77	548.76	325.58	16.59	19.29	254.90	1.51	1.68
鞍山	Anshan	227.87	409.54	226.14	7.35	5.76	120.61	0.41	5.43
抚顺	Fushun	254.11	321.02	141.58	6.50	5.29	62.11	0.79	10.74
本溪	Benxi	104.89	405.82	248.17	3.04	4.13	67.90	0.42	5.22
丹东	Dandong	292.95	176.66	129.23	2.19	2.89	125.39	0.26	3.90
锦州	Jinzhou	824.19	441.69	251.52	4.90	4.89	93.37	0.97	5.38
营口	Yingkou	122.79	545.18	312.15	5.11	5.52	84.92	0.57	3.40

3-3 续表 1 Continued 1

城　市	City	每万人在校大学生数（人） University and College Students Per 10000 Population (person)	每万人在校高中生数（人） High School Students Per 10000 Population (person)	每万人在校中等职业学生数（人） Specialized Secondary School Students Per 10000 Population (person)	中学生数（万人） Secondary School Students (10000 person)	小学生数（万人） Primary School Students (10000 person)	每百人图书馆藏书（册） Quantity of Books Collected Public Libraries Per Hundred Population (pieces)	每十万人体育场馆数（座） Quantity of Gymnasiums Per 100000 Population (unit)	每百万人影剧院数（座） Quantity of Theatres and Movie Houses Per Million Population (unit)
阜　新	Fuxin	437.10	182.94	209.15	4.11	3.63	39.03	0.64	2.57
辽　阳	Liaoyang	250.40	435.29	255.45	3.45	3.36	92.81	1.65	5.51
盘　锦	Panjin	101.25	267.50	234.09	4.09	3.36	43.59	0.50	3.33
铁　岭	Tieling	172.89	517.94	272.15	2.73	2.49	75.78	1.12	2.24
朝　阳	Chaoyang	85.08	464.87	253.65	3.60	4.10	67.25	0.34	3.38
葫芦岛	Huludao	78.67	159.04	154.88	3.17	5.92	31.33	0.31	1.02
长　春	Changchun	1060.89	465.48	266.77	16.97	18.21	79.25	1.21	6.36
吉　林	Jinlin	414.93	483.39	269.49	9.35	9.14	78.19	0.87	2.16
四　平	Siping	452.00	623.65	353.06	3.70	3.13	73.90	0.33	3.28
辽　源	Liaoyuan	127.28	187.70	200.48	2.30	2.05	189.61	1.05	
通　化	Tonghua	202.30	375.41	160.44	2.45	2.34	66.71	2.87	2.21
白　山	Baishan	11.55	270.04	88.17	2.78	2.67	43.83	0.51	
松　原	Songyuan	86.23	394.99	102.88	2.32	4.02	14.75	0.37	1.84
白　城	Baicheng	108.40	241.29	115.38	3.00	2.93	45.42	0.98	7.86
哈尔滨	Harbin	929.78	395.12	207.79	24.65	20.38	121.08	1.73	6.31
齐齐哈尔	Qiqihaer	308.92	399.68	77.84	7.60	6.80	87.73	0.56	2.11
鸡　西	Jixi	107.49	193.15	173.42	4.49	2.85	18.09	0.11	1.13
鹤　岗	Hegang	37.63	302.99	35.08	4.39	3.27	27.96	0.44	2.94
双鸭山	Shuangyashan	36.61	314.31	100.48	3.01	2.59	37.53	0.80	2.00
大　庆	Daqing	456.86	282.17	47.64	11.03	7.96	168.66	2.29	13.77
伊　春	Yichun	27.26	299.90	123.04	3.74	3.07	62.53	0.25	7.40
佳木斯	Jiamusi	351.21	242.82	65.98	5.19	5.94	53.40	0.85	4.85
七台河	Qitaihe	46.37	207.78	25.57	2.59	2.37	24.88	0.37	3.74
牡丹江	Mudanjiang	529.65	246.71	83.51	4.20	4.00	46.85	0.50	5.04
黑　河	Heihe	431.02	243.59	120.33	0.91	0.84	21.90		5.21
绥　化	Suihua	104.67	41.97	2.35	3.30	3.90	16.61	1.23	2.23
上　海	Shanghai	380.49	309.37	137.53	58.80	57.11	480.28	4.93	10.06
南　京	Nanjing	1319.27	449.45	257.72	22.67	24.73	223.34	56.81	3.51
无　锡	Wuxi	397.37	627.98	434.19	11.76	15.97	79.31	0.21	13.06
徐　州	Xuzhou	651.27	763.04	535.78	9.58	10.22	44.36	0.76	1.08
常　州	Changzhou	545.33	476.74	476.74	12.98	15.63	70.22	0.84	12.84
苏　州	Suzhou	507.31	505.77	337.12	11.24	13.03	93.57	0.92	6.72
南　通	Nantong	944.64	569.49	471.60	4.77	5.23	118.83	0.23	3.43
连云港	Lianyungang	341.70	851.21	480.91	4.93	5.57	84.94	1.73	3.71
淮　安	Huaian	228.44	442.03	208.16	17.75	16.84	25.40	0.36	1.08
盐　城	Yancheng	320.14	532.12	293.86	8.58	8.26	42.38	0.80	1.85
扬　州	Yangzhou	613.91	649.17	420.49	6.93	7.13	105.11	1.15	0.82
镇　江	Zhenjiang	811.92	498.68	343.10	4.82	5.15	110.69	0.97	19.45
泰　州	Taizhou	493.44	459.34	244.15	4.45	4.21	64.48	0.99	2.48
宿　迁	Suqian	116.42	562.83	350.06	11.76	11.65	13.99	0.19	0.63
杭　州	Hangzhou	851.84	359.34	112.45	21.85	30.02	212.07	1.70	13.67
宁　波	Ningbuo	592.59	404.31	210.02	14.27	20.12	213.16	2.45	5.91

3-3 续表 2 Continued 2

城市	City	每万人在校大学生数(人) University and College Students Per 10000 Population (person)	每万人在校高中生数(人) High School Students Per 10000 Population (person)	每万人在校中等职业学生数(人) Specialized Secondary School Students Per 10000 Population (person)	中学生数(万人) Secondary School Students (10000 person)	小学生数(万人) Primary School Students (10000 person)	每百人图书馆藏书(册) Quantity of Books Collected Public Libraries Per Hundred Population (pieces)	每十万人体育场馆数(座) Quantity of Gymnasiums Per 100000 Population (unit)	每百万人影剧院数(座) Quantity of Theatres and Movie Houses Per Million Population (unit)
温州	Wenzhou	494.85	462.29	192.66	10.40	14.85	116.40	0.90	6.95
嘉兴	Jiaxing	446.18	429.42	174.73	5.84	6.05	139.69	0.85	9.69
湖州	Huzhou	216.26	294.43	110.92	6.28	7.30	73.72	1.11	2.76
绍兴	Shaoxing	774.39	444.41	253.17	4.10	5.31	121.73	2.00	7.70
金华	Jinhua	527.34	582.50	398.15	5.06	6.13	156.74	1.52	4.33
衢州	Quzhou	124.78	495.97	257.17	4.87	5.22	63.06	1.71	6.11
舟山	Zhoushan	326.17	312.93	122.98	3.09	3.65	55.91	1.29	5.75
台州	Taizhou	114.70	272.43	105.86	8.20	12.26	27.30	0.98	9.82
丽水	Lishui	933.68	369.09	232.58	2.31	2.90	54.87	2.35	5.23
合肥	Hefei	1598.97	909.43	845.76	12.63	14.66	164.54	1.72	3.44
芜湖	Wuhu	1127.11	226.30	207.80	6.02	5.11	37.70	0.95	0.95
蚌埠	Bengbu	472.49	534.16	346.19	5.10	5.59	12.21	0.65	7.57
淮南	Huainan	337.31	482.14	253.62	11.56	12.11	17.40	0.36	0.60
马鞍山	Maanshan	660.05	232.75	304.84	3.97	4.00	78.00	1.11	1.59
淮北	Huaibei	268.83	287.57	271.50	7.75	8.53	18.91	0.55	2.77
铜陵	Tongling	553.02	228.83	196.71	2.82	2.80	87.11	0.91	4.54
安庆	Anqing	370.37	782.43	456.42	5.90	5.08	28.41	0.13	4.04
黄山	Huangshan	311.66	498.71	291.95	2.73	2.29	37.27	0.46	4.60
滁州	Chuzhou	503.03	254.29	290.31	3.45	3.63	18.35	0.38	3.78
阜阳	Fuyang	106.33	198.69	208.41	16.20	19.70	5.22	0.05	1.99
宿州	Suzhou	137.78	381.12	178.39	11.73	12.48	1.72	0.39	2.21
巢湖	Chaohu		360.22	129.66	5.51	5.73		0.34	
六安	Liuan	147.08	401.12	112.47	13.50	13.68	2.82		1.09
亳州	Bozhou	46.36	231.51	79.39	10.13	15.33	7.72	0.13	0.64
池州	Chizhou	191.87	429.45	199.08	4.71	4.54	13.14		1.53
宣城	Xuancheng	41.11	224.96	189.84	5.08	5.37	8.81	0.35	1.17
福州	Fuzhou	1106.90	227.26	483.09	11.31	15.57	232.00	2.89	12.86
厦门	Xiamen	627.16	1038.45	256.39	12.07	17.62	169.52	6.91	7.49
莆田	Putian	65.44	395.39	155.86	13.91	14.88	4.93	1.47	0.95
三明	Sanming	437.67	285.98	594.71	1.99	2.20	133.19	1.41	7.05
泉州	Quanhzou	767.39	765.07	414.92	9.03	8.04	75.07	0.88	14.60
漳州	Zhangzhou	924.60	372.95	246.54	3.93	4.56	78.94	0.92	5.49
南平	Nanping	71.23	428.38	189.66	2.52	3.24	72.23	0.20	4.07
龙岩	Longyan	283.66	244.81	540.61	2.72	3.40	57.98	1.47	6.30
宁德	Ningde	110.89	191.35	259.49	3.06	2.29	22.84	0.23	4.57
南昌	Nanchang	2007.57	262.92	795.30	13.29	18.01	159.76	0.18	3.14
景德镇	Jingdezhen	564.27	300.35	141.56	3.03	4.03	125.08	1.97	8.78
萍乡	Pingxiang	109.03	473.08	351.92	4.66	5.63	58.40	0.24	4.73
九江	Jiujiang	1034.56	732.31	439.54	3.57	4.40	160.66	1.49	1.65
新余	Xinyu	228.41	204.87	543.05	4.20	6.64	50.47	3.07	1.10
鹰潭	Yingtan	212.45	835.14	538.51	1.29	1.68	84.43	0.49	14.64
赣州	Ganzhou	1147.21	176.25	857.78	2.63	4.53	45.33	0.78	1.57

3-3 续表 3 Continued 3

城市	City	每万人在校大学生数（人）University and College Students Per 10000 Population (person)	每万人在校高中生数（人）High School Students Per 10000 Population (person)	每万人在校中等职业学生数（人）Specialized Secondary School Students Per 10000 Population (person)	中学生数（万人）Secondary School Students (10000 person)	小学生数（万人）Primary School Students (10000 person)	每百人图书馆藏书（册）Quantity of Books Collected Public Libraries Per Hundred Population (pieces)	每十万人体育场馆数（座）Quantity of Gymnasiums Per 100000 Population (unit)	每百万人影剧院数（座）Quantity of Theatres and Movie Houses Per Million Population (unit)
吉安	Jian	360.21	331.45	127.19	3.23	4.00	51.94	0.38	5.63
宜春	Yichun	258.32	424.00	299.63	4.49	9.19	13.56	0.19	2.91
抚州	Fuzhou	322.01	98.36	82.98	4.50	11.90	13.19	0.65	4.68
上饶	Shangrao	496.31	1180.57	504.08	1.95	3.30	38.45	0.77	5.13
济南	Jinan	1717.31	594.79	422.29	16.33	21.94	228.76	2.40	3.14
青岛	Qingdao	974.89	614.98	472.35	11.93	16.81	109.36	1.19	7.24
淄博	Zibuo	374.13	399.44	197.15	18.83	16.00	62.37	1.29	1.08
枣庄	Zaozhuang	60.25	362.95	161.84	13.88	16.87	33.76	0.55	1.38
东营	Dongying	556.11	402.79	137.37	5.82	6.93	35.36	3.01	16.84
烟台	Yantai	563.67	566.95	537.40	10.78	8.01	174.19	1.28	2.79
潍坊	Weifang	502.53	164.35	252.17	8.14	11.61	34.63	0.99	5.23
济宁	Jining	259.04	380.03	380.56	6.54	7.18	84.74	0.73	11.83
泰安	Taian	568.54	526.01	168.72	8.04	9.89	411.66	0.25	4.37
威海	Weihai	726.01	548.92	371.43	4.23	3.90	46.92	2.03	1.56
日照	Rizhao	152.96	346.54	177.61	6.74	9.12	8.33	1.23	1.63
莱芜	Laiwu	76.26	272.93	82.09	7.73	7.77	12.31	0.56	7.94
临沂	Linyi	238.26	437.00	259.14	11.57	16.26	204.54	0.40	1.52
德州	Dezhou	518.00	316.10	775.21	3.85	4.94	12.78	0.17	3.36
聊城	Liaocheng	363.28	704.79	296.97	6.32	8.12	383.05	0.48	7.66
滨州	Binzhou	727.26	481.41	260.47	3.18	4.43	70.77	1.27	4.75
菏泽	Heze	178.78	505.69	395.60	9.44	12.64	111.76	0.34	16.33
郑州	Zhengzhou	1700.34	1283.56	1009.38	19.30	25.55	147.90	0.72	3.97
开封	Kaifeng	823.58	828.36	608.88	5.02	6.18	63.56	1.18	3.54
洛阳	Luoyang	485.01	1106.19	852.06	10.83	12.43	41.93	0.63	10.74
平顶山	Pingdingshan	523.15	644.57	445.10	5.37	7.68	31.58	0.30	1.99
安阳	Anyang	339.57	496.09	309.63	6.21	9.87	49.84	0.47	5.62
鹤壁	Hebi	148.47	683.40	437.20	4.17	5.87	54.19	0.18	1.79
新乡	Xinxiang	980.61	720.55	502.52	5.71	8.09	66.94	0.30	3.97
焦作	Jiaozuo	659.80	679.65	485.21	4.97	6.69	37.89	0.12	4.83
濮阳	Puyang	164.15	813.63	314.63	8.77	7.07	57.01	0.30	3.03
许昌	Xuchang	688.53	1154.55	808.72	3.08	3.04	48.27	0.98	2.45
漯河	Luohe	164.23	531.41	306.78	8.79	11.44	19.45	0.15	0.73
三门峡	Sanmenxi	391.51	1079.03	823.32	1.88	2.83	102.79	0.34	3.45
南阳	Nanyang	287.49	620.10	421.92	10.24	16.02	40.94	0.27	1.10
商丘	Shangqiu	339.73	459.07	199.62	13.89	20.52	17.62	0.12	1.17
信阳	Xinyang	302.14	448.66	213.68	8.38	10.78	12.96	0.07	0.70
周口	Zhoukou	489.57	977.14	713.96	4.71	6.54	11.95		1.93
驻马店	Zhumadian	248.68	1176.38	845.03	5.90	7.39	17.63		3.12
武汉	Wuhan	1374.76	605.53	478.37	27.12	28.38	151.38	1.64	10.73
黄石	Huangshi	431.49	849.00	510.32	5.23	4.27	129.61	1.73	6.28
十堰	Shiyan	399.52	443.20	680.00	4.89	4.57	191.94	0.57	3.82

3-3 续表 4 Continued 4

城市	City	每万人在校大学生数(人) University and College Students Per 10000 Population (person)	每万人在校高中生数(人) High School Students Per 10000 Population (person)	每万人在校中等职业学生数(人) Specialized Secondary School Students Per 10000 Population (person)	中学生数(万人) Secondary School Students (10000 person)	小学生数(万人) Primary School Students (10000 person)	每百人图书馆藏书(册) Quantity of Books Collected Public Libraries Per Hundred Population (pieces)	每十万人体育场馆数(座) Quantity of Gymnasiums Per 100000 Population (unit)	每百万人影剧院数(座) Quantity of Theatres and Movie Houses Per Million Population (unit)
宜昌	Yichang	370.80	545.02	315.56	6.92	6.47	49.03	1.29	3.21
襄樊	Xiangfan	113.69	487.40	231.70	14.84	13.81	33.12	0.55	1.37
鄂州	Ezhou	111.40	236.58	92.69	7.61	7.26	32.58	0.09	23.40
荆门	Jingmen	291.60	541.09	221.10	4.60	3.70	43.80	1.19	4.47
孝感	Xiaogan	315.64	788.41	511.40	7.10	4.40	36.97	0.21	1.07
荆州	Jingzhou	1046.57	850.44	563.31	10.76	5.48	54.21	0.26	1.72
黄冈	Huanggang	932.39	343.51	324.43	3.70	4.14	122.68	0.55	5.45
咸宁	Xianning	515.79	707.66	412.65	5.08	3.72	32.59	0.84	
随州	Suizhou	41.21	475.06	236.49	10.47	7.74	73.19	0.06	1.85
长沙	Changsha	1480.72	560.82	314.65	12.81	14.90	208.59	6.63	2.52
株洲	Zhuzhou	767.85	998.37	326.94	4.12	5.08	56.74	218.05	
湘潭	Xiangtan	1510.28	499.75	311.23	2.87	3.95	62.07	1.94	3.42
衡阳	Hengyang	380.57	741.78	526.93	5.63	7.81	60.76	0.97	1.94
邵阳	Shaoyang	329.64	259.94	347.39	4.15	5.62	68.69	0.60	3.01
岳阳	Yueyang	599.40	784.15	406.72	6.94	7.83	144.53	3.94	4.92
常德	Changde	208.45	507.32	282.04	8.03	6.83	35.37	25.60	2.14
张家界	Zhangjiajie	294.45	257.44	101.15	2.44	3.82	7.34		5.95
益阳	Yiyang	179.88	489.91	235.69	7.15	7.30	28.10	1.60	2.28
郴州	Chenzhou	388.99	700.68	331.24	4.65	6.00	23.22	2.26	1.51
永州	Yongzhou	213.24	211.90	157.18	5.79	7.40	15.97	0.37	0.92
怀化	Huaihua	812.88	329.85	814.53	2.80	4.05	40.01	1.99	8.51
娄底	Loudi	587.32	1032.14	665.61	3.80	4.21	44.44	2.24	2.24
广州	Guangzhou		226.44	371.66	46.46	71.32	203.86		2.79
韶关	Shaoguan	283.19		406.06	6.30	6.86	37.71	0.33	3.28
深圳	Shenzhen	283.58	550.42	121.48	29.89	58.59	611.83	4.34	19.73
珠海	Zhuhai	903.67	290.77	167.40	9.09	13.15	55.29	0.70	11.06
汕头	Shantou	17.25	296.13	77.28	43.56	66.53	56.66	0.22	3.61
佛山	Foshan	101.46	308.10	229.62	32.34	44.68	59.23	1.37	14.00
江门	Jiangmen	140.38	242.72	328.34	10.08	13.30	71.75	0.44	3.66
湛江	Zhanjiang	481.96	380.26	750.22	14.34	17.34	54.97	0.24	2.44
茂名	Maoming	153.46	529.52	319.93	10.39	13.63	12.80	0.78	2.33
肇庆	Zhaoqing	792.00	1496.80	937.10	4.23	5.23	60.26	0.57	13.27
惠州	Huizhou	73.73	296.20		14.22	19.71	40.17	0.24	1.59
梅州	Meizhou	491.02	1051.90	771.78	3.73	3.02	10.23	75.74	6.39
汕尾	Shanwei	74.94	293.19	90.12	3.77	4.82	11.60	0.77	
河源	Heyuan	278.75	279.59	592.94	3.09	3.85	35.64	0.34	10.09
阳江	Yangjiang	102.55	326.22	79.57	5.15	4.90	62.68	0.15	1.51
清远	Qingyuan	151.87	293.94	205.07	4.77	5.52	52.30	0.54	5.39
东莞	Dongguan	163.87	625.50	259.73	24.84	52.86	294.62	3.60	35.45
中山	Zhongshan	220.53	290.25	231.28	14.42	24.39	60.78	1.43	10.24
潮州	Chaozhou	377.74	376.25	258.35	3.80	3.90	90.36	0.57	5.74

城市	City	每万人在校大学生数（人） University and College Students Per 10000 Population (person)	每万人在校高中生数（人） High School Students Per 10000 Population (person)	每万人在校中等职业学生数（人） Specialized Secondary School Students Per 10000 Population (person)	中学生数（万人） Secondary School Students (10000 person)	小学生数（万人） Primary School Students (10000 person)	每百人图书馆藏书（册） Quantity of Books Collected Public Libraries Per Hundred Population (pieces)	每十万人体育场馆数（座） Quantity of Gymnasiums Per 100000 Population (unit)	每百万人影剧院数（座） Quantity of Theatres and Movie Houses Per Million Population (unit)
揭阳	Jieyang	78.03	340.53	91.83	7.76	8.48	40.20	0.73	
云浮	Yunfu	1676.90	210.37	370.47	2.44	2.64	35.93	0.34	6.84
南宁	Nanning	1104.56	203.08	550.86	16.00	23.71	137.60	0.53	3.03
柳州	Liuzhou	527.18	1111.39	803.74	7.54	8.75	72.55	1.36	3.89
桂林	Guilin	1127.36	222.42	532.71	4.22	5.24	313.49	1.05	13.17
梧州	Wuzhou	200.82	176.17	498.39	1.98	3.79	100.56	0.40	4.02
北海	Beihai	221.62	252.62	292.73	3.06	5.42	78.74	1.18	6.74
防城港	Fangchenggang		161.63	48.27	2.80	4.76	28.38	0.39	1.97
钦州	Qinzhou		2.98	2.28	1.55	5.07	2.62		
贵港	Guigang		222.65	81.87	12.90	18.45	7.65	0.05	0.54
玉林	Yulin	123.69	754.52	541.37	6.59	8.66	47.35	1.04	12.52
百色	Baise		476.17		0.52	2.53		1.17	
贺州	Hezhou	75.01	76.44	73.64	5.90	10.32	9.23	0.28	7.54
河池	Hechi	148.64	274.89	26.12	2.14	2.07	33.65	0.31	9.18
来宾	Laibin	55.79	401.38	142.66	7.63	8.69	13.21	0.29	
崇左	Chongzuo	130.33			1.10	2.06	34.28	1.43	2.86
海口	Haikou	590.25	305.24	373.55	12.00	18.20	27.28	0.19	4.49
三亚	Sanya	396.83	192.62	105.77	4.41	7.19	31.15		3.66
重庆	Chongqing	315.73	382.69	223.50	85.92	91.41	52.34	1.26	3.13
成都	Chengdu	1016.49	431.06	254.63	30.00	37.43	176.65	34.93	1.96
自贡	Zigong	223.64	108.52	159.50	6.24	7.94	13.96	0.20	1.34
攀枝花	Panzhihua	268.58	389.33	178.44	4.26	5.83	52.91	0.58	2.89
泸州	Luzhou	235.31	173.67	160.08	7.71	9.78	28.07	0.14	1.38
德阳	Deyang	421.72	207.43	371.82	3.91	3.94	30.45	0.30	1.52
绵阳	Mianyang	685.25	351.20	486.28	9.95	7.67	36.45	1.41	2.49
广元	Guangyuan	38.09	203.92	517.07	6.31	6.68	29.27	0.22	6.48
遂宁	Suining	63.45	618.22	248.82	9.24	9.94	16.44	0.13	1.34
内江	Neijiang	137.85	284.90	191.89	7.19	9.01	16.07	0.28	2.83
乐山	Leshan	103.42	456.31	279.82	6.25	5.90	16.74	0.61	0.87
南充	Nanchong	336.58	507.86	280.82	13.27	15.51	23.12	1.14	4.16
眉山	Meishan	57.53	189.57	250.06	4.97	4.44	2.94	0.12	2.35
宜宾	Yibin	331.21	255.98	295.73	5.61	6.11	59.03	1.00	2.51
广安	Guangan	30.44	236.54	23.37	8.50	10.25	7.09	17.99	0.80
达州	Dazhou	580.59	494.98	471.79	3.84	4.11	53.58	0.48	7.21
雅安	Yaan	1180.37	120.54	184.77	1.76	2.23	88.92	0.28	2.84
巴中	Bazhong		201.42	168.42	10.01	11.16	6.04	0.07	1.41
资阳	Ziyang		231.82	118.71	4.76	5.81	15.50	0.19	1.86
贵阳	Guiyang	1005.84	869.36	610.69	15.79	23.66	91.25	0.92	0.92
六盘水	Liupanshui	169.90	511.26	139.65	4.71	7.57	26.32	0.40	1.99
遵义	Zunyi	442.76	120.91	171.79	7.21	9.89	53.44	0.24	4.75
安顺	Anshun	101.24	126.10	44.59	5.94	8.95	16.60	10.32	1.19

3-3 续表 6 Continued 6

城市	City	每万人在校大学生数（人） University and College Students Per 10000 Population (person)	每万人在校高中生数（人） High School Students Per 10000 Population (person)	每万人在校中等职业学生数（人） Specialized Secondary School Students Per 10000 Population (person)	中学生数（万人） Secondary School Students (10000 person)	小学生数（万人） Primary School Students (10000 person)	每百人图书馆藏书（册） Quantity of Books Collected Public Libraries Per Hundred Population (pieces)	每十万人体育场馆数（座） Quantity of Gymnasiums Per 100000 Population (unit)	每百万人影剧院数（座） Quantity of Theatres and Movie Houses Per Million Population (unit)
昆明	Kunming	42.58	428.98	246.79	4.40	26.54	51.53	1.08	13.67
曲靖	Qujing	229.42	295.07	566.55	5.67	7.72	7.69	0.29	1.45
玉溪	Yuxi	334.61	338.95	348.12	2.72	3.72	213.82	0.72	19.20
保山	Baoshan	68.49	138.48	27.33	4.31	8.72	31.54	0.34	1.13
昭通	Shaotong	61.46	243.20	117.88	5.12	10.15	23.09	0.50	
丽江	Lijiang	939.33	319.11	208.22	1.25	1.39	69.80	3.91	26.09
思茅	Simao	314.35	343.99	302.32	1.85	2.43	76.17	0.93	9.29
临沧	Lincang	350.48	398.01	191.83	1.64	2.52	28.50		3.43
拉萨	Lhasa								
西安	Xian	1029.24	680.35	442.09	36.36	40.40	57.74	33.67	5.77
铜川	Tongchuan	29.83	275.91	111.91	3.92	4.91	48.51	0.39	6.57
宝鸡	Baoji	197.87	287.42	162.56	10.05	9.59	54.11	0.14	17.97
咸阳	Xanyang	936.17	561.41	190.34	7.23	6.23	42.67	0.90	4.49
渭南	Weinan		310.75	311.63	7.28	6.23	8.35	0.10	3.13
延安	Yanan	395.95	606.45	114.37	5.03	44.64	59.95	0.23	4.52
汉中	Hanzhong	380.85	204.43	112.13	3.10	3.60	36.39	0.18	11.03
榆林	Yulin	425.85	463.23	182.12	6.61	5.42	26.09	1.40	6.02
安康	Ankang	72.50	190.20	115.11	6.78	8.66	8.80	0.10	1.01
商洛	Shangluo	111.37	178.41	77.23	3.78	4.67	44.51	0.18	3.66
兰州	Lanzhou	955.71	221.82	248.23	12.15	14.79	214.30	0.33	3.33
嘉峪关	Jiayuguan	117.16	371.87	144.27	0.88	1.67	55.94	19.90	59.17
金昌	Jinchang		356.05	23.35	1.82	1.86	35.03	0.93	14.01
白银	Baiyin		343.09	204.09	4.87	4.44	75.52	0.61	4.05
天水	Tianshui	234.19	274.94	173.97	8.20	12.90	33.62	0.16	2.40
武威	Wuwei	27.32	253.76	25.39	8.34	8.79	19.44	0.29	
张掖	Zhangye	312.88	254.79	74.82	3.85	4.14	31.96	3.10	3.87
平凉	Pingliang	117.31	163.25	296.11	2.92	4.88	26.19	0.20	4.03
酒泉	Jiuquan	145.96	319.63	92.50	2.87	3.38	32.95	0.27	5.49
庆阳	Qingyang	307.45	683.48	330.95	3.26	3.49	39.12	0.87	2.90
定西	Dingxi	79.45	656.65	148.42	3.90	3.51	35.65	0.21	2.15
陇南	Longnan		172.83	79.79	3.91	6.21	2.56	0.37	1.83
西宁	Xining	375.88	196.29	157.65	5.55	6.77	25.84	0.18	3.56
银川	Yinchuan	641.65	1025.91	627.51	7.70	8.86	217.02	1.35	4.50
石嘴山	Shizuishan	120.55	450.08	168.88	3.26	3.79	68.66	1.33	2.21
吴忠	Wuzhong	43.44	222.81		2.60	3.63	80.30	0.27	2.68
固原	Guyuan	132.93	237.37	93.88	3.32	5.54	294.39	0.23	4.60
中卫	Zhongwei		180.40	62.16	2.79	3.54	56.37	0.51	2.56
乌鲁木齐	Urumqi	550.58	276.83	141.77	16.15	19.15	80.90	0.18	0.88
克拉玛依	Kelamayi	121.00	261.26	31.54	2.47	2.66	174.00	5.96	2.59

3-4 城市卫生(2008年)

Urban Health(2008)

城市 City	医院、卫生院数(个) Quantity of Hospital and Public Health Centres (unit)		医院、卫生院床位数(张) Quantity of Beds at Hospitals and Public Health Centres (unit)		医生数(执业医师+执业助理医师)(人) Quantity of Doctors (person)		每万人拥有医生(人) Number of Doctors per 10000 population (person)	
	全市 Total Area of City	市辖区 Districts under City	全市 Total Area of City	市辖区 Districts under City	全市 Total Area of City	市辖区 Districts under City	全市 Total Area of City	市辖区 Districts under City
城市合计 Total	**57706**	**19809**	**3567837**	**1987422**	**2062735**	**1089661**	**16.85**	**28.97**
北京 Beijing	660	439	81937	80361	58773	56882	45.22	49.09
天津 Tianjin	428	351	41212	38102	25865	22897	26.70	28.84
石家庄 Shijiazhuang	383	194	30456	21411	19222	14096	19.89	58.56
唐山 Tangshan	295	182	26913	19835	13436	7770	18.42	25.43
秦皇岛 Qinhuangdao	166	62	9503	4797	5303	3696	18.55	45.18
邯郸 Handan	354	131	24229	12820	11142	6097	12.01	41.57
邢台 Xingtai	301	58	18256	6042	9140	3008	12.94	51.45
保定 Baoding	432	38	28727	8506	14370	4152	12.59	39.34
张家口 Zhanjiakou	278	45	12837	4939	6296	2669	13.70	29.96
承德 Chengde	248	31	11111	4066	6949	2219	18.81	42.38
沧州 Cangzhou	254	121	17654	10898	10050	6451	14.15	123.91
廊坊 Langfang	167	70	10872	3648	6742	1907	16.51	23.82
衡水 Hengshui	191	77	10730	5171	6257	3269	14.47	106.27
太原 Taiyuan	268	204	24405	21676	14499	13295	40.25	47.26
大同 Datong	267	122	12191	8839	7411	5386	23.75	35.12
阳泉 Yangquan	81	51	6082	4678	3423	2355	26.47	34.62
长治 Changzhi	257	55	8447	5663	6100	2576	18.63	37.06
晋城 Jincheng	182	38	7870	2320	6242	2413	28.17	65.68
朔州 Shuozhou	118	57	4531	2583	5374	2503	34.63	39.60
晋中 Jinzhong	233	35	10361	2740	6671	1152	20.98	19.76
运城 Yuncheng	396	69	16305	2563	16169	2532	32.38	38.51
忻州 Xinzhou	668	113	9400	3810	6255	2191	20.63	41.86
临汾 Linfen	378	77	14540	4493	8351	2216	19.33	26.95
吕梁 Luliang	304	15	8960	375	11585	440	30.76	16.30
呼和浩特 Huhehaote	144	65	10128	8772	6211	5019	27.69	43.01
包头 Baotou	119	52	10227	9056	6727	6449	30.89	45.91
乌海 Wuhai	352	352	2347	2347	1385	1385	28.69	28.69
赤峰 Chifeng	852	371	13350	5094	7670	3450	16.80	28.68
通辽 Tongliao	231	41	6548	3230	7008	3670	22.11	44.60
鄂尔多斯 Erdos	130	18	9260	3232	4635	1544	30.96	62.18
呼伦贝尔 Hulunbeier	239	17	9725	1948	6930	1205	25.43	45.30
巴彦淖尔 Bayanzhuoer	130	39	5240	2703	4083	1694	22.07	30.37
乌兰察布 Wulanchabu	212	10	4325	1811	7740	1652	26.96	54.74
沈阳 Shenyang	305	211	33890	30086	19643	16869	27.53	33.14
大连 Dalian	228	126	28052	20266	14821	11147	25.41	37.37
鞍山 Anshan	147	55	14973	9450	6753	4339	19.22	29.45
抚顺 Fushun	145	85	9308	7614	4074	3585	18.25	25.68
本溪 Benxi	89	55	8845	7012	3699	2918	23.76	30.48
丹东 Dandong	115	37	10341	5207	4471	2147	18.42	27.93
锦州 Jinzhou	114	23	10503	7058	5224	2906	16.84	31.29
营口 Yingkou	118	57	8425	5064	4776	3047	20.43	34.50

城市	City	医院、卫生院数(个) Quantity of Hospital and Public Health Centres (unit)		医院、卫生院床位数(张) Quantity of Beds at Hospitals and Public Health Centres (unit)		医生数(执业医师+执业助理医师)(人) Quantity of Doctors (person)		每万人拥有医生(人) Number of Doctors per 10000 population (person)	
		全市 Total Area of City	市辖区 Districts under City	全市 Total Area of City	市辖区 Districts under City	全市 Total Area of City	市辖区 Districts under City	全市 Total Area of City	市辖区 Districts under City
阜新	Fuxin	110	38	6905	4567	3564	2584	18.52	33.17
辽阳	Liaoyang	117	90	8960	6864	3629	3124	19.79	43.02
盘锦	Panjin	67	30	5685	3410	2512	1716	19.44	28.55
铁岭	Tieling	119	17	7305	1901	5255	1620	17.18	36.32
朝阳	Chaoyang	183	21	9156	2286	3851	1136	11.30	19.20
葫芦岛	Huludao	160	56	8118	3385	4537	1942	16.18	19.75
长春	Changchun	313	175	28853	22089	16167	11562	21.48	35.01
吉林	Jinlin	246	120	17035	10438	10598	6277	24.18	33.94
四平	Siping	142	34	9573	4672	6368	1942	18.86	31.89
辽源	Liaoyuan	189	125	4583	2832	2407	1330	19.52	27.87
通化	Tonghua	128	23	8382	3144	3600	1118	15.81	24.70
白山	Baishan	101	37	6479	3245	3978	2146	30.68	36.18
松原	Songyuan	117	9	5192	1859	4008	1272	14.06	23.45
白城	Baicheng	124	34	5799	2379	4248	1451	20.94	28.53
哈尔滨	Harbin	461	284	37200	34160	18200	13468	18.39	28.35
齐齐哈尔	Qiqihaer	229	81	14517	8241	7203	3136	12.65	22.01
鸡西	Jixi	117	61	6301	3609	2565	2269	13.44	25.65
鹤岗	Hegang	69	36	5757	4117	2825	1724	25.82	25.37
双鸭山	Shuangyashan	100	35	7623	2579	4763	1267	31.66	25.29
大庆	Daqing	137	73	10012	7810	6456	4953	23.29	37.88
伊春	Yichun	48	27	4744	3584	2111	1660	16.54	20.47
佳木斯	Jiamusi	218	75	8734	4962	4442	2091	17.65	25.38
七台河	Qitaihe	40	24	2912	2310	1252	1027	13.88	19.21
牡丹江	Mudanjiang	116	37	9937	6041	5495	2805	20.36	35.33
黑河	Heihe	128	16	5810	819	5599	367	32.20	19.13
绥化	Suihua	213	29	9640	791	7815	683	13.54	7.61
上海	Shanghai	567	524	95921	92443	41485	40331	29.82	30.51
南京	Nanjing	209	170	24089	22019	16060	15126	25.72	27.95
无锡	Wuxi	153	65	20497	12702	11317	7126	24.38	30.01
徐州	Xuzhou	251	84	23248	12985	11557	5392	12.21	29.24
常州	Changzhou	98	49	13942	10616	7091	5461	19.77	24.18
苏州	Suzhou	233	69	32554	13230	16070	6871	25.52	28.84
南通	Nantong	331	31	23584	6994	12516	3666	16.39	41.89
连云港	Lianyungang	164	46	10453	4634	5465	2433	11.19	30.08
淮安	Huaian	184	91	11394	7644	5805	3612	10.81	13.00
盐城	Yancheng	257	57	16649	4998	9008	2751	11.10	17.00
扬州	Yangzhou	195	50	13318	5724	7355	3108	16.00	25.52
镇江	Zhenjiang	99	43	8199	4701	5044	2710	18.77	26.36
泰州	Taizhou	173	26	12746	3018	7829	1813	15.63	22.48
宿迁	Suqian	194	61	10578	3821	4776	1682	8.93	10.65
杭州	Hangzhou	310	160	33072	27603	21223	16747	31.32	39.47
宁波	Ningbuo	234	88	20731	12048	15127	8334	26.63	37.86

3-4 续表 2 Continued 2

城 市	City	医院、卫生院数(个) Quantity of Hospital and Public Health Centres (unit)		医院、卫生院床位数(张) Quantity of Beds at Hospitals and Public Health Centres (unit)		医生数(执业医师+执业助理医师)(人) Quantity of Doctors (person)		每万人拥有医生(人) Number of Doctors per 10000 population (person)	
		全市 Total Area of City	市辖区 Districts under City	全市 Total Area of City	市辖区 Districts under City	全市 Total Area of City	市辖区 Districts under City	全市 Total Area of City	市辖区 Districts under City
温 州	Wenzhou	430	83	19304	10311	15597	5719	20.20	39.76
嘉 兴	Jiaxing	135	33	12146	4587	6957	2407	20.58	29.16
湖 州	Huzhou	128	40	8800	4502	5204	2518	20.13	23.20
绍 兴	Shaoxing	252	17	13952	3462	8901	1919	20.37	29.57
金 华	Jinhua	252	62	13077	3997	9779	2771	21.19	30.00
衢 州	Quzhou	169	54	6640	3205	5807	2428	23.34	29.67
舟 山	Zhoushan	76	49	3663	2867	2296	1779	23.73	25.57
台 州	Taizhou	240	65	14465	4735	10968	3602	19.11	23.58
丽 水	Lishui	288	27	6210	2325	3619	1182	14.17	30.89
合 肥	Hefei	226	104	21958	15485	9649	7479	19.82	36.76
芜 湖	Wuhu	133	66	8491	6156	4341	3139	18.81	29.73
蚌 埠	Bengbu	135	57	10071	5847	4489	2693	12.53	29.11
淮 南	Huainan	106	80	8568	7439	3970	3376	16.48	20.25
马鞍山	Maanshan	52	25	3499	2600	2969	1953	23.18	30.96
淮 北	Huaibei	100	72	8290	6111	4042	2808	18.73	25.91
铜 陵	Tongling	38	22	3088	2641	1729	1392	23.40	31.58
安 庆	Anqing	288	32	12789	3581	8808	2589	14.35	34.86
黄 山	Huangshan	138	44	4565	2232	2391	1150	16.12	26.46
滁 州	Chuzhou	267	27	9763	2993	4516	1269	10.09	24.01
阜 阳	Fuyang	224	58	11926	4681	6307	2359	6.38	11.73
宿 州	Suzhou	127	37	8003	2791	4784	1967	7.64	10.89
巢 湖	Chaohu	184	54	9329	2583	4805	1481	10.52	16.87
六 安	Liuan	196	46	10547	3897	5967	2175	8.50	11.81
亳 州	Bozhou	121	27	7435	2307	2865	723	4.87	4.65
池 州	Chizhou	101	33	3638	1699	2088	883	13.14	13.50
宣 城	Xuancheng	131	31	7192	2106	3482	921	12.58	10.82
福 州	Fuzhou	207	57	20335	13304	12619	8528	19.84	45.68
厦 门	Xiamen	51	51	8945	8945	6864	6864	39.52	39.52
莆 田	Putian	72	56	4760	3305	3433	2509	10.84	11.90
三 明	Sanming	157	14	8207	1719	4123	864	15.26	30.44
泉 州	Quanhzou	233	53	16959	6117	7553	3044	11.14	29.64
漳 州	Zhangzhou	183	20	8930	2595	4253	1160	9.08	21.25
南 平	Nanping	157	29	8016	2024	3892	929	12.63	18.90
龙 岩	Longyan	160	30	9421	3591	4076	1611	13.99	33.84
宁 德	Ningde	133	20	6914	1755	3814	730	11.38	16.67
南 昌	Nanchang	173	70	15262	11447	6820	5115	13.79	22.93
景德镇	Jingdezhen	70	17	4034	2343	2269	1480	14.34	32.48
萍 乡	Pingxiang	75	34	5703	4058	2534	1716	13.64	20.29
九 江	Jiujiang	266	30	9822	3094	6260	1215	12.92	20.10
新 余	Xinyu	71	55	3585	2894	1614	1293	13.10	14.19
鹰 潭	Yingtan	61	16	2525	1095	1697	739	14.62	36.07
赣 州	Ganzhou	481	34	15977	3885	7693	1867	8.65	29.28

3-4 续表 3 Continued 3

城市	City	医院、卫生院数(个) Quantity of Hospital and Public Health Centres (unit)		医院、卫生院床位数(张) Quantity of Beds at Hospitals and Public Health Centres (unit)		医生数(执业医师+执业助理医师)(人) Quantity of Doctors (person)		每万人拥有医生(人) Number of Doctors per 10000 population (person)	
		全市 Total Area of City	市辖区 Districts under City	全市 Total Area of City	市辖区 Districts under City	全市 Total Area of City	市辖区 Districts under City	全市 Total Area of City	市辖区 Districts under City
吉安	Jian	266	23	9734	2089	5352	867	11.03	16.26
宜春	Yichun	220	42	13087	3252	6577	1259	12.09	12.20
抚州	Fuzhou	459	78	6469	2226	3684	1325	9.50	12.40
上饶	Shangrao	286	30	12624	3544	7300	3766	10.19	96.54
济南	Jinan	286	197	27555	22840	15535	12389	25.72	35.37
青岛	Qingdao	249	104	29874	16108	16260	9579	21.35	34.68
淄博	Zibuo	197	146	16946	13442	10286	8142	24.45	29.27
枣庄	Zaozhuang	120	80	10640	7358	6576	4208	17.16	19.36
东营	Dongying	109	64	9458	5771	4871	3117	26.48	37.49
烟台	Yantai	298	92	23993	9347	12900	5323	19.79	29.67
潍坊	Weifang	244	60	26623	7279	16624	4013	19.27	23.32
济宁	Jining	271	51	24745	7431	11813	3390	14.36	30.86
泰安	Taian	158	45	15470	5901	6868	2310	12.38	14.43
威海	Weihai	90	19	15041	3561	7405	1800	29.36	28.15
日照	Rizhao	76	32	6639	3465	3726	2080	13.09	16.99
莱芜	Laiwu	42	42	4474	4474	2727	2727	21.65	21.65
临沂	Linyi	276	70	29804	10665	8756	3197	8.46	16.17
德州	Dezhou	154	15	13873	2659	6124	1172	10.85	19.71
聊城	Liaocheng	193	43	14405	5776	6418	1903	10.97	18.22
滨州	Binzhou	106	18	9390	3241	4288	1279	11.41	20.25
菏泽	Heze	281	63	19459	4473	10105	1907	10.98	12.97
郑州	Zhengzhou	271	127	36445	26222	16389	11440	22.77	41.34
开封	Kaifeng	156	60	13169	5763	5080	3253	9.80	38.36
洛阳	Luoyang	252	80	21091	11346	8883	5269	12.94	33.27
平顶山	Pingdingshan	172	47	15736	6810	4779	2106	9.12	20.91
安阳	Anyang	159	47	14683	5634	5368	2378	9.46	22.28
鹤壁	Hebi	52	28	4883	2718	4218	2731	26.74	49.00
新乡	Xinxiang	271	72	17186	6618	7064	2557	11.98	25.40
焦作	Jiaozuo	154	56	11594	5399	4504	1085	12.47	13.09
濮阳	Puyang	127	38	8909	3952	4345	2397	10.97	36.35
许昌	Xuchang	169	39	10903	3270	5279	1472	11.02	36.07
漯河	Luohe	71	49	6310	4393	2883	1768	10.57	12.88
三门峡	Sanmenxi	122	18	7591	2309	3449	956	15.15	32.98
南阳	Nanyang	307	105	19621	8167	10233	3625	8.92	19.89
商丘	Shangqiu	228	41	16326	4376	17434	4370	19.35	25.67
信阳	Xinyang	264	70	11447	3658	6169	1839	7.30	12.81
周口	Zhoukou	262	29	17629	2825	9636	1657	8.11	31.94
驻马店	Zhumadian	231	24	15572	3627	7246	1396	8.38	21.78
武汉	Wuhan	232	163	38620	33940	22728	17588	27.28	34.32
黄石	Huangshi	77	30	8004	4901	5084	2630	19.76	41.27
十堰	Shiyan	150	35	11061	4732	6104	3634	17.39	69.40

城市	City	医院、卫生院数(个) Quantity of Hospital and Public Health Centres (unit)		医院、卫生院床位数(张) Quantity of Beds at Hospitals and Public Health Centres (unit)		医生数(执业医师+执业助理医师)(人) Quantity of Doctors (person)		每万人拥有医生(人) Number of Doctors per 10000 population (person)	
		全市 Total Area of City	市辖区 Districts under City	全市 Total Area of City	市辖区 Districts under City	全市 Total Area of City	市辖区 Districts under City	全市 Total Area of City	市辖区 Districts under City
宜昌	Yichang	153	50	12436	5661	7539	3726	18.81	29.95
襄樊	Xiangfan	190	73	14627	7697	9523	4502	16.30	20.51
鄂州	Ezhou	43	43	3113	3113	2340	2340	21.91	21.91
荆门	Jingmen	100	28	7436	3304	4367	1299	14.55	19.35
孝感	Xiaogan	150	25	7920	2232	5486	1537	10.45	16.38
荆州	Jingzhou	163	39	13425	6132	6057	2563	9.20	21.98
黄冈	Huanggang	205	19	11995	2690	9037	1127	12.29	30.73
咸宁	Xianning	85	17	4500	1560	3569	998	12.38	16.77
随州	Suizhou	62	45	4586	3243	3236	2218	12.64	13.64
长沙	Changsha	252	116	31563	22046	15831	11192	24.54	46.96
株洲	Zhuzhou	181	86	12873	8578	7122	3807	18.59	47.79
湘潭	Xiangtan	109	54	8611	5145	8992	3078	30.59	35.06
衡阳	Hengyang	324	296	17303	11940	10622	5910	14.53	57.36
邵阳	Shaoyang	284	35	15377	3539	12295	2151	16.30	32.33
岳阳	Yueyang	287	79	11860	8480	6790	3906	12.31	48.04
常德	Changde	276	70	13348	4570	9928	3191	16.17	22.76
张家界	Zhangjiajie	123	42	5497	1860	2446	1146	14.86	22.73
益阳	Yiyang	143	36	7970	2896	4785	1418	10.23	10.77
郴州	Chenzhou	324	29	13452	4482	7204	1526	15.30	23.01
永州	Yongzhou	256	56	12211	4399	6137	2120	10.58	19.46
怀化	Huaihua	401	35	12547	2752	8406	2328	16.52	66.06
娄底	Loudi	138	28	8660	2780	5603	1240	13.22	27.83
广州	Guangzhou	251	217	48531	45446	29953	27722	38.20	42.92
韶关	Shaoguan	176	53	9900	5139	4614	2173	14.28	23.75
深圳	Shenzhen	100	100	18435	18435	20173	20173	88.45	88.45
珠海	Zhuhai	46	46	5381	5381	3907	3907	39.27	39.27
汕头	Shantou	77	73	8601	8480	4355	4291	8.60	8.59
佛山	Foshan	97	97	19239	19239	10666	10666	29.27	29.27
江门	Jiangmen	125	45	10655	5717	6245	3155	16.02	23.10
湛江	Zhanjiang	171	56	14532	6977	6955	2946	9.23	23.92
茂名	Maoming	145	22	11662	3547	5021	1301	6.92	10.09
肇庆	Zhaoqing	150	25	8705	3850	4397	1541	10.72	29.20
惠州	Huizhou	285	183	9477	5671	5431	3172	17.03	25.18
梅州	Meizhou	178	17	8234	2247	5978	1122	11.83	35.86
汕尾	Shanwei	80	16	4694	1188	2653	657	7.90	12.70
河源	Heyuan	123	11	5282	1154	3296	828	9.51	27.84
阳江	Yangjiang	79	26	4998	2224	7020	1191	25.69	17.99
清远	Qingyuan	159	21	7512	1896	3735	1278	9.20	22.97
东莞	Dongguan	62	62	16383	16383	11869	11869	67.87	67.87
中山	Zhongshan	42	42	8142	8142	4558	4558	31.13	31.13
潮州	Chaozhou	67	6	2889	1194	3164	2355	12.35	67.56

3-4 续表 5 Continued 5

城 市	City	医院、卫生院数(个) Quantity of Hospital and Public Health Centres (unit)		医院、卫生院床位数(张) Quantity of Beds at Hospitals and Public Health Centres (unit)		医生数(执业医师+执业助理医师)(人) Quantity of Doctors (person)		每万人拥有医生(人) Number of Doctors per 10000 population (person)	
		全市 Total Area of City	市辖区 Districts under City	全市 Total Area of City	市辖区 Districts under City	全市 Total Area of City	市辖区 Districts under City	全市 Total Area of City	市辖区 Districts under City
揭 阳	Jieyang	134	23	6517	1489	3712	1001	5.79	14.53
云 浮	Yunfu	77	12	4586	910	2134	512	7.83	17.52
南 宁	Nanning	201	100	21101	14818	12413	8869	17.95	33.61
柳 州	Liuzhou	174	65	13504	8533	6565	4375	17.99	42.55
桂 林	Guilin	192	31	12388	6349	7776	3122	15.30	41.12
梧 州	Wuzhou	90	19	6725	3330	2875	1133	9.18	22.79
北 海	Beihai	47	24	3707	1890	2406	1462	15.26	24.65
防城港	Fangchenggang	38	20	1814	1191	801	512	9.45	10.09
钦 州	Qinzhou	78	30	5709	706	1922	807	5.27	6.22
贵 港	Guigang	97	39	6207	2821	3493	1568	6.96	8.51
玉 林	Yulin	145	26	10693	3951	5375	2043	8.38	21.31
百 色	Baise	210	22	9300	8702	4058	2886	10.34	84.19
贺 州	Hezhou	90	37	2319	1101	2295	1262	10.35	11.89
河 池	Hechi	198	18	8501	1648	6391	1433	15.80	43.84
来 宾	Laibin	92	33	4737	1911	2576	1038	10.19	10.01
崇 左	Chongzuo	111	19	3997	554	2436	365	10.15	10.43
海 口	Haikou	73	73	7732	7732	4480	4480	28.75	28.75
三 亚	Sanya	30	30	1637	1637	1217	1217	22.30	22.30
重 庆	Chongqing	1396	609	77918	46661	39417	25125	12.10	16.37
成 都	Chengdu	558	261	50107	33337	30447	20748	27.06	40.67
自 贡	Zigong	145	81	8412	5767	3212	2047	9.87	13.67
攀枝花	Panzhihua	69	35	6015	5031	3223	2624	28.99	37.94
泸 州	Luzhou	187	60	9481	4913	4570	2385	9.26	16.49
德 阳	Deyang	207	41	9982	2724	4043	969	10.44	14.75
绵 阳	Mianyang	366	68	15565	6316	5685	2422	10.51	20.11
广 元	Guangyuan	301	84	9983	5011	4395	2090	14.16	22.57
遂 宁	Suining	136	52	7505	4141	5599	2638	14.55	17.63
内 江	Neijiang	150	62	9414	4547	3812	1657	8.97	11.73
乐 山	Leshan	286	97	10670	5092	5230	2298	14.79	19.93
南 充	Nanchong	550	144	15832	5446	7436	2865	9.92	14.88
眉 山	Meishan	169	49	6814	2547	3818	951	11.02	11.20
宜 宾	Yibin	275	57	12874	4851	6253	2130	11.78	26.75
广 安	Guangan	216	50	5265	1448	5095	740	10.92	5.89
达 州	Dazhou	357	21	14173	2686	10967	1771	16.72	42.55
雅 安	Yaan	187	35	6461	2431	2767	898	17.90	25.51
巴 中	Bazhong	295	94	4837	2605	5133	1138	12.88	8.00
资 阳	Ziyang	210	38	8919	2790	4705	1187	9.46	11.02
贵 阳	Guiyang	228	153	15968	13033	9240	7473	25.39	34.49
六盘水	Liupanshui	134	28	7087	3328	2240	982	7.16	19.58
遵 义	Zunyi	286	105	13996	5222	63193	2455	84.93	29.16
安 顺	Anshun	147	36	5247	2247	1529	916	5.66	10.86

城　市	City	医院、卫生院数（个） Quantity of Hospital and Public Health Centres (unit)		医院、卫生院床位数（张） Quantity of Beds at Hospitals and Public Health Centres (unit)		医生数(执业医师+执业助理医师)（人） Quantity of Doctors (person)		每万人拥有医生（人） Number of Doctors per 10000 population (person)	
		全市 Total Area of City	市辖区 Districts under City	全市 Total Area of City	市辖区 Districts under City	全市 Total Area of City	市辖区 Districts under City	全市 Total Area of City	市辖区 Districts under City
昆　明	Kunming	305	162	27051	19137	15726	12358	29.75	51.19
曲　靖	Qujing	601	98	14640	4142	5293	1536	8.70	22.29
玉　溪	Yuxi	135	35	8372	3338	3959	1553	18.59	37.27
保　山	Baoshan	419	35	4834	2196	2629	1151	10.59	13.06
昭　通	Shaotong	194	34	7877	2231	3154	969	5.74	12.03
丽　江	Lijiang	81	13	3049	797	1374	415	11.50	27.07
思　茅	Simao	168	13	4847	1296	3242	752	12.56	34.93
临　沧	Lincang	106	14	3833	894	2047	521	9.11	17.89
拉　萨	Lhasa	208		1564		1045		21.90	
西　安	Xian	432	314	32998	29239	18066	15851	23.39	28.57
铜　川	Tongchuan	69	55	4042	3772	1619	1508	19.03	19.83
宝　鸡	Baoji	263	53	13291	5192	6037	5798	15.97	41.67
咸　阳	Xanyang	317	70	16630	6629	7125	2515	13.96	28.24
渭　南	Weinan	268	41	11645	2415	5740	1127	10.40	11.77
延　安	Yanan	211	34	6804	2759	5461	2324	24.45	52.58
汉　中	Hanzhong	280	35	11447	4305	1047	1541	2.75	28.32
榆　林	Yulin	300	46	10607	2626	4539	1193	12.85	23.94
安　康	Ankang	284	64	3791	3009	3514	1642	11.64	16.61
商　洛	Shangluo	175	38	5113	1722	2837	980	11.70	17.95
兰　州	Lanzhou	211	211	21220	18899	9056	8691	28.10	41.39
嘉峪关	Jiayuguan	8	8	1279	1279	618	618	33.24	33.24
金　昌	Jinchang	32	14	1965	1420	1356	998	28.67	46.61
白　银	Baiyin	92	31	5359	3214	2429	1307	13.64	26.46
天　水	Tianshui	205	124	6765	3384	4898	1500	13.71	11.98
武　威	Wuwei	192	120	6065	3719	3117	1897	15.77	18.44
张　掖	Zhangye	115	34	4527	2008	2150	1463	16.59	28.34
平　凉	Pingliang	125	27	5767	2145	2754	1042	12.07	21.00
酒　泉	Jiuquan	120	34	3874	1765	2029	980	21.18	26.91
庆　阳	Qingyang	154	15	5418	1978	2527	782	9.79	22.66
定　西	Dingxi	160	28	5986	1334	2168	569	7.28	12.22
陇　南	Longnan	234	41	4532	1240	2383	768	8.59	14.02
西　宁	Xining	454	75	9500	1131	4209	2850	19.33	25.40
银　川	Yinchuan	595	375	7624	6388	4827	3997	31.70	44.99
石嘴山	Shizuishan	52	33	3595	2848	1724	1231	23.28	27.26
吴　忠	Wuzhong	295	144	3464	1603	1751	766	12.91	20.50
固　原	Guyuan	123	26	3059	955	1881	543	12.68	12.49
中　卫	Zhongwei	54	17	1908	1050	1299	590	11.38	15.12
乌鲁木齐	Urumqi	170	158	20406	20336	10242	10173	43.39	44.83
克拉玛依	Kelamayi	87	87	1738	1738	1059	1059	27.42	27.42

3-5 城市社会保障(2008年)

Urban Social Security(2008)

城市	City	基本养老保险参保人数(人) Quantity of People Applied for Basic Endowment Insurance (person)		基本医疗保险参保人数(人) Quantity of people Applied for Basic Medical Insurance (person)		失业保险参保人数(人) Quantity of People Applied for Unemployment Insurance (person)		城镇居民最低生活保障人数(人) Quantity of Urban Residents Granted with Subsistence Allowances (person)	
		全市 Total Area of City	市辖区 Districts under City	全市 Total Area of City	市辖区 Districts under City	全市 Total Area of City	市辖区 Districts under City	全市 Total Area of City	市辖区 Districts under City
城市合计	**Total**	**160278451**	**103985694**	**198158763**	**130274664**	**114518447**	**76827843**	**22225278**	**10301242**
北京	Beijing	7580727	7459343	8709707	8548339	6142985	6036171	145075	142003
天津	Tianjin	2472000	2472000	3991300	3991300	2325000	2325000	156305	156305
石家庄	Shijiazhuang	1323573	954297	1166463	790320	883292	682335	70060	27957
唐山	Tangshan	1269496	795285	1872815	1211182	735726	526426	58246	30500
秦皇岛	Qinhuangdao	443787	312535	487070	375831	286433	223636	62379	24056
邯郸	Handan	808876	513695	851450	365079	663007	458903	153179	63784
邢台	Xingtai	435582	214083	444416	210255	333246	157518	80696	22500
保定	Baoding	837800	304700	807500	397500	524205	225300	102768	14512
张家口	Zhanjiakou	602320	196810	433856	234748	378269	239981	148099	68389
承德	Chengde	353620	183879	326000	115782	252377	126366	93567	31032
沧州	Cangzhou	532644	211753	470572	231254	314135	155322	69457	15965
廊坊	Langfang	425124	169852	389453	180632	189752	77887	41188	15330
衡水	Hengshui	327986	128525	269982	102971	189078	85738	55480	19436
太原	Taiyuan	693057	671786	1021200	976506	742381	691860	94131	60120
大同	Datong	289917	234472	561085	354972	458000	378339	175369	142469
阳泉	Yangquan	216710	136850	281776	238819	194700	162278	44505	29093
长治	Changzhi	312954	137206	403109	228919	267407	171081	55997	14937
晋城	Jincheng	188936	98381	258818	153105	196581	109815	33193	11162
朔州	Shuozhou	94370	53498	121250	71135	120685	66828	60283	21859
晋中	Jinzhong	302435	68312	308468	47096	250463	75568	62366	13498
运城	Yuncheng	188500	11131	346000	20657	261000	12005	89000	9847
忻州	Xinzhou	140291	42906	238200	56200	184300	50100	105431	21648
临汾	Linfen	342001	113514	377000	27800	278000	24500	95676	16494
吕梁	Luliang	143174	14338	206000	13240	170110	23815	102805	14251
呼和浩特	Huhehaote	521786	448541	468788	391247	354000	262525	74878	50300
包头	Baotou	507320	456406	677134	535344	414300	374155	68256	47131
乌海	Wuhai	104880	104880	174450	174450	93008	93008	31583	31583
赤峰	Chifeng	253166	107814	453213	201718	265000	109274	91104	37197
通辽	Tongliao	187000	89785	284500	97532	182000	89213	92500	34000
鄂尔多斯	Erdos	139329	54416	228306	89870	130000	48808	26345	6515
呼伦贝尔	Hulunbeier	379100	52146	546600	93929	373800	20129	202792	6266
巴彦淖尔	Bayanzhuoer	216851	94583	180554	64339	101838	40601	51647	14130
乌兰察布	Wulanchabu	187335	28742	227693	25174	131589	16186	99890	31106
沈阳	Shenyang	1815145	1469062	2746286	2602723	1256543	1182242	150791	119468
大连	Dalian	1574548	1276698	3237000	2883964	1042403	926893	94751	61870
鞍山	Anshan	862882	643862	975657	819042	676200	579283	103885	84719
抚顺	Fushun	592193	514956	678134	620097	551297	507685	157596	135455
本溪	Benxi	765808	660526	535976	462152	389293	359908	99847	75557
丹东	Dandong	469929	282361	535607	364840	268609	158434	61865	36119
锦州	Jinzhou	465688	268223	618879	433838	390215	267543	79019	53279
营口	Yingkou	417150	278574	566061	399352	228056	168651	81478	46162

3-5 续表 1 Continued 1

城 市	City	基本养老保险参保人数(人) Quantity of People Applied for Basic Endowment Insurance (person)		基本医疗保险参保人数(人) Quantity of people Applied for Basic Medical Insurance (person)		失业保险参保人数(人) Quantity of People Applied for Unemployment Insurance (person)		城镇居民最低生活保障人数(人) Quantity of Urban Residents Granted with Subsistence Allowances (person)	
		全市 Total Area of City	市辖区 Districts under City	全市 Total Area of City	市辖区 Districts under City	全市 Total Area of City	市辖区 Districts under City	全市 Total Area of City	市辖区 Districts under City
阜 新	Fuxin	386313	307748	421648	357141	227860	184455	168266	160948
辽 阳	Liaoyang	485642	350141	511736	394429	207211	172981	51094	35150
盘 锦	Panjin	437113	182257	375281	306821	252149	233158	24443	15347
铁 岭	Tieling	325815	144766	421115	239126	245015	139907	75365	23350
朝 阳	Chaoyang	317267	122968	418150	169789	247805	103316	151872	56055
葫 芦 岛	Huludao	284200	198586	401000	293482	255508	206593	74799	44879
长 春	Changchun	1390073	1167122	2980000	2100000	729437	586027	199563	106125
吉 林	Jinlin	612841	444058	777017	536090	385261	275030	190584	94546
四 平	Siping	331097	148898	815604	336610	208174	97551	128841	46644
辽 源	Liaoyuan	133051	95731	183665	130433	96457	69248	106849	70448
通 化	Tonghua	269371	122422	823953	308958	204579	97493	109247	26587
白 山	Baishan	193840	88074	674682	372179	134183	67567	169000	83220
松 原	Songyuan	196011	114222	339433	182800	145947	81057	59309	12900
白 城	Baicheng	165385	66335	334824	90200	131185	58900	97642	32697
哈 尔 滨	Harbin	1173500	777790	1681000	1159515	1283900	1181570	223578	124724
齐齐哈尔	Qiqihaer	438229	273011	542602	364061	481801	347985	162587	85643
鸡 西	Jixi	166000	93968	407000	230522	194000	158063	138100	102413
鹤 岗	Hegang	127979	114712	357496	332781	98001	88337	90241	82032
双 鸭 山	Shuangyashan	72603	39656	180815	115097	117825	75011	82174	61542
大 庆	Daqing	418045	251830	1058963	910643	198110	157794	65641	12492
伊 春	Yichun	272066	250183	288023	273276	119000	112728	134787	101277
佳 木 斯	Jiamusi	257305	136056	371725	217878	221487	134447	123905	69944
七 台 河	Qitaihe	151370	129633	168319	137530	82732	70528	83608	52294
牡 丹 江	Mudanjiang	262427	175180	420354	276500	177650	139903	127751	65092
黑 河	Heihe	79651	22488	185800	40294	64931	14718	102324	10635
绥 化	Suihua	356431	13102	328000	40567	303461	38043	137823	20875
上 海	Shanghai	8196800	8196800	7739800	7739800	5118300	5118300	340797	325793
南 京	Nanjing	1794112	1701224	2295260	2178392	1708168	1630659	75320	73382
无 锡	Wuxi	1919917	1319110	2140055	1341103	1372832	937586	29925	18907
徐 州	Xuzhou	770052	499525	734033	457700	698936	398134	52102	21475
常 州	Changzhou	952629	742083	1128455	891919	710902	549305	24778	20764
苏 州	Suzhou	2849816	900450	3309418	1151644	2325022	808563	30844	16750
南 通	Nantong	962171	372067	1260942	446640	719050	278120	17851	5208
连 云 港	Lianyungang	349528	222885	486170	329511	389915	200593	22486	13751
淮 安	Huaian	458151	289236	558062	349822	431100	274600	43937	32387
盐 城	Yancheng	692829	232286	1029343	386078	565716	182660	59203	15089
扬 州	Yangzhou	659534	302021	840750	434949	527375	290579	20308	7836
镇 江	Zhenjiang	599597	330583	699042	418477	420835	260873	13650	10485
泰 州	Taizhou	580704	142609	907534	219685	399954	117882	22902	2313
宿 迁	Suqian	221016	93911	295907	115131	253131	97469	47069	12582
杭 州	Hangzhou	3181112	2605901	2745915	2346148	2024123	1777561	17853	14135
宁 波	Ningbuo	2975530	1958419	2235489	1585292	1614203	1161958	15047	9961

3-5 续表 2 Continued 2

城　市	City	基本养老保险参保人数(人) Quantity of People Applied for Basic Endowment Insurance (person)		基本医疗保险参保人数(人) Quantity of people Applied for Basic Medical Insurance (person)		失业保险参保人数(人) Quantity of People Applied for Unemployment Insurance (person)		城镇居民最低生活保障人数(人) Quantity of Urban Residents Granted with Subsistence Allowances (person)	
		全市 Total Area of City	市辖区 Districts under City	全市 Total Area of City	市辖区 Districts under City	全市 Total Area of City	市辖区 Districts under City	全市 Total Area of City	市辖区 Districts under City
温　州	Wenzhou	1547041	669403	888203	429492	645312	312880	13260	8732
嘉　兴	Jiaxing	1060000	322727	1020000	340000	605244	173408	7584	1989
湖　州	Huzhou	608406	291091	445858	212318	312100	160300	10342	4271
绍　兴	Shaoxing	1204271	321737	933068	268308	647844	172865	8909	3060
金　华	Jinhua	874091	219913	678859	203357	501360	134900	4837	1788
衢　州	Quzhou	342648	185268	294245	158514	159876	80326	4635	959
舟　山	Zhoushan	257034	203805	257324	207593	118042	98793	2433	1816
台　州	Taizhou	906825	350759	586798	235266	516349	212158	4310	1101
丽　水	Lishui	222416	60075	227260	74306	141994	40239	4757	1375
合　肥	Hefei	748977	673894	796498	699576	580124	535227	86920	63943
芜　湖	Wuhu	341999	265765	409250	344647	235204	171742	59970	37261
蚌　埠	Bengbu	286688	223711	950000	644000	211922	160647	55584	32771
淮　南	Huainan	220300	179330	418200	388800	325200	296103	75170	66297
马鞍山	Maanshan	258561	233012	326050	290574	180142	165505	26750	19332
淮　北	Huaibei	259264	237715	368092	340409	252379	235571	68477	56123
铜　陵	Tongling	136588	123523	231607	210955	140046	134546	33326	29960
安　庆	Anqing	410257	235804	366582	195657	267845	117311	986302	455981
黄　山	Huangshan	106506	59279	146961	80506	105973	51276	25840	13154
滁　州	Chuzhou	212885	67375	323857	105048	213749	63249	73947	15186
阜　阳	Fuyang	188440	119124	342720	162386	258160	122858	107921	48733
宿　州	Suzhou	135193	69191	243293	104333	211149	93760	52545	17809
巢　湖	Chaohu	158182	25000	220352	33036	171534	21908	71045	28798
六　安	Liuan	174891	80234	273766	123127	224500	92200	74347	23657
亳　州	Bozhou	80462	29172	170360	55827	147000	43400	40350	12028
池　州	Chizhou	75373	40036	110800	56943	72075	36706	24014	12736
宣　城	Xuancheng	164138	32061	216032	40824	125531	22500	37788	12046
福　州	Fuzhou	936119	646758	528076	376238	800133	592250	22713	12814
厦　门	Xiamen	1044900	1044900	1936200	1936200	1009800	1009800	22518	22518
莆　田	Putian	218809	166403	218484	180787	145943	128827	13171	6991
三　明	Sanming	322428	77907	361955	134414	215143	65083	18876	4065
泉　州	Quanhzou	587400	225000	471900	203100	468100	209100	24712	6717
漳　州	Zhangzhou	460444	148728	325063	121110	234216	93809	27596	6554
南　平	Nanping	295486	97643	356835	112368	221783	82778	24688	4571
龙　岩	Longyan	255724	106713	286219	124819	176130	82418	17163	3401
宁　德	Ningde	199800	35031	201100	72610	115688	26522	21188	2839
南　昌	Nanchang	991241	831039	612569	519725	539168	444846	106687	52926
景德镇	Jingdezhen	325393	253351	313483	223703	134156	97975	57480	33358
萍　乡	Pingxiang	214006	141982	231622	158606	151684	127532	62018	43763
九　江	Jiujiang	582145	239648	499108	211772	339063	161089	88969	17641
新　余	Xinyu	228372	202751	265386	241523	110401	95284	32111	22618
鹰　潭	Yingtan	121575	43456	89882	27243	79436	31510	27169	7705
赣　州	Ganzhou	408033	63309	524576	161168	345920	67310	114113	16474

3-5 续表 3 Continued 3

城市	City	基本养老保险参保人数(人) Quantity of People Applied for Basic Endowment Insurance (person)		基本医疗保险参保人数(人) Quantity of people Applied for Basic Medical Insurance (person)		失业保险参保人数(人) Quantity of People Applied for Unemployment Insurance (person)		城镇居民最低生活保障人数(人) Quantity of Urban Residents Granted with Subsistence Allowances (person)	
		全市 Total Area of City	市辖区 Districts under City	全市 Total Area of City	市辖区 Districts under City	全市 Total Area of City	市辖区 Districts under City	全市 Total Area of City	市辖区 Districts under City
吉安	Jian	463939	53915	592336	53759	231299	49714	117037	22070
宜春	Yichun	514442	60231	628100	89122	251000	25284	119311	20601
抚州	Fuzhou	281051	34216	330324	45123	195319	34050	114265	32091
上饶	Shangrao	562326	56721	551449	70365	282428	19800	117771	8300
济南	Jinan	1280673	1023392	1223598	1066044	788217	678377	58974	42899
青岛	Qingdao	2472747	1693867	2295133	1618523	1373535	904132	43746	37888
淄博	Zibuo	794412	650024	969227	835363	463188	376018	34520	28692
枣庄	Zaozhuang	391475	244029	446442	317910	320085	234458	62538	50093
东营	Dongying	191661	102198	496669	389555	107123	61571	10445	5298
烟台	Yantai	1033408	494321	1265269	615938	813432	404933	30469	13975
潍坊	Weifang	1260975	458618	1103392	435607	699541	255238	36451	19615
济宁	Jining	770319	255422	760897	357592	590195	186547	43988	9372
泰安	Taian	482412	387267	1239725	431150	480000	154398	27552	12767
威海	Weihai	661832	285989	603297	277141	350983	144310	1808	746
日照	Rizhao	298345	178968	242309	151285	144094	92361	12884	6204
莱芜	Laiwu	241010	241010	233130	233130	149954	149954	8473	8473
临沂	Linyi	855364	300311	1075831	433389	440418	151971	69455	25844
德州	Dezhou	420629	124575	457829	179074	260379	117447	47035	11478
聊城	Liaocheng	308322	167316	452997	165798	283000	105798	43840	8699
滨州	Binzhou	322374	110339	332520	120845	191343	72106	25999	3291
菏泽	Heze	504832	134834	483749	122779	280497	40329	50513	12343
郑州	Zhengzhou	1331000	1021410	748000	569802	871000	691611	43432	19847
开封	Kaifeng	470575	209545	361323	234298	362000	225200	77577	54487
洛阳	Luoyang	926718	689172	1527792	1035007	628971	446019	131944	62612
平顶山	Pingdingshan	437821	294707	602320	213203	465906	308266	89404	35256
安阳	Anyang	560130	352853	558702	357172	399053	240644	90208	55233
鹤壁	Hebi	108616	71141	203852	151774	152183	106573	56187	40080
新乡	Xinxiang	577459	333151	555900	282900	431000	201370	118849	35847
焦作	Jiaozuo	334547	184382	372371	214472	340846	202395	49131	16928
濮阳	Puyang	177762	67568	466812	290677	298700	188930	59240	29833
许昌	Xuchang	346014	165673	354980	159513	277066	101918	58058	14752
漯河	Luohe	162605	122182	246201	184010	168583	111383	48969	34459
三门峡	Sanmenxi	235792	97742	283161	92177	226300	79400	41335	15622
南阳	Nanyang	556936	264957	634330	279918	612556	366882	129954	19008
商丘	Shangqiu	271312	115718	395415	122447	352466	167845	103785	50086
信阳	Xinyang	445006	98537	513034	100514	391500	82900	115198	33282
周口	Zhoukou	318533	67348	398294	97464	385900	64500	123101	22791
驻马店	Zhumadian	231544	82202	403973	121118	340300	79200	116056	22569
武汉	Wuhan	2023600	1819200	2798500	2591800	1079800	986400	234212	177116
黄石	Huangshi	458265	319801	378547	251973	284227	234575	67540	36174
十堰	Shiyan	286486	168022	416894	263694	298104	188202	91000	29844

3-5 续表 4 Continued 4

城市	City	基本养老保险参保人数(人) Quantity of People Applied for Basic Endowment Insurance (person)		基本医疗保险参保人数(人) Quantity of people Applied for Basic Medical Insurance (person)		失业保险参保人数(人) Quantity of People Applied for Unemployment Insurance (person)		城镇居民最低生活保障人数(人) Quantity of Urban Residents Granted with Subsistence Allowances (person)	
		全市 Total Area of City	市辖区 Districts under City	全市 Total Area of City	市辖区 Districts under City	全市 Total Area of City	市辖区 Districts under City	全市 Total Area of City	市辖区 Districts under City
宜昌	Yichang	659025	379675	959269	559168	382633	261756	106685	47900
襄樊	Xiangfan	741138	418138	656695	475275	420137	291641	152231	85592
鄂州	Ezhou	150274	150274	123836	123836	69285	69285	25284	25284
荆门	Jingmen	409932	162644	300363	137898	160087	75503	87497	28942
孝感	Xiaogan	295271	46459	329205	106922	213100	46094	121275	32155
荆州	Jingzhou	738324	305599	423933	226138	318939	159941	144992	56329
黄冈	Huanggang	466800	115000	408500	52000	226400	34800	142064	25000
咸宁	Xianning	181500	55321	240100	73128	112000	41626	90570	34272
随州	Suizhou	182834	139178	137950	98838	103139	79531	58118	43091
长沙	Changsha	822408	633497	858481	718529	600640	487852	115228	61446
株洲	Zhuzhou	393749	252726	501052	363394	265186	203820	89793	33781
湘潭	Xiangtan	438548	234954	411086	288439	318313	243014	68035	43647
衡阳	Hengyang	498804	222562	1171808	267694	435706	313875	128626	70119
邵阳	Shaoyang	428882	164292	447528	167154	231341	90226	127615	40001
岳阳	Yueyang	666342	233036	1416378	456678	293723	149760	116466	50872
常德	Changde	455374	226618	489327	188844	214095	82502	121697	41771
张家界	Zhangjiajie	87738	45119	114811	55392	85343	42028	34286	14680
益阳	Yiyang	232148	108114	357881	154132	190393	83586	109299	44478
郴州	Chenzhou	365253	154943	433688	208896	227024	101719	126797	26749
永州	Yongzhou	323593	94270	373106	128596	198425	85531	106103	40314
怀化	Huaihua	319662	94221	333487	107618	191378	87619	109977	14801
娄底	Loudi	269816	95356	286911	95661	268397	166802	113252	36981
广州	Guangzhou	2541211		3666357		2826627		44991	39410
韶关	Shaoguan	355449	200139	430997	290604	251234	156991	27986	1946
深圳	Shenzhen	5416700	5416700	8313100	8313100	2051200	2051200	14214	14214
珠海	Zhuhai	765781	765781	829562	829562	672455	672455	13782	13782
汕头	Shantou	433161	423223	350353	346262	366533	361883	20659	20217
佛山	Foshan	1668708	1668708	4099296	4099296	1371331	1371331	20810	20810
江门	Jiangmen	577325	219310	641797	232718	478611	180712	15578	6723
湛江	Zhanjiang	784380	377240	462974	289940	322487	181282	42859	11906
茂名	Maoming	406224	178482	370879	219632	223559	92496	36297	17356
肇庆	Zhaoqing	475954	213104	376557	198709	295334	135391	74423	6142
惠州	Huizhou	1051682	782044	717286	537352	449319	338957	9465	5000
梅州	Meizhou	298100	71740	244500	85698	219500	56460	17000	4795
汕尾	Shanwei	222392	74951	101328	38624	114585	39272	17473	3267
河源	Heyuan	312333	124816	200582	88693	219136	104659	31489	4268
阳江	Yangjiang	255231	108644	168370	78171	175404	71933	14549	6950
清远	Qingyuan	467300	149218	313738	91410	152800	54546	11411	1513
东莞	Dongguan	2626317	2626317	5132458	5132458	2563339	2563339	37037	37037
中山	Zhongshan	1174845	1174845	1189296	1189296	1077349	1077349	7247	7247
潮州	Chaozhou	316121	91813	176627	66200	265058	78262	52475	7163

3-5 续表 5 Continued 5

城市	City	基本养老保险参保人数(人) Quantity of People Applied for Basic Endowment Insurance (person)		基本医疗保险参保人数(人) Quantity of people Applied for Basic Medical Insurance (person)		失业保险参保人数(人) Quantity of People Applied for Unemployment Insurance (person)		城镇居民最低生活保障人数(人) Quantity of Urban Residents Granted with Subsistence Allowances (person)	
		全市 Total Area of City	市辖区 Districts under City	全市 Total Area of City	市辖区 Districts under City	全市 Total Area of City	市辖区 Districts under City	全市 Total Area of City	市辖区 Districts under City
揭阳	Jieyang	286092	77709	151184	39334	141490	60050	22151	3026
云浮	Yunfu	215317	39235	144361	42338	129908	35041	5218	1078
南宁	Nanning	634652	529502	632521	503604	356101	267300	52725	24981
柳州	Liuzhou	457402	390906	417740	336400	289546	220864	41138	19670
桂林	Guilin	454511	303301	450263	252191	258858	147156	68052	8783
梧州	Wuzhou	138196	88989	217610	127412	109568	51966	25299	5500
北海	Beihai	83236	46330	122187	74818	83020	49974	33931	32536
防城港	Fangchenggang	49826	33769	60512	42220	48510	32500	20719	16498
钦州	Qinzhou	69115	15950	114704	47723	74979		37672	10498
贵港	Guigang	78376	44585	176885	86659	114413	50758	46144	22708
玉林	Yulin	139926	21333	238320	34717	149111	17829	52819	7295
百色	Baise	126317	15467	131876	36265	117500	27115	47394	5383
贺州	Hezhou	51143	21809	50386	24199	47410	18802	35358	21482
河池	Hechi	105860	11063	186565	17628	129273	13753	41947	2236
来宾	Laibin	76480	30910	126941	55301	69454	31716	34253	10521
崇左	Chongzuo	67278	17159	111921	15828	83797	12914	32672	3793
海口	Haikou	210800	210800	205600	205600	127517	127517	33021	33021
三亚	Sanya	102700	102700	112000	112000	101170	101170	17251	17251
重庆	Chongqing	3917664	2873736	3261522	2609481	2101210	1647166	787803	454363
成都	Chengdu	1888700	1439268	2038500	1377210	1403501	1190948	104949	52368
自贡	Zigong	252544	180663	375898	276335	55700	23437	166071	95190
攀枝花	Panzhihua	240193	221414	353781	330181	185030	172933	31404	23647
泸州	Luzhou	276870	171653	287314	185705	138469	88719	68313	32330
德阳	Deyang	350281	132120	455846	263627	170098	103299	83931	29666
绵阳	Mianyang	486278	222975	278751	126537	203368	114035	124164	31706
广元	Guangyuan	235070	36371	265701	41969	120230	14017	120903	87742
遂宁	Suining	198930	91197	194000	91800	103043	44274	92732	54606
内江	Neijiang	416574	181074	314722	144132	130277	54084	91423	36708
乐山	Leshan	333603	198181	478178	314694	136811	98543	88221	40079
南充	Nanchong	220098	114746	384533	190186	191531	83739	207983	85906
眉山	Meishan	226294	37536	194403	41453	93157	13132	58660	25006
宜宾	Yibin	436742	248245	440139	253604	258600	136370	96515	28909
广安	Guangan	166421	55054	206952	64037	73941	30075	87354	20193
达州	Dazhou	201700	29009	200376	13896	159992	17087	428900	26366
雅安	Yaan	107486	58460	169086	75754	78545	35419	41624	14535
巴中	Bazhong	167524	51398	121025	35997	87362	20127	102281	35905
资阳	Ziyang	240257	76168	251029	75897	118000	42789	73595	28547
贵阳	Guiyang	504606	434744	861791	761322	382253	331528	83411	69177
六盘水	Liupanshui	52339	18990	244806	30912	85197	40895	76634	8330
遵义	Zunyi	254000	85448	376000	175072	152742	24288	72082	19038
安顺	Anshun	108000	14100	143000	23200	59000	12000	37369	21389

城 市	City	基本养老保险参保人数（人）Quantity of People Applied for Basic Endowment Insurance (person)		基本医疗保险参保人数（人）Quantity of people Applied for Basic Medical Insurance (person)		失业保险参保人数（人）Quantity of People Applied for Unemployment Insurance (person)		城镇居民最低生活保障人数(人) Quantity of Urban Residents Granted with Subsistence Allowances (person)	
		全市 Total Area of City	市辖区 Districts under City	全市 Total Area of City	市辖区 Districts under City	全市 Total Area of City	市辖区 Districts under City	全市 Total Area of City	市辖区 Districts under City
昆 明	Kunming	864300	328300	1979900	1148200	699500	492800	83657	51646
曲 靖	Qujing	356480	40641	4863482	452033	217200	14375	90453	21278
玉 溪	Yuxi	159020	41541	209185	63744	131167	50406	36922	6857
保 山	Baoshan	70300	13732	109600	26588	66200	14510	38083	16578
昭 通	Shaotong	73351	9570	147000	20000	100987	10681	87389	23308
丽 江	Lijiang	55457	14126	86473	16091	27653	6000	39711	8425
思 茅	Simao	94742	33337	159917	45988	82762	21832	45666	7224
临 沧	Lincang	54605	15001	120391	13936	61000	15300	46140	8334
拉 萨	Lhasa	3367		27165		9374		9503	
西 安	Xian	1568402	1494225	1824300	1727000	1255457	1197661	153171	127035
铜 川	Tongchuan	106975	96940	186000	177200	137300	133814	72900	72000
宝 鸡	Baoji	437000	289244	446200	266145	322000	282122	86800	31360
咸 阳	Xanyang	428009	138413	450414	232294	401485	222628	90504	38683
渭 南	Weinan	275417	30196	435306	101991	280833	23420	97049	21602
延 安	Yanan	127207	72250	200082	90763	172558	89809	70166	16117
汉 中	Hanzhong	291296	161596	312400	128187	212190	92640	76650	24188
榆 林	Yulin	140998	53417	218656	69904	143062	44241	118128	18955
安 康	Ankang	99000	48081	165200	73538	87012	44940	47205	15558
商 洛	Shangluo	72886	26417	122745	41812	109643	32699	39831	14083
兰 州	Lanzhou	325500	297691	686340	634357	577012	526947	165000	141292
嘉峪关	Jiayuguan	45888	45888	69709	69709	42734	42734	3853	3853
金 昌	Jinchang	23100	8600	96300	67206	76100	68530	18820	10012
白 银	Baiyin	60169	40615	203613	138406	135233	95220	72149	51420
天 水	Tianshui	108189	14043	217983	40469	149794	21575	101293	69960
武 威	Wuwei	56991	24985	103154	37001	54741	22128	55465	33934
张 掖	Zhangye	54847	14156	109516	24920	63157	14129	48052	22100
平 凉	Pingliang	59976	31800	219417	38400	89936	45400	60971	28968
酒 泉	Jiuquan	51500	26100	11700	44000	62100	18100	133478	17402
庆 阳	Qingyang	48982	27339	111265	27244	88021	40922	53305	21672
定 西	Dingxi	52000	7400	98600	13700	80000	12400	53232	15073
陇 南	Longnan	39400	5966	93900	14697	53100	8700	47200	12229
西 宁	Xining	257710	229499	178897	137949	148700	118085	75068	44058
银 川	Yinchuan	268401	238571	433350	365569	173710	161331	60970	37740
石嘴山	Shizuishan	77824	64032	326278	272938	95557	82506	40879	29201
吴 忠	Wuzhong	66100	37000	144500	106400	55500	20200	35700	11420
固 原	Guyuan	22578	12418	65138	31188	34741	14590	38953	19293
中 卫	Zhongwei	34993	22388	122911	26152	31000	17750	30890	15274
乌鲁木齐	Urumqi	513668	513668	689570	626873	519978	519978	15576	15047
克拉玛依	Kelamayi	126100	126100	176000	176000	126300	126300	3039	3039

3-6 城市道路与交通(市辖区,2008年)

Urban Roads and Public Transportation (Districts under City，2008)

城　市	City	年末实有道路面积(万平方米) Area of Roads (year-end) (10000sq.m)	人均实有道路面积(平方米) Per Capita Area of Roads (sq.m)	年末实有公共汽电车辆(辆) Number of Public Vehicles of Bus and Trolley Bus (year-end) (unit)	每万人拥有公共汽电车(辆) Number of Public Vehicles of Bus and Trolley Bus Per 10000 Population (unit)	公共汽电车客运量(万人次) Number of Passengers Carried of Bus and Trolley Bus (10000 person-time)	平均每辆公共汽电车运载力(万人次) Number of Passengers Carried of Per Bus and Trolley Bus (10000 person-time)	年末实有出租车(辆) Number of Taxi (year-end) (unit)
城市合计	**Total**	**338795**	**9.01**	**314739**	**8.37**	**5593098**	**17.77**	**819218**
北　京	Beijing	8941	7.72	21507	18.56	470863	21.89	66646
天　津	Tianjin	9196	11.58	7886	9.93	112137	14.22	31940
石家庄	Shijiazhuang	3119	12.96	2658	11.04	38066	14.32	6795
唐　山	Tangshan	2614	8.56	2458	8.05	24942	10.15	4613
秦皇岛	Qinhuangdao	1371	16.76	888	10.85	12552	14.14	4474
邯　郸	Handan	2090	14.25	1758	11.99	20460	11.64	4843
邢　台	Xingtai	1093	18.69	934	15.97	10016	10.72	3148
保　定	Baoding	1358	12.87	703	6.66	11576	16.47	3036
张家口	Zhanjiakou	1090	12.23	653	7.33	7975	12.21	3612
承　德	Chengde	497	9.49	508	9.70	10197	20.07	2350
沧　州	Cangzhou	818	15.71	569	10.93	6509	11.44	3018
廊　坊	Langfang	755	9.43	353	4.41	3650	10.34	1827
衡　水	Hengshui	595	19.34	436	14.17	2380	5.46	1324
太　原	Taiyuan	2328	8.28	1887	6.71	35596	18.86	8292
大　同	Datong	1237	8.07	614	4.00	11907	19.39	4625
阳　泉	Yangquan	458	6.73	524	7.70	12000	22.90	1411
长　治	Changzhi	424	6.10	514	7.40	8045	15.65	1800
晋　城	Jincheng	283	7.70	275	7.49	3000	10.91	1453
朔　州	Shuozhou	438	6.93	141	2.23	1469	10.42	1134
晋　中	Jinzhong	585	10.03	502	8.61	2960	5.90	902
运　城	Yuncheng	264	4.02	360	5.48	3200	8.89	1780
忻　州	Xinzhou	166	3.17	112	2.14	850	7.59	713
临　汾	Linfen	471	5.73	359	4.37	4200	11.70	1862
吕　梁	Luliang	243	9.00	77	2.85	2030	26.36	450
呼和浩特	Huhehaote	1465	12.55	1509	12.93	25706	17.04	4666
包　头	Baotou	1983	14.12	1270	9.04	19056	15.00	5883
乌　海	Wuhai	507	10.50	385	7.98	3833	9.96	919
赤　峰	Chifeng	657	5.46	614	5.10	11952	19.47	3507
通　辽	Tongliao	602	7.32	192	2.33	1700	8.85	4586
鄂尔多斯	Erdos	1497	60.29	515	20.74	3615	7.02	2200
呼伦贝尔	Hulunbeier	277	10.41	236	8.87	950	4.03	2112
巴彦淖尔	Bayanzhuoer	464	8.32	112	2.01	1003	8.96	936
乌兰察布	Wulanchabu	377	12.49	109	3.61	986	9.05	2800
沈　阳	Shenyang	4544	8.93	5192	10.20	110971	21.37	17334
大　连	Dalian	3916	13.13	4775	16.01	102991	21.57	9673
鞍　山	Anshan	1336	9.07	1340	9.09	22330	16.66	5375
抚　顺	Fushun	709	5.08	1326	9.50	37595	28.35	4684
本　溪	Benxi	548	5.72	651	6.80	19551	30.03	2644
丹　东	Dandong	685	8.91	469	6.10	8567	18.27	1932
锦　州	Jinzhou	839	9.04	533	5.74	9438	17.71	3905
营　口	Yingkou	680	7.70	670	7.59	10230	15.27	4900

3-6 续表 1 Continued 1

城 市	City	年末实有道路面积(万平方米) Area of Roads (year-end) (10000sq.m)	人均实有道路面积(平方米) Per Capita Area of Roads (sq.m)	年末实有公共汽电车辆(辆) Number of Public Vehicles of Bus and Trolley Bus (year-end) (unit)	每万人拥有公共汽电车(辆) Number of Public Vehicles of Bus and Trolley Bus Per 10000 Population (unit)	公共汽电车客运量(万人次) Number of Passengers Carried of Bus and Trolley Bus (10000 person-time)	平均每辆公共汽电车运载力(万人次) Number of Passengers Carried of Per Bus and Trolley Bus (10000 person-time)	年末实有出租车(辆) Number of Taxi (year-end) (unit)
阜 新	Fuxin	433	5.56	338	4.34	5097	15.08	3044
辽 阳	Liaoyang	813	11.20	405	5.58	5488	13.55	2560
盘 锦	Panjin	721	12.00	400	6.66	8750	21.88	3242
铁 岭	Tieling	763	17.11	479	10.74	4290	8.96	2123
朝 阳	Chaoyang	312	5.27	213	3.60	1925	9.04	3040
葫芦岛	Huludao	468	4.76	495	5.03	6740	13.62	4163
长 春	Changchun	3996	12.10	4127	12.50	69171	16.76	16708
吉 林	Jinlin	1275	6.89	913	4.94	20463	22.41	4652
四 平	Siping	314	5.16	330	5.42	2540	7.70	2850
辽 源	Liaoyuan	481	10.08	329	6.89	595	1.81	1510
通 化	Tonghua	231	5.10	274	6.05	6420	23.43	1348
白 山	Baishan	335	5.65	379	6.39	2447	6.46	1453
松 原	Songyuan	465	8.57	456	8.41	6888	15.11	2177
白 城	Baicheng	236	4.64	238	4.68	1100	4.62	1774
哈尔滨	Harbin	2826	5.95	4847	10.20	105800	21.83	13425
齐齐哈尔	Qiqihaer	855	6.00	1027	7.21	9280	9.04	3159
鸡 西	Jixi	320	3.62	706	7.98	7339	10.40	2959
鹤 岗	Hegang	308	4.53	405	5.96	10526	25.99	1774
双鸭山	Shuangyashan	310	6.19	326	6.51	4200	12.88	1100
大 庆	Daqing	2591	19.82	2090	15.99	18356	8.78	5591
伊 春	Yichun	745	9.19	222	2.74	2450	11.04	2865
佳木斯	Jiamusi	358	4.34	523	6.35	11026	21.08	5198
七台河	Qitaihe	392	7.33	393	7.35	4500	11.45	1000
牡丹江	Mudanjiang	872	10.98	667	8.40	9688	14.52	2705
黑 河	Heihe	181	9.44	95	4.95	251	2.64	1023
绥 化	Suihua	1060	11.82	252	2.81	2637	10.46	2500
上 海	Shanghai	8744	6.62	16573	12.54	266000	16.05	48059
南 京	Nanjing	8805	16.27	5791	10.70	112712	19.46	10151
无 锡	Wuxi	5219	21.98	3109	13.09	30052	9.67	4040
徐 州	Xuzhou	1855	10.06	1790	9.71	28456	15.90	3594
常 州	Changzhou	2606	11.54	1788	7.92	33150	18.54	2142
苏 州	Suzhou	5596	23.49	2791	11.72	48132	17.25	3203
南 通	Nantong	1173	13.40	693	7.92	10028	14.47	1277
连云港	Lianyungang	1519	18.78	509	6.29	10000	19.65	2154
淮 安	Huaian	1467	5.28	861	3.10	12221	14.19	903
盐 城	Yancheng	1176	7.27	389	2.40	3908	10.05	910
扬 州	Yangzhou	1317	10.81	826	6.78	12128	14.68	1842
镇 江	Zhenjiang	1596	15.52	908	8.83	9542	10.51	1254
泰 州	Taizhou	1199	14.87	273	3.38	2200	8.06	739
宿 迁	Suqian	1157	7.32	389	2.46	2974	7.65	713
杭 州	Hangzhou	4258	10.04	7030	16.57	114099	16.23	9167
宁 波	Ningbuo	2008	9.12	3038	13.80	44632	14.69	5001

3-6 续表 2 Continued 2

城　市	City	年末实有道路面积（万平方米）Area of Roads (year-end) (10000sq.m)	人均实有道路面积（平方米）Per Capita Area of Roads (sq.m)	年末实有公共汽电车辆（辆）Number of Public Vehicles of Bus and Trolley Bus (year-end) (unit)	每万人拥有公共汽电车（辆）Number of Public Vehicles of Bus and Trolley Bus Per 10000 Population (unit)	公共汽电车客运量（万人次）Number of Passengers Carried of Bus and Trolley Bus (10000 person-time)	平均每辆公共汽电车运载力（万人次）Number of Passengers Carried of Per Bus and Trolley Bus (10000 person-time)	年末实有出租车（辆）Number of Taxi (year-end) (unit)
温　州	Wenzhou	1607	11.17	1877	13.05	27720	14.77	3329
嘉　兴	Jiaxing	864	10.47	847	10.26	7238	8.55	873
湖　州	Huzhou	1660	15.30	680	6.27	7425	10.92	966
绍　兴	Shaoxing	1114	17.16	810	12.48	10469	12.92	895
金　华	Jinhua	1342	14.53	754	8.16	6832	9.06	862
衢　州	Quzhou	696	8.51	580	7.09	6302	10.87	401
舟　山	Zhoushan	474	6.81	445	6.40	4092	9.20	1325
台　州	Taizhou	2107	13.79	506	3.31	3710	7.33	1361
丽　水	Lishui	393	10.27	167	4.36	2622	15.70	409
合　肥	Hefei	3613	17.76	2547	12.52	59509	23.36	7118
芜　湖	Wuhu	1594	15.10	892	8.45	15125	16.96	3045
蚌　埠	Bengbu	1091	11.79	649	7.02	17832	27.48	2291
淮　南	Huainan	1017	6.10	975	5.85	15477	15.87	2844
马鞍山	Maanshan	820	13.00	508	8.05	9050	17.81	2298
淮　北	Huaibei	820	7.57	997	9.20	6461	6.48	1626
铜　陵	Tongling	476	10.80	432	9.80	3142	7.27	1630
安　庆	Anqing	745	10.03	288	3.88	4625	16.06	1785
黄　山	Huangshan	429	9.87	419	9.64	1726	4.12	393
滁　州	Chuzhou	503	9.52	295	5.58	2200	7.46	1257
阜　阳	Fuyang	989	4.92	566	2.81	6946	12.27	1610
宿　州	Suzhou	719	3.98	319	1.77	3850	12.07	1298
巢　湖	Chaohu	458	5.22	249	2.84	3730	14.98	1620
六　安	Liuan	332	1.80	258	1.40	6320	24.50	2349
亳　州	Bozhou	720	4.63	260	1.67	1500	5.77	1000
池　州	Chizhou	524	8.01	151	2.31	1954	12.94	600
宣　城	Xuancheng	307	3.61	122	1.43	1800	14.75	733
福　州	Fuzhou	1986	10.64	2271	12.17	46452	20.45	3745
厦　门	Xiamen	2700	15.55	2478	14.27	58800	23.73	4233
莆　田	Putian	679	3.22	626	2.97	5961	9.52	723
三　明	Sanming	320	11.28	275	9.69	5888	21.41	339
泉　州	Quanhzou	1052	10.24	822	8.00	11204	13.63	1961
漳　州	Zhangzhou	674	12.34	236	4.32	2651	11.23	1055
南　平	Nanping	196	3.99	224	4.56	5018	22.40	240
龙　岩	Longyan	356	7.48	350	7.35	4468	12.77	514
宁　德	Ningde	237	5.41	190	4.34	2880	15.16	394
南　昌	Nanchang	1701	7.62	2518	11.29	52297	20.77	3673
景德镇	Jingdezhen	596	13.08	438	9.61	8660	19.77	595
萍　乡	Pingxiang	363	4.29	451	5.33	7504	16.64	600
九　江	Jiujiang	853	14.11	614	10.16	11444	18.64	1537
新　余	Xinyu	599	6.57	365	4.00	4631	12.69	531
鹰　潭	Yingtan	220	10.74	113	5.51	1600	14.16	271
赣　州	Ganzhou	529	8.30	472	7.40	5425	11.49	592

城 市	City	年末实有道路面积(万平方米) Area of Roads (year-end) (10000sq.m)	人均实有道路面积(平方米) Per Capita Area of Roads (sq.m)	年末实有公共汽电车辆(辆) Number of Public Vehicles of Bus and Trolley Bus (year-end) (unit)	每万人拥有公共汽电车(辆) Number of Public Vehicles of Bus and Trolley Bus Per 10000 Population (unit)	公共汽电车客运量(万人次) Number of Passengers Carried of Bus and Trolley Bus (10000 person-time)	平均每辆公共汽电车运载力(万人次) Number of Passengers Carried of Per Bus and Trolley Bus (10000 person-time)	年末实有出租车(辆) Number of Taxi (year-end) (unit)
吉 安	Jian	302	5.66	220	4.13	5223	23.74	397
宜 春	Yichun	338	3.27	245	2.37	5135	20.96	404
抚 州	Fuzhou	1338	12.52	215	2.01	3498	16.27	372
上 饶	Shangrao	368	9.43	360	9.23	2686	7.46	511
济 南	Jinan	5910	16.87	4333	12.37	75500	17.42	8116
青 岛	Qingdao	5596	20.26	4701	17.02	82460	17.54	9241
淄 博	Zibuo	2380	8.56	2863	10.29	18720	6.54	5972
枣 庄	Zaozhuang	1272	5.85	1105	5.08	6604	5.98	766
东 营	Dongying	1715	20.63	696	8.37	5543	7.96	3306
烟 台	Yantai	2250	12.54	1660	9.25	26623	16.04	2143
潍 坊	Weifang	2585	15.02	1032	6.00	11543	11.19	2158
济 宁	Jining	1688	15.37	987	8.98	11508	11.66	1499
泰 安	Taian	902	5.64	814	5.09	7200	8.85	1292
威 海	Weihai	1705	26.67	822	12.86	8944	10.88	1425
日 照	Rizhao	1385	11.31	781	6.38	7126	9.12	1060
莱 芜	Laiwu	1363	10.82	693	5.50	3230	4.66	1600
临 沂	Linyi	2991	15.13	1993	10.08	21098	10.59	2750
德 州	Dezhou	1060	17.83	720	12.11	4065	5.65	2405
聊 城	Liaocheng	1673	16.02	496	4.75	5100	10.28	1416
滨 州	Binzhou	963	15.25	398	6.30	2050	5.15	320
菏 泽	Heze	2802	19.06	146	0.99	1281	8.77	1256
郑 州	Zhengzhou	2922	10.56	4260	15.39	72769	17.08	10859
开 封	Kaifeng	754	8.89	523	6.17	4356	8.33	2336
洛 阳	Luoyang	1433	9.05	1098	6.93	25500	23.22	4226
平 顶 山	Pingdingshan	838	8.32	916	9.10	7039	7.68	2000
安 阳	Anyang	841	7.88	697	6.53	7000	10.04	1359
鹤 壁	Hebi	517	9.28	363	6.51	2857	7.87	721
新 乡	Xinxiang	950	9.44	735	7.30	9240	12.57	4500
焦 作	Jiaozuo	1020	12.31	621	7.49	7978	12.85	1398
濮 阳	Puyang	396	6.00	475	7.20	1200	2.53	2000
许 昌	Xuchang	517	12.67	539	13.21	3161	5.86	1390
漯 河	Luohe	704	5.13	756	5.51	5841	7.73	1231
三 门 峡	Sanmenxi	186	6.42	226	7.80	3745	16.57	574
南 阳	Nanyang	999	5.48	452	2.48	5917	13.09	1201
商 丘	Shangqiu	705	4.14	400	2.35	4050	10.13	2834
信 阳	Xinyang	717	4.99	450	3.13	1936	4.30	1873
周 口	Zhoukou	571	11.01	231	4.45	2421	10.48	928
驻 马 店	Zhumadian	793	12.37	230	3.59	2387	10.38	1548
武 汉	Wuhan	5809	11.34	6752	13.18	140000	20.73	12137
黄 石	Huangshi	922	14.47	855	13.42	12340	14.43	822
十 堰	Shiyan	710	13.56	623	11.90	13582	21.80	800

城 市	City	年末实有道路面积(万平方米) Area of Roads (year-end) (10000sq.m)	人均实有道路面积(平方米) Per Capita Area of Roads (sq.m)	年末实有公共汽电车辆(辆) Number of Public Vehicles of Bus and Trolley Bus (year-end) (unit)	每万人拥有公共汽电车(辆) Number of Public Vehicles of Bus and Trolley Bus Per 10000 Population (unit)	公共汽电车客运量(万人次) Number of Passengers Carried of Bus and Trolley Bus (10000 person-time)	平均每辆公共汽电车运载力(万人次) Number of Passengers Carried of Per Bus and Trolley Bus (10000 person-time)	年末实有出租车(辆) Number of Taxi (year-end) (unit)
宜 昌	Yichang	1229	9.88	1287	10.34	13850	10.76	1283
襄 樊	Xiangfan	1383	6.30	1276	5.81	14483	11.35	1700
鄂 州	Ezhou	658	6.16	510	4.77	4235	8.30	400
荆 门	Jingmen	628	9.36	346	5.15	7081	20.47	500
孝 感	Xiaogan	533	5.68	406	4.33	4226	10.41	687
荆 州	Jingzhou	755	6.48	677	5.81	10464	15.46	1588
黄 冈	Huanggang	686	18.70	358	9.76	2420	6.76	593
咸 宁	Xianning	368	6.18	148	2.49	2300	15.54	456
随 州	Suizhou	1121	6.90	486	2.99	4200	8.64	550
长 沙	Changsha	3320	13.93	3259	13.67	105804	32.47	7344
株 洲	Zhuzhou	855	10.73	875	10.98	17585	20.10	1955
湘 潭	Xiangtan	1037	11.81	761	8.67	8670	11.39	1150
衡 阳	Hengyang	1197	11.62	994	9.65	16223	16.32	1402
邵 阳	Shaoyang	700	10.52	365	5.49	5060	13.86	627
岳 阳	Yueyang	861	10.59	856	10.53	16501	19.28	1677
常 德	Changde	818	5.83	554	3.95	10138	18.30	1187
张 家 界	Zhangjiajie	274	5.43	186	3.69	2410	12.96	750
益 阳	Yiyang	515	3.91	363	2.76	7383	20.34	860
郴 州	Chenzhou	347	5.23	425	6.41	10528	24.77	1100
永 州	Yongzhou	560	5.14	479	4.40	5632	11.76	540
怀 化	Huaihua	269	7.63	472	13.39	7274	15.41	900
娄 底	Loudi	476	10.68	202	4.53	3200	15.84	850
广 州	Guangzhou			9673	14.98	246102	25.44	18858
韶 关	Shaoguan	521	5.70	224	2.45	5085	22.70	641
深 圳	Shenzhen	8630	37.84	11066	48.52	195434	17.66	12991
珠 海	Zhuhai	2744	27.58	1242	12.48	28222	22.72	1852
汕 头	Shantou	2452	4.91	712	1.43	9739	13.68	1249
佛 山	Foshan	2182	5.99	2860	7.85	13044	4.56	2708
江 门	Jiangmen	1673	12.25	685	5.02	11225	16.39	370
湛 江	Zhanjiang	1430	11.61	705	5.72	7015	9.95	1234
茂 名	Maoming	391	3.03	168	1.30	1186	7.06	703
肇 庆	Zhaoqing	750	14.21	254	4.81	4294	16.91	873
惠 州	Huizhou	1433	11.38	770	6.11	14753	19.16	1136
梅 州	Meizhou	505	16.14	220	7.03	4150	18.86	534
汕 尾	Shanwei	212	4.10	99	1.91	910	9.19	707
河 源	Heyuan	269	9.05	305	10.26	1311	4.30	300
阳 江	Yangjiang	284	4.29	145	2.19	1416	9.77	493
清 远	Qingyuan	729	13.10	225	4.04	3073	13.66	206
东 莞	Dongguan			1337	7.65	24796	18.55	7045
中 山	Zhongshan	1247	8.52	1086	7.42	12344	11.37	1368
潮 州	Chaozhou	391	11.22	224	6.43	2986	13.33	923

城　市	City	年末实有道路面积(万平方米) Area of Roads (year-end) (10000sq.m)	人均实有道路面积(平方米) Per Capita Area of Roads (sq.m)	年末实有公共汽电车辆(辆) Number of Public Vehicles of Bus and Trolley Bus (year-end) (unit)	每万人拥有公共汽电车(辆) Number of Public Vehicles of Bus and Trolley Bus Per 10000 Population (unit)	公共汽电车客运量(万人次) Number of Passengers Carried of Bus and Trolley Bus (10000 person-time)	平均每辆公共汽电车运载力(万人次) Number of Passengers Carried of Per Bus and Trolley Bus (10000 person-time)	年末实有出租车(辆) Number of Taxi (year-end) (unit)
揭　阳	Jieyang	338	4.90	116	1.68	1211	10.44	715
云　浮	Yunfu	68	2.33	69	2.36	1275	18.48	125
南　宁	Nanning	2489	9.43	2567	9.73	53482	20.83	4332
柳　州	Liuzhou	1297	12.61	991	9.64	19967	20.15	1396
桂　林	Guilin	576	7.59	753	9.92	21430	28.46	3020
梧　州	Wuzhou	271	5.45	271	5.45	4415	16.29	739
北　海	Beihai	620	10.45	185	3.12	1665	9.00	661
防城港	Fangchenggang	301	5.93	91	1.79	820	9.01	98
钦　州	Qinzhou	308	2.38	227	1.75	3096	13.64	249
贵　港	Guigang	613	3.33	191	1.04	2980	15.60	421
玉　林	Yulin	655	6.83	186	1.94	4021	21.62	599
百　色	Baise	234	6.83	98	2.86	1298	13.24	500
贺　州	Hezhou	262	2.47	127	1.20	1178	9.28	448
河　池	Hechi	152	4.65	145	4.44	3498	24.12	196
来　宾	Laibin	191	1.84	127	1.22	1015	7.99	365
崇　左	Chongzuo	185	5.28	36	1.03	250	6.94	152
海　口	Haikou	1215	7.80	967	6.21	213000	220.27	1963
三　亚	Sanya	303	5.55	381	6.98	8674	22.77	1082
重　庆	Chongqing	8353	5.44	8667	5.65	155206	17.91	12454
成　都	Chengdu	5379	10.54	6825	13.38	108271	15.86	12732
自　贡	Zigong	581	3.88	808	5.40	18105	22.41	1525
攀枝花	Panzhihua	531	7.68	599	8.66	9625	16.07	1439
泸　州	Luzhou	677	4.68	718	4.96	14478	20.16	1117
德　阳	Deyang	465	7.08	241	3.67	6700	27.80	550
绵　阳	Mianyang	936	7.77	855	7.10	17790	20.81	1077
广　元	Guangyuan	324	3.50	169	1.83	3200	18.93	395
遂　宁	Suining	549	3.67	204	1.36	3704	18.16	434
内　江	Neijiang	297	2.10	564	3.99	9973	17.68	700
乐　山	Leshan	656	5.69	288	2.50	4207	14.61	812
南　充	Nanchong	854	4.44	535	2.78	11300	21.12	1020
眉　山	Meishan	412	4.85	236	2.78	1800	7.63	418
宜　宾	Yibin	310	3.89	393	4.94	13147	33.45	632
广　安	Guangan	194	1.54	40	0.32	1212	30.30	350
达　州	Dazhou	152	3.65	121	2.91	4721	39.02	1053
雅　安	Yaan	202	5.74	48	1.36	1060	22.08	637
巴　中	Bazhong	265	1.86	101	0.71	2100	20.79	324
资　阳	Ziyang	252	2.34	139	1.29	1719	12.37	235
贵　阳	Guiyang	1141	5.27	2429	11.21	57559	23.70	3069
六盘水	Liupanshui	429	8.55	38.5	0.77	4424	114.91	1130
遵　义	Zunyi	1029	12.22	509	6.05	12775	25.10	1137
安　顺	Anshun	285	3.38	255	3.02	4246	16.65	480

3-6 续表 6 Continued 6

城　市	City	年末实有道路面积(万平方米) Area of Roads (year-end) (10000sq.m)	人均实有道路面积(平方米) Per Capita Area of Roads (sq.m)	年末实有公共汽电车辆(辆) Number of Public Vehicles of Bus and Trolley Bus (year-end) (unit)	每万人拥有公共汽电车(辆) Number of Public Vehicles of Bus and Trolley Bus Per 10000 Population (unit)	公共汽电车客运量(万人次) Number of Passengers Carried of Bus and Trolley Bus (10000 person-time)	平均每辆公共汽电车运载力(万人次) Number of Passengers Carried of Per Bus and Trolley Bus (10000 person-time)	年末实有出租车(辆) Number of Taxi (year-end) (unit)
昆　明	Kunming	2127	8.81	3214	13.31	73562	22.89	6230
曲　靖	Qujing	397	5.76	412	5.98	7008	17.01	1589
玉　溪	Yuxi	326	7.82	68	1.63	1600	23.53	317
保　山	Baoshan	236	2.68	186	2.11	1125	6.05	450
昭　通	Shaotong	191	2.37	72	0.89	1300	18.06	581
丽　江	Lijiang	200	13.05	168	10.96	4000	23.81	777
思　茅	Simao	74	3.44	98	4.55	647	6.60	260
临　沧	Lincang	117	4.02	58	1.99	59	1.02	300
拉　萨	Lhasa	435	23.34	784	42.06	6861	8.75	1160
西　安	Xian	4722	8.51	6123	11.04	139924	22.85	11879
铜　川	Tongchuan	352	4.63	196	2.58	2670	13.62	965
宝　鸡	Baoji	1123	8.07	697	5.01	15242	21.87	1525
咸　阳	Xanyang	808	9.07	417	4.68	8300	19.90	1305
渭　南	Weinan	680	7.10	184	1.92	17.8	0.10	795
延　安	Yanan	171	3.87	293	6.63	7420	25.32	700
汉　中	Hanzhong	215	3.95	162	2.98	2616	16.15	624
榆　林	Yulin	388	7.79	156	3.13	7000	44.87	710
安　康	Ankang	460	4.65	81	0.82	1259	15.54	2703
商　洛	Shangluo	160	2.93	62	1.14	835	13.47	317
兰　州	Lanzhou	2378	11.32	2113	10.06	54150	25.63	5074
嘉峪关	Jiayuguan	307	16.51	92	4.95	1154	12.54	602
金　昌	Jinchang	386	18.03	112	5.23	865	7.72	650
白　银	Baiyin	520	10.53	205	4.15	5801	28.30	3182
天　水	Tianshui	591	4.72	220	1.76	3480	15.82	1850
武　威	Wuwei	374	3.63	168	1.63	2401	14.29	2890
张　掖	Zhangye	232	4.49	201	3.89	670	3.33	1241
平　凉	Pingliang	402	8.10	139	2.80	1750	12.59	1106
酒　泉	Jiuquan	387	10.63	249	6.84	4014	16.12	800
庆　阳	Qingyang	220	6.37	275	7.97	2600	9.45	1200
定　西	Dingxi	109	2.34	53	1.14	659	12.43	440
陇　南	Longnan	43	0.79	22	0.40	335	15.23	258
西　宁	Xining	791	7.05	1732	15.44	58761	33.93	5116
银　川	Yinchuan	1290	14.52	1044	11.75	15257	14.61	5006
石嘴山	Shizuishan	914	20.24	177	3.92	1438	8.12	2267
吴　忠	Wuzhong	335	8.97	279	7.47	1200	4.30	1046
固　原	Guyuan	383	8.81	110	2.53	2010	18.27	2694
中　卫	Zhongwei	337	8.63	338	8.66	58	0.17	820
乌鲁木齐	Urumqi	1858	8.19	3988	17.57	78171	19.60	7930
克拉玛依	Kelamayi	731	18.93	416	10.77	3276	7.88	1525

3-7 城市绿化(市辖区,2008年)

Urban Green Areas(Districts under City，(2008)

城　市	City	公园绿地面积(公顷) Public Green Areas (hectare)	绿地面积(公顷) Green Areas (hectare)	建成区绿化覆盖面积(公顷) Green Space In the Established District (hectare)	人均园林绿地面积 Per Capita Green Areas (sq.m)	建成区绿化覆盖率 Percentage of Green Space In the Established District (%)
城市合计	**Total**	**303498**	**1600371**	**1113535**	**42.54**	**37.94**
北　京	Beijing	12316	46993	48707	40.55	37.15
天　津	Tianjin					
石家庄	Shijiazhuang	2175	6722	7498	27.92	39.26
唐　山	Tangshan	2075	8188	9437	26.80	44.31
秦皇岛	Qinhuangdao	1088	3368	3980	41.17	45.75
邯　郸	Handan	1761	3850	4604	26.25	44.27
邢　台	Xingtai	589	2059	2630	35.21	37.57
保　定	Baoding	908	4233	4905	40.11	38.02
张家口	Zhanjiakou	628	2568	2897	28.82	36.21
承　德	Chengde	1208	3102	3436	59.24	40.90
沧　州	Cangzhou	254	1258	1572	24.16	35.73
廊　坊	Langfang	576	2351	2582	29.36	46.11
衡　水	Hengshui	240	811	1193	26.37	27.11
太　原	Taiyuan	2233	8849	8247	31.46	34.65
大　同	Datong	597	2919	2919	19.03	32.08
阳　泉	Yangquan	479	1757	1936	25.83	37.96
长　治	Changzhi	423	1971	2120	28.36	47.11
晋　城	Jincheng	163	1377	1410	37.48	31.33
朔　州	Shuozhou	220	1029	996	16.28	34.34
晋　中	Jinzhong	374	1164	1461	19.97	38.45
运　城	Yuncheng	308	885	1185	13.46	39.50
忻　州	Xinzhou	105	200	304	3.82	14.48
临　汾	Linfen	483	995	1695	12.10	45.81
吕　梁	Luliang	335	426	513	15.78	34.20
呼和浩特	Huhehaote	2143	5650	5411	48.41	35.14
包　头	Baotou	1906	6812	6722	48.50	37.34
乌　海	Wuhai	425	1175	1502	24.34	20.03
赤　峰	Chifeng	419	1576	1783	13.10	23.16
通　辽	Tongliao	492	1591	1648	19.34	32.96
鄂尔多斯	Erdos	460	2120	2237	85.38	22.37
呼伦贝尔	Hulunbeier	546	896	896	33.68	32.00
巴彦淖尔	Bayanzhuoer	141	832	907	14.92	28.34
乌兰察布	Wulanchabu	778	950	894	31.48	25.54
沈　阳	Shenyang	5673	22964	15469	45.11	41.81
大　连	Dalian	2956	11999	11353	40.22	44.00
鞍　山	Anshan	1347	5297	5297	35.95	35.79
抚　顺	Fushun	1036	4350	4891	31.16	39.44
本　溪	Benxi	764	4477	4712	46.77	44.04
丹　东	Dandong	393	1928	2009	25.08	37.91
锦　州	Jinzhou	799	2473	2615	26.63	37.90
营　口	Yingkou	917	3422	3801	38.75	39.19

城　市	City	公园绿地面积(公顷) Public Green Areas (hectare)	绿地面积(公顷) Green Areas (hectare)	建成区绿化覆盖面积(公顷) Green Space In the Established District (hectare)	人均园林绿地面积 Per Capita Green Areas (sq.m)	建成区绿化覆盖率 Percentage of Green Space In the Established District (%)
阜　新	Fuxin	608	2133	2405	27.38	35.90
辽　阳	Liaoyang	613	2872	3141	39.55	34.14
盘　锦	Panjin	460	1982	2238	32.98	38.59
铁　岭	Tieling	422	1525	1525	34.19	34.66
朝　阳	Chaoyang	428	2324	1006	39.27	22.36
葫芦岛	Huludao	514	2674	2744	27.20	40.35
长　春	Changchun	3245	10888	12426	32.97	37.88
吉　林	Jinlin	1330	6115	7005	33.07	41.95
四　平	Siping	412	1389	1348	22.81	32.10
辽　源	Liaoyuan	253	1124	1124	23.55	26.76
通　化	Tonghua	427	1446	1446	31.94	30.77
白　山	Baishan	282	599	701	10.10	3.29
松　原	Songyuan	474	1306	1590	24.07	42.97
白　城	Baicheng	201	1064	1140	20.92	30.00
哈尔滨	Harbin	3479	10131	11461	21.32	33.71
齐齐哈尔	Qiqihaer	774	168027	3590	1179.22	31.22
鸡　西	Jixi	611	2784	3004	31.47	38.03
鹤　岗	Hegang	778	2084	1545	30.67	35.93
双鸭山	Shuangyashan	414	1761	2084	35.16	32.06
大　庆	Daqing	1096	6402	7296	48.97	43.17
伊　春	Yichun	1353	4078	4069	50.30	25.27
佳木斯	Jiamusi	593	2406	2502	29.20	40.35
七台河	Qitaihe	374	1901	2100	35.56	33.87
牡丹江	Mudanjiang	558	5055	2903	63.66	44.66
黑　河	Heihe	161	425	425	22.16	22.37
绥　化	Suihua	137	620	990	6.91	35.36
上　海	Shanghai	14777	34256	35986	25.92	40.62
南　京	Nanjing	6312	76317	27307	141.00	46.13
无　锡	Wuxi	2990	15747	8944	66.33	43.00
徐　州	Xuzhou	1787	9242	7563	50.12	40.44
常　州	Changzhou	1450	6468	5076	28.64	41.95
苏　州	Suzhou	3416	12475	13340	52.37	41.95
南　通	Nantong	782	3150	2884	35.99	41.80
连云港	Lianyungang	772	3443	3898	42.57	41.03
淮　安	Huaian	1964	3672	3953	13.21	39.53
盐　城	Yancheng	718	2716	3092	16.78	24.74
扬　州	Yangzhou	1342	3055	3259	25.09	43.45
镇　江	Zhenjiang	1290	6097	4135	59.30	42.19
泰　州	Taizhou	476	2121	2372	26.30	40.20
宿　迁	Suqian	470	6581	2406	41.65	41.48
杭　州	Hangzhou	4078	12971	14177	30.57	38.60
宁　波	Ningbuo	1672	8219	9064	37.34	37.45

3-7 续表 2 Continued 2

城　市	City	公园绿地面积(公顷) Public Green Areas (hectare)	绿地面积(公顷) Green Areas (hectare)	建成区绿化覆盖面积(公顷) Green Space In the Established District (hectare)	人均园林绿地面积 Per Capita Green Areas (sq.m)	建成区绿化覆盖率 Percentage of Green Space In the Established District (%)
温　州	Wenzhou	849	3333	3610	23.17	21.24
嘉　兴	Jiaxing	578	3662	3221	44.36	41.83
湖　州	Huzhou	779	2992	3222	27.57	44.63
绍　兴	Shaoxing	1047	3430	3998	52.85	44.42
金　华	Jinhua	677	2562	2752	27.73	39.31
衢　州	Quzhou	378	1781	2034	21.76	42.38
舟　山	Zhoushan	655	1775	2013	25.51	40.26
台　州	Taizhou	952	5012	4896	32.81	42.57
丽　水	Lishui	236	831	963	21.71	36.34
合　肥	Hefei	2271	9160	9874	45.02	35.26
芜　湖	Wuhu	880	4598	4803	43.55	38.12
蚌　埠	Bengbu	775	2911	3063	31.47	30.63
淮　南	Huainan	1197	3744	3888	22.46	40.50
马鞍山	Maanshan	710	4729	3047	74.97	42.32
淮　北	Huaibei	1005	3716	2638	34.29	41.87
铜　陵	Tongling	454	2247	1920	50.98	40.85
安　庆	Anqing	549	2427	2553	32.68	38.68
黄　山	Huangshan	391	12352	1943	284.15	48.58
滁　州	Chuzhou	219	2256	1413	42.69	32.11
阜　阳	Fuyang	315	1625	1721	8.08	28.21
宿　州	Suzhou	334	1283	1663	7.10	36.15
巢　湖	Chaohu	235	1464	1325	16.67	36.81
六　安	Liuan	321	1854	1802	10.07	35.33
亳　州	Bozhou	176	670	1228	4.31	38.38
池　州	Chizhou	335	1036	1098	15.83	42.23
宣　城	Xuancheng	190	2641	1291	31.02	37.97
福　州	Fuzhou	2011	6885	6666	36.88	37.66
厦　门	Xiamen	2422	13248	7564	76.28	38.40
莆　田	Putian	590	2016	2244	9.56	43.15
三　明	Sanming	227	913	1027	32.17	41.08
泉　州	Quanhzou	777	3736	3294	36.37	37.01
漳　州	Zhangzhou	403	1921	1978	35.18	41.21
南　平	Nanping	208	736	796	14.97	30.62
龙　岩	Longyan	269	1312	1331	27.56	38.03
宁　德	Ningde	287	605	653	13.82	38.41
南　昌	Nanchang	1781	7202	7663	32.28	70.30
景德镇	Jingdezhen	612	3567	3156	78.28	43.23
萍　乡	Pingxiang	324	1468	1663	17.35	40.56
九　江	Jiujiang	694	3864	4067	63.93	45.70
新　余	Xinyu	475	2289	2005	25.11	43.59
鹰　潭	Yingtan	158	792	854	38.65	32.85
赣　州	Ganzhou	464	2514	2027	39.43	36.85

3-7 续表 3 Continued 3

城 市	City	公园绿地面积(公顷) Public Green Areas (hectare)	绿地面积(公顷) Green Areas (hectare)	建成区绿化覆盖面积(公顷) Green Space In the Established District (hectare)	人均园林绿地面积 Per Capita Green Areas (sq.m)	建成区绿化覆盖率 Percentage of Green Space In the Established District (%)
吉 安	Jian	270	1060	1190	19.88	41.03
宜 春	Yichun	365	1339	1335	12.97	41.72
抚 州	Fuzhou	189	994	834	9.30	18.53
上 饶	Shangrao	213	1228	949	31.48	27.11
济 南	Jinan	3255	10275	11877	29.34	36.43
青 岛	Qingdao	4014	15630	11086	56.58	41.52
淄 博	Zibuo	2147	14289	8736	51.37	41.01
枣 庄	Zaozhuang	817	3423	3757	15.75	35.44
东 营	Dongying	1040	5266	3768	63.34	38.85
烟 台	Yantai	2157	8021	8479	44.71	40.00
潍 坊	Weifang	1790	7707	5106	44.78	38.68
济 宁	Jining	666	3350	3388	30.49	38.50
泰 安	Taian	937	3465	4062	21.65	41.45
威 海	Weihai	1349	5149	5564	80.53	46.37
日 照	Rizhao	1131	2736	2942	22.35	42.03
莱 芜	Laiwu	883	2462	2486	19.55	43.61
临 沂	Linyi	2705	5978	5895	30.24	41.22
德 州	Dezhou	1128	1768	1906	29.74	40.55
聊 城	Liaocheng	963	1902	2609	18.21	41.41
滨 州	Binzhou	1003	2481	2885	39.28	36.99
菏 泽	Heze	691	2770	2419	18.84	40.32
郑 州	Zhengzhou	2559	9840	11196	35.56	34.03
开 封	Kaifeng	432	2791	3147	32.91	35.36
洛 阳	Luoyang	1562	4819	5638	30.43	34.38
平顶山	Pingdingshan	754	2073	2234	20.58	36.03
安 阳	Anyang	577	2344	2705	21.96	37.05
鹤 壁	Hebi	414	1549	1787	27.79	37.23
新 乡	Xinxiang	622	3439	3669	34.16	38.62
焦 作	Jiaozuo	708	2735	3097	33.00	34.41
濮 阳	Puyang	535	1492	1632	22.62	45.33
许 昌	Xuchang	501	2466	2712	60.43	41.72
漯 河	Luohe	799	1854	2268	13.51	44.47
三门峡	Sanmenxi	442	1157	1239	39.91	42.72
南 阳	Nanyang	1256	2385	2800	13.09	32.18
商 丘	Shangqiu	465	1864	1874	10.95	31.76
信 阳	Xinyang	528	3431	2388	23.90	41.17
周 口	Zhoukou	256	1870	1666	36.04	39.67
驻马店	Zhumadian	299	1497	1720	23.36	35.10
武 汉	Wuhan	5512	14791	17242	28.86	37.40
黄 石	Huangshi	820	2339	2506	36.70	40.42
十 堰	Shiyan	475	12394	4744	236.71	68.75

城 市	City	公园绿地面积(公顷) Public Green Areas (hectare)	绿地面积(公顷) Green Areas (hectare)	建成区绿化覆盖面积(公顷) Green Space In the Established District (hectare)	人均园林绿地面积 Per Capita Green Areas (sq.m)	建成区绿化覆盖率 Percentage of Green Space In the Established District (%)
宜 昌	Yichang	813	2886	3315	23.20	40.43
襄 樊	Xiangfan	910	4800	4000	21.86	42.11
鄂 州	Ezhou	452	1297	1763	12.14	37.51
荆 门	Jingmen	380	2002	2184	29.83	44.57
孝 感	Xiaogan	260	1501	1426	15.99	44.56
荆 州	Jingzhou	415	1845	2295	15.82	36.43
黄 冈	Huanggang	290	895	1064	24.40	39.41
咸 宁	Xianning	300	1251	986	21.02	23.48
随 州	Suizhou	480	15900	2790	97.80	32.44
长 沙	Changsha	2142	7693	8818	32.28	36.29
株 洲	Zhuzhou	582	3409	3577	42.79	39.74
湘 潭	Xiangtan	641	4748	2917	54.08	41.08
衡 阳	Hengyang	849	3555	3878	34.50	39.57
邵 阳	Shaoyang	440	1556	1528	23.39	32.51
岳 阳	Yueyang	554	2955	3128	36.35	33.63
常 德	Changde	552	2669	3045	19.03	42.29
张家界	Zhangjiajie	157	973	1494	19.30	67.91
益 阳	Yiyang	293	1673	1798	12.71	35.96
郴 州	Chenzhou	269	1305	1404	19.68	34.24
永 州	Yongzhou	262	1453	1534	13.34	28.41
怀 化	Huaihua	326	1672	1158	47.45	28.95
娄 底	Loudi	328	1902	1581	42.69	38.56
广 州	Guangzhou	8035	116516	31337	180.41	35.01
韶 关	Shaoguan	551	21919	3153	239.60	38.93
深 圳	Shenzhen	14205	96381	35471	422.59	45.01
珠 海	Zhuhai	1257	5103	5329	51.30	45.16
汕 头	Shantou	2613	5845	6215	11.71	36.56
佛 山	Foshan	1690	5118	5431	14.05	21.90
江 门	Jiangmen	851	4347	4611	31.83	40.45
湛 江	Zhanjiang	807	3139	3530	25.49	22.06
茂 名	Maoming	456	2777	3010	21.54	44.66
肇 庆	Zhaoqing	1092	4914	2816	93.12	39.66
惠 州	Huizhou	989	3725	4153	29.58	23.07
梅 州	Meizhou	373	1209	1423	38.64	35.58
汕 尾	Shanwei	89	380	397	7.35	30.54
河 源	Heyuan	245	1004	1103	33.76	40.85
阳 江	Yangjiang	369	1137	1164	17.17	29.10
清 远	Qingyuan	326	1426	1497	25.63	35.64
东 莞	Dongguan	10254	27938	30173	159.76	363.53
中 山	Zhongshan	340	1373	1518	9.38	39.95
潮 州	Chaozhou	401	1555	1738	44.61	41.38

城 市	City	公园绿地面积(公顷) Public Green Areas (hectare)	绿地面积(公顷) Green Areas (hectare)	建成区绿化覆盖面积(公顷) Green Space In the Established District (hectare)	人均园林绿地面积 Per Capita Green Areas (sq.m)	建成区绿化覆盖率 Percentage of Green Space In the Established District (%)
揭 阳	Jieyang	930	2871	1669	41.66	35.51
云 浮	Yunfu	210	1106	569	37.85	30.59
南 宁	Nanning	2030	35415	6979	134.20	38.99
柳 州	Liuzhou	1656	5674	4709	55.18	37.08
桂 林	Guilin	528	2215	2403	29.18	40.05
梧 州	Wuzhou	282	1939	1147	39.00	31.86
北 海	Beihai	192	1108	1788	18.68	26.29
防城港	Fangchenggang	71	367	384	7.23	20.21
钦 州	Qinzhou	307	1009	1326	7.78	
贵 港	Guigang	455	1311	1408	7.12	29.33
玉 林	Yulin	502	1697	1561	17.70	30.02
百 色	Baise	159	1261	1066	36.79	33.31
贺 州	Hezhou	91	589	500	5.55	17.24
河 池	Hechi	82	511	478	15.63	28.12
来 宾	Laibin	73	330	451	3.18	19.61
崇 左	Chongzuo	92	516	516	14.74	39.69
海 口	Haikou	933	3558	3950	22.83	43.41
三 亚	Sanya	338	1170	1272	21.44	21.20
重 庆	Chongqing	8463	68325	48813	44.53	68.94
成 都	Chengdu	4642	15446	16499	30.28	38.55
自 贡	Zigong	378	1736	1727	11.60	32.58
攀枝花	Panzhihua	521	2004	2179	28.97	39.62
泸 州	Luzhou	517	2055	2026	14.21	38.23
德 阳	Deyang	302	1458	1306	22.20	30.37
绵 阳	Mianyang	632	3895	2691	32.34	33.64
广 元	Guangyuan	253	2686	1217	29.01	36.88
遂 宁	Suining	353	1550	1634	10.36	33.35
内 江	Neijiang	144	789	681	5.59	18.41
乐 山	Leshan	371	1820	1906	15.78	38.26
南 充	Nanchong	598	2730	2440	14.18	38.13
眉 山	Meishan	366	956	1277	11.26	31.93
宜 宾	Yibin	534	1517	1668	19.05	34.04
广 安	Guangan	345	780	910	6.21	43.33
达 州	Dazhou	369	1077	1077	25.88	46.83
雅 安	Yaan	195	822	457	23.35	22.85
巴 中	Bazhong	241	571	457	4.01	28.56
资 阳	Ziyang	168	771	815	7.15	29.11
贵 阳	Guiyang	2357	5722	5894	26.41	42.10
六盘水	Liupanshui	95	505	1249	10.07	12.14
遵 义	Zunyi	627	2378	2104	28.24	46.76
安 顺	Anshun		2175	442	25.79	13.81

城 市	City	公园绿地面积(公顷) Public Green Areas (hectare)	绿地面积(公顷) Green Areas (hectare)	建成区绿化覆盖面积(公顷) Green Space In the Established District (hectare)	人均园林绿地面积 Per Capita Green Areas (sq.m)	建成区绿化覆盖率 Percentage of Green Space In the Established District (%)
昆 明	Kunming	2133	8864	9881	36.72	35.93
曲 靖	Qujing	289	1399	1334	20.30	36.05
玉 溪	Yuxi	204	918	798	22.03	34.70
保 山	Baoshan	129	689	484	7.82	26.89
昭 通	Shaotong	84	282	675	3.50	30.68
丽 江	Lijiang	312	581	580	37.90	26.36
思 茅	Simao	37	585	635	27.17	31.75
临 沧	Lincang	27	308	308	10.58	25.29
拉 萨	Lhasa	125	1806	1905	96.89	32.29
西 安	Xian	9199	11616	10999	20.94	40.29
铜 川	Tongchuan	287	998	1234	13.12	34.28
宝 鸡	Baoji	905	3024	3090	21.73	26.19
咸 阳	Xanyang	560	1875	2225	21.05	35.32
渭 南	Weinan	295	1133	1347	11.83	34.54
延 安	Yanan	301	853	882	19.30	36.75
汉 中	Hanzhong	458	1029	1208	18.91	44.74
榆 林	Yulin	174	1871	1183	37.55	28.85
安 康	Ankang	337	876	1038	8.86	35.79
商 洛	Shangluo	125	519	519	9.51	21.63
兰 州	Lanzhou	1847	4326	4829	20.60	26.39
嘉 峪 关	Jiayuguan	258	1425	1503	76.65	35.79
金 昌	Jinchang	256	1042	850	48.67	26.56
白 银	Baiyin	283	1042	1147	21.10	22.49
天 水	Tianshui	374	1276	1451	10.19	23.40
武 威	Wuwei	260	770	790	7.48	29.26
张 掖	Zhangye	200	577	653	11.18	23.32
平 凉	Pingliang	203	1260	1767	25.39	36.81
酒 泉	Jiuquan	257	1101	1210	30.23	33.61
庆 阳	Qingyang	16	218	232	6.32	16.57
定 西	Dingxi	160	650	577	13.96	25.09
陇 南	Longnan	19	23	22	0.42	2.75
西 宁	Xining	786	2278	2350	20.30	35.61
银 川	Yinchuan	830	5239	4058	58.97	36.56
石 嘴 山	Shizuishan	788	4439	3705	98.32	39.41
吴 忠	Wuzhong	259	807	746	21.60	26.64
固 原	Guyuan	70	892	796	20.52	24.88
中 卫	Zhongwei	196	1416	1399	36.28	53.81
乌鲁木齐	Urumqi	1639	21350	7334	94.08	24.20
克拉玛依	Kelamayi	311	2039	2252	52.80	42.26

价格指数

Price Indices

第4篇

4-1 各种价格总指数(1951 ~ 2008年)
Price Indices (1951 ~ 2008)

(上年价格=100) (Preceding year=100)

年 份 Year	居民消费价格指数 Consumer Price Index	城市居民消费价格指数 Urban Areas	农村居民消费价格指数 Rural Areas	商品零售价格指数 Retail Price Index	城市商品零售价格指数 Urban Areas	农村商品零售价格指数 Rural Areas	农业生产资料价格指数 Price Indices of Agricultural Production	工业品出厂价格指数 Ex-Factory Price Indices of Industrial Products	原材料、燃料、动力购进价格指数 Purchasing Price Indices of Raw Material, Fuel and Power	固定资产投资价格指数 Investment in Fixed Assets Price Index
1951		112.5		112.2						
1952		102.7		99.6						
1953		105.1		103.4						
1954		101.4		102.3						
1955		100.3		101.0						
1956		99.9		100.0						
1957		102.6		101.5						
1958		98.9		100.2						
1959		100.3		100.9						
1960		102.5		103.1						
1961		116.1		116.2						
1962		103.8		103.8						
1963		94.1		94.1						
1964		96.3		96.3						
1965		98.8		97.3						
1966		98.8		99.7						
1967		99.4		99.3						
1968		100.1		100.1						
1969		101.0		98.9						
1970		100.0		99.8						
1971		99.9		99.3						
1972		100.2		99.8						
1973		100.1		100.6						
1974		100.7		100.5						
1975		100.4		100.2						
1976		100.3		100.3						
1977		102.7		102.0						
1978		100.7		100.7	102.5	100.1	99.9			
1979		101.9		102.0	101.9	102.0	100.4			
1980		107.5		106.0	108.1	104.4	101.0			
1981		102.5		102.4	102.7	102.1	101.7			
1982		102.0		101.9	102.1	101.7	101.9			
1983		102.0		101.5	101.9	101.2	103.0			
1984		102.7		102.8	102.5	103.0	108.9			
1985	109.3	111.9	107.6	108.8	112.2	107.0	104.8	108.7		
1986	106.5	107.0	106.1	106.0	107.0	105.0	101.1	103.8	109.5	
1987	107.3	108.8	106.2	107.3	109.1	106.3	107.0	107.9	111.0	
1988	118.8	120.7	117.5	118.5	121.3	117.1	116.2	115.0	120.2	
1989	118.0	116.3	119.3	117.8	116.0	118.8	118.9	118.6	126.4	
1990	103.1	101.3	104.5	102.1	100.2	103.2	105.5	104.1	105.6	
1991	103.4	105.1	102.3	102.9	104.5	102.0	102.9	106.2	109.1	109.5
1992	106.4	108.6	104.7	105.4	107.7	103.9	103.7	106.8	111.0	115.3
1993	114.7	116.1	113.7	113.2	114.2	112.6	114.1	124.0	135.1	126.6
1994	124.1	125.0	123.4	121.7	120.9	122.9	121.6	119.5	118.2	110.4
1995	117.1	116.8	117.5	114.8	113.5	116.4	127.4	114.9	115.3	105.9
1996	108.3	108.8	107.9	106.1	105.8	106.4	108.4	102.9	103.9	104.0
1997	102.8	103.1	102.5	100.8	100.8	100.7	99.5	99.7	101.3	101.7
1998	99.2	99.4	99.0	97.4	97.4	97.6	94.5	95.9	95.8	99.8
1999	98.6	98.7	98.5	97.0	97.0	97.1	95.8	97.6	96.7	99.6
2000	100.4	100.8	99.9	98.5	98.5	98.5	99.1	102.8	105.1	101.1
2001	100.7	100.7	100.8	99.2	98.9	99.6	99.1	98.7	99.8	100.4
2002	99.2	99.0	99.6	98.7	98.5	99.1	100.5	97.8	97.7	100.2
2003	101.2	100.9	101.6	99.9	99.6	100.5	101.4	102.3	104.8	102.2
2004	103.9	103.3	104.8	102.8	102.1	104.2	110.6	106.1	111.4	105.6
2005	101.8	101.6	102.2	100.8	100.5	101.4	108.3	104.9	108.3	101.6
2006	101.5	101.5	101.5	101.0	100.9	101.4	101.5	103.0	106.0	101.5
2007	104.8	104.5	105.4	103.8	103.3	104.9	107.7	103.1	104.4	103.9
2008	105.9	105.6	106.5	105.9	105.5	106.7	120.3	106.9	110.5	108.9

注：本表1985年前城市居民消费价格指数为职工生活费用价格总指数。

a. Urban areas consumer price indices remain with price indices of cost of living of workers and employees before 1985.

4-2 各种价格定基指数(1978～2008年)
Fixed-base Price Indices(1978～2008)

年份 Year	居民消费价格指数 Consumer Price Index (1985=100)	城市居民消费价格指数 Urban Areas (1978=100)	农村居民消费价格指数 Rural Areas (1985=100)	商品零售价格指数 Retail Price Index (1978=100)	城市商品零售价格指数 Urban Areas (1978=100)	农村商品零售价格指数 Rural Areas (1978=100)	农业生产资料价格指数 Price Indices of Agricultural Production (1978=100)	工业品出厂价格指数 Ex-Factory Price Indices of Industrial Products (1985=100)	原材料、燃料、动力购进价格指数 Purchasing Price Indices of Raw Material, Fuel and Power (1990=100)	固定资产投资价格指数 Investment in Fixed Assets Price Index (1991=100)
1978		100.0		100.0	100.0	100.0	100.0			
1979		101.9		102.0	101.9	102.0	100.4			
1980		109.5		108.1	110.2	106.5	101.4			
1981		112.2		110.7	113.2	108.7	103.1			
1982		114.4		112.8	115.6	110.5	105.1			
1983		116.7		114.5	117.8	111.8	108.3			
1984		119.9		117.7	120.7	115.2	117.9			
1985	100.0	134.2	100.0	128.1	135.4	123.3	123.6	100.0		
1986	106.5	143.6	106.1	135.8	144.9	129.5	125.0	103.8		
1987	114.3	156.2	112.7	145.7	158.1	137.7	133.8	112.0		
1988	135.8	188.5	132.4	172.7	191.8	161.2	155.5	128.8		
1989	160.2	219.2	157.9	203.4	222.5	191.5	184.9	152.8		
1990	165.2	222.0	165.1	207.7	222.9	197.6	195.1	159.0	100.0	
1991	170.8	233.3	168.9	213.7	232.9	201.6	200.8	168.9	109.1	100.0
1992	181.7	253.4	176.8	225.2	250.8	209.5	208.2	180.4	121.1	115.3
1993	208.4	294.2	201.0	254.9	286.4	235.9	237.6	223.7	163.6	145.9
1994	258.6	367.8	248.0	310.2	346.3	289.9	288.9	267.3	193.4	161.1
1995	302.8	429.6	291.4	356.1	393.1	337.4	368.1	307.1	222.9	170.6
1996	327.9	467.4	314.4	377.8	415.9	359.0	399.0	316.0	231.6	177.4
1997	337.1	481.9	322.3	380.8	419.2	361.5	397.0	315.0	234.6	180.4
1998	334.4	479.0	319.1	370.9	408.3	352.8	375.2	302.1	224.7	180.0
1999	329.7	472.8	314.3	359.8	396.1	342.6	359.4	294.8	217.3	179.3
2000	331.0	476.6	314.0	354.4	390.2	337.5	356.2	303.1	228.4	181.3
2001	333.3	479.9	316.5	351.6	385.9	336.2	353.0	299.2	227.9	182.0
2002	330.6	475.1	315.2	347.0	380.1	333.2	354.8	292.6	222.7	182.4
2003	334.6	479.4	320.2	346.7	378.6	334.9	359.8	299.3	233.4	186.4
2004	347.7	495.2	335.6	356.4	386.6	349.0	397.9	317.6	260.0	196.8
2005	354.0	503.1	343.0	359.3	388.5	353.9	430.9	333.2	281.6	199.9
2006	359.3	510.6	348.1	362.9	392.0	358.9	437.4	343.2	298.5	202.9
2007	376.5	533.6	366.9	376.7	401.9	376.5	471.1	353.8	311.6	210.8
2008	398.7	563.5	390.7	398.9	424.0	401.7	566.7	378.2	344.3	229.6

4-3-1 全国工业品出厂价格分类指数(1985 ~ 2008年)
Ex-Factory Price Indices of Industrial Products(1985 ~ 2008)

年 份 Year	全部工业品 Total Industry	轻工业 Light Industry Products	重工业 Heavy Industry	一、生产资料 Means of Production	01采 掘 Mining & Quarrying Industry	02原 料 Raw Materials Industry
1985	108.7	104.2	106.8			
1986	103.8	102.3	104.8	104.8	100.6	107.5
1987	107.9	108.0	107.5	107.8	114.1	106.9
1988	115.0	115.1	112.0	113.7	109.3	113.5
1989	118.6	118.8	118.5	118.9	114.2	116.4
1990	104.1	103.8	104.3	104.4	107.9	105.9
1991	106.2	102.3	108.2	108.0	112.8	111.8
1992	106.8	103.2	110.6	109.3	112.6	110.2
1993	124.0	109.7	136.9	133.7	146.5	140.4
1994	119.5	122.5	116.9	116.7	133.1	117.9
1995	114.9	119.1	111.3	113.6	119.7	113.6
1996	102.9	101.9	103.9	103.5	108.9	101.7
1997	99.7	98.6	100.4	99.7	105.5	100.0
1998	95.9	96.1	95.8	95.4	98.4	93.4
1999	97.6	96.1	98.7	98.3	104.5	98.2
2000	102.8	98.8	105.4	105.1	124.9	108.4
2001	98.7	98.4	98.9	98.8	100.1	99.7
2002	97.8	97.6	97.9	97.7	101.9	98.0
2003	102.3	99.3	105.4	103.6	113.3	106.7
2004	106.1	102.2	109.8	107.8	118.8	110.2
2005	104.9	100.7	109.1	106.8	125.8	109.8
2006	103.0	100.6	105.2	103.9	114.1	106.6
2007	103.1	102.2	104.0	103.2	103.8	105.6
2008	106.9	103.7	109.6	107.7	123.2	108.9

年 份 Year	03加工 Manufacturing Industry	二、生活资料 Consumer Goods	01食 品 Food	02衣 着 Clothing	03一般日用品 Articles for Daily Use	04耐用消费品 Durable Consumer Goods
1985						
1986	103.6	102.2	102.5	102.0	103.5	100.1
1987	107.2	108.1	109.3	107.9	111.9	100.5
1988	114.7	117.2	116.2	120.5	120.4	106.0
1989	121.8	118.2	114.1	121.4	121.5	131.8
1990	102.5	103.6	101.3	107.3	103.0	99.3
1991	103.8	103.2	103.6	105.4	103.3	96.5
1992	107.4	103.2	106.4	100.8	102.8	101.7
1993	122.7	109.6	113.9	106.2	108.9	108.8
1994	111.1	123.8	123.4	136.4	112.3	108.4
1995	112.0	116.9	123.2	115.6	115.1	105.2
1996	104.1	102.1	104.7	100.5	102.9	97.7
1997	98.1	99.6	100.8	101.1	98.3	94.9
1998	96.8	96.9	98.9	96.2	96.7	94.0
1999	97.1	96.4	97.4	96.1	96.0	95.6
2000	98.6	97.8	96.0	100.6	98.0	96.4
2001	98.1	98.5	100.5	99.0	98.3	95.3
2002	96.9	97.9	99.7	98.8	97.9	94.7
2003	100.2	98.9	100.9	99.8	99.5	95.6
2004	104.8	101.2	105.2	100.9	101.9	96.2
2005	102.2	99.8	100.9	100.8	101.9	98.8
2006	101.1	100.2	100.5	101.3	100.8	98.0
2007	102.0	102.8	107.0	101.2	101.5	99.0
2008	105.2	104.1	108.3	102.2	103.6	99.5

4-3-2 全国按部门分工业品出厂价格指数(1985～2008年)
Ex-Factory Price Indices of Industrial Products by Branch(1985～2008)

年 份 Year	01 冶金工业 Metallurgical Industry	02 电力工业 Power Industry	03 煤炭及炼焦工业 Coal Industry	04 石油工业 Petroleum Industry	05 化学工业 Chemical Industry	06 机械工业 Machine Building Industry	07 建筑材料工业 Building Materials Industry	08 森林工业 Timber Industry
1985	114.3	103.4	117.6	107.2	102.9	111.8	115.4	114.9
1986	107.4	102.4	96.8	104.6	102.9	102.8	113.7	107.1
1987	107.0	103.1	102.8	104.0	112.2	104.9	105.6	144.9
1988	115.4	101.7	110.6	106.8	120.4	111.8	113.4	119.6
1989	121.0	105.9	112.2	108.4	119.4	121.2	123.6	115.7
1990	110.3	107.4	106.2	107.1	101.6	102.8	99.6	94.6
1991	114.2	116.9	113.1	118.8	102.4	102.8	106.1	100.4
1992	114.2	108.8	116.1	115.3	102.7	106.6	111.1	105.9
1993	157.7	135.9	139.7	171.3	108.3	119.7	142.8	131.8
1994	106.8	139.5	122.2	148.7	115.4	109.5	107.6	106.9
1995	105.5	109.5	111.3	121.2	126.2	106.3	106.4	99.5
1996	97.7	113.1	113.7	104.6	103.4	101.6	104.3	98.2
1997	97.3	114.0	108.0	107.4	95.5	98.1	99.6	99.3
1998	93.1	105.5	96.6	93.0	92.9	97.0	96.6	95.4
1999	95.8	100.9	94.8	109.6	96.5	97.0	97.7	100.1
2000	103.3	102.4	98.1	144.3	101.0	97.4	99.6	99.2
2001	98.6	102.3	106.5	99.1	97.1	96.8	99.0	99.6
2002	97.6	100.8	111.6	95.2	97.6	96.2	97.8	98.6
2003	106.8	100.9	107.0	115.6	102.3	97.0	99.6	99.3
2004	116.9	102.4	115.9	114.2	107.7	99.4	103.5	102.1
2005	106.8	104.2	118.2	122.4	106.8	99.3	100.7	101.9
2006	103.3	102.8	105.8	120.3	100.7	100.4	101.9	102.0
2007	108.4	102.2	105.4	103.4	103.2	100.3	101.7	103.0
2008	111.9	101.8	131.4	118.5	107.4	101.0	107.4	103.8

年 份 Year	09 食品工业 Food Industry	10 纺织工业 Textile Industry	11 缝纫工业 Tailoring Industry	12 皮革工业 Leather Industry	13 造纸工业 Paper Industry	14 文教艺术用品工业 Cultural, Educational & Handicrafts Articles	15 其它工业 Other Industry
1985	105.5	104.3	105.1	112.1	113.7	103.2	
1986	102.5	102.6	100.0	101.7	105.7	99.6	109.1
1987	109.4	108.3	109.6	102.9	112.1	119.9	110.0
1988	116.3	122.3	116.2	114.4	120.7	112.1	122.3
1989	114.3	122.4	118.9	118.3	123.0	111.0	118.8
1990	101.0	107.2	109.1	106.3	102.3	107.3	104.7
1991	103.3	104.1	109.0	109.0	102.9	105.8	102.1
1992	106.2	99.3	100.8	112.8	102.7	102.3	109.6
1993	113.5	103.8	117.9	111.8	108.9	110.6	119.1
1994	123.4	136.8	116.1	121.9	106.6	109.1	119.1
1995	123.4	117.3	116.5	121.7	144.5	111.4	124.8
1996	104.2	96.0	108.2	111.3	116.1	101.5	108.5
1997	99.6	98.0	103.9	98.3	94.5	100.0	108.8
1998	98.6	94.1	97.7	98.3	94.1	94.4	102.8
1999	96.7	96.0	98.0	96.8	95.9	93.6	99.9
2000	95.8	104.7	99.4	100.2	99.9	99.2	102.1
2001	100.5	98.7	99.2	100.8	99.7	97.9	104.5
2002	99.6	94.7	98.7	99.3	97.9	97.4	101.7
2003	101.1	102.2	99.9	99.8	98.7	98.6	101.9
2004	106.5	104.7	101.1	101.0	101.3	99.8	103.9
2005	100.9	100.3	100.5	102.5	101.4	100.3	103.4
2006	100.4	102.2	101.2	101.1	100.7	99.7	102.4
2007	107.5	100.7	100.8	102.6	101.0	99.7	103.0
2008	109.6	101.3	102.1	102.7	105.8	101.4	106.1

4-3-3 全国按行业分工业品出厂价格指数(1985～2008年)

Ex-Factory Price Indices of Industrial Products by Sector(1985～2008)

年 份 Year	01煤炭开采和洗选业 Mining and Washing of Coal	02石油和天然气开采业 Extraction of Petroleum and Natural Gas	03黑色金属矿采选业 Mining and Processing of Ferrous Metal Ores	04有色金属矿采选业 Mining and Processing of Non-Ferrous Metal Ores	05非金属矿采选业 Mining and Processing of Nonmetal Ores
1985	114.2	133.3	123.2	114.3	105.6
1986	96.9	104.9	99.3	115.8	112.3
1987	100.8	102.2	99.8	146.4	104.1
1988	106.6	104.3	102.9	102.9	106.4
1989	110.9	112.5	112.2	118.2	121.0
1990	105.6	115.2	118.1	111.4	123.0
1991	113.3	121.9	129.0	103.3	102.1
1992	113.9	110.4	111.1	101.5	107.1
1993	140.2	183.9	128.6	108.1	124.0
1994	121.9	173.4	114.2	111.6	111.3
1995	111.5	136.5	103.2	146.0	110.3
1996	113.9	110.2	100.6	91.8	111.1
1997	107.2	106.1	100.4	96.0	102.1
1998	95.9	100.5	98.4	90.2	102.3
1999	94.3	118.1	101.1	94.9	97.0
2000	97.6	160.0	93.5	104.8	97.4
2001	106.9	95.4	101.6	99.5	99.1
2002	113.0	94.6	100.9	100.8	100.5
2003	103.8	119.1	110.4	107.2	100.2
2004	116.8	119.6	145.3	117.6	105.8
2005	123.2	129.9	112.3	119.6	109.4
2006	105.0	122.0	96.8	123.4	102.5
2007	103.8	102.0	110.3	112.6	103.1
2008	128.7	122.1	131.4	104.8	111.0

年 份 Year	06其他采矿业 Mining of Other Ores	07农副食品加工业 Processing of Food from Agricultural Products	08食品制造业 Manufacture of Foods	09饮料制造业 Manufacture of Beverages	10烟草制品业 Manufacture of Tobacco
1985			113.9	115.0	125.1
1986			104.3	94.5	97.3
1987			107.3	129.3	105.4
1988			110.6	108.6	107.5
1989			118.3	116.6	102.4
1990			100.2	102.1	100.6
1991			102.8	100.8	102.1
1992			107.6	100.4	105.0
1993			115.1	110.6	110.6
1994			131.6	117.7	103.1
1995			128.9	118.5	109.2
1996			103.1	100.0	108.0
1997			98.7	102.3	101.0
1998			98.2	98.9	101.1
1999			95.1	98.3	104.4
2000			93.6	98.7	101.9
2001			100.4	99.3	102.1
2002			98.6	99.2	103.5
2003		103.1	99 7	99.2	100.6
2004		113.9	102.9	100.6	101.1
2005		101.1	101.5	100.6	100.9
2006	100.2	100.1	101.1	100.5	100.5
2007	100.0	113.3	102.6	101.2	100.4
2008	100.5	114.4	108.0	103.7	100.5

注：其他采矿业的基础数据收集不到。

Be short of essential data of mining of other ores.

年 份 Year	11纺织业 Manufacture of Textile	12纺织服装、鞋、帽制造业 Manufacture of Textile Wearing Apparel, Footwear, and Caps	13皮革、毛皮、羽毛(绒)及其制品业 Manufacture of Leather, Fur, Feather and Related Products	14木材加工及木、竹、藤、棕、草制品业 Processing of Timber, Manufacture of Wood, Bamboo, Rattan, Palm, and Straw Products	15家具制造业 Manufacture of Furniture
1985	93.7	92.3	111.5	119.4	102.0
1986	102.6	100.0	101.7	99.1	120.2
1987	107.2	106.6	104.0	130.2	113.9
1988	121.0	112.6	112.4	128.3	109.5
1989	122.2	118.9	118.3	114.9	118.2
1990	107.9	102.8	106.3	95.1	106.1
1991	104.6	106.9	109.0	120.7	99.4
1992	100.3	104.9	109.7	104.6	103.3
1993	103.9	117.9	111.8	142.0	123.6
1994	139.9	116.1	121.9	95.4	115.7
1995	114.7	116.5	121.7	98.4	108.1
1996	98.1	108.2	111.3	94.5	106.2
1997	99.8	103.9	101.2	95.4	100.1
1998	95.8	97.7	98.3	89.6	100.1
1999	95.3	97.9	96.8	99.1	95.2
2000	103.2	99.4	100.2	98.6	99.1
2001	98.7	99.2	100.8	98.7	99.8
2002	94.7	98.7	99.4	96.8	98.9
2003	101.8	99.8	99.7	99.1	99.6
2004	104.3	100.7	100.9	102.2	101.8
2005	100.5	99.8	102.5	101.8	102.7
2006	102.1	100.9	101.2	102.3	100.3
2007	100.8	100.7	102.4	103.6	101.5
2008	101.5	102.1	102.3	104.1	103.3

年 份 Year	16造纸及纸制品业 Manufacture of Paper and Paper Products	17印刷业和记录媒介的复制 Printing, Reproduction of Recording Media	18文教体育用品制造业 Manufacture of Articles For Culture, Education and Sport Activity	19石油加工、炼焦及核燃料加工业 Processing of Petroleum, Coking, Processing of Nuclear Fuel	20化学原料及化学制品制造业 Manufacture of Raw Chemical Materials and Chemical Products
1985	104.8		99.4	121.2	105.2
1986	105.7		92.6	197.4	110.7
1987	110.7		116.1	102.3	111.5
1988	120.6		107.8	103.4	121.8
1989	123.0		111.0	105.9	120.3
1990	104.6		107.3	102.1	104.1
1991	101.6		103.7	116.9	101.2
1992	103.6		105.3	121.4	104.3
1993	108.9		110.3	163.9	110.9
1994	106.6		109.0	134.4	116.4
1995	144.5		120.9	112.4	129.7
1996	116.1		103.3	101.3	104.8
1997	94.5		102.4	108.2	95.7
1998	94.1		97.6	88.7	92.2
1999	95.5		92.8	104.6	97.3
2000	99.9		98.6	134.6	102.9
2001	99.7		98.5	102.2	97.6
2002	97.9		95.7	95.8	98.9
2003	98.7	97.6	100.2	114.7	103.4
2004	101.3	98.1	102.2	112.2	110.2
2005	101.4	99.6	102.0	118.4	108.5
2006	100.7	99.8	101.4	118.0	100.4
2007	101.0	100.5	101.5	105.0	103.8
2008	105.8	102.6	101.9	120.3	111.2

年 份 Year	21医药制造业 Manufacture of Medicines	22化学纤维制造业 Manufacture of Chemical Fibers	23橡胶制品业 Manufacture of Rubber	24塑料制品业 Manufacture of Plastics	25非金属矿物制品业 Manufacture of Non-metallic Mineral Products
1985	90.1	83.2	96.3	92.5	120.5
1986	109.4	111.8	98.5	101.6	113.7
1987	113.5	101.0	103.5	110.5	104.0
1988	116.9	109.3	111.0	130.7	113.6
1989	117.5	125.7	124.4	110.5	124.1
1990	97.4	99.9	108.8	92.0	97.9
1991	96.0	99.7	106.3	106.2	103.5
1992	101.0	96.0	101.5	101.6	112.2
1993	103.5	103.4	102.1	105.1	143.8
1994	116.5	115.5	112.7	111.6	107..2
1995	122.1	135.1	122.5	131.0	106.3
1996	99.0	81.4	105.1	98.9	104.0
1997	93.2	88.1	98.9	96.2	99.3
1998	96.1	84.8	94.1	93.8	96.1
1999	95.9	99.4	94.4	96.5	97.8
2000	93.7	115.3	97.1	102.0	99.8
2001	97.9	91.2	97.9	98.9	99.2
2002	98.3	93.3	97.7	96.1	97.8
2003	98.8	104.5	100.0	99.8	99.6
2004	97.8	108.1	101.0	106.5	103.3
2005	101.6	104.7	104.5	105.5	100.6
2006	98.6	101.2	104.7	101.0	101.5
2007	102.1	103.3	103.3	102.0	101.3
2008	103.8	99.4	104.9	102.7	107.9

年 份 Year	26黑色金属冶炼及压延加工业 Smelting and Pressing of Ferrous Metals	27有色金属冶炼及压延加工业 Smelting and Pressing of Non-ferrous Metals	28金属制品业 Manufacture of Metal Products	29通用设备制造业 Manufacture of General Purpose Machinery	30专用设备制造业 Manufacture of Special Purpose Machinery
1985	124.8	105.2	103.5		104.6
1986	100.3	110.7	114.3		108.6
1987	105.8	112.6	108.0		103.7
1988	112.7	117.8	114.1		108.9
1989	119.5	127.8	121.6		117.2
1990	111.3	105.6	102.6		105.4
1991	117.8	102.5	106.1		102.5
1992	117.5	113.1	108.4		108.3
1993	173.8	118.5	134.8		123.8
1994	104.6	112.2	109.1		111.7
1995	95.1	129.9	102.4		106.3
1996	100.1	91.2	100.1		102.5
1997	97.4	95.1	100.0		99.0
1998	94.8	89.2	96.5		98.2
1999	93.9	99.7	94.6		97.6
2000	101.2	111.6	98.7		98.4
2001	100.3	93.6	98.2		98.8
2002	98.5	95.4	97.4		98.5
2003	110.1	105.1	100.4	99.8	99.6
2004	118.9	118.9	107.4	103.1	101.8
2005	104.7	111.7	104.0	101.8	101.8
2006	96.0	122.5	101.0	100.2	101.2
2007	107.9	113.9	102.6	101.3	101.5
2008	119.7	96.8	106.7	104.8	103.3

4-3-3 续表 3 Continued 3

年 份 Year	31交通运输设备制造业 Manufacture of Transport Equipment	32电气机械及器材制造业 Manufacture of Electrical Machinery and Equipment	33通信设备、计算机及其他电子设备制造业 Manufacture of Communication Equipment, Computers and Other Electronic Equipment	34仪器仪表及文化、办公用机械制造业 Manufacture of Measuring Instruments and Machinery for Cultural Activity and Office Work
1985	109.3	98.4	86.1	93.9
1986	88.4	108.0	96.0	106.1
1987	108.8	103.8	99.4	123.3
1988	105.9	122.9	104.5	115.9
1989	114.6	139.2	109.2	126.3
1990	102.5	99.2	98.5	103.8
1991	109.7	94.1	96.9	100.1
1992	108.7	103.8	100.1	101.3
1993	121.0	111.3	103.5	108.9
1994	106.4	108.8	108.9	105.3
1995	104.8	108.3	108.7	109.4
1996	103.2	103.3	95.9	100.6
1997	99.1	99.2	92.4	98.6
1998	98.8	98.8	90.4	100.1
1999	99.4	95.9	95.3	100.1
2000	98.7	97.2	95.2	99.0
2001	97.4	97.3	94.2	98.7
2002	96.8	96.5	93.1	97.9
2003	97.9	97.9	93.7	97.3
2004	98.2	103.7	95.1	98.5
2005	98.9	103.2	95.3	98.7
2006	99.5	107.4	96.6	99.2
2007	100.1	103.7	97.5	98.9
2008	101.5	101.1	98.3	100.3

年 份 Year	35工艺品及其他制造业 Manufacture of Artwork and Other Manufacturing	36废弃资源和废旧材料回收加工业 Recycling and Disposal of Waste	37电力、热力的生产和供应业 Production and Distribution of Electric Power and Heat Power	38燃气生产和供应业 Production and Distribution of Gas	39水的生产和供应业 Production and Distribution of Water
1985	102.3		107.4	126.8	110.2
1986	98.9		100.4	128.8	107.7
1987	102.7		108.3	106.1	102.7
1988	108.2		101.6	118.0	114.3
1989	117.6		105.9	124.2	104.0
1990	97.7		107.4	111.1	112.8
1991	102.3		116.9	111.3	116.2
1992	99.4		107.4	107.1	117.7
1993	110.8		136.0	136.7	132.4
1994	109.2		139.5	124.2	124.3
1995	106.3		109.5	110.5	118.1
1996	100.6		113.1	112.3	125.1
1997	97.9		114.0	113.6	131.8
1998	91.7		105.5	101.5	106.5
1999	94.3		100.9	98.0	115.8
2000	100.0		102.4	100.9	108.5
2001	96.5		102.3	104.6	107.6
2002	101.2		100.8	104.4	106.2
2003	102.1	111.5	100.9	103.3	105.3
2004	105.7	116.9	102.4	102.5	104.1
2005	103.9	105.3	104.2	105.2	104.0
2006	102.5	103.4	102.8	106.8	106.4
2007	104.3	104.4	102.2	104.8	104.8
2008	105.5	108.9	101.9	105.9	102.9

4-3-4 全国主要产品工业品出厂价格指数(1993～2008年)

Main Ex-Factory Price Indices of Industrial Products(1993～2008)

(上年价格=100) (Preceding year=100)

年 份 Year	原 煤 (无烟煤) Coal	原 油 Crude Oil	木 材 (普通锯材) Wood	水泥〔普通硅酸盐水泥(回转窑)〕 Cement	钢材 (普通大型钢材) Rolled Steel	生 铁 Pig Iron	汽 油 Gasoline	重 油 Heavy Oil
1993	136.8	184.9	136.9	151.3	252.2	210.3	165.4	157.2
1994	123.1	168.6	99.2	106.9	114.8	108.4	125.9	128.1
1995	113.7	129.9	106.6	100.2	83.9	93.6	113.1	112.8
1996	112.9	110.3	97.2	104.3	91.8	97.1	100.1	106.2
1997	108.6	104.9	99.2	94.4	95.2	96.3	104.8	112.3
1998	100.8	96.5	118.2	99.5	96.5	99.6	99.5	97.7
1999	91.3	120.3	98.5	99.2	94.2	93.3	103.0	108.9
2000	97.3	174.8	99.3	98.2	92.4	98.8	130.5	136.3
2001	102.7	89.9	99.3	99.8	97.4	99.5	89.6	92.9
2002	119.2	94.1	100.1	99.5	95.1	101.2	96.3	96.2
2003	103.9	119.8	101.0	100.1	113.0	122.9	117.1	120.7
2004	118.5	120.3	101.6	104.6	119.3	131.7	111.0	102.5
2005	129.9	131.1	104.5	99.9	101.5	103.7	121.2	120.0
2006	104.6	122.3	103.2	103.6	94.8	94.5	120.8	128.7
2007	103.6	101.9	105.2	102.7	106.2	112.9	101.4	99.6
2008	128.6	122.6	111.5	110.4	124.1	131.4	118.8	113.6

4-3-5 各地区工业品出厂价格总指数(1987 ~ 2008年)

Ex-factory Price Indices of Industrial Products by Region (1987~2008)

(上年价格=100) (Preceding year=100)

地 区	Region	1987	1988	1989	1990	1991	1992	1993	1994	1995	1996	1997
全 国	**National**	**107.9**	**115.0**	**118.6**	**104.1**	**106.2**	**106.8**	**124.0**	**119.5**	**114.9**	**102.9**	**99.7**
北 京	Beijing				107.9	105.8	107.8	128.3	111.8	116.7	103.2	100.6
天 津	Tianjin						105.2	126.3	120.4	110.2	102.8	98.3
河 北	Hebei						108.6	129.1	119.1	111.4	101.1	98.8
山 西	Shanxi				106.4	106.8	114.2	132.5	120.1	113.5	106.4	102.2
内蒙古	Inner Mongolia	107.9	110.7	121.5	105.2	108.7	109.8	133.2	112.1	109.1	101.7	101.5
辽 宁	Liaoning		122.4	121.2	103.8	119.2	111.8	138.4	119.9	109.9	102.1	100.1
吉 林	Jilin		112.9	121.5	104.5	106.4	111.4	127.9	115.7	115.0	103.8	101.4
黑龙江	Heilongjiang						111.6	141.3	127.7	116.0	104.6	102.3
上 海	Shanghai						111.4	128.1	118.1	111.5	98.6	98.9
江 苏	Jiangsu					103.2	103.6	118.5	121.4	114.1	100.7	97.9
浙 江	Zhejiang				100.4	101.8	104.8	117.3	117.5	112.3	99.5	99.2
安 徽	Anhui						108.7	125.3	120.9	117.1	101.6	99.4
福 建	Fujian						102.7	117.1	116.9	115.7	101.8	100.3
江 西	Jiangxi							115.3	124.7	114.8	104.1	101.7
山 东	Shandong			123.8	104.7	103.0	109.5	123.0	124.2	117.0	104.2	101.1
河 南	Henan			119.7	105.5	104.3	106.2	118.1	124.1	115.0	104.1	100.6
湖 北	Hubei			116.7	109.0	108.1	111.0	126.3	126.2	113.1	102.7	98.6
湖 南	Hunan			118.1	100.6	104.7	111.1	128.9	117.6	121.4	105.7	99.2
广 东	Guangdong							124.1	126.0	112.3	101.8	100.1
广 西	Guangxi	106.4			101.5	103.3	112.5	121.1	118.8	117.2	102.6	97.7
海 南	Hainan											
重 庆	Chongqing				103.4	105.1	117.2	118.4	113.4	112.4	104.1	98.0
四 川	Sichuan			117.9	103.5	105.9	106.1	127.4	114.7	112.2	102.2	101.2
贵 州	Guizhou						101.6	118.1	113.3	113.1	104.9	101.2
云 南	Yunnan					106.3	105.3	125.0	116.7	110.2	101.4	100.7
西 藏	Tibet											
陕 西	Shaanxi						107.9	119.8	119.9	112.6	104.2	103.7
甘 肃	Gansu			122.0	110.7	104.2	112.1	125.3	121.2	114.9	104.4	104.9
青 海	Qinghai			112.7	109.5	108.7	102.6	124.4	124.9	114.6	106.7	104.3
宁 夏	Ningxia											100.3
新 疆	Xinjiang						107.5	126.2	118.4	117.2	104.9	104.9

4-3-5 续表 Continued

(上年价格=100) (Preceding year=100)

地 区	Region	1998	1999	2000	2001	2002	2003	2004	2005	2006	2007	2008
全 国	**National**	**95.9**	**97.6**	**102.8**	**98.7**	**97.8**	**102.3**	**106.1**	**104.9**	**103.0**	**103.1**	**106.9**
北 京	Beijing	95.1	97.8	102.5	99.4	96.6	101.5	103.0	101.3	99.1	99.7	103.3
天 津	Tianjin	94.7	96.4	102.8	95.9	95.9	102.5	104.1	100.1	100.6	101.5	104.1
河 北	Hebei	94.4	95.9	105.3	99.9	99.4	107.1	111.6	104.4	100.8	106.9	116.7
山 西	Shanxi	97.5	95.3	100.9	100.3	103.6	112.2	116.1	110.2	101.0	107.4	122.4
内蒙古	Inner Mongolia	98.0	100.4	102.8	100.1	99.3	103.2	105.1	105.1	103.0	105.7	112.5
辽 宁	Liaoning	95.8	102.0	108.8	98.6	97.8	103.6	107.1	105.1	104.1	104.4	110.9
吉 林	Jilin	96.9	100.1	105.1	100.3	98.6	102.5	105.0	104.3	101.7	102.7	104.9
黑龙江	Heilongjiang	97.7	107.4	122.9	95.9	97.8	111.9	113.1	116.7	109.9	105.3	114.0
上 海	Shanghai	93.9	97.6	102.5	96.7	96.4	101.4	103.6	101.7	100.6	101.2	102.2
江 苏	Jiangsu	94.5	96.1	101.1	99.1	97.6	102.3	106.5	102.6	101.5	102.6	104.6
浙 江	Zhejiang	96.0	96.8	101.1	98.3	96.9	100.6	105.0	102.3	103.8	102.4	104.3
安 徽	Anhui	96.4	92.9	98.9	98.6	99.8	103.5	108.2	103.3	103.1	103.6	108.4
福 建	Fujian	95.7	96.6	100.5	98.1	97.2	100.7	102.6	100.2	99.2	100.8	102.7
江 西	Jiangxi	98.4	96.1	101.0	98.1	98.5	104.0	109.7	108.8	109.7	106.2	106.4
山 东	Shandong	96.0	97.2	105.9	99.1	98.8	103.5	106.4	103.7	102.3	103.3	108.6
河 南	Henan	95.3	95.4	104.0	100.5	98.6	105.0	110.2	106.1	104.3	105.2	112.1
湖 北	Hubei	96.2	97.8	101.7	99.0	98.2	103.5	105.7	104.5	102.9	103.9	106.1
湖 南	Hunan	95.9	98.5	102.9	99.8	99.2	102.6	108.0	106.0	104.3	106.1	109.3
广 东	Guangdong	94.8	97.7	103.4	98.5	96.5	99.3	101.7	101.5	101.4	101.3	103.1
广 西	Guangxi	95.4	95.6	105.5	106.3	95.6	102.8	109.7	104.9	109.6	104.5	109.0
海 南	Hainan					98.7	99.5	100.0	99.5	100.8	102.7	104.5
重 庆	Chongqing	94.6	97.7	98.6	98.1	97.6	100.6	103.3	103.0	102.2	103.5	105.8
四 川	Sichuan	97.3	97.0	98.1	100.4	97.7	100.5	105.4	104.0	101.9	103.9	109.3
贵 州	Guizhou	98.2	99.7	100.4	102.2	98.9	103.4	108.0	107.2	104.3	105.0	112.4
云 南	Yunnan	97.2	98.2	101.2	99.9	98.2	101.4	108.8	104.5	104.6	105.7	105.8
西 藏	Tibet									106.0	101.1	105.6
陕 西	Shaanxi	96.6	97.9	101.5	100.4	100.7	105.7	107.3	110.4	109.6	102.9	108.4
甘 肃	Gansu	95.2	98.1	107.2	98.5	97.9	110.0	114.3	109.6	109.8	105.5	104.9
青 海	Qinghai	100.7	102.8	108.1	93.7	97.6	105.5	111.2	110.2	109.5	104.2	107.6
宁 夏	Ningxia	97.7	98.4	103.6	100.3	99.7	103.9	110.0	106.2	106.2	103.7	112.9
新 疆	Xinjiang	95.8	100.2	129.4	96.3	97.3	115.1	116.4	116.6	114.4	106.3	116.4

4-3-6 各地区工业品出厂价格分类指数(2008年)

Ex-factory Price Indices of Industrial Products by Region (2008)

(上年价格=100) (Preceding year=100)

地区 Region	全部工业品 Total Industry Products	轻工业 Light Industry	1.以农产品为原料 Processing of Agricultural Products	2.以非农产品为原料 Processing of Nonagricultural Products	重工业 Heavy Industry	1.采掘 Mining & Quarrying Industry	2.原料 Raw Materials Industry	3.加工 Manufacturing Industry	生产资料 Means of Production
全 国 National	**106.9**	**103.7**	**105.5**	**102.4**	**109.6**	**122.9**	**109.9**	**106.3**	**107.7**
北 京 Beijing	103.3	101.8	109.9	99.1	104.0	142.3	108.0	99.9	103.8
天 津 Tianjin	104.1	102.0	106.8	100.5	105.2	119.5	116.4	97.3	105.0
河 北 Hebei	116.7	106.9	106.3	107.6	121.2	132.1	122.0	117.3	118.2
山 西 Shanxi	122.4	108.7	109.4	108.2	123.8	131.9	125.0	115.8	123.0
内蒙古 Inner Mongolia	112.5	110.6	112.9	104.3	113.3	115.4	111.4	114.9	112.7
辽 宁 Liaoning	110.9	106.3	108.9	103.6	112.1	114.7	114.0	108.9	111.3
吉 林 Jilin	104.9	104.7	105.4	103.6	105.0	120.4	104.5	102.5	107.9
黑龙江 Heilongjiang	114.0	109.4	111.5	103.5	115.3	123.8	111.7	103.9	114.9
上 海 Shanghai	102.2	99.1	103.6	97.9	105.2	125.8	110.7	102.8	102.5
江 苏 Jiangsu	104.6	101.5	104.1	99.9	108.2	124.7	107.5	108.3	104.9
浙 江 Zhejiang	104.3	103.6	103.1	104.0	105.3	110.1	107.4	104.0	104.8
安 徽 Anhui	108.4	105.4	107.1	103.8	110.1	119.0	104.9	111.7	109.3
福 建 Fujian	102.7	100.6	103.0	98.7	107.0	113.7	107.3	106.0	102.9
江 西 Jiangxi	106.4	105.4	104.7	106.2	106.9	110.5	104.2	109.5	107.0
山 东 Shandong	108.6	104.8	105.9	103.5	112.4	128.6	111.2	107.8	110.0
河 南 Henan	112.1	107.9	107.3	108.8	115.4	128.6	111.5	113.2	113.3
湖 北 Hubei	106.1	106.0	106.0	105.9	106.2	111.4	108.3	104.4	106.3
湖 南 Hunan	109.3	107.3	106.8	108.1	110.5	112.1	106.8	114.0	110.2
广 东 Guangdong	103.1	101.5	104.4	100.7	106.2	131.0	108.1	103.1	103.7
广 西 Guangxi	109.0	104.4	102.4	109.6	111.7	113.0	104.3	119.6	111.3
海 南 Hainan	104.5	104.6	103.2	106.6	104.5	124.8	104.5	101.0	106.4
重 庆 Chongqing	105.8	105.3	108.2	104.2	106.1	125.0	108.3	104.2	106.7
四 川 Sichuan	109.3	107.9	108.9	106.8	110.2	115.3	109.9	109.4	109.6
贵 州 Guizhou	112.4	107.5	106.2	109.7	114.4	117.8	107.3	123.8	114.2
云 南 Yunnan	105.8	101.9	101.5	103.7	108.1	106.1	104.3	117.8	107.8
西 藏 Tibet	105.6	102.9	103.1	102.7	115.8	118.1	110.7	109.2	108.3
陕 西 Shaanxi	108.4	106.5	108.3	104.3	109.0	110.7	109.8	105.5	108.7
甘 肃 Gansu	104.9	106.2	104.7	108.2	104.7	117.1	100.3	114.3	104.9
青 海 Qinghai	107.6	111.6	112.9	111.0	107.2	107.3	97.9	125.6	107.5
宁 夏 Ningxia	112.9	112.1	110.5	113.9	113.1	131.7	110.3	115.3	113.4
新 疆 Xinjiang	116.4	111.2	112.1	108.7	117.7	119.4	113.7	127.1	116.3

4-3-6 续表 Continued

(上年价格=100) (Preceding year=100)

地 区 Region	(01)采掘 Mining & Quarrying Industry	(02)原料 Raw Materials Industry	(03)加工 Manufacturing Industry	生活资料 Consumer Goods	(01)食品 Food	(02)衣着 Clothing	(03)一般日用品 Articles for Daily Use	(04)耐用消费品 Durable Consumer Goods
全 国 National	**123.2**	**108.9**	**105.2**	**104.1**	**108.3**	**102.2**	**103.6**	**99.5**
北 京 Beijing	142.3	108.0	100.5	101.3	110.1	100.5	101.5	94.6
天 津 Tianjin	121.0	114.1	100.2	100.8	108.7	99.9	104.9	95.8
河 北 Hebei	133.5	120.5	113.3	108.1	109.8	102.6	108.4	103.7
山 西 Shanxi	130.5	123.6	114.7	108.3	109.7	102.3	103.4	113.9
内蒙古 Inner Mongolia	117.1	109.9	113.1	111.7	115.3	102.9	107.3	95.1
辽 宁 Liaoning	115.8	113.7	108.1	107.3	110.9	102.6	103.2	100.1
吉 林 Jilin	120.9	104.1	106.5	100.7	104.7	103.3	103.8	99.1
黑龙江 Heilongjiang	123.9	111.1	105.2	109.4	112.2	100.8	100.5	93.8
上 海 Shanghai	125.8	110.2	100.5	101.3	105.3	102.2	102.2	97.2
江 苏 Jiangsu	128.4	106.1	104.3	103.2	109.6	101.2	102.5	99.6
浙 江 Zhejiang	110.1	105.0	104.7	102.9	105.8	101.4	103.2	102.0
安 徽 Anhui	119.5	104.5	109.9	105.4	109.7	102.0	102.2	101.3
福 建 Fujian	113.7	105.8	101.4	102.3	104.9	102.0	102.5	97.7
江 西 Jiangxi	110.1	102.6	109.9	103.5	105.1	102.7	102.0	101.7
山 东 Shandong	129.3	109.7	106.3	105.0	108.5	102.1	104.2	98.7
河 南 Henan	130.3	108.6	110.8	108.1	108.7	101.7	109.9	102.3
湖 北 Hubei	111.4	108.1	105.2	105.2	108.4	103.5	102.8	95.4
湖 南 Hunan	113.7	106.3	112.3	105.7	106.3	104.1	104.5	103.1
广 东 Guangdong	131.0	107.7	101.8	102.0	106.0	101.7	102.8	100.4
广 西 Guangxi	113.0	104.1	116.4	100.9	100.4	102.8	103.2	102.9
海 南 Hainan	124.8	103.6	108.8	100.5	103.0	102.9	100.2	97.2
重 庆 Chongqing	130.4	105.9	105.6	103.3	110.3	103.6	102.2	99.6
四 川 Sichuan	118.3	107.9	109.1	108.0	110.1	105.8	106.1	101.4
贵 州 Guizhou	118.1	107.1	120.8	105.4	106.1	105.2	102.8	100.2
云 南 Yunnan	108.3	103.5	114.3	101.0	101.0	103.6	101.0	102.8
西 藏 Tibet	118.1	110.7	102.8	103.1	103.1	105.8	102.7	101.4
陕 西 Shaanxi	111.5	108.9	105.3	107.2	109.2	103.8	103.8	101.4
甘 肃 Gansu	117.4	100.2	112.6	105.4	104.1	109.2	114.6	100.9
青 海 Qinghai	107.3	97.9	124.0	110.4	113.2	102.6	110.8	103.6
宁 夏 Ningxia	136.3	106.9	115.3	107.7	108.3	98.0	113.1	105.8
新 疆 Xinjiang	119.4	113.2	116.4	116.9	118.7	107.8	105.8	101.1

4-3-7 各地区按部门分工业品出厂价格指数（2008年）

Ex-factory Price Indices of Industrial Products by Branch and Region (2008)

(上年价格=100) (Preceding year=100)

地 区	Region	01 冶金工业 Metallurgical Industry	02 电力工业 Power Industry	03 煤炭及炼焦工业 Coal Industry	04 石油工业 Petroleum Industry	05 化学工业 Chemical Industry	06 机械工业 Machine Building Industry	07 建筑材料工业 Building Materials Industry	08 森林工业 Timber Industry
全 国	**National**	**111.9**	**101.8**	**131.4**	**118.5**	**107.4**	**101.0**	**107.4**	**103.8**
北 京	Beijing	127.0	102.0	142.4	119.6	103.7	94.6	111.1	107.5
天 津	Tianjin	120.9	102.0	151.3	119.3	105.7	92.4	110.2	99.6
河 北	Hebei	127.8	101.6	141.2	119.8	111.3	104.3	111.1	101.8
山 西	Shanxi	120.6	105.3	134.3	107.4	114.8	105.8	109.3	100.2
内蒙古	Inner Mongolia	112.6	103.1	118.4	120.6	125.1	98.9	110.0	102.4
辽 宁	Liaoning	117.4	101.8	120.1	117.1	108.9	102.6	105.0	102.9
吉 林	Jilin	119.8	102.1	112.7	122.0	100.2	100.1	104.3	102.9
黑龙江	Heilongjiang	120.2	101.6	123.0	122.8	104.7	100.7	103.2	105.7
上 海	Shanghai	108.0	102.0	138.6	119.9	104.3	97.9	105.7	102.7
江 苏	Jiangsu	113.8	102.8	137.3	118.6	105.3	99.7	105.8	103.7
浙 江	Zhejiang	106.3	100.9	107.7	123.8	104.3	103.2	109.6	102.2
安 徽	Anhui	113.9	102.0	121.1	118.1	109.9	102.1	107.3	102.6
福 建	Fujian	112.6	101.3	121.0	119.5	103.8	97.5	101.4	101.0
江 西	Jiangxi	106.3	102.3	129.7	118.4	111.0	100.8	111.2	104.3
山 东	Shandong	114.6	102.2	128.2	123.3	108.4	103.5	106.5	101.8
河 南	Henan	113.7	103.3	134.2	127.0	112.2	106.4	110.8	108.0
湖 北	Hubei	112.3	102.4	126.6	106.0	110.3	102.7	107.9	106.0
湖 南	Hunan	110.8	102.7	129.1	119.3	113.1	104.7	111.5	104.7
广 东	Guangdong	109.1	103.3	106.1	123.4	103.2	99.2	107.1	105.1
广 西	Guangxi	117.7	102.0	137.3	120.4	114.8	101.9	113.9	104.1
海 南	Hainan	112.6	102.2	118.2	109.7	102.5	97.8	120.1	101.5
重 庆	Chongqing	107.9	102.2	136.8	109.1	111.3	101.5	116.0	103.0
四 川	Sichuan	114.9	102.2	130.5	110.2	108.7	103.3	113.5	106.3
贵 州	Guizhou	113.2	104.3	121.2	100.9	125.2	100.9	124.0	102.8
云 南	Yunnan	106.6	101.4	122.7	100.0	114.9	103.6	104.4	102.9
西 藏	Tibet	131.9	99.3	140.1		103.8	101.1	102.7	165.4
陕 西	Shaanxi	101.3	102.1	143.0	107.6	116.6	102.0	107.8	101.0
甘 肃	Gansu	97.5	101.3	122.5	114.6	108.6	104.8	106.8	103.2
青 海	Qinghai	99.0	100.5	117.9	115.6	124.1	104.6	113.4	107.1
宁 夏	Ningxia	109.1	101.2	135.6	120.3	117.6	106.4	114.1	102.8
新 疆	Xinjiang	129.2	100.9	110.8	118.6	108.9	104.9	109.9	105.3

4-3-7 续表 Continued

(上年价格=100) (Preceding year=100)

地 区 Region	09 食品工业 Food Industry	10 纺织工业 Textile Industry	11 缝纫工业 Tailoring Industry	12 皮革工业 Leather Industry	13 造纸工业 Paper Industry	14 文教艺术用品工业 Cultural, Educational & Handicrafts Articles	15 其它工业 Other Industry
全 国 National	**109.6**	**101.3**	**102.1**	**102.7**	**105.8**	**101.4**	**106.1**
北 京 Beijing	114.9	102.1	100.8	100.0	99.6	98.8	103.1
天 津 Tianjin	111.6	100.1	99.0	101.5	109.3	85.5	103.9
河 北 Hebei	110.8	100.6	101.6	102.1	105.8	101.0	103.8
山 西 Shanxi	112.1	99.5	102.3	96.5	107.7	108.4	110.0
内蒙古 Inner Mongolia	116.4	99.1	102.9	100.2	104.7	101.0	112.4
辽 宁 Liaoning	112.6	101.1	101.4	107.3	107.3	100.3	105.2
吉 林 Jilin	106.0	102.2	103.2	104.6	110.2	105.8	106.9
黑龙江 Heilongjiang	114.7	99.5	100.6	100.5	102.5	102.6	105.5
上 海 Shanghai	105.9	99.6	102.2	100.5	103.8	101.1	107.4
江 苏 Jiangsu	111.4	102.4	101.2	99.7	105.9	102.2	103.6
浙 江 Zhejiang	106.4	101.9	101.7	102.3	108.4	102.1	103.6
安 徽 Anhui	110.4	99.9	100.9	100.8	106.6	101.9	102.5
福 建 Fujian	105.6	101.2	101.0	102.6	104.3	100.3	103.0
江 西 Jiangxi	106.5	102.6	101.9	106.1	105.0	100.9	102.9
山 东 Shandong	108.9	101.2	101.7	103.7	107.5	102.2	105.0
河 南 Henan	109.4	101.3	104.2	101.0	108.6	101.6	114.3
湖 北 Hubei	108.5	101.6	103.3	109.7	106.2	104.4	108.5
湖 南 Hunan	108.4	100.3	104.7	105.7	106.7	102.4	110.9
广 东 Guangdong	107.6	103.0	101.1	103.7	104.9	101.4	103.4
广 西 Guangxi	102.5	96.9	104.8	108.3	107.0	95.6	92.9
海 南 Hainan	106.1	96.1	102.9	122.4	99.2	104.7	107.5
重 庆 Chongqing	113.3	96.8	111.3	96.8	104.2	99.7	104.0
四 川 Sichuan	111.8	99.2	102.4	107.1	108.4	103.2	105.6
贵 州 Guizhou	107.4	99.5	102.7	100.0	107.3	102.5	115.9
云 南 Yunnan	101.4	98.9	102.9	112.4	103.2	100.1	104.3
西 藏 Tibet	102.4	106.3	108.2	105.7	101.8	100.0	100.9
陕 西 Shaanxi	110.9	100.0	104.0	99.5	102.3	99.5	107.1
甘 肃 Gansu	104.5	107.8	113.9	106.0	107.0	103.7	115.3
青 海 Qinghai	113.8	108.4	102.6	100.7	106.8	107.5	117.9
宁 夏 Ningxia	111.6	98.7	98.0	99.6	119.8	110.7	121.1
新 疆 Xinjiang	120.0	98.9	107.8	104.4	107.7	102.8	103.8

4-3-8 各地区按行业分工业品出厂价格指数（2008年）

Ex-factory Price Indices of Industrial Products by Sector and Region (2008)

(上年价格=100) (Preceding year=100)

地 区 Region	1煤炭开采和洗选业 Mining and Washing of Coal	2石油和天然气开采业 Extraction of Petroleum and Natural Gas	3黑色金属矿采选业 Mining and Processing of Ferrous Metal Ores	4有色金属矿采选业 Mining and Processing of Non-Ferrous Metal Ores	5非金属矿采选业 Mining and Processing of Nonmetal Ores
全 国 National	**128.7**	**122.1**	**131.4**	**104.8**	**111.0**
北 京 Beijing	141.3		192.4		104.4
天 津 Tianjin	144.6	119.3			127.0
河 北 Hebei	135.2	123.5	144.1	93.6	112.6
山 西 Shanxi	131.3	100.0	118.5	103.8	100.4
内蒙古 Inner Mongolia	117.0	124.0	146.2	94.6	110.8
辽 宁 Liaoning	120.5	113.3	121.4	108.4	111.7
吉 林 Jilin	111.8	126.4	137.8	102.6	105.3
黑龙江 Heilongjiang	116.7	125.0	125.7	102.4	104.6
上 海 Shanghai		125.8			
江 苏 Jiangsu	136.9	134.2	131.0	89.5	108.8
浙 江 Zhejiang	106.0		145.1	87.6	106.1
安 徽 Anhui	120.0		124.8	94.9	120.0
福 建 Fujian	123.4		126.3	78.3	108.3
江 西 Jiangxi	112.9		125.1	100.0	101.4
山 东 Shandong	126.5	132.7	124.1	139.7	112.6
河 南 Henan	134.1	135.6	115.0	109.2	107.2
湖 北 Hubei	117.2	104.0	131.7	107.8	108.7
湖 南 Hunan	126.1		104.7	91.5	110.2
广 东 Guangdong		136.4	142.3	95.0	109.2
广 西 Guangxi	140.1		153.5	80.2	126.0
海 南 Hainan		140.8	139.5	92.2	109.7
重 庆 Chongqing	135.9	114.1	112.4	97.0	106.6
四 川 Sichuan	128.8	110.0	128.0	90.6	110.2
贵 州 Guizhou	120.9		122.4	106.4	110.4
云 南 Yunnan	118.6	100.0	141.3	92.4	107.7
西 藏 Tibet	144.9		133.3	121.2	102.4
陕 西 Shaanxi	143.6	102.7	128.0	93.9	147.4
甘 肃 Gansu	122.3	115.3	141.5	111.8	105.9
青 海 Qinghai	118.2	115.5	122.0	68.6	106.0
宁 夏 Ningxia	136.7				100.0
新 疆 Xinjiang	111.0	119.4	161.7	80.7	104.5

(上年价格=100) (Preceding year=100)

地 区 Region	6其他采矿业 Mining of Other Ores	7农副食品加工业 Processing of Food from Agricultural Products	8食品制造业 Manufacture of Foods	9饮料制造业 Manufacture of Beverages	10烟草制品业 Manufacture of Tobacco
全 国 National	**100.5**	**114.4**	**108.0**	**103.7**	**100.5**
北 京 Beijing		127.4	112.7	102.9	100.0
天 津 Tianjin		117.5	115.9	102.1	100.0
河 北 Hebei		112.3	113.5	105.5	99.6
山 西 Shanxi		119.1	115.3	104.3	99.3
内蒙古 Inner Mongolia		124.1	113.6	103.6	100.0
辽 宁 Liaoning	107.6	115.2	110.7	104.0	100.1
吉 林 Jilin		108.2	105.1	102.1	100.6
黑龙江 Heilongjiang		118.1	114.7	103.3	99.8
上 海 Shanghai		120.7	106.8	100.7	100.0
江 苏 Jiangsu		117.6	111.6	102.1	100.1
浙 江 Zhejiang		110.3	106.7	102.2	100.0
安 徽 Anhui		114.8	118.7	106.1	100.9
福 建 Fujian		109.5	102.6	102.2	99.9
江 西 Jiangxi		109.6	107.9	103.2	100.0
山 东 Shandong		110.1	108.4	103.9	101.9
河 南 Henan		113.1	107.5	102.2	100.3
湖 北 Hubei		115.4	107.8	106.0	100.0
湖 南 Hunan		116.9	106.3	105.2	100.1
广 东 Guangdong		112.9	105.3	102.7	100.0
广 西 Guangxi		101.5	112.5	108.5	102.0
海 南 Hainan		109.0	105.3	103.2	100.0
重 庆 Chongqing		123.1	110.6	103.4	101.4
四 川 Sichuan		118.8	106.6	105.9	99.9
贵 州 Guizhou		126.0	110.5	112.1	100.4
云 南 Yunnan		106.8	111.8	98.4	100.2
西 藏 Tibet		100.4	102.2	102.7	
陕 西 Shaanxi		123.1	111.1	103.0	104.5
甘 肃 Gansu		105.5	108.6	104.2	100.8
青 海 Qinghai		130.4	104.3	102.5	
宁 夏 Ningxia		112.8	114.3	108.0	100.5
新 疆 Xinjiang		126.7	116.7	108.7	101.6

4-3-8 续表 2 Continued 2

(上年价格=100) (Preceding year=100)

地 区 Region	11纺织业 Manufacture of Textile	12纺织服装、鞋、帽制造业 Manufacture of Textile Wearing Apparel,	13皮革、毛皮、羽毛(绒)及其制品业 Manufacture of Leather, Fur, Feather and Related Products	14木材加工及木、竹、藤、棕、草制品业 Processing of Timber, Manufacture of Wood,	15家具制造业 Manufacture of Furniture
全 国 National	**101.5**	**102.1**	**102.3**	**104.1**	**103.3**
北 京 Beijing	102.0	99.8	98.8	103.0	110.3
天 津 Tianjin	100.6	97.8	102.0	106.3	96.9
河 北 Hebei	100.7	101.7	102.1	102.0	104.8
山 西 Shanxi	99.5	102.4	96.5	102.5	99.8
内蒙古 Inner Mongolia	100.7	102.2	100.2	100.5	116.1
辽 宁 Liaoning	101.1	101.2	107.5	102.9	103.6
吉 林 Jilin	102.5	102.8	105.3	102.8	102.7
黑龙江 Heilongjiang	99.5	99.7	101.7	106.9	101.1
上 海 Shanghai	100.7	102.3	100.3	104.6	100.1
江 苏 Jiangsu	102.3	101.1	99.8	103.8	102.8
浙 江 Zhejiang	101.8	102.0	101.8	103.3	101.1
安 徽 Anhui	100.1	102.4	99.2	102.5	103.4
福 建 Fujian	101.3	100.9	102.6	101.7	100.5
江 西 Jiangxi	101.5	103.2	105.8	104.6	102.7
山 东 Shandong	101.4	101.3	103.6	101.3	102.9
河 南 Henan	101.6	101.3	100.9	110.5	101.6
湖 北 Hubei	101.6	103.4	109.7	106.8	105.9
湖 南 Hunan	100.8	104.5	105.7	104.4	107.1
广 东 Guangdong	102.6	100.5	103.8	106.7	103.4
广 西 Guangxi	97.8	100.8	89.8	104.0	107.9
海 南 Hainan	100.1	99.8	118.4	102.4	100.3
重 庆 Chongqing	96.9	111.7	95.1	105.4	103.1
四 川 Sichuan	99.2	102.5	103.3	106.4	107.0
贵 州 Guizhou	100.7	101.9	100.0	102.7	104.4
云 南 Yunnan	99.2	102.8	112.4	102.8	105.4
西 藏 Tibet	106.3	108.2	105.7	172.6	101.4
陕 西 Shaanxi	99.9	106.0	99.6	101.7	103.5
甘 肃 Gansu	108.4	109.8	106.0	101.7	105.7
青 海 Qinghai	104.0	103.6	102.2		101.1
宁 夏 Ningxia	98.2	100.9	99.6	100.0	106.1
新 疆 Xinjiang	99.4	101.5	103.5	114.5	101.0

4-3-8 续表 3 Continued 3

(上年价格=100) (Preceding year=100)

地 区 Region	16造纸及纸制品业 Manufacture of Paper and Paper Products	17印刷业和记录媒介的复制 Printing, Reproduction of Recording Media	18文教体育用品制造业 Manufacture of Articles For Culture, Education and	19石油加工、炼焦及核燃料加工业 Processing of Petroleum, Coking, Processing of Nuclear Fuel	20化学原料及化学制品制造业 Manufacture of Raw Chemical Materials and Chemical Products
全 国 National	**105.8**	**102.6**	**101.9**	**120.3**	**111.2**
北 京 Beijing	99.6	100.8	99.8	121.4	104.2
天 津 Tianjin	109.3	100.8	99.5	121.1	106.2
河 北 Hebei	105.8	99.8	105.6	128.0	115.9
山 西 Shanxi	107.7	100.1	116.6	140.1	117.9
内蒙古 Inner Mongolia	104.7	101.0		132.0	130.7
辽 宁 Liaoning	107.3	100.6	98.9	118.2	111.5
吉 林 Jilin	110.2	105.6	104.6	117.4	97.7
黑龙江 Heilongjiang	102.5	102.9	101.4	119.8	106.7
上 海 Shanghai	103.8	102.2	100.3	122.4	104.9
江 苏 Jiangsu	105.9	100.2	103.4	119.6	107.4
浙 江 Zhejiang	108.4	101.9	102.5	124.4	112.9
安 徽 Anhui	106.6	100.9	103.8	121.6	115.9
福 建 Fujian	104.3	102.7	99.5	119.6	109.1
江 西 Jiangxi	105.0	100.0	101.0	128.2	116.1
山 东 Shandong	107.5	102.8	101.6	118.6	111.1
河 南 Henan	108.6	100.8	136.5	122.1	117.5
湖 北 Hubei	106.2	104.1	104.7	107.4	114.7
湖 南 Hunan	106.7	102.2	100.1	121.9	116.1
广 东 Guangdong	104.9	103.5	101.4	120.3	104.3
广 西 Guangxi	107.0	95.5	101.7	120.8	118.3
海 南 Hainan	99.2	104.6	110.5	107.8	102.9
重 庆 Chongqing	104.2	99.4	100.0	130.0	116.2
四 川 Sichuan	108.5	103.3	104.5	132.4	112.2
贵 州 Guizhou	107.3	102.7	100.2	142.1	138.8
云 南 Yunnan	103.2	100.1	100.0	129.6	118.5
西 藏 Tibet	101.8	100.0			144.9
陕 西 Shaanxi	102.3	99.5	100.0	121.9	129.4
甘 肃 Gansu	107.0	103.9	100.6	114.7	109.3
青 海 Qinghai	106.8	107.5		115.8	126.5
宁 夏 Ningxia	119.8	110.7		123.1	122.4
新 疆 Xinjiang	107.7	102.8	100.0	117.6	109.5

4-3-8 续表 4 Continued 4

(上年价格=100) (Preceding year=100)

地 区 Region	21医药制造业 Manufacture of Medicines	22化学纤维制造业 Manufacture of Chemical Fibers	23橡胶制品业 Manufacture of Rubber	24塑料制品业 Manufacture of Plastics	25非金属矿物制品业 Manufacture of Non-metallic Mineral Products
全 国 National	**103.8**	**99.4**	**104.9**	**102.7**	**107.9**
北 京 Beijing	102.4	101.5	102.7	102.8	111.0
天 津 Tianjin	103.7	95.8	100.1	102.2	109.1
河 北 Hebei	110.1	98.9	104.7	102.4	110.5
山 西 Shanxi	101.8	93.6	104.9	103.1	110.5
内蒙古 Inner Mongolia	103.8	99.5	109.2	101.0	110.9
辽 宁 Liaoning	104.0	105.7	105.2	101.8	105.5
吉 林 Jilin	101.3	105.6	100.7	103.7	105.1
黑龙江 Heilongjiang	100.2	103.3	106.4	100.4	103.1
上 海 Shanghai	105.6	100.4	100.1	103.0	105.7
江 苏 Jiangsu	102.7	97.6	103.7	104.7	105.9
浙 江 Zhejiang	103.7	95.5	103.1	103.6	110.1
安 徽 Anhui	103.1	105.4	103.3	101.8	106.9
福 建 Fujian	109.0	95.8	101.7	101.7	101.0
江 西 Jiangxi	103.9	96.3	110.4	105.5	111.5
山 东 Shandong	103.8	103.8	105.5	103.1	107.0
河 南 Henan	110.4	100.6	104.3	108.4	112.8
湖 北 Hubei	108.5	108.3	108.3	99.9	107.8
湖 南 Hunan	101.3	100.7	105.3	104.5	112.4
广 东 Guangdong	102.2	95.4	102.7	102.4	107.0
广 西 Guangxi	106.7	99.0	105.1	103.6	113.8
海 南 Hainan	102.1	98.9	117.3	103.5	120.1
重 庆 Chongqing	104.1	115.5	103.4	104.4	116.3
四 川 Sichuan	102.4	97.6	105.3	103.3	114.0
贵 州 Guizhou	101.6	98.4	106.0	106.7	123.8
云 南 Yunnan	101.9	103.1	104.2	105.2	104.8
西 藏 Tibet	104.0				102.7
陕 西 Shaanxi	104.5	101.1	104.1	101.3	107.7
甘 肃 Gansu	102.5	116.0	99.1	106.6	108.7
青 海 Qinghai	104.3			101.8	117.8
宁 夏 Ningxia	110.5	99.9	112.0	103.2	121.7
新 疆 Xinjiang	104.3	94.8	118.9	105.7	109.9

4-3-8 续表 5 Continued 5

(上年价格=100) (Preceding year=100)

地 区 Region	26黑色金属冶炼及压延加工业 Smelting and Pressing of Ferrous Metals	27有色金属冶炼及压延加工业 Smelting and Pressing of Non-ferrous Metals	28金属制品业 Manufacture of Metal Products	29通用设备制造业 Manufacture of General Purpose Machinery	30专用设备制造业 Manufacture of Special Purpose Machinery
全 国 National	**119.7**	**96.8**	**106.7**	**104.8**	**103.3**
北 京 Beijing	138.2	96.8	109.9	103.0	100.3
天 津 Tianjin	125.4	94.5	116.6	103.7	100.9
河 北 Hebei	129.4	98.8	109.2	109.3	104.6
山 西 Shanxi	124.1	103.9	115.5	108.7	102.8
内蒙古 Inner Mongolia	119.1	100.5	118.4	103.4	102.1
辽 宁 Liaoning	121.4	94.5	108.0	103.9	101.5
吉 林 Jilin	123.1	91.4	103.8	103.2	101.8
黑龙江 Heilongjiang	129.0	96.2	106.2	100.8	105.3
上 海 Shanghai	114.1	92.2	101.9	101.6	101.1
江 苏 Jiangsu	119.6	95.6	110.5	103.9	102.8
浙 江 Zhejiang	122.3	89.2	106.5	108.7	104.1
安 徽 Anhui	130.1	92.0	116.3	106.3	104.9
福 建 Fujian	124.2	97.8	105.8	105.8	103.3
江 西 Jiangxi	128.4	91.9	123.6	107.4	105.0
山 东 Shandong	118.0	98.5	109.7	107.3	107.9
河 南 Henan	126.2	98.9	106.5	110.7	106.4
湖 北 Hubei	116.5	96.0	105.5	105.5	105.7
湖 南 Hunan	128.6	93.6	119.6	109.1	104.6
广 东 Guangdong	129.1	99.6	105.0	104.6	102.1
广 西 Guangxi	134.4	92.4	107.8	106.9	108.7
海 南 Hainan	116.4	104.9	106.2	103.9	109.5
重 庆 Chongqing	125.2	96.2	106.0	109.5	103.1
四 川 Sichuan	122.6	94.4	105.4	105.1	105.1
贵 州 Guizhou	124.9	95.8	114.9	104.3	104.9
云 南 Yunnan	127.4	95.4	106.2	106.0	105.6
西 藏 Tibet					
陕 西 Shaanxi	115.7	85.2	108.5	104.8	103.6
甘 肃 Gansu	120.6	83.3	115.1	105.4	106.7
青 海 Qinghai	126.1	89.4	110.2	106.0	109.7
宁 夏 Ningxia	129.7	96.7	122.0	106.1	113.9
新 疆 Xinjiang	134.2	85.2	128.7	105.5	111.2

4-3-8 续表 6 Continued 6

(上年价格=100) (Preceding year=100)

地 区 Region	31交通运输设备制造业 Manufacture of Transport Equipment	32电气机械及器材制造业 Manufacture of Electrical Machinery and Equipment	33通信设备、计算机及其他电子设备制造业 Manufacture of Communication Equipment, Computers and	34仪器仪表及文化、办公用机械制造业 Manufacture of Measuring Instruments and Machinery for
全 国 National	**101.5**	**101.1**	**98.3**	**100.3**
北 京 Beijing	93.8	101.4	91.8	99.4
天 津 Tianjin	98.0	100.3	85.4	83.9
河 北 Hebei	102.5	100.6	105.8	103.0
山 西 Shanxi	105.2	108.9	99.6	103.9
内蒙古 Inner Mongolia	102.7	101.0	92.9	100.0
辽 宁 Liaoning	103.0	101.5	99.7	103.0
吉 林 Jilin	100.0	104.4	101.0	100.7
黑龙江 Heilongjiang	98.4	105.1	98.3	100.7
上 海 Shanghai	99.1	101.4	94.5	100.1
江 苏 Jiangsu	102.4	102.2	96.0	101.8
浙 江 Zhejiang	102.2	102.5	96.7	102.6
安 徽 Anhui	102.3	100.5	100.0	101.4
福 建 Fujian	100.5	102.1	92.5	100.8
江 西 Jiangxi	99.8	100.4	100.8	99.0
山 东 Shandong	103.4	101.1	96.8	100.2
河 南 Henan	105.5	100.9	111.7	97.1
湖 北 Hubei	103.0	97.3	100.7	105.5
湖 南 Hunan	105.4	102.8	99.8	100.9
广 东 Guangdong	100.6	101.3	97.4	100.7
广 西 Guangxi	100.2	102.0	98.4	99.2
海 南 Hainan	96.0	109.4	96.2	
重 庆 Chongqing	100.3	103.4	98.0	102.9
四 川 Sichuan	103.8	102.9	99.8	100.7
贵 州 Guizhou	102.4	103.1	92.1	97.0
云 南 Yunnan	105.0	101.2	87.8	100.0
西 藏 Tibet	101.1			
陕 西 Shaanxi	101.5	101.8	100.9	102.1
甘 肃 Gansu	103.3	102.9	104.1	100.5
青 海 Qinghai	102.2	99.2		100.4
宁 夏 Ningxia	104.2	103.3	92.7	103.2
新 疆 Xinjiang	102.4	104.1		

4-3-8 续表 7 Continued 7

(上年价格=100) (Preceding year=100)

地 区 Region	35工艺品及其他制造业 Manufacture of Artwork and Other Manufacturing	36废弃资源和废旧材料回收加工业 Recycling and Disposal of Waste	37电力、热力的生产和供应业 Production and Distribution of Electric Power and Heat Power	38燃气生产和供应业 Production and Distribution of Gas	39水的生产和供应业 Production and Distribution of Water
全 国 National	**105.5**	**108.9**	**101.9**	**105.9**	**102.9**
北 京 Beijing	102.9	114.8	102.0	105.2	100.0
天 津 Tianjin	104.6	98.2	102.0	108.7	104.5
河 北 Hebei	104.7		101.6	104.4	101.1
山 西 Shanxi	117.3		105.2	100.0	102.5
内蒙古 Inner Mongolia	101.1		103.1	111.4	102.4
辽 宁 Liaoning	109.2	114.5	101.8	104.8	101.1
吉 林 Jilin	103.9		102.1	102.7	103.1
黑龙江 Heilongjiang	110.4		101.6	119.2	105.1
上 海 Shanghai	111.2	133.2	102.0	104.8	101.3
江 苏 Jiangsu	102.6	97.3	103.0	105.1	102.0
浙 江 Zhejiang	102.1	110.4	101.0	107.5	110.2
安 徽 Anhui	101.4	109.4	102.0	106.1	104.4
福 建 Fujian	103.8	100.0	101.3	103.0	101.0
江 西 Jiangxi	94.9	100.0	102.3	101.8	103.4
山 东 Shandong	102.6	101.0	102.2	103.0	102.1
河 南 Henan	110.4		103.3	100.4	100.2
湖 北 Hubei	92.6	102.3	102.7	113.2	108.6
湖 南 Hunan	106.0	94.5	102.7	108.9	103.9
广 东 Guangdong	104.9	107.2	103.3	108.1	102.8
广 西 Guangxi	107.7		102.0	109.7	100.7
海 南 Hainan	120.8		102.2	112.8	100.6
重 庆 Chongqing	110.1		102.2	107.2	104.1
四 川 Sichuan	107.2		102.3	106.2	101.1
贵 州 Guizhou	100.0	135.5	104.3	100.0	104.6
云 南 Yunnan	104.0	113.3	101.4	99.9	100.4
西 藏 Tibet	102.1		99.3		100.0
陕 西 Shaanxi	101.3	100.0	102.1	109.7	108.9
甘 肃 Gansu	122.7	109.7	101.3	100.9	106.9
青 海 Qinghai	108.7		100.5	112.6	101.5
宁 夏 Ningxia	100.0		101.2	105.6	102.3
新 疆 Xinjiang	123.0		100.9	112.4	101.2

4-4-1 全国原材料、燃料、动力购进价格分类指数(1986 ~ 2008年)

Indices of Purchasing Prices of Raw Materials, Fuels and Power (1986 ~ 2008)

(上年价格=100) (Preceding year=100)

年 份 Year	总指数 General Index	燃料、动力类 Fuel and Power	黑色金属材料类 Ferrous Metals	有色金属材料类 Nonferrous Metals	化工原料类 Raw Chemical Materials	木材及纸浆类 Timber and Paper Pulp	建材类 Building Materials	其它工业原料类 Other Materials	农副产品类 Agricultural Products	纺织原料类 Textile Materials
1986	109.5	109.1	110.6	107.6	105.1	110.9	126.7		107.5	
1987	111.0	109.2	110.4	108.4	115.7	138.2	111.6		107.3	107.8
1988	120.2	112.9	118.3	130.7	133.4	143.1	114.2		122.6	115.7
1989	126.4	124.7	130.3	127.6	124.4	111.4	122.7		128.9	128.5
1990	105.6	110.7	103.9	97.2	95.6	99.4	115.2		107.8	107.4
1991	109.1	112.9	112.5	101.2	99.8	105.6	101.2		106.8	108.9
1992	111.0	116.4	114.5	112.4	102.6	102.0	118.8		103.4	100.5
1993	135.1	136.7	174.1	115.8	114.3	128.6	140.9		112.2	107.1
1994	118.2	118.0	103.8	110.7	111.7	115.1	114.3		148.3	139.6
1995	115.3	108.7	98.2	128.3	127.2	115.8	102.6		143.1	123.6
1996	103.9	110.2	99.3	92.4	98.0	101.9	102.5		114.7	94.5
1997	101.3	109.3	97.4	96.2	97.1	100.9	99.7		102.0	94.7
1998	95.8	99.1	95.1	88.3	93.6	96.7	98.6	93.5	94.5	94.3
1999	96.7	100.9	94.7	98.9	97.6	100.4	98.8	97.5	89.8	96.8
2000	105.1	115.4	100.9	110.3	105.6	99.8	101.5	103.9	99.9	102.4
2001	99.8	100.2	100.5	95.6	98.4	100.4	98.6	98.8	101.2	99.7
2002	97.7	100.1	98.2	96.5	97.5	98.7	98.2	97.5	95.7	97.1
2003	104.8	107.4	107.9	105.3	102.9	100.3	99.7	100.2	106.7	101.4
2004	111.4	109.7	120.4	120.1	108.9	102.8	105.1	105.6	114.2	104.7
2005	108.3	115.0	107.5	114.0	108.3	103.5	103.1	102.5	101.7	102.4
2006	106.0	111.9	98.3	130.8	102.1	102.6	101.9	102.1	104.3	102.9
2007	104.4	104.3	105.4	111.6	103.6	102.7	103.0	102.7	106.1	101.4
2008	110.5	120.6	118.4	98.6	105.2	105.2	109.5	103.4	107.5	103.1

4-4-2 各地区原材料、燃料、动力购进价格总指数(1986～2008年)

Indices of Purchasing Prices of Raw Materials, Fuels and Power by region (1986～2008)

(上年价格=100)　　(Preceding year=100)

地　区	Region	1986	1987	1988	1989	1990	1991	1992	1993	1994	1995	1996
全　国	**National**	**109.5**	**111.0**	**120.2**	**126.4**	**105.6**	**109.1**	**111.0**	**135.1**	**118.2**	**115.3**	**103.9**
北　京	Beijing					114.8	111.7	114.2	142.7	123.8	119.8	104.2
天　津	Tianjin							108.4	139.1	121.7	112.8	101.9
河　北	Hebei							111.4	134.9	119.9	110.9	106.3
山　西	Shanxi					107.4	108.0	111.9	135.9	115.1	113.1	104.8
内蒙古	Inner Mongolia		114.9	118.2	124.4	108.3	111.2	112.1	132.6	116.8	112.8	100.8
辽　宁	Liaoning			133.9	133.3	117.6	108.1	121.2	149.9	118.2	114.2	104.8
吉　林	Jilin			115.7	131.5	102.8	114.1	127.1	173.9	113.9	113.8	102.4
黑龙江	Heilongjiang							112.9	139.6	117.6	112.7	104.2
上　海	Shanghai							113.1	129.2	121.4	114.8	101.6
江　苏	Jiangsu						107.0	110.3	125.8	120.1	117.6	104.3
浙　江	Zhejiang					104.7	102.7	106.3	126.4	124.8	119.2	101.5
安　徽	Anhui							113.9	128.8	122.3	117.9	109.9
福　建	Fujian							109.3	129.6	115.2	119.6	104.3
江　西	Jiangxi								129.4	123.4	114.7	105.8
山　东	Shandong				136.7	105.4	107.0	111.0	134.7	120.1	113.2	105.7
河　南	Henan				130.0	105.5	104.4	110.0	133.0	122.0	114.1	105.3
湖　北	Hubei				126.1	108.4	113.1	110.2	135.5	116.6	118.2	108.4
湖　南	Hunan				122.5	103.3	110.4	116.2	139.7	119.6	117.6	105.9
广　东	Guangdong								134.3	121.1	118.7	104.6
广　西	Guangxi	121.0	112.0			102.2	107.8	105.2	141.7	117.8	112.9	103.4
海　南	Hainan											
重　庆	Chongqing					103.7	109.2	123.8	124.5	124.6	111.6	106.3
四　川	Sichuan				129.4	106.4	108.6	112.5	137.2	119.1	113.5	106.1
贵　州	Guizhou							113.5	144.6	115.0	114.9	108.1
云　南	Yunnan						108.2	115.2	138.1	110.3	113.2	110.3
西　藏	Tibet											
陕　西	Shaanxi							111.5	138.4	115.6	114.3	109.1
甘　肃	Gansu				129.8	114.1	112.4	122.2	139.4	118.3	113.7	107.4
青　海	Qinghai				123.8	113.9	112.8	105.3	138.9	112.3	110.2	108.3
宁　夏	Ningxia											
新　疆	Xinjiang							121.1	136.4	110.9	116.8	107.0

4-4-2 续表 Continued

(上年价格=100) (Preceding year=100)

地 区 Region	1997	1998	1999	2000	2001	2002	2003	2004	2005	2006	2007	2008年
全 国 National	**101.3**	**95.8**	**96.7**	**105.1**	**99.8**	**97.7**	**104.8**	**111.4**	**108.3**	**106.0**	**104.4**	**110.5**
北 京 Beijing	103.4	98.1	95.8	100.0	100.5	97.1	104.7	114.2	111.4	105.5	105.0	115.8
天 津 Tianjin	99.0	95.9	96.3	104.5	98.8	95.9	108.7	115.4	104.9	104.7	105.7	112.9
河 北 Hebei	102.0	96.2	95.4	103.3	101.0	97.3	109.4	118.4	107.0	105.0	107.8	115.9
山 西 Shanxi	102.0	97.3	97.0	102.0	101.8	102.6	107.8	114.5	108.2	102.6	105.3	118.3
内蒙古 Inner Mongolia	100.9	98.1	96.8	106.5	101.3	99.9	102.9	109.2	109.9	105.9	104.8	111.7
辽 宁 Liaoning	103.1	99.3	99.1	103.9	99.9	98.3	105.1	112.1	108.1	104.2	104.8	111.5
吉 林 Jilin	103.9	96.6	100.5	106.8	101.8	97.8	104.8	110.5	107.0	103.8	105.2	111.3
黑龙江 Heilongjiang	104.4	98.6	98.2	108.6	99.5	99.3	107.6	115.2	111.8	105.6	105.0	114.1
上 海 Shanghai	97.8	94.1	97.1	107.1	98.7	97.7	106.4	116.4	106.8	104.8	104.1	110.3
江 苏 Jiangsu	98.0	91.5	94.4	107.1	99.5	98.6	106.5	116.3	107.6	106.4	105.0	115.0
浙 江 Zhejiang	96.5	92.6	96.2	107.2	99.6	97.5	105.8	113.4	105.4	105.6	105.3	110.6
安 徽 Anhui	101.7	96.0	94.5	102.6	101.2	98.2	106.7	115.0	107.1	103.9	105.1	112.4
福 建 Fujian	98.6	92.5	97.9	112.4	96.7	97.6	106.3	113.3	108.1	103.9	104.3	110.2
江 西 Jiangxi	100.4	95.4	96.9	101.2	99.3	98.6	106.5	114.5	110.0	108.6	107.9	114.2
山 东 Shandong	100.6	93.4	93.4	104.7	100.0	98.7	105.7	113.4	105.9	104.3	104.8	113.1
河 南 Henan	100.7	94.8	94.3	105.1	101.9	97.6	107.8	115.7	108.3	105.3	106.4	111.9
湖 北 Hubei	101.5	95.2	95.6	105.6	100.2	97.7	108.2	113.1	107.0	104.9	104.5	110.9
湖 南 Hunan	100.1	94.8	96.2	106.7	101.1	99.3	106.7	114.4	109.4	106.5	106.1	112.0
广 东 Guangdong	97.3	91.4	97.8	110.9	99.1	96.3	104.1	110.7	105.0	103.6	103.3	107.9
广 西 Guangxi	99.3	95.3	93.6	100.9	103.7	95.6	101.2	116.3	108.2	111.4	106.1	110.6
海 南 Hainan						101.5	102.2	105.9	104.2	101.5	105.0	111.6
重 庆 Chongqing	100.1	95.1	96.9	105.6	99.5	99.2	104.9	110.3	108.2	104.8	106.2	112.2
四 川 Sichuan	101.6	95.3	96.8	101.7	98.5	97.6	101.7	112.0	109.3	104.3	105.7	112.4
贵 州 Guizhou	101.9	95.7	97.0	102.9	100.2	97.6	106.0	109.6	107.4	107.3	107.5	112.5
云 南 Yunnan	102.9	100.7	98.8	101.5	99.4	99.1	102.7	113.0	106.5	107.6	108.2	111.6
西 藏 Tibet												
陕 西 Shaanxi	106.8	97.1	95.5	100.0	100.5	98.8	104.8	110.4	107.5	106.7	106.3	111.2
甘 肃 Gansu	102.2	96.4	98.3	111.8	101.4	98.4	105.6	112.5	109.9	108.8	104.3	110.2
青 海 Qinghai	110.7	101.3	99.1	98.9	99.1	102.8	101.8	108.5	105.3	102.8	104.4	110.4
宁 夏 Ningxia	103.5	101.1	97.0	105.8	102.5	97.8	106.8	117.3	109.7	108.5	107.1	121.8
新 疆 Xinjiang	104.5	95.6	98.2	115.2	98.9	94.9	114.8	118.2	110.7	111.1	103.8	117.8

4-4-3 各地区原材料、燃料、动力购进价格分类指数(2008年)

Indices of Purchasing Prices of Raw Materials,Fuels and Power by Category and Region (2008)

(上年价格=100) (Preceding year=100)

地 区 Region	总指数 General Index	燃料、动力类 Fuel and Power	黑色金属材料类 Ferrous Metals	有色金属材料类 Nonferrous Metals	化工原料类 Raw Chemical Materials	木材及纸浆类 Timber and Paper Pulp	建材类 Building Materials	其它工业原料类 Other Materials	农副产品类 Agricultural Products	纺织原料类 Textile Materials
全 国 National	**110.5**	**120.6**	**118.4**	**98.6**	**105.2**	**105.2**	**109.5**	**103.4**	**107.5**	**103.1**
北 京 Beijing	115.8	132.3	128.5	97.9	108.3	108.5	115.2	94.9	132.6	101.5
天 津 Tianjin	112.9	128.0	132.6	92.7	109.9	109.1	115.6	105.9	108.5	100.0
河 北 Hebei	115.9	129.5	128.6	99.3	112.9	103.8	116.4	107.0	112.4	102.0
山 西 Shanxi	118.3	123.2	127.2	103.1	114.9	108.5	118.8	112.6	118.2	104.9
内蒙古 Inner Mongolia	111.7	113.8	115.0	98.0	109.7	106.2	107.2	110.7	113.8	99.6
辽 宁 Liaoning	111.5	111.7	120.6	99.1	107.1	106.9	117.1	108.1	115.0	103.5
吉 林 Jilin	111.3	112.4	116.2	100.2	109.1	103.1	106.6	108.5	113.4	104.5
黑龙江 Heilongjiang	114.1	118.4	117.0	99.8	106.5	101.7	106.6	114.4	109.3	100.0
上 海 Shanghai	110.3	135.6	117.0	96.4	105.9	102.6	109.0	102.3	107.6	103.2
江 苏 Jiangsu	115.0	123.3	126.9	96.3	104.0	106.1	109.2	105.6	109.2	103.2
浙 江 Zhejiang	110.6	120.5	119.8	94.1	107.8	106.2	110.1	107.0	105.0	101.9
安 徽 Anhui	112.4	116.7	119.4	97.5	107.8	110.5	110.3	110.7	114.9	102.2
福 建 Fujian	110.2	126.8	120.9	99.8	112.4	105.4	109.6	102.6	109.5	99.7
江 西 Jiangxi	114.2	113.3	131.1	102.1	117.9	107.3	114.4	108.6	107.3	103.6
山 东 Shandong	113.1	124.6	125.4	107.6	107.3	104.9	112.6	112.2	109.6	101.6
河 南 Henan	111.9	121.0	124.7	99.0	106.7	106.2	119.5	108.4	110.5	102.0
湖 北 Hubei	110.9	113.1	119.3	101.0	113.2	108.7	110.3	108.1	105.3	104.4
湖 南 Hunan	112.0	119.5	121.0	95.9	109.9	108.7	114.2	106.2	110.3	103.9
广 东 Guangdong	107.9	115.1	119.2	95.3	105.1	102.8	117.5	104.1	109.8	102.3
广 西 Guangxi	110.6	117.7	129.1	104.7	121.3	104.5	114.0	106.9	102.6	102.2
海 南 Hainan	111.6	120.1	111.7	97.4	99.7	101.5	115.9	105.0	108.4	101.4
重 庆 Chongqing	112.2	116.1	121.4	95.6	106.7	107.8	122.3	112.3	113.1	102.9
四 川 Sichuan	112.4	114.7	117.3	98.0	111.6	106.2	119.0	108.1	114.3	103.1
贵 州 Guizhou	112.5	115.6	123.9	95.4	109.7	112.9	131.2	108.4	115.0	103.4
云 南 Yunnan	111.6	118.6	124.6	95.6	110.7	105.1	110.5	110.1	107.7	104.2
西 藏 Tibet										
陕 西 Shaanxi	111.2	113.4	119.0	100.3	109.2	103.8	108.6	110.8	112.7	102.2
甘 肃 Gansu	110.2	114.3	110.3	95.0	103.1	98.8	108.9	105.1	104.3	95.8
青 海 Qinghai	110.4	108.4	119.6	97.7	107.5	115.9	111.3	113.4	132.6	99.4
宁 夏 Ningxia	121.8	126.8	136.6	105.1	116.7	113.0	127.0	113.7	126.0	99.5
新 疆 Xinjiang	117.8	125.2	136.9	96.2	106.0	107.2	109.4	116.8	110.0	107.8

4-5-1 全国固定资产投资价格分类指数(1991～2008年)

Price Indices of Investment in Fixed Assets(1991～2008)

(上年价格=100) (Preceding year=100)

年份 Year	总指数 Investment in Fixed Assets	建筑安装工程 Construction and Installation				设备工、器具 Purchase of Equipment, Tools and Instruments	其他费用 Others
			人工费 Labour Cost	材料费 Material Expenses	机械使用费 Machine		
1991	109.5	109.7	112.2	110.9		106.1	116.8
1992	115.3	116.8	116.5	117.2		109.4	120.9
1993	126.6	131.3	137.8	134.7		119.7	123.4
1994	110.4	110.4	123.3	107.9		109.5	112.1
1995	105.9	104.7	121.5	100.6		106.3	112.4
1996	104.0	105.1	116.2	101.6	115.3	101.6	104.3
1997	101.7	102.9	113.6	100.8	105.9	98.1	102.9
1998	99.8	100.5	104.8	98.9	100.4	97.5	100.4
1999	99.6	100.3	103.0	98.9	101.2	97.5	99.9
2000	101.1	102.4	107.0	102.1	100.8	97.4	101.0
2001	100.4	101.4	104.2	100.5	101.9	97.0	101.0
2002	100.2	101.0	104.1	100.2	101.0	97.0	101.2
2003	102.2	104.2	103.8	105.0	100.9	97.0	101.6
2004	105.6	108.2	104.6	110.7	101.6	99.4	103.5
2005	101.6	101.8	105.6	100.9	101.9	99.4	103.2
2006	101.5	101.3	106.7	99.8	102.6	100.7	103.3
2007	103.9	105.1	108.9	104.5	103.3	100.2	104.2
2008	108.9	112.9	113.8	114.1	106.5	100.6	105.4

4-5-2 各地区固定资产投资价格总指数(1991～2008年)

Price Indices of Investment in Fixed Assets by Region(1991～2008)

(上年价格=100)　　　　(Preceding year=100)

地　区	Region	1991	1992	1993	1994	1995	1996	1997	1998	1999	2000	2001
全　国	**National**	**109.5**	**115.3**	**126.6**	**110.4**	**105.9**	**104.0**	**101.7**	**99.8**	**99.6**	**101.1**	**100.4**
北　京	Beijing	107.3	112.2	126.6	116.2	113.9	108.2	102.7	100.8	99.9	101.0	100.6
天　津	Tianjin		119.4	122.9	111.9	107.6	102.5	100.8	98.9	99.2	99.9	99.7
河　北	Hebei	106.8	129.3	124.8	110.0	106.9	103.9	101.5	97.8	99.4	101.1	99.9
山　西	Shanxi	107.8	116.8	124.8	108.3	106.8	104.9	101.5	98.8	99.7	101.8	101.7
内蒙古	Inner Mongolia	107.1	109.3	124.5	106.7	103.9	105.3	99.7	101.7	101.9	101.9	100.8
辽　宁	Liaoning	108.2	121.0	136.4	117.4	104.9	102.2	102.3	99.8	100.0	101.1	100.4
吉　林	Jilin	111.9	116.4	128.8	107.3	109.6	102.9	104.4	100.8	102.2	102.0	101.1
黑龙江	Heilongjiang	107.6	113.5	127.9	109.0	106.5	103.4	102.7	100.8	99.7	101.5	100.1
上　海	Shanghai	107.3	113.0	131.4	108.8	103.1	106.9	100.5	98.4	98.1	100.0	100.7
江　苏	Jiangsu	104.5	112.1	138.8	114.6	107.4	103.2	99.2	98.4	98.3	101.1	100.8
浙　江	Zhejiang			138.8	112.4	107.2	101.3	99.5	97.6	98.2	100.3	100.4
安　徽	Anhui	114.8	119.8	123.0	120.1	106.5	103.4	101.3	100.0	99.3	101.6	99.5
福　建	Fujian	108.6	114.9	134.1	107.3	104.8	104.7	101.1	98.0	98.5	100.2	99.5
江　西	Jiangxi	110.4	110.1	129.8	114.6	107.2	105.8	101.4	102.1	98.6	101.4	98.9
山　东	Shandong	112.4	119.4	122.1	115.8	106.6	103.1	100.4	99.2	99.6	102.4	101.4
河　南	Henan	109.4	119.8	126.7	106.0	105.9	103.9	102.9	98.7	98.0	102.9	100.4
湖　北	Hubei	108.3	117.0	127.4	107.9	105.0	104.0	102.1	100.5	99.5	101.7	100.1
湖　南	Hunan	108.1	116.4	129.5	113.5	109.5	104.9	101.8	102.7	100.5	102.3	101.3
广　东	Guangdong											100.2
广　西	Guangxi	101.7	117.9	131.2	112.3	103.4	103.6	100.3	99.9	96.1	101.4	102.0
海　南	Hainan										101.8	100.3
重　庆	Chongqing							101.7	98.7	100.5	102.5	100.8
四　川	Sichuan	108.1	113.9	133.2	107.3	101.2	104.8	102.2	97.5	100.5	100.9	101.5
贵　州	Guizhou	110.6	120.2	126.9	113.1	107.6	105.4	101.4	100.0	99.4	102.2	100.4
云　南	Yunnan	112.1	117.6	135.4	113.6	104.0	104.3	105.4	101.8	100.7	101.6	101.0
西　藏	Tibet											
陕　西	Shaanxi	112.9	119.1	129.5	111.7	107.9	107.8	105.3	101.8	101.2	103.6	103.6
甘　肃	Gansu	116.5	117.4	126.2	112.6	109.4	104.9	102.7	100.3	101.0	103.3	102.0
青　海	Qinghai		115.1	125.9	108.4	105.3	103.5	103.0	98.5	100.1	101.6	100.3
宁　夏	Ningxia	110.4	117.3	123.0	112.6	109.3	107.4	102.2	102.1	99.7	104.5	101.5
新　疆	Xinjiang	114.8	117.0	126.5	112.3	106.2	105.6	103.2	102.0	99.0	103.6	102.5

4-5-2 续表 Continued

(上年价格=100) (Preceding year=100)

地 区	Region	2002	2003	2004	2005	2006	2007	2008
全 国	**National**	**100.2**	**102.2**	**105.6**	**101.6**	**101.5**	**103.9**	**108.9**
北 京	Beijing	100.4	102.2	104.3	100.7	100.4	102.8	107.8
天 津	Tianjin	99.5	102.6	107.3	101.2	100.7	102.6	109.2
河 北	Hebei	99.5	102.3	107.0	101.9	101.7	103.8	109.6
山 西	Shanxi	100.5	102.9	105.2	103.0	101.5	104.1	113.3
内蒙古	Inner Mongolia	101.0	102.6	105.0	103.7	103.3	103.8	108.1
辽 宁	Liaoning	100.7	102.5	104.8	102.8	102.1	104.3	109.1
吉 林	Jilin	101.2	101.1	104.1	102.0	102.2	103.9	107.3
黑龙江	Heilongjiang	100.2	102.3	105.0	102.2	102.1	104.5	109.0
上 海	Shanghai	100.3	102.4	106.7	100.8	100.1	103.5	107.9
江 苏	Jiangsu	101.7	104.3	109.4	100.9	101.2	104.9	110.0
浙 江	Zhejiang	100.5	103.5	105.9	100.3	101.5	104.4	109.3
安 徽	Anhui	101.1	103.5	106.1	101.0	101.9	105.4	109.4
福 建	Fujian	99.7	101.4	103.4	100.7	102.0	105.9	105.9
江 西	Jiangxi	100.0	105.1	107.4	100.5	103.2	105.4	110.4
山 东	Shandong	101.1	102.9	107.4	102.9	101.8	104.0	107.7
河 南	Henan	98.7	103.8	110.1	101.4	101.6	104.6	109.0
湖 北	Hubei	99.8	103.3	106.0	102.2	101.8	104.1	109.4
湖 南	Hunan	100.3	102.8	105.5	103.6	103.1	105.8	109.9
广 东	Guangdong	99.7	102.2	106.4	101.6	100.7	102.4	108.6
广 西	Guangxi	100.3	101.8	104.6	101.4	101.2	102.3	107.9
海 南	Hainan	98.2	103.2	105.6	101.2	101.0	106.1	113.3
重 庆	Chongqing	100.7	102.9	105.1	102.3	101.7	105.5	110.2
四 川	Sichuan	100.5	102.2	106.8	103.9	102.9	104.7	112.5
贵 州	Guizhou	100.2	102.3	104.9	101.4	101.1	103.5	108.9
云 南	Yunnan	100.0	102.2	108.0	104.6	101.8	104.2	107.4
西 藏	Tibet							
陕 西	Shaanxi	102.0	101.7	104.5	103.7	102.6	104.0	109.5
甘 肃	Gansu	100.2	101.7	105.5	102.2	104.1	102.8	106.7
青 海	Qinghai	103.2	102.0	102.8	102.1	102.4	104.2	110.5
宁 夏	Ningxia	100.7	102.3	104.9	102.1	101.3	103.2	109.0
新 疆	Xinjiang	100.2	103.4	104.5	102.8	102.2	104.4	111.2

4-5-3 各地区固定资产投资价格分类指数(2007～2008年)

Price Indices of Investment in Fixed Assets by Region and Category (2007～2008)

(上年价格=100) (Preceding year=100)

地区	Region	2007 投资 Investment in Fixed Assets	2007 建筑安装工程 Construction and Installation	2007 设备工、器具 Purchase of Equipment, Tools and Instruments	2007 其他费用 Others	2008 投资 Investment in Fixed Assets	2008 建筑安装工程 Construction and Installation	2008 设备工、器具 Purchase of Equipment, Tools and Instruments	2008 其他费用 Others
全国	**National**	**103.9**	**105.1**	**100.2**	**104.2**	**108.9**	**112.9**	**100.0**	**105.7**
北京	Beijing	102.8	104.1	98.9	102.1	107.8	111.8	98.0	104.8
天津	Tianjin	102.6	103.5	99.1	103.6	109.2	114.0	99.6	104.2
河北	Hebei	103.8	105.4	100.7	102.4	109.6	113.9	101.6	105.8
山西	Shanxi	104.1	106.0	100.6	102.4	113.3	120.0	102.6	101.5
内蒙古	Inner Mongolia	103.8	104.6	100.3	105.2	108.1	110.6	101.0	106.2
辽宁	Liaoning	104.3	106.1	100.2	104.2	109.1	113.3	101.0	105.2
吉林	Jilin	103.9	105.2	99.9	105.9	107.3	110.7	100.4	105.1
黑龙江	Heilongjiang	104.5	105.5	99.9	109.1	109.0	111.9	100.6	110.9
上海	Shanghai	103.5	104.6	99.4	104.1	107.9	112.1	99.5	105.4
江苏	Jiangsu	104.9	107.8	99.7	104.5	110.0	115.9	100.6	106.6
浙江	Zhejiang	104.4	105.6	100.5	105.2	109.3	113.7	101.2	106.6
安徽	Anhui	105.4	107.4	100.4	103.7	109.4	113.7	101.2	103.8
福建	Fujian	105.9	107.1	99.6	109.2	105.9	108.5	100.0	104.9
江西	Jiangxi	105.4	106.9	100.5	106.2	110.4	114.0	100.7	109.3
山东	Shandong	104.0	105.5	100.8	104.6	107.7	110.7	102.5	104.4
河南	Henan	104.6	106.3	101.4	101.9	109.0	112.1	102.5	103.3
湖北	Hubei	104.1	104.9	101.5	104.2	109.4	112.2	102.7	108.2
湖南	Hunan	105.8	107.6	101.4	103.4	109.9	112.3	104.7	105.1
广东	Guangdong	102.4	103.8	99.5	100.5	108.6	112.2	100.1	105.7
广西	Guangxi	102.3	103.0	101.0	101.1	107.9	110.7	101.7	103.7
海南	Hainan	106.1	109.9	100.2	102.2	113.3	118.7	100.6	107.2
重庆	Chongqing	105.5	106.0	100.2	107.8	110.2	113.7	100.6	106.6
四川	Sichuan	104.7	106.4	101.0	103.4	112.5	118.8	101.8	104.4
贵州	Guizhou	103.5	105.4	100.2	100.9	108.9	114.3	100.6	101.1
云南	Yunnan	104.2	104.5	100.5	107.0	107.4	110.1	101.0	102.2
西藏	Tibet								
陕西	Shaanxi	104.0	105.6	100.6	100.6	109.5	113.3	101.1	101.8
甘肃	Gansu	102.8	103.9	101.8	102.3	106.7	111.8	103.5	103.0
青海	Qinghai	104.2	104.6	102.9	102.6	110.5	113.3	101.5	104.1
宁夏	Ningxia	103.2	104.1	100.4	101.0	109.0	110.6	101.9	106.4
新疆	Xinjiang	104.4	105.5	101.6	102.8	111.2	114.0	105.0	105.1

4-6-1 全国房地产价格分类指数(1998～2008年)

(上年价格=100)

项　目	Item	1998	1999
房屋销售价格指数	**Selling Price Indices of Real Estate**	**101.4**	**100.0**
一、新建房	New-buiding	99.9	100.3
1.住宅	Residential Buildings	99.9	100.4
按房屋类型分	Type of housing		
(1)经济适用房	Economically Affordable Housing	102.9	102.0
(2)商品住宅	Commercial Housing		
普通住宅	General Residential Buildings	99.9	100.2
高档住宅	Luxury Residential Buildings	98.9	98.9
按房屋套型分	Size of housing		
90m²及以下	≦90m²		
2.非住宅	Non-Residential Buildings	99.7	99.9
(1)办公楼	Office Buildings	99.5	97.6
(2)商业营业用房	Houses for Business	100.5	101.0
(3)其他用房	Others	103.2	100.6
二、二手房	Private-owned Houses		
1.住宅	Residential Buildings		
普通住宅	General Residential Buildings		
高档住宅	Luxury Residential Buildings		
2.非住宅	Non-Residential Buildings		
土地交易价格指数	**Transactions Price Indices of Land**	**102.0**	**100.0**
一、居住用地	Land for Residential Building Use	100.6	99.9
二、工业用地	Land for Industry	101.2	100.0
三、商业营业用地	Land for Business	104.0	100.0
四、其他用地	Land for Others	103.6	100.2
房屋租赁价格指数	**Renting Price Indices of Houses**	**102.4**	**98.5**
一、住宅	Residential Buildings	109.4	102.4
1.经济适用房	Economically Affordable Housing		
2.廉租房	Low-rented Buildings		
3.商品住宅	Commercial Housing		
普通住宅	General Residential Buildings		
高档住宅	Luxury Residential Buildings		
二、非住宅	Non-Residential Buildings		
1.办公楼	Office Buildings	97.9	95.2
2.商业营业用房	Houses for Business	100.1	99.0
3.其他用房	Others		
物业管理价格指数	**Price Indices of Real Estate Management**		
一、住宅	Residential Buildings		
二、非住宅	Non-Residential Buildings		

Price Indices for Real Estate(1998 ~ 2008)

(Preceding year=100)

2000	2001	2002	2003	2004	2005	2006	2007	2008
101.1	**102.2**	**103.7**	**104.8**	**109.7**	**107.6**	**105.5**	**107.6**	**106.5**
100.8	101.8	103.4	105.0	109.0	107.7	105.8	107.7	106.6
101.4	101.9	104.0	105.7	109.4	108.4	106.4	108.2	107.1
101.4	102.1	101.8	102.6	103.2	103.7	103.7	102.5	102.8
								107.6
101.5	102.0	104.3	106.2	109.8	108.2	105.9	108.6	107.4
101.3	101.0	101.7	104.0	110.0	109.5	107.7	109.2	108.2
								100.0
98.7	101.2	101.3	102.7	107.1	105.6	104.0	105.8	104.6
98.1	100.8	99.8	103.4	108.1	107.2	104.6	107.6	107.1
99.6	102.0	102.4	102.3	107.0	104.6	104.6	106.0	103.6
96.9	100.3	102.1	103.7	103.9	103.8	103.9	103.8	100.4
					107.5	104.7	107.1	106.0
					108.4	105.2	107.4	106.2
								107.0
								101.1
					105.5	103.4	105.4	104.8
100.2	**101.7**	**106.9**	**108.3**	**110.1**	**109.1**	**105.8**	**112.3**	**109.4**
101.0	102.2	107.7	112.4	111.6	110.3	106.0	113.7	111.3
98.6	100.8	100.4	101.3	104.3	103.6	104.7	105.9	103.7
100.4	101.2	107.0	104.9	110.4	107.9	106.4	113.0	111.1
99.8	101.7	106.9	104.4	105.5	106.7	103.5	103.8	105.5
102.4	**102.8**	**100.8**	**101.9**	**101.4**	**101.9**	**101.4**	**102.6**	**101.4**
114.2	108.1	102.0	107.5	102.2	100.5	101.4	102.6	102.2
					101.2	100.1	100.3	100.1
					100.0	100.2	100.4	100.0
								102.6
					100.6	102.3	103.6	102.0
					100.1	100.2	101.2	107.0
								100.6
96.2	100.6	99.5	99.9	100.2	102.9	100.9	102.9	99.9
99.0	100.2	100.2	99.6	102.0	101.7	101.8	102.7	100.6
					104.5	101.9	100.9	102.5
					100.0	**100.3**	**100.5**	**100.5**
					100.1	100.2	100.3	100.5
								100.6

4-6-2 70个大中城市房地产价格指数(1998～2008年)

Price Indices of Real Estate in 70 Large-scale and Medium-scale Cities(1998～2008)

(上年价格=100) (Preceding year=100)

地 区	Region	房屋销售价格指数 Selling Price Indices of Houses										
		1998	1999	2000	2001	2002	2003	2004	2005	2006	2007	2008
全 国	**Total**	**101.4**	**100.0**	**101.1**	**102.2**	**103.7**	**104.8**	**109.7**	**107.6**	**105.5**	**107.6**	**106.5**
北 京	Beijing	100.9	100.1	99.5	101.3	100.3	100.3	103.7	106.7	108.8	111.4	109.5
天 津	Tianjin	100.6	100.0	100.0	101.2	101.6	104.1	113.5	106.0	106.7	106.9	105.8
石家庄	Shijiazhuang	100.7	103.7	101.8	103.9	101.4	100.3	103.6	105.6	104.3	107.6	105.8
太 原	Taiyuan	103.4	97.8	101.1	100.2	103.3	102.8	106.4	105.6	103.9	104.4	105.7
呼和浩特	Hohhot	103.3	98.2	102.0	102.4	102.3	100.7	105.2	111.8	109.5	104.4	101.2
沈 阳	Shenyang	102.3	101.8	103.0	102.6	100.1	107.6	115.9	107.5	106.6	106.1	104.6
大 连	Dalian	99.5	102.4	100.2	99.6	98.4	100.7	104.6	109.2	110.9	107.2	104.8
长 春	Changchun	100.4	104.6	106.6	102.6	97.2	100.2	100.2	101.9	101.6	106.4	107.0
哈尔滨	Harbin	99.3	100.2	101.8	101.9	101.1	100.2	104.7	104.6	103.3	106.8	106.4
上 海	Shanghai	95.7	96.2	98.6	104.4	107.3	120.1	115.9	109.7	98.7	103.4	105.9
南 京	Nanjing	105.2	101.6	101.6	100.5	103.0	109.8	115.3	108.1	104.3	106.6	102.7
杭 州	Hangzhou	102.6	103.0	104.9	105.8	106.9	106.1	111.7	109.7	102.6	107.2	108.6
宁 波	Ningbo	99.7	100.6	105.5	107.2	116.4	116.6	113.9	106.4	102.2	108.6	109.2
合 肥	Hefei	101.7	99.4	100.0	100.5	104.0	104.1	105.6	106.2	101.3	101.8	108.4
福 州	Fuzhou	101.1	99.9	100.3	101.0	101.1	101.1	103.6	104.4	106.7	106.8	103.9
厦 门	Xiamen	100.6	100.5	100.1	102.2	103.0	102.8	107.3	108.0	107.0	107.0	102.7
南 昌	Nanchang	100.5	101.6	103.2	104.0	111.6	104.8	107.3	108.3	106.2	106.8	104.2
济 南	Jinan	101.5	101.5	102.8	101.8	102.5	103.1	110.3	107.6	104.3	105.2	107.2
青 岛	Qingdao	100.1	103.7	102.3	104.1	107.6	114.6	115.3	110.9	106.9	106.5	105.1
郑 州	Zhengzhou	106.6	101.1	99.5	100.6	101.9	102.0	104.0	107.0	105.7	106.3	103.3
武 汉	Wuhan	102.7	98.6	101.5	106.1	101.9	103.8	108.4	106.8	103.0	105.2	104.9
长 沙	Changsha	102.9	98.5	99.6	102.1	101.1	100.5	103.3	102.8	105.3	108.4	106.7
广 州	Guangzhou	97.9	95.1	97.3	100.3	99.6	99.3	102.7	104.7	106.2	106.6	99.8
深 圳	Shenzhen	99.6	97.8	99.2	101.0	100.4	102.2	104.6	107.2	112.3	116.3	98.1
南 宁	Nanning	98.5	97.9	99.3	101.6	102.5	102.1	105.7	104.9	104.1	107.6	108.2
海 口	Haikou	101.5	95.9	99.4	99.8	101.9	102.7	105.9	102.5	102.8	106.6	110.4
重 庆	Chongqing	106.4	103.3	101.8	101.4	102.1	106.1	113.9	107.2	103.0	106.9	106.3
成 都	Chengdu	104.6	103.3	101.3	100.3	101.3	102.9	107.9	109.8	107.1	107.6	103.4
贵 阳	Guiyang	108.1	103.3	103.9	100.8	101.6	101.3	102.6	102.6	104.4	106.9	106.6
昆 明	Kunming	101.4	102.3	100.2	99.7	100.0	99.1	102.3	102.9	101.3	103.5	103.2
西 安	Xi'an	100.5	100.4	101.3	101.9	101.1	101.4	105.0	104.3	103.6	106.4	108.1
兰 州	Lanzhou	98.5	101.5	100.5	102.6	104.3	101.8	108.7	105.6	104.7	106.0	109.8
西 宁	Xining	101.5	101.0	101.1	100.5	102.2	101.9	104.0	103.4	102.8	103.8	107.5
银 川	Yinchuan	111.2	106.1	102.2	104.2	103.6	102.1	104.4	102.7	102.3	103.9	111.8
乌鲁木齐	Urumqi	103.1	101.4	102.4	101.0	99.2	99.9	100.7	100.9	101.2	109.0	115.5

4-6-2 续表 1 Continued 1

(上年价格=100) (Preceding year=100)

地　区	Region	1998	1999	2000	2001	2002	2003	2004	2005	2006	2007	2008
		房屋销售价格指数 Selling Price Indices of Houses										
唐　山	Tangshan									106.5	106.4	105.9
秦皇岛	Qinhuangdao									105.5	105.8	104.0
包　头	Baotou									107.5	105.5	102.0
丹　东	Dandong									103.0	102.5	104.4
锦　州	Jinzhou									100.9	103.6	104.2
吉　林	Jilin									104.0	104.9	107.6
牡丹江	Mudanjiang									102.4	105.4	106.5
无　锡	Wuxi									103.9	105.9	105.5
扬　州	Yangzhou									104.2	105.5	104.9
徐　州	Xuzhou									105.5	106.2	103.3
温　州	Wenzhou									100.7	107.0	103.5
金　华	Jinhua									100.7	101.1	105.9
蚌　埠	Bengbu									104.3	108.9	109.1
安　庆	Anqing									105.8	104.8	103.7
泉　州	Quanzhou									105.8	106.7	102.6
九　江	Jiujiang									105.2	106.0	105.0
赣　州	Ganzhou									105.3	105.9	104.6
烟　台	Yantai									105.5	106.2	107.3
济　宁	Jining									105.4	105.0	104.9
洛　阳	Luoyang									102.7	103.5	104.1
平顶山	Pindingshan									103.8	105.1	105.7
宜　昌	Yichang									105.3	106.4	108.8
襄　樊	Xiangfan									105.6	107.4	105.9
岳　阳	Yueyang									104.1	107.1	107.6
常　德	Changde									103.6	106.7	106.2
惠　州	Huizhou									103.4	108.1	103.3
湛　江	zhanjiang									104.4	105.3	108.6
韶　关	Shaoguan									104.9	106.5	104.9
桂　林	Guilin									103.7	104.4	103.7
北　海	Beihai									101.2	113.3	108.1
三　亚	Sanya									101.9	103.4	110.4
泸　州	Luzhou									107.1	106.7	102.3
南　充	Nanchong									106.6	107.0	102.6
遵　义	Zunyi									102.5	103.1	103.7
大　理	Dali									104.5	107.0	105.3

4-6-2 续表 2-1 Continued 2-1

(上年价格=100) (Preceding year=100)

地 区 Region	土地交易价格指数 Transactions Price Indices of Land										
	1998	1999	2000	2001	2002	2003	2004	2005	2006	2007	2008
全 国 Total	**102.0**	**100.0**	**100.2**	**101.7**	**106.9**	**108.3**	**110.1**	**109.1**	**105.8**	**112.3**	**109.4**
北 京 Beijing	101.1	100.2	100.0	100.0	100.0	100.6	102.5	103.8	105.2	109.4	111.6
天 津 Tianjin	102.0	101.3	100.5	76.2	102.2	103.0	116.3	103.9	103.9	122.1	111.1
石家庄 Shijiazhuang	115.0	103.9	107.7	97.3	99.7	99.4	100.3	100.2	100.3	101.6	100.6
太 原 Taiyuan	100.0	100.0	100.0	113.2	126.7	121.9	100.7	102.8	102.6	102.2	102.1
呼和浩特 Hohhot	104.1	104.3	102.5	102.8	103.4	102.4	104.1	114.7	112.8	108.7	107.0
沈 阳 Shenyang	100.0	99.0	101.8	101.7	83.1	116.1	116.2	111.4	107.3	106.6	105.3
大 连 Dalian	100.0	100.0	100.0	99.9	100.0	103.5	112.9	124.7	103.8	105.9	104.2
长 春 Changchun	100.0	100.0	100.2	115.5	113.7	103.7	104.6	103.9	112.1	100.7	100.0
哈尔滨 Harbin	100.0	101.0	101.1	100.0	100.0	101.6	100.0	107.8	106.7	108.2	104.6
上 海 Shanghai	95.5	93.3	91.9	97.2	106.3	115.1	120.3	106.9	101.2	107.9	107.9
南 京 Nanjing	104.4	103.5	101.9	102.6	103.9	104.7	103.0	102.8	103.0	103.9	103.6
杭 州 Hangzhou	99.7	100.0	103.2	105.4	125.0	138.1	139.4	124.8	107.1	155.2	127.8
宁 波 Ningbo	99.2	100.0	100.4	100.8	109.2	113.2	108.3	115.9	109.2	138.3	149.5
合 肥 Hefei	102.2	100.7	100.3	100.4	103.7	107.0	105.4	110.6	101.4	104.1	104.9
福 州 Fuzhou	100.2	100.6	100.0	107.3	106.0	107.7	108.8	118.6	107.9	117.1	107.7
厦 门 Xiamen	100.0	100.0	100.0	101.1	101.7	102.3	110.2	108.5	108.3	111.3	104.2
南 昌 Nanchang	103.6	102.0	103.0	108.0	125.2	110.1	118.8	104.2	105.1	103.9	109.4
济 南 Jinan	103.3	101.8	102.3	101.9	102.1	103.5	104.4	105.9	104.9	105.0	102.7
青 岛 Qingdao	101.0	100.0	100.4	102.2	104.3	101.8	101.8	103.4	103.2	101.8	102.1
郑 州 Zhengzhou	101.2	103.9	102.1	101.1	101.4	101.0	103.9	110.9	104.0	105.3	100.3
武 汉 Wuhan	100.8	99.9	100.1	99.8	100.7	103.7	102.9	102.6	101.5	100.9	101.3
长 沙 Changsha	103.2	102.4	102.7	103.8	101.4	100.9	102.1	105.4	118.6	122.1	109.0
广 州 Guangzhou	100.0	99.7	99.9	100.0	100.0	100.0	100.0	100.0	100.0	100.0	100.0
深 圳 Shenzhen	100.0	99.8	101.5	99.7	100.0	102.0	103.9	118.1	100.3	100.1	100.0
南 宁 Nanning	105.5	99.7	66.7	101.6	106.0	101.4	100.0	103.6	102.6	121.5	110.6
海 口 Haikou	90.7	90.6	97.1	101.4	100.5	100.4	102.7	110.0	115.1	118.5	120.9
重 庆 Chongqing	100.0	101.1	100.0	100.9	101.7	115.5	105.3	102.9	100.6	109.7	109.5
成 都 Chengdu	107.7	103.8	101.9	104.6	106.4	109.1	116.3	107.8	106.2	110.2	104.8
贵 阳 Guiyang	99.8	99.4	100.3	100.4	100.6	100.3	100.6	101.5	101.6	109.9	108.3
昆 明 Kunming	104.5	100.1	100.0	100.0	100.0	100.0	100.0	103.7	100.6	101.3	102.6
西 安 Xi'an	100.1	100.3	100.0	100.0	100.5	100.7	102.8	105.9	104.5	106.8	109.0
兰 州 Lanzhou	100.0	100.0	100.0	100.0	100.0	100.0	100.0	100.0	100.0	100.0	100.0
西 宁 Xining	99.4	94.4	100.4	99.7	102.7	106.2	106.1	102.9	102.5	103.2	103.2
银 川 Yinchuan	125.7	108.0	103.6	103.2	102.9	103.4	105.8	103.4	103.1	105.7	106.0
乌鲁木齐 Urumqi	103.8	101.3	99.4	102.6	102.3	101.0	102.1	101.4	100.2	102.6	106.5

4-6-2 续表 2-2 Continued 2-2

(上年价格=100) (Preceding year=100)

地 区 Region	土地交易价格指数 Transactions Price Indices of Land										
	1998	1999	2000	2001	2002	2003	2004	2005	2006	2007	2008
唐 山 Tangshan									105.8	107.8	107.1
秦皇岛 Qinhuangdao									98.8	111.1	113.7
包 头 Baotou									104.2	106.0	105.2
丹 东 Dandong									104.9	104.5	101.0
锦 州 Jinzhou									101.5	104.5	102.5
吉 林 Jilin									131.0	131.0	100.0
牡丹江 Mudanjiang									99.6	117.0	115.5
无 锡 Wuxi									105.6	117.3	106.1
扬 州 Yangzhou									104.2	102.9	105.0
徐 州 Xuzhou									104.8	105.7	101.9
温 州 Wenzhou									105.6	145.3	122.0
金 华 Jinhua									107.2	108.6	109.0
蚌 埠 Bengbu									105.9	106.8	104.0
安 庆 Anqing									105.6	106.0	104.5
泉 州 Quanzhou									110.8	117.1	105.4
九 江 Jiujiang									104.8	106.1	105.0
赣 州 Ganzhou									104.9	105.3	106.3
烟 台 Yantai									105.1	104.6	102.6
济 宁 Jining									103.2	103.9	105.5
洛 阳 Luoyang									109.2	109.6	109.1
平顶山 Pindingshan									108.4	110.8	104.6
宜 昌 Yichang									106.6	104.3	114.7
襄 樊 Xiangfan									108.6	110.6	114.5
岳 阳 Yueyang									105.7	109.7	112.8
常 德 Changde									117.7	122.6	112.5
惠 州 Huizhou									100.0	100.0	100.0
湛 江 zhanjiang									100.0	100.0	100.0
韶 关 Shaoguan									112.8	113.3	104.4
桂 林 Guilin									106.1	112.2	110.2
北 海 Beihai									106.9	139.5	115.8
三 亚 Sanya									102.8	100.8	111.9
泸 州 Luzhou									115.8	115.8	109.3
南 充 Nanchong									108.4	126.9	111.7
遵 义 Zunyi									102.4	104.7	103.7
大 理 Dali									102.8	102.7	100.0

4-6-2 续表 3-1 Continued 3-1

(上年价格=100) (Preceding year=100)

地 区 Region		房屋租赁价格指数 Renting Price Indices of Houses										
		1998	1999	2000	2001	2002	2003	2004	2005	2006	2007	2008
全 国	**Total**	**102.4**	**98.5**	**102.4**	**102.8**	**100.8**	**101.9**	**101.4**	**101.9**	**101.4**	**102.6**	**101.4**
北 京	Beijing	99.8	98.5	166.6	125.5	107.6	108.5	103.4	102.4	102.9	102.7	101.8
天 津	Tianjin	102.4	99.0	100.1	110.1	106.0	100.7	101.2	101.3	100.2	100.3	100.4
石家庄	Shijiazhuang	100.9	108.6	102.2	104.8	100.4	99.3	100.1	100.6	100.5	100.6	102.9
太 原	Taiyuan	104.0	99.5	105.6	115.5	106.1	102.3	99.6	107.5	105.4	105.6	104.2
呼和浩特	Hohhot	100.0	99.0	97.1	102.0	102.7	98.5	101.5	104.7	105.6	105.4	104.2
沈 阳	Shenyang	105.2	102.6	102.3	100.1	99.5	101.4	99.0	101.5	102.3	101.8	100.9
大 连	Dalian	101.7	96.8	105.4	101.9	98.1	100.0	98.2	99.0	99.7	99.8	101.2
长 春	Changchun	106.7	106.2	106.4	111.2	104.6	104.0	100.9	100.5	100.3	100.0	102.6
哈尔滨	Harbin	99.3	99.9	101.0	100.2	100.0	98.6	100.6	103.6	102.7	100.2	102.2
上 海	Shanghai	92.2	89.9	95.8	104.9	99.0	102.2	105.5	103.6	104.0	105.1	104.6
南 京	Nanjing	99.1	101.3	101.1	104.7	100.6	104.4	105.0	100.0	100.4	101.8	102.0
杭 州	Hangzhou	97.2	95.5	103.3	103.1	103.0	106.7	107.6	102.4	101.1	102.7	102.5
宁 波	Ningbo	95.4	96.6	92.5	99.0	102.8	106.0	104.3	104.1	103.4	103.8	106.7
合 肥	Hefei	109.2	104.3	99.1	98.6	102.0	102.3	100.7	100.3	101.7	100.6	100.5
福 州	Fuzhou	107.6	102.8	99.5	101.7	98.6	98.7	99.6	101.4	101.7	102.6	101.7
厦 门	Xiamen	102.6	98.6	96.2	94.0	98.0	100.3	102.3	104.2	102.5	103.8	102.6
南 昌	Nanchang	99.5	111.2	113.2	102.7	104.2	103.3	101.4	102.5	101.3	101.3	100.8
济 南	Jinan	100.8	100.8	101.6	101.8	103.2	100.0	103.4	101.0	101.2	101.2	100.8
青 岛	Qingdao	94.0	104.3	95.8	107.0	94.4	99.4	98.6	103.3	110.1	108.3	106.5
郑 州	Zhengzhou	106.1	98.7	103.7	107.2	103.0	99.1	99.7	100.1	100.5	100.9	101.4
武 汉	Wuhan	98.7	95.8	97.3	98.2	98.6	98.5	100.7	100.2	100.3	100.3	100.1
长 沙	Changsha	103.3	94.8	99.1	102.5	101.6	101.0	103.1	101.7	102.8	102.5	100.6
广 州	Guangzhou	99.6	94.9	98.0	99.6	102.0	99.9	101.6	103.0	102.2	102.8	100.1
深 圳	Shenzhen	94.7	91.3	95.7	99.6	100.2	100.0	100.0	101.0	102.5	104.8	102.2
南 宁	Nanning	106.7	97.8	102.1	102.5	99.5	102.3	100.6	101.6	103.6	99.6	103.4
海 口	Haikou	92.6	89.8	92.7	99.3	94.6	92.6	96.1	101.9	100.7	100.6	101.4
重 庆	Chongqing	106.9	106.4	95.1	95.4	97.5	100.3	105.9	103.6	102.8	104.2	104.2
成 都	Chengdu	99.8	100.0	99.3	96.6	100.9	100.3	102.4	100.4	101.1	100.9	103.8
贵 阳	Guiyang	106.0	99.0	104.1	97.1	98.0	101.6	99.9	102.5	101.7	101.1	101.5
昆 明	Kunming	103.0	111.1	97.8	101.9	98.4	100.4	104.2	101.4	100.1	100.4	100.0
西 安	Xi'an	102.5	100.6	101.2	100.3	100.6	98.9	103.2	100.7	101.2	106.4	106.9
兰 州	Lanzhou	99.7	98.3	100.0	101.0	100.3	97.8	97.8	100.0	99.7	100.3	101.5
西 宁	Xining	117.9	100.5	114.3	112.2	107.3	103.1	100.4	99.8	101.1	104.2	102.4
银 川	Yinchuan	110.0	117.7	118.0	105.1	106.4	99.8	106.1	104.3	101.7	101.3	101.3
乌鲁木齐	Urumqi	98.9	97.9	99.2	98.8	100.1	99.9	104.2	100.4	100.3	100.8	101.1

4-6-2 续表 3-2 Continued 3-2

(上年价格=100) (Preceding year=100)

地区 Region		房屋租赁价格指数 Renting Price Indices of Houses										
		1998	1999	2000	2001	2002	2003	2004	2005	2006	2007	2008
唐山	Tangshan									101.3	102.3	103.1
秦皇岛	Qinhuangdao									102.3	101.0	101.3
包头	Baotou									101.6	103.2	101.7
丹东	Dandong									101.4	100.5	100.2
锦州	Jinzhou									100.5	101.6	100.8
吉林	Jilin									100.2	100.3	100.0
牡丹江	Mudanjiang									100.9	102.5	100.0
无锡	Wuxi									99.5	105.5	103.5
扬州	Yangzhou									100.8	101.4	101.9
徐州	Xuzhou									104.4	101.3	102.1
温州	Wenzhou									101.2	109.9	102.6
金华	Jinhua									100.2	100.1	100.0
蚌埠	Bengbu									100.1	100.5	116.1
安庆	Anqing									104.9	102.8	100.6
泉州	Quanzhou									101.5	106.3	104.6
九江	Jiujiang									101.6	102.2	102.9
赣州	Ganzhou									101.3	100.9	101.6
烟台	Yantai									100.2	101.4	100.3
济宁	Jining									101.5	101.9	105.1
洛阳	Luoyang									100.2	100.1	102.0
平顶山	Pindingshan									101.7	104.5	100.9
宜昌	Yichang									100.3	101.8	104.6
襄樊	Xiangfan									100.4	100.0	100.0
岳阳	Yueyang									101.0	104.4	100.4
常德	Changde									100.8	100.3	100.2
惠州	Huizhou									99.2	102.3	99.3
湛江	zhanjiang									100.0	103.4	112.1
韶关	Shaoguan									101.1	103.5	101.1
桂林	Guilin									101.9	102.6	101.1
北海	Beihai									99.1	102.2	104.4
三亚	Sanya									103.2	103.9	100.7
泸州	Luzhou									98.5	100.8	102.1
南充	Nanchong									101.6	103.1	110.1
遵义	Zunyi									101.2	101.8	101.4
大理	Dali									100.0	100.4	101.3

4-6-2 续表 4-1 Continued 4-1

(上年价格=100) (Preceding year=100)

地 区 Region		物业管理价格指数 Price Indices of Real Estate Management										
		1998	1999	2000	2001	2002	2003	2004	2005	2006	2007	2008
全 国	**Total**								**100.0**	**100.3**	**100.5**	**100.5**
北 京	Beijing								100.5	100.8	100.1	100.2
天 津	Tianjin								100.2	100.0	100.0	100.0
石家庄	Shijiazhuang								100.2	100.0	100.0	100.0
太 原	Taiyuan								100.0	101.6	102.6	101.1
呼和浩特	Hohhot								100.0	100.0	100.0	100.0
沈 阳	Shenyang								100.5	100.5	100.2	99.7
大 连	Dalian								98.4	100.9	100.3	100.5
长 春	Changchun								100.0	100.0	99.5	108.2
哈尔滨	Harbin								100.0	100.0	100.0	100.0
上 海	Shanghai								100.5	100.0	100.0	100.0
南 京	Nanjing								101.0	100.3	101.4	100.3
杭 州	Hangzhou								100.4	100.1	100.4	101.9
宁 波	Ningbo								100.5	102.3	102.3	100.2
合 肥	Hefei								102.5	100.0	100.0	101.1
福 州	Fuzhou								100.3	100.0	100.1	100.0
厦 门	Xiamen								100.4	100.1	100.0	101.5
南 昌	Nanchang								100.3	100.4	101.8	100.2
济 南	Jinan								100.0	100.1	100.1	100.1
青 岛	Qingdao								100.2	99.8	100.4	100.3
郑 州	Zhengzhou								100.2	100.1	100.6	100.0
武 汉	Wuhan								98.9	100.0	100.1	100.0
长 沙	Changsha								99.9	100.0	100.1	100.3
广 州	Guangzhou								102.1	100.5	100.5	101.0
深 圳	Shenzhen								99.2	100.0	100.2	100.7
南 宁	Nanning								100.2	100.1	100.0	101.1
海 口	Haikou								100.0	100.0	100.0	100.0
重 庆	Chongqing								100.1	100.7	99.7	100.3
成 都	Chengdu								101.2	100.4	100.2	100.2
贵 阳	Guiyang								99.5	103.1	100.2	100.3
昆 明	Kunming								100.0	100.0	100.0	100.0
西 安	Xi'an								100.4	100.2	100.7	102.6
兰 州	Lanzhou								101.4	100.2	102.0	100.1
西 宁	Xining								100.0	100.0	100.8	101.9
银 川	Yinchuan								100.0	100.0	99.8	103.0
乌鲁木齐	Urumqi								99.8	100.1	100.1	101.0

4-6-2 续表 4-2 Continued 4-2

(上年价格=100) (Preceding year=100)

地 区	Region	1998	1999	2000	2001	2002	2003	2004	2005	2006	2007	2008
		物业管理价格指数 Price Indices of Real Estate Management										
唐山	Tangshan									100.0	100.0	100.0
秦皇岛	Qinhuangdao									100.1	100.3	100.6
包头	Baotou									113.3	100.3	100.0
丹东	Dandong									100.0	100.0	100.0
锦州	Jinzhou									100.0	103.2	100.0
吉林	Jilin									100.0	100.0	100.0
牡丹江	Mudanjiang									100.0	96.9	100.0
无锡	Wuxi									99.9	100.0	100.0
扬州	Yangzhou									100.0	100.0	100.0
徐州	Xuzhou									105.8	101.3	101.3
温州	Wenzhou									99.2	99.9	101.9
金华	Jinhua									100.6	100.0	100.0
蚌埠	Bengbu									100.0	100.0	100.0
安庆	Anqing									103.5	100.0	100.8
泉州	Quanzhou									99.9	100.2	100.2
九江	Jiujiang									100.0	100.1	100.6
赣州	Ganzhou									101.7	103.3	101.6
烟台	Yantai									100.0	100.2	100.1
济宁	Jining									100.0	100.1	100.9
洛阳	Luoyang									100.1	100.0	100.1
平顶山	Pindingshan									100.5	102.0	102.0
宜昌	Yichang									100.5	103.3	103.8
襄樊	Xiangfan									110.3	103.0	101.8
岳阳	Yueyang									100.0	99.9	102.4
常德	Changde									100.7	100.1	101.1
惠州	Huizhou									100.2	103.8	100.6
湛江	zhanjiang									100.0	100.2	100.6
韶关	Shaoguan									100.0	100.0	100.1
桂林	Guilin									100.2	100.6	100.9
北海	Beihai									100.0	108.8	100.0
三亚	Sanya									100.0	100.0	100.2
泸州	Luzhou									104.2	100.2	100.5
南充	Nanchong									100.0	100.2	100.0
遵义	Zunyi									100.2	99.8	101.8
大理	Dali									100.1	100.0	100.0

4-6-3 全国70个大中城市房屋销售价格指数(2008年)

Selling Price Indices of Estate Stouse in 70 Major Cities (2008)

(上年价格=100) (Preceding year=100)

地 区	Region	房屋销售指数 Selling Price Indices of Real Estate	一、新建房 New-buiding	(一)住宅 Residential Buildings	1.经济适用房 Economically Affordable Housing	2.商品住宅 Commercial Housing
全 国	**Total**	**106.5**	**106.6**	**107.1**	**102.8**	**107.6**
北 京	Beijing	109.5	110.8	111.9	100.0	112.5
天 津	Tianjin	105.8	105.8	106.5	100.9	107.5
石家庄	Shijiazhuang	105.8	106.6	107.0	100.0	107.4
太 原	Taiyuan	105.7	104.7	105.3	100.0	105.5
呼和浩特	Hohhot	101.2	101.0	100.9	99.6	101.0
沈 阳	Shenyang	104.6	103.4	104.2	100.6	104.2
大 连	Dalian	104.8	104.3	104.7	100.0	105.5
长 春	Changchun	107.0	106.8	107.6	101.1	108.0
哈尔滨	Harbin	106.4	105.4	105.7	103.4	105.8
上 海	Shanghai	105.9	105.3	105.7	100.0	107.0
南 京	Nanjing	102.7	103.0	103.6	99.9	104.0
杭 州	Hangzhou	108.6	110.0	109.9	100.0	110.8
宁 波	Ningbo	109.2	111.3	112.7	100.8	113.2
合 肥	Hefei	108.4	109.0	109.6		109.6
福 州	Fuzhou	103.9	103.9	104.4	100.2	105.0
厦 门	Xiamen	102.7	102.9	103.0	100.0	104.2
南 昌	Nanchang	104.2	104.3	104.7	100.0	105.5
济 南	Jinan	107.2	107.0	107.5	100.0	108.6
青 岛	Qingdao	105.1	105.6	105.6	100.0	106.1
郑 州	Zhengzhou	103.3	103.6	103.7	100.0	104.2
武 汉	Wuhan	104.9	105.2	105.8	101.7	106.0
长 沙	Changsha	106.7	107.4	108.8	105.0	109.0
广 州	Guangzhou	99.8	99.1	98.2	100.1	98.0
深 圳	Shenzhen	98.1	99.3	97.2	100.0	97.0
南 宁	Nanning	108.2	108.6	109.8	106.8	110.2
海 口	Haikou	110.4	114.8	115.3		115.3
重 庆	Chongqing	106.3	106.7	107.2	104.1	107.4
成 都	Chengdu	103.4	103.2	103.3	100.0	103.3
贵 阳	Guiyang	106.6	106.7	106.7	106.7	106.7
昆 明	Kunming	103.2	103.2	103.6	105.6	103.4
西 安	Xi'an	108.1	108.5	108.9	100.3	109.7
兰 州	Lanzhou	109.8	108.9	109.8	113.6	109.6
西 宁	Xining	107.5	107.5	109.0	100.0	110.5
银 川	Yinchuan	111.8	111.1	109.9	101.8	110.1
乌鲁木齐	Urumqi	115.5	116.1	116.2	112.3	116.5

4-6-3 续表 1 Continued 1

(上年价格=100) (Preceding year=100)

地 区	Region	房屋销售指数 Selling Price Indices of Real Estate	一、新建房 New-buiding	(一)住宅 Residential Buildings	1.经济适用房 Economically Affordable Housing	2.商品住宅 Commercial Housing
唐 山	Tangshan	105.9	105.8	106.0	100.0	106.0
秦皇岛	Qinhuangdao	104.0	103.5	103.6	100.0	104.1
包 头	Baotou	102.0	102.3	103.3	100.0	104.1
丹 东	Dandong	104.4	104.2	105.1	100.0	105.5
锦 州	Jinzhou	104.2	105.0	105.9		105.9
吉 林	Jilin	107.6	107.2	108.7	100.0	109.2
牡丹江	Mudanjiang	106.5	106.8	108.1	102.9	109.1
无 锡	Wuxi	105.5	105.4	105.8	100.0	106.4
扬 州	Yangzhou	104.9	104.9	105.0	100.1	105.2
徐 州	Xuzhou	103.3	103.7	104.0		104.0
温 州	Wenzhou	103.5	106.7	108.5	100.0	109.1
金 华	Jinhua	105.9	106.9	107.3	100.0	107.3
蚌 埠	Bengbu	109.1	110.1	110.7		110.7
安 庆	Anqing	103.7	104.1	104.2	104.4	104.2
泉 州	Quanzhou	102.6	103.0	103.3	100.0	104.8
九 江	Jiujiang	105.0	105.3	105.0	100.0	105.7
赣 州	Ganzhou	104.6	105.0	105.8	100.0	105.8
烟 台	Yantai	107.3	107.4	107.7	100.0	107.7
济 宁	Jining	104.9	104.6	105.6	103.4	106.3
洛 阳	Luoyang	104.1	103.8	105.4	100.0	106.9
平顶山	Pindingshan	105.7	106.3	106.5	100.0	107.4
宜 昌	Yichang	108.8	109.7	110.2	93.9	110.8
襄 樊	Xiangfan	105.9	105.7	105.7	100.0	105.8
岳 阳	Yueyang	107.6	108.7	110.0	105.9	110.7
常 德	Changde	106.2	106.3	108.1	100.0	108.3
惠 州	Huizhou	103.3	104.2	104.7		104.7
湛 江	zhanjiang	108.6	108.2	108.4		108.4
韶 关	Shaoguan	104.9	105.5	106.4		106.4
桂 林	Guilin	103.7	103.6	104.0		104.0
北 海	Beihai	108.1	108.3	108.5		108.5
三 亚	Sanya	110.4	110.5	109.9		109.9
泸 州	Luzhou	102.3	102.5	102.6	100.8	102.7
南 充	Nanchong	102.6	102.3	102.2	100.0	102.2
遵 义	Zunyi	103.7	103.4	103.4		103.4
大 理	Dali	105.3	105.2	104.9	100.0	105.1

4-6-3 续表 2-1 Continued 2-1

(上年价格=100) (Preceding year=100)

地　区 Region	(1)普通住宅 General Residential Buildings	(2)高档住宅 Luxury Residential Buildings	(二)非住宅 Non-Residential Buildings	1.办公楼 Office Buildings	2.商业营业用房 Houses for Business
全　国 Total	**107.4**	**108.2**	**104.6**	**107.1**	**103.6**
北　京 Beijing	112.8	110.4	106.4	107.4	105.0
天　津 Tianjin	108.0	103.5	101.7	102.7	101.4
石家庄 Shijiazhuang	110.4	97.4	101.3	101.6	101.0
太　原 Taiyuan	105.7	103.8	102.6	102.2	102.7
呼和浩特 Hohhot	101.0	100.0	101.3	100.0	101.8
沈　阳 Shenyang	104.1	105.5	97.5	105.1	95.8
大　连 Dalian	105.5	105.7	101.5	102.3	101.6
长　春 Changchun	108.0	107.8	101.6	100.0	100.3
哈尔滨 Harbin	108.3	101.3	104.1	103.1	111.4
上　海 Shanghai	107.9	105.7	103.9	103.8	104.1
南　京 Nanjing	104.0	103.9	100.9	101.8	99.4
杭　州 Hangzhou	107.8	123.7	110.9	114.7	107.1
宁　波 Ningbo	113.4	107.0	105.7	105.2	109.0
合　肥 Hefei	109.6	109.9	103.7	103.8	104.7
福　州 Fuzhou	104.4	105.9	101.9	101.7	103.3
厦　门 Xiamen	104.3	104.2	102.4	102.6	103.3
南　昌 Nanchang	105.5	106.5	101.9	105.0	101.4
济　南 Jinan	108.4	109.4	101.5	103.4	101.1
青　岛 Qingdao	106.4	102.9	105.5	105.9	104.9
郑　州 Zhengzhou	104.2	103.1	103.3	103.9	103.3
武　汉 Wuhan	106.1	105.1	101.3	101.4	101.6
长　沙 Changsha	109.5	104.4	102.2	106.8	105.0
广　州 Guangzhou	98.1	97.5	102.8	106.9	96.2
深　圳 Shenzhen	94.7	103.9	108.8	110.5	109.7
南　宁 Nanning	110.7	109.4	105.9	107.4	109.0
海　口 Haikou	115.8	114.4	103.7	96.5	104.2
重　庆 Chongqing	107.5	105.7	101.1	105.8	100.4
成　都 Chengdu	102.9	104.9	102.5	102.6	102.3
贵　阳 Guiyang	107.6	104.0	106.0	104.3	107.4
昆　明 Kunming	103.6	102.1	101.1	107.7	98.3
西　安 Xi'an	109.7	109.6	104.9	103.8	107.0
兰　州 Lanzhou	109.6		101.1	100.0	101.5
西　宁 Xining	110.5		102.2	102.0	102.4
银　川 Yinchuan	110.4	103.3	121.1	104.6	122.2
乌鲁木齐 Urumqi	116.5	121.5	110.5	103.9	112.1

4-6-3 续表 2-2 Continued 2-2

(上年价格=100) (Preceding year=100)

地 区 Region	(1)普通住宅 General Residential Buildings	(2)高档住宅 Luxury Residential Buildings	(二)非住宅 Non-Residential Buildings	1.办公楼 Office Buildings	2.商业营业用房 Houses for Business
唐 山 Tangshan	105.9	113.3	104.8	116.1	103.6
秦皇岛 Qinhuangdao	104.8	100.1	101.7	96.3	103.9
包 头 Baotou	104.6	97.0	99.8	103.9	99.8
丹 东 Dandong	106.7	100.5	101.5	102.8	101.2
锦 州 Jinzhou	106.6	104.1	102.6		104.2
吉 林 Jilin	109.2	99.3	103.9	100.0	106.9
牡丹江 Mudanjiang	110.2	98.7	98.1		97.3
无 锡 Wuxi	106.4	106.1	102.5	105.3	102.1
扬 州 Yangzhou	105.2	105.1	104.4	104.3	104.5
徐 州 Xuzhou	103.9	104.7	102.0	100.9	102.5
温 州 Wenzhou	109.3	103.0	100.9	101.6	101.3
金 华 Jinhua	106.6	113.4	102.8	101.2	104.0
蚌 埠 Bengbu	110.8	104.0	102.3	100.5	102.4
安 庆 Anqing	104.4	102.4	103.0	100.6	103.1
泉 州 Quanzhou	104.2	106.0	100.5	100.8	100.4
九 江 Jiujiang	105.6	105.8	106.1	102.2	109.2
赣 州 Ganzhou	106.6	102.2	102.6	104.7	102.6
烟 台 Yantai	108.0	106.4	105.9	107.4	105.9
济 宁 Jining	108.8	93.2	101.0	92.2	111.1
洛 阳 Luoyang	106.9	106.9	100.3	99.8	102.2
平顶山 Pindingshan	107.4	107.4	100.5		100.6
宜 昌 Yichang	112.0	104.5	104.4	105.8	104.4
襄 樊 Xiangfan	105.8		106.4		107.9
岳 阳 Yueyang	110.7		102.2	100.5	102.5
常 德 Changde	108.7	102.1	102.0	100.0	102.7
惠 州 Huizhou	104.7	95.9	100.6	101.5	100.4
湛 江 zhanjiang	108.4		103.7	101.9	103.7
韶 关 Shaoguan	106.5	103.2	102.1	101.8	102.2
桂 林 Guilin	104.0	103.9	101.9	101.9	102.9
北 海 Beihai	110.6	105.6	107.8	104.0	108.8
三 亚 Sanya	107.1	119.7	113.6		113.6
泸 州 Luzhou	102.9	101.9	102.0	101.8	102.3
南 充 Nanchong	102.2	101.9	102.8	100.0	103.7
遵 义 Zunyi	103.3	106.5	102.5	100.4	102.6
大 理 Dali	104.4	107.7	107.5	100.0	107.7

4-6-3 续表 3-1 Continued 3-1

(上年价格=100) (Preceding year=100)

地　区 Region		3.其他用房 Others	二、二手房 Houses	(一)住宅 Buildings	(1)普通住宅 General Residential Buildings	(2)高档住宅 Luxury Residential Buildings	(二)非住宅 Non-Residential Buildings
全　国	**Total**	**100.4**	**106.0**	**106.2**	**107.0**	**101.1**	**104.8**
北　京	Beijing	105.9	106.0	106.2	106.4	105.9	100.0
天　津	Tianjin	100.7	105.8	105.8	105.8	105.9	
石家庄	Shijiazhuang		104.0	104.0	104.1	101.5	
太　原	Taiyuan		108.0	110.2	111.1	105.0	100.5
呼和浩特	Hohhot	100.0	103.0	104.3	104.3	101.3	99.6
沈　阳	Shenyang	98.3	106.5	107.5	107.5	107.2	102.6
大　连	Dalian	100.0	105.9	106.3	106.3	106.8	104.1
长　春	Changchun	102.9	107.3	110.6	111.2	107.6	102.2
哈尔滨	Harbin	100.2	108.2	107.8	108.8	105.5	109.0
上　海	Shanghai		106.8	106.8	106.8	107.3	
南　京	Nanjing	100.0	102.4	102.4	102.4	102.6	
杭　州	Hangzhou	100.0	104.2	104.5	104.4	106.2	102.2
宁　波	Ningbo	100.5	106.6	107.3	107.2	108.4	105.7
合　肥	Hefei	100.2	103.1	103.1	103.1	102.3	
福　州	Fuzhou	100.4	103.8	103.8	103.8	103.7	103.8
厦　门	Xiamen	100.6	102.3	102.3	101.8	103.0	
南　昌	Nanchang	100.0	103.8	103.3	103.3	103.1	105.7
济　南	Jinan	99.6	107.7	108.7	110.0	105.2	102.0
青　岛	Qingdao	100.0	104.3	104.4	104.4	104.2	103.6
郑　州	Zhengzhou	100.0	101.5	101.5	101.5	105.0	
武　汉	Wuhan	100.7	104.4	105.5	105.5	105.6	101.0
长　沙	Changsha	98.4	104.3	104.5	104.2	105.3	101.0
广　州	Guangzhou	105.4	100.6	101.1	101.1	103.8	99.4
深　圳	Shenzhen	86.1	97.1	93.5	96.1	88.8	107.7
南　宁	Nanning	96.2	106.2	107.5	107.4	107.6	101.0
海　口	Haikou	100.0	103.4	104.2	103.3	105.5	100.0
重　庆	Chongqing	99.3	103.5	103.8	103.6	106.5	101.0
成　都	Chengdu	103.0	104.2	104.1	104.4	103.2	105.1
贵　阳	Guiyang		106.1	106.2	106.3	106.5	102.2
昆　明	Kunming	102.0	103.2	103.3	103.9	98.3	102.9
西　安	Xi'an	99.3	106.1	106.5	106.6	104.8	104.7
兰　州	Lanzhou		114.9	113.2	113.2	107.6	127.7
西　宁	Xining		107.6	108.5	108.5	105.6	101.6
银　川	Yinchuan		113.4	111.1	111.7	106.3	122.8
乌鲁木齐	Urumqi	102.6	112.9	113.1	113.1	112.9	105.6

4-6-3 续表 3-2 Continued 3-2

(上年价格=100) (Preceding year=100)

地 区 Region	3.其他用房 Others	二、二手房 Private-owned Houses	(一)住宅 Residential Buildings	(1)普通住宅 General Residential Buildings	(2)高档住宅 Luxury Residential Buildings	(二)非住宅 Non-Residential Buildings
唐 山 Tangshan		106.1	106.8	106.8	105.2	100.8
秦皇岛 Qinhuangdao		104.7	104.7	105.0	102.9	
包 头 Baotou	99.7	100.8	98.9	98.4	103.1	107.1
丹 东 Dandong		104.8	105.1	105.5	103.7	103.2
锦 州 Jinzhou	100.0	102.3	102.3	102.4	102.0	
吉 林 Jilin	100.0	107.9	107.6	107.8	106.1	108.3
牡丹江 Mudanjiang	100.0	105.8	105.3	105.3	104.4	107.7
无 锡 Wuxi		105.6	110.1	110.3	107.4	100.1
扬 州 Yangzhou		105.0	105.0	105.1	104.2	
徐 州 Xuzhou		101.8	101.4	101.3	101.8	103.1
温 州 Wenzhou	100.8	100.7	100.3	100.3	100.5	102.1
金 华 Jinhua	102.3	103.9	104.3	104.8	102.4	102.8
蚌 埠 Bengbu		106.6	108.0	108.0	108.7	103.0
安 庆 Anqing	100.8	103.0	103.3	103.6	101.8	100.0
泉 州 Quanzhou	100.5	101.8	101.9	101.6	103.2	101.3
九 江 Jiujiang	102.8	104.2	103.0	102.9	103.1	106.8
赣 州 Ganzhou	99.0	103.1	103.7	103.7	103.5	100.0
烟 台 Yantai	100.0	106.8	106.8	107.7	104.1	
济 宁 Jining		106.0	106.0	107.2	104.4	
洛 阳 Luoyang	100.0	104.6	105.1	105.3	103.6	102.8
平顶山 Pingdingshan	100.0	104.3	104.2	104.2	102.8	106.1
宜 昌 Yichang		105.0	106.4	106.4	106.2	100.5
襄 樊 Xiangfan	100.0	106.3	106.3	107.0	104.2	
岳 阳 Yueyang	99.0	104.3	104.7	104.8	104.3	100.3
常 德 Changde	98.7	105.9	105.9	105.8	106.7	100.0
惠 州 Huizhou		100.8	100.8	100.7	102.9	
湛 江 zhanjiang		109.2	109.4	109.4	105.2	102.0
韶 关 Shaoguan		102.3	102.3	102.4	102.2	101.9
桂 林 Guilin	101.3	104.3	104.4	104.8	102.8	103.7
北 海 Beihai		107.4	107.4	108.6	105.3	
三 亚 Sanya		110.1	110.4	108.5	113.9	103.1
泸 州 Luzhou	99.6	101.9	101.6	101.7	101.6	102.3
南 充 Nanchong	100.0	103.5	103.4	103.3	103.6	103.6
遵 义 Zunyi	100.0	107.3	107.3	107.6	103.0	
大 理 Dali		105.7	105.7	106.0	104.0	

4-6-4 全国70个大中城市土地交易价格指数(2008年)

Transactions Price Indices of Land in 70 Major Cities(2008)

(上年价格=100) (Preceding year=100)

地 区 Region	土地交易价格指数 Transactions Price Indices of Land	一、居住用地 Land for Residential Building Use	二、工业用地 Land for Industry Use	三、商业营业用地 Land for Business Tour and Entertainment	四、其他用地 Land for Other
全 国 Total	**109.4**	**111.3**	**103.7**	**111.1**	**105.5**
北 京 Beijing	111.6	114.6	109.1	113.3	119.4
天 津 Tianjin	111.1	103.5	106.8	131.8	
石家庄 Shijiazhuang	100.6	100.8	100.9	101.1	
太 原 Taiyuan	102.1	102.7	100.0	100.5	100.0
呼和浩特 Hohhot	107.0	108.0	104.1	106.6	100.0
沈 阳 Shenyang	105.3	105.5	103.1	104.2	
大 连 Dalian	104.2	104.4	100.2	102.6	
长 春 Changchun	100.0	100.0	100.0	100.0	100.0
哈尔滨 Harbin	104.6	101.6	109.3	112.3	100.3
上 海 Shanghai	107.9	106.9	107.3	114.4	
南 京 Nanjing	103.6	104.6	102.1	103.7	105.5
杭 州 Hangzhou	127.8	126.8	104.5	168.3	101.1
宁 波 Ningbo	149.5	168.8	109.3	112.1	110.9
合 肥 Hefei	104.9	105.5	104.6	106.4	103.4
福 州 Fuzhou	107.7	107.5	99.9	109.6	107.1
厦 门 Xiamen	104.2	104.6	102.7	104.6	101.6
南 昌 Nanchang	109.4	111.3	100.4	109.9	102.6
济 南 Jinan	102.7	102.8	103.0	102.1	102.3
青 岛 Qingdao	102.1	102.7	101.7	103.0	100.9
郑 州 Zhengzhou	100.3	100.3		100.0	
武 汉 Wuhan	101.3	101.7	100.0	101.2	101.6
长 沙 Changsha	109.0	111.1	106.0	106.9	103.0
广 州 Guangzhou	100.0	100.0	100.0	100.0	100.0
深 圳 Shenzhen	100.0	100.0	100.0	100.0	
南 宁 Nanning	110.6	115.8	100.0	101.5	104.8
海 口 Haikou	120.9	124.8	113.5	123.2	111.5
重 庆 Chongqing	109.5	115.7	100.0	101.9	
成 都 Chengdu	104.8	106.5	102.6	102.9	102.8
贵 阳 Guiyang	108.3	111.2	103.4	102.5	102.5
昆 明 Kunming	102.6	108.8	101.3	99.9	97.8
西 安 Xi'an	109.0	110.6	105.7	106.3	108.7
兰 州 Lanzhou	100.0	100.0	100.0	100.0	100.0
西 宁 Xining	103.2	103.3	101.3	103.5	100.2
银 川 Yinchuan	106.0	106.8	100.0	106.5	
乌鲁木齐 Urumqi	106.5	110.8	105.0	105.4	

4-6-4 续表 Continued

(上年价格=100) (Preceding year=100)

地 区	Region	土地交易价格指数 Transactions Price Indices of Land	一、居住用地 Land for Residential Building Use	二、工业用地 Land for Industry Use	三、商业营业用地 Land for Business Tour and Entertainment	四、其他用地 Land for Other
唐 山	Tangshan	107.1	110.5	100.0	105.4	
秦皇岛	Qinhuangdao	113.7	110.4	124.0	106.9	
包 头	Baotou	105.2	104.1	105.3	116.0	101.4
丹 东	Dandong	101.0	101.3	100.0	100.0	100.0
锦 州	Jinzhou	102.5	103.7	100.8	101.3	101.6
吉 林	Jilin	100.0	100.0	100.0	100.0	100.0
牡丹江	Mudanjiang	115.5	121.3	103.7		99.9
无 锡	Wuxi	106.1	105.5	107.9	104.6	98.7
扬 州	Yangzhou	105.0	105.9	102.9	106.8	
徐 州	Xuzhou	101.9	102.0	100.2	102.4	
温 州	Wenzhou	122.0	134.0	116.1	106.9	119.3
金 华	Jinhua	109.0	110.1	105.7	105.6	
蚌 埠	Bengbu	104.0	105.0	101.3	100.0	100.0
安 庆	Anqing	104.5	104.9	104.5	103.7	
泉 州	Quanzhou	105.4	105.3	106.0	99.9	
九 江	Jiujiang	105.0	105.1	103.7	105.8	104.7
赣 州	Ganzhou	106.3	106.6	104.2	106.1	102.5
烟 台	Yantai	102.6	103.1	102.7	101.3	102.4
济 宁	Jining	105.5	106.2	104.5	102.2	
洛 阳	Luoyang	109.1	111.0	102.8	109.0	115.3
平顶山	Pindingshan	104.6	106.0	101.3	104.9	
宜 昌	Yichang	114.7	116.7	101.5	106.9	103.2
襄 樊	Xiangfan	114.5	116.2	107.2	102.7	117.5
岳 阳	Yueyang	112.8	115.2	101.0	117.4	101.6
常 德	Changde	112.5	113.8	107.1	101.1	102.8
惠 州	Huizhou	100.0	100.0	100.0	100.0	100.0
湛 江	zhanjiang	100.0	100.0	100.0	100.0	100.0
韶 关	Shaoguan	104.4	104.0	106.0	104.1	
桂 林	Guilin	110.2	110.4	99.2	114.5	
北 海	Beihai	115.8	121.2	101.2	112.1	
三 亚	Sanya	111.9	118.9	120.2	104.4	120.3
泸 州	Luzhou	109.3	112.9	104.7	101.8	105.9
南 充	Nanchong	111.7	114.5	107.3	108.1	
遵 义	Zunyi	103.7	103.9		102.2	101.3
大 理	Dali	100.0	100.0	100.1	100.0	100.0

4-6-5 全国70个大中城市房屋租赁价格指数(2008年)

Renting Price Indices of Houses in 70 Major Cities (2008)

(上年价格=100) (Preceding year=100)

地 区 Region	房屋租赁价格指数 Renting Price Indices of Houses	一、住宅 Residential Buildings	(一)经济适用房 Economically Affordable Housing	(二)廉租房 Low-rented Buildings	(三)商品住宅 Commercial Housing
全 国 Total	**101.4**	**102.2**	**100.1**	**100.0**	**102.6**
北 京 Beijing	101.8	102.4	101.0	100.0	102.5
天 津 Tianjin	100.4	100.0	100.0	100.0	100.0
石家庄 Shijiazhuang	102.9	102.8	100.0	100.0	103.0
太 原 Taiyuan	104.2	105.1			105.1
呼和浩特 Hohhot	104.2	105.1			105.1
沈 阳 Shenyang	100.9	101.0	100.0	100.0	101.1
大 连 Dalian	101.2	102.7		100.0	102.7
长 春 Changchun	102.6	100.0		99.9	100.0
哈尔滨 Harbin	102.2	104.7			104.7
上 海 Shanghai	104.6	104.2	100.0		104.2
南 京 Nanjing	102.0	102.2	100.0		102.3
杭 州 Hangzhou	102.5	106.0		100.0	106.3
宁 波 Ningbo	106.7	105.7		100.0	105.7
合 肥 Hefei	100.5	102.3			102.3
福 州 Fuzhou	101.7	102.6			102.6
厦 门 Xiamen	102.6	102.4	100.0	100.0	103.2
南 昌 Nanchang	100.8	100.0	100.0	100.0	100.0
济 南 Jinan	100.8	100.3	100.0	100.0	100.3
青 岛 Qingdao	106.5	106.4	100.0	100.0	107.3
郑 州 Zhengzhou	101.4	103.2		100.0	103.2
武 汉 Wuhan	100.1	100.0	100.0	100.0	100.0
长 沙 Changsha	100.6	100.4		100.0	100.4
广 州 Guangzhou	100.1	100.2	100.0	100.0	100.2
深 圳 Shenzhen	102.2	101.9	98.0	100.0	102.0
南 宁 Nanning	103.4	105.7	100.0		106.2
海 口 Haikou	101.4	101.3	100.0	103.3	101.0
重 庆 Chongqing	104.2	101.4	100.9	100.0	101.5
成 都 Chengdu	103.8	102.6	100.0	100.0	102.6
贵 阳 Guiyang	101.5	102.5	100.0	100.0	102.6
昆 明 Kunming	100.0	100.0	100.0		100.0
西 安 Xi'an	106.9	107.9	100.0	100.0	108.1
兰 州 Lanzhou	101.5	102.8			102.8
西 宁 Xining	102.4	101.4			101.4
银 川 Yinchuan	101.3	101.0	100.0	100.0	101.2
乌鲁木齐 Urumqi	101.1	100.9	100.0	100.0	101.0

4-6-5 续表 1 Continued 1

(上年价格=100) (Preceding year=100)

地 区 Region	房屋租赁价格指数 Renting Price Indices of Houses	一、住宅 Residential Buildings	(一)经济适用房 Economically Affordable Housing	(二)廉租房 Low-rented Buildings	(三)商品住宅 Commercial Housing
唐 山 Tangshan	103.1	106.8			106.8
秦皇岛 Qinhuangdao	101.3	102.3			102.3
包 头 Baotou	101.7	105.4	100.0	100.0	106.0
丹 东 Dandong	100.2	100.4	100.0	100.0	100.4
锦 州 Jinzhou	100.8	101.3		100.0	101.5
吉 林 Jilin	100.0	100.0	100.0	100.0	100.0
牡丹江 Mudanjiang	100.0	100.0	100.0	100.0	100.0
无 锡 Wuxi	103.5	102.6	102.6		102.6
扬 州 Yangzhou	101.9	102.1	101.0	102.4	102.2
徐 州 Xuzhou	102.1	102.7	106.4	111.5	102.4
温 州 Wenzhou	102.6	103.9			103.9
金 华 Jinhua	100.0	100.2		100.0	100.2
蚌 埠 Bengbu	116.1	122.4		100.0	122.4
安 庆 Anqing	100.6	100.6		100.0	100.6
泉 州 Quanzhou	104.6	103.5	98.7		104.1
九 江 Jiujiang	102.9	103.4		100.0	104.8
赣 州 Ganzhou	101.6	100.5	100.0	100.0	100.7
烟 台 Yantai	100.3	100.1		100.0	100.1
济 宁 Jining	105.1	106.1			106.1
洛 阳 Luoyang	102.0	100.3	100.0	100.0	100.4
平顶山 Pindingshan	100.9	103.8	100.3		106.5
宜 昌 Yichang	104.6	116.9	100.0	100.0	118.9
襄 樊 Xiangfan	100.0	100.0	100.0		100.0
岳 阳 Yueyang	100.4	100.5		102.0	100.2
常 德 Changde	100.2	100.0		100.0	100.0
惠 州 Huizhou	99.3	98.3	100.0	100.0	98.3
湛 江 Zhanjiang	112.1	132.0		100.0	132.9
韶 关 Shaoguan	101.1	101.4		100.0	101.5
桂 林 Guilin	101.1	100.5		100.0	100.5
北 海 Beihai	104.4				
三 亚 Sanya	100.7	101.3	104.5	105.7	101.1
泸 州 Luzhou	102.1	102.0		101.5	102.2
南 充 Nanchong	110.1	114.0	100.0	100.0	114.7
遵 义 Zunyi	101.4	101.4		100.0	101.4
大 理 Dali	101.3	108.8		100.0	113.8

4-6-5 续表 2-1　Continued 2-1

(上年价格=100)　(Preceding year=100)

地　区	Region	1. 普通住宅 General Residential Buildings	2. 高档住宅 Luxury Residential Buildings	二、非住宅 Non-Residential Buildings	(一)办公楼 Office Buildings	(二)商业营业用房 Houses for Business	(三)其他 Others
全　国	**Total**	**102.0**	**107.0**	**100.6**	**99.9**	**100.6**	**102.5**
北　京	Beijing	100.9	109.3	98.4	97.4	98.9	100.4
天　津	Tianjin	100.0	100.0	101.0	101.0	100.6	101.3
石家庄	Shijiazhuang	103.4	100.0	102.9	105.7	103.6	100.1
太　原	Taiyuan	105.4	100.3	100.6	103.4	100.0	
呼和浩特	Hohhot	105.2	100.0	103.8	106.2	103.5	102.9
沈　阳	Shenyang	101.0	101.3	100.8	100.9	100.9	100.0
大　连	Dalian	103.1	99.5	100.2	99.5	100.3	100.0
长　春	Changchun	100.0	100.0	113.7	148.5	100.0	100.0
哈尔滨	Harbin	104.7		100.3	100.9	100.0	99.5
上　海	Shanghai	104.2	104.6	104.8	105.6	104.9	100.0
南　京	Nanjing	103.1	99.3	101.8	100.0	104.1	100.0
杭　州	Hangzhou	105.8	107.6	101.2	102.7	100.5	100.0
宁　波	Ningbo	105.8	101.3	107.2	101.6	101.7	109.6
合　肥	Hefei	102.3		99.8	100.0	99.8	
福　州	Fuzhou	102.3	105.4	101.3	105.3	100.8	100.0
厦　门	Xiamen	103.8	102.5	102.7	103.8	101.9	102.9
南　昌	Nanchang	100.0		101.1	100.0	101.9	100.0
济　南	Jinan	100.3		101.2	99.4	102.9	100.0
青　岛	Qingdao	107.6	103.6	106.5	110.2	99.7	100.0
郑　州	Zhengzhou	103.2		101.2	103.9	100.6	99.8
武　汉	Wuhan	100.0	100.0	100.3	100.2	100.1	100.9
长　沙	Changsha	100.9	98.5	100.8	99.0	101.5	100.2
广　州	Guangzhou	100.2	100.1	100.1	103.4	98.1	99.2
深　圳	Shenzhen	99.8	107.1	102.3	105.4	101.8	106.6
南　宁	Nanning	103.4	109.5	99.5	90.9	105.6	100.0
海　口	Haikou	100.7	103.6	101.5	100.1	100.3	105.9
重　庆	Chongqing	101.6	100.1	104.7	106.2	104.3	105.7
成　都	Chengdu	101.8	110.0	105.1	110.8	103.3	97.2
贵　阳	Guiyang	101.4	105.6	100.8	100.8	100.8	100.0
昆　明	Kunming	100.0	100.1	100.0	100.0	100.0	
西　安	Xi'an	108.1	108.1	106.1	100.3	109.2	100.0
兰　州	Lanzhou	102.8		101.1	100.0	102.4	99.8
西　宁	Xining	101.4	100.0	102.9	100.6	104.4	
银　川	Yinchuan	101.2		101.7	102.2	101.7	100.0
乌鲁木齐	Urumqi	101.0	100.0	101.3	102.2	100.4	100.0

4-6-5 续表 2-2　Continued 2-2

(上年价格=100)　(Preceding year=100)

地　区 Region	1.普通住宅 General Residential Buildings	2.高档住宅 Luxury Residential Buildings	二、非住宅 Non-Residential Buildings	(一)办公楼 Office Buildings	(二)商业营业用房 Houses for Business	(三)其他 Others
唐　山 Tangshan	106.8		100.4	100.6	100.2	100.0
秦皇岛 Qinhuangdao	102.2	118.6	101.0	100.0	101.1	100.0
包　头 Baotou	106.0		100.3	100.0	100.5	100.0
丹　东 Dandong	100.5	100.0	100.0	100.0	100.0	100.0
锦　州 Jinzhou	101.9	100.0	100.6	101.1	100.4	
吉　林 Jilin	100.0		100.0		100.0	100.0
牡丹江 Mudanjiang	100.0		100.0	99.9	100.0	100.0
无　锡 Wuxi	103.5	100.0	104.2	104.2		
扬　州 Yangzhou	102.4	101.5	101.6	101.5	101.6	
徐　州 Xuzhou	102.5	100.2	100.6	100.5	100.7	99.4
温　州 Wenzhou	103.9	101.6	100.3	100.2	100.4	100.0
金　华 Jinhua	100.2	100.6	99.7	99.0	100.3	100.5
蚌　埠 Bengbu	122.4		107.2	95.0	107.7	113.4
安　庆 Anqing	100.6		100.7	101.1	100.9	100.0
泉　州 Quanzhou	104.4	101.1	105.1	126.8	101.6	99.7
九　江 Jiujiang	104.7	105.1	102.6	103.1	102.1	103.4
赣　州 Ganzhou	100.7		102.5	100.4	100.9	111.8
烟　台 Yantai	100.1		100.4	100.5	100.3	100.0
济　宁 Jining	107.1	104.0	104.2		104.2	
洛　阳 Luoyang	100.4		102.2	105.5	100.6	
平顶山 Pindingshan	106.5		100.5	100.0	100.6	100.7
宜　昌 Yichang	118.9		101.3	108.2	100.0	111.1
襄　樊 Xiangfan	100.0	100.0	100.0	100.0	100.0	
岳　阳 Yueyang	100.2		100.3	101.1	100.0	100.7
常　德 Changde	100.0		100.2		100.2	
惠　州 Huizhou	98.3		100.0		100.0	
湛　江 Zhanjiang	132.9	100.0	100.5	100.0	100.5	100.0
韶　关 Shaoguan	101.5	101.2	100.0	100.0	100.0	
桂　林 Guilin	100.5		101.3	100.5	101.8	
北　海 Beihai			104.4		104.4	
三　亚 Sanya	100.8	102.3	100.3	100.7	100.2	100.0
泸　州 Luzhou	102.3	100.0	102.1	107.0	99.5	100.0
南　充 Nanchong	116.7	100.5	104.1	100.0	106.5	100.0
遵　义 Zunyi	101.4		101.4	100.4	101.5	101.0
大　理 Dali	113.8		100.0	100.0	100.0	

4-6-6 全国70个大中城市物业管理价格指数(2008年)

Price Indices of Real Estate Management in 70 Major Cities (2008)

(上年价格=100) (Preceding year =100)

地 区 Region	物业管理价格指数 Price Indices of Real Estate Management	一、住宅 Residential Buildings	(一)经济适用房 Economically Affordable Housing	(二)商品住宅 Commercial Housing	1. 普通住宅 General Residential Buildings
全 国 Total	**100.5**	**100.5**	**100.8**	**100.4**	**100.4**
北 京 Beijing	100.2	100.0	100.0	100.0	100.0
天 津 Tianjin	100.0	100.0	100.0	100.0	100.0
石家庄 Shijiazhuang	100.0	100.0	100.0	100.0	100.0
太 原 Taiyuan	101.1	101.5	100.0	101.5	101.6
呼和浩特 Hohhot	100.0	100.0	100.0	100.0	100.0
沈 阳 Shenyang	99.7	100.0	100.0	100.0	100.0
大 连 Dalian	100.5	100.0	100.0	100.0	100.0
长 春 Changchun	108.2	109.7	100.0	110.0	110.0
哈尔滨 Harbin	100.0	100.0	100.0	100.0	100.0
上 海 Shanghai	100.0	100.0		100.0	100.0
南 京 Nanjing	100.3	100.5	100.0	100.6	100.9
杭 州 Hangzhou	101.9	100.0	100.0	100.0	100.0
宁 波 Ningbo	100.2	100.0	100.0	100.0	100.0
合 肥 Hefei	101.1	101.6		101.6	101.6
福 州 Fuzhou	100.0	100.0	100.0	100.0	100.0
厦 门 Xiamen	101.5	102.3	114.3	101.2	101.3
南 昌 Nanchang	100.2	100.3	100.0	100.4	100.0
济 南 Jinan	100.1	100.1	100.0	100.1	100.2
青 岛 Qingdao	100.3	100.2	100.0	100.2	100.2
郑 州 Zhengzhou	100.0	100.0	100.0	100.0	100.0
武 汉 Wuhan	100.0	100.0	100.0	100.0	100.0
长 沙 Changsha	100.3	100.1	100.0	100.1	100.0
广 州 Guangzhou	101.0	101.0		101.0	101.3
深 圳 Shenzhen	100.7	100.9	101.3	100.8	100.2
南 宁 Nanning	101.1	100.0	100.0	100.0	100.0
海 口 Haikou	100.0	100.0	100.0	100.0	100.0
重 庆 Chongqing	100.3	100.1	100.1	100.1	100.1
成 都 Chengdu	100.2	100.2	100.0	100.2	100.2
贵 阳 Guiyang	100.3	100.3	100.0	100.3	100.4
昆 明 Kunming	100.0	100.0	100.0	100.1	100.0
西 安 Xi'an	102.6	101.7	100.0	101.9	100.9
兰 州 Lanzhou	100.1	100.2	100.0	100.3	100.3
西 宁 Xining	101.9	102.6	100.0	103.2	103.7
银 川 Yinchuan	103.0	103.1	107.2	102.8	102.7
乌鲁木齐 Urumqi	101.0	101.3	101.4	101.3	101.4

4-6-6 续表 1　Continued 1

(上年价格=100)　(Preceding year =100)

地　区 Region	物业管理价格指数 Price Indices of Real Estate Management	一、住宅 Residential Buildings	(一)经济适用房 Economically Affordable Housing	(二)商品住宅 Commercial Housing	1. 普通住宅 General Residential Buildings
唐　山 Tangshan	100.0	100.0	100.0	100.0	100.0
秦皇岛 Qinhuangdao	100.6	100.7	100.0	100.7	100.7
包　头 Baotou	100.0	100.0	100.0	100.0	100.0
丹　东 Dandong	100.0	100.1	100.0	100.1	100.1
锦　州 Jinzhou	100.0	100.0	100.0	100.0	100.0
吉　林 Jilin	100.0	100.0	100.0	100.0	100.0
牡丹江 Mudanjiang	100.0	100.0		100.0	100.0
无　锡 Wuxi	100.0	100.0	100.0	100.0	100.0
扬　州 Yangzhou	100.0	100.0	100.0	100.0	100.0
徐　州 Xuzhou	101.3	100.3	100.0	100.4	100.4
温　州 Wenzhou	101.9	102.5	100.0	102.9	103.1
金　华 Jinhua	100.0	100.0	100.0	100.0	100.0
蚌　埠 Bengbu	100.0	100.0	100.0	100.0	100.0
安　庆 Anqing	100.8	101.1	100.0	101.3	100.0
泉　州 Quanzhou	100.2	100.3	100.0	100.4	100.4
九　江 Jiujiang	100.6	100.9	100.0	101.2	101.7
赣　州 Ganzhou	101.6	102.2	101.3	102.3	102.7
烟　台 Yantai	100.1	100.0	100.0	100.0	100.0
济　宁 Jining	100.9	101.6		101.6	100.0
洛　阳 Luoyang	100.1	100.2	101.1	100.0	100.0
平顶山 Pindingshan	102.0	102.4	100.0	103.2	103.6
宜　昌 Yichang	103.8	105.0	100.0	105.5	107.1
襄　樊 Xiangfan	101.8	101.8	100.0	102.2	103.8
岳　阳 Yueyang	102.4	101.5		101.5	102.0
常　德 Changde	101.1	98.6	100.0	98.5	98.1
惠　州 Huizhou	100.6	101.0		101.0	101.0
湛　江 zhanjiang	100.6	101.0	100.0	101.0	101.0
韶　关 Shaoguan	100.1	100.2		100.2	100.2
桂　林 Guilin	100.9	103.0		103.0	100.0
北　海 Beihai	100.0	100.0	100.0	100.0	100.0
三　亚 Sanya	100.2	100.1	100.0	100.1	100.0
泸　州 Luzhou	100.5	100.3	100.0	100.3	100.5
南　充 Nanchong	100.0	100.0	100.0	100.0	100.0
遵　义 Zunyi	101.8	102.1		102.1	101.1
大　理 Dali	100.0	100.0		100.0	100.0

4-6-6 续表 2-1　Continued 2-1

(上年价格=100)　　(Preceding year =100)

地　区 Region	2.高档住宅 Luxury Residential Buildings	二、非住宅 Non-Residential Buildings	(一)办公楼 Office Buildings	(二)商业娱乐用房 Houses for Business and Entertainment	(三)其他 Others
全　国 Total	**100.6**	**100.6**	**100.8**	**100.4**	**100.5**
北　京 Beijing	100.4	100.6	100.7	100.3	100.2
天　津 Tianjin	100.0	100.0	100.0	100.0	100.0
石家庄 Shijiazhuang	100.0	100.0	100.0	100.0	
太　原 Taiyuan	100.0	100.0	100.0	100.0	100.0
呼和浩特 Hohhot	100.0	100.0	100.0	100.0	100.0
沈　阳 Shenyang	100.0	99.4	99.3	100.0	
大　连 Dalian	100.0	103.3	101.9	104.1	100.0
长　春 Changchun		100.0	100.0	100.0	
哈尔滨 Harbin	100.0	100.0	100.0	100.0	100.0
上　海 Shanghai	100.0	100.0	100.0	100.0	
南　京 Nanjing	99.5	100.0	100.0	100.0	100.0
杭　州 Hangzhou	100.0	104.9	107.6	100.0	
宁　波 Ningbo	100.0	100.9	102.3	100.0	
合　肥 Hefei	100.0	100.0	100.0	100.0	100.0
福　州 Fuzhou	100.0	100.0	100.0	100.0	100.0
厦　门 Xiamen	101.1	100.2	100.5	100.0	100.0
南　昌 Nanchang	102.1	100.0	100.1	100.0	100.0
济　南 Jinan	100.0	100.0	100.0	100.0	100.2
青　岛 Qingdao	100.0	100.5	100.9	100.0	100.0
郑　州 Zhengzhou	100.0	100.0	100.0	100.0	
武　汉 Wuhan	100.0	100.0	100.0	100.0	100.0
长　沙 Changsha	100.2	101.0	100.0	100.5	106.0
广　州 Guangzhou	100.4	100.4	100.2	100.2	101.9
深　圳 Shenzhen	102.5	100.4	100.8	100.5	100.0
南　宁 Nanning	100.0	103.0	102.0	103.7	100.0
海　口 Haikou	100.0	100.0	100.0	100.0	100.0
重　庆 Chongqing	100.6	100.9	99.9	101.7	100.0
成　都 Chengdu	100.0	100.2	100.4	100.0	100.0
贵　阳 Guiyang	99.4	100.4	100.4	100.0	100.0
昆　明 Kunming	100.2	100.0	100.0	100.0	
西　安 Xi'an	105.1	103.9	101.7	105.2	
兰　州 Lanzhou		100.1	100.1	100.0	
西　宁 Xining	100.0	100.3	100.0	100.5	
银　川 Yinchuan	104.2	102.8	106.3	100.5	
乌鲁木齐 Urumqi	100.0	100.0	100.0	100.0	100.0

4-6-6 续表 2-2 Continued 2-2

(上年价格=100) (Preceding year =100)

地 区 Region	2.高档住宅 Luxury Residential Buildings	二、非住宅 Non-Residential Buildings	(一)办公楼 Office Buildings	(二)商业娱乐用房 Houses for Business and Entertainment	(三)其他 Others
唐 山 Tangshan	100.0	100.0	100.0	100.0	
秦皇岛 Qinhuangdao	100.0	100.0	100.0	100.0	
包 头 Baotou	100.0	100.0	100.0	100.0	100.0
丹 东 Dandong	100.0	100.0	100.0	100.0	
锦 州 Jinzhou	100.0	100.0	100.0	100.0	
吉 林 Jilin	100.0	100.0	100.0	100.0	
牡丹江 Mudanjiang	100.0	100.0	100.0	100.0	100.0
无 锡 Wuxi	100.0	100.0	100.0	100.0	100.0
扬 州 Yangzhou	100.0	100.0	100.0	100.0	
徐 州 Xuzhou	100.0	102.5	100.7	109.3	100.0
温 州 Wenzhou	100.0	100.0	100.0	100.0	99.9
金 华 Jinhua	100.0	100.0		100.0	
蚌 埠 Bengbu	100.0	100.0	100.0	100.0	
安 庆 Anqing	109.3	100.0	100.0	100.0	100.0
泉 州 Quanzhou	100.0	99.6	100.0	99.5	100.0
九 江 Jiujiang	100.3	100.0	100.0	100.0	100.0
赣 州 Ganzhou	100.0	100.7	100.0	101.1	
烟 台 Yantai	100.0	100.3	100.5	100.0	100.0
济 宁 Jining	102.6	100.0		100.0	
洛 阳 Luoyang	100.0	99.6	99.5	100.0	
平顶山 Pingdingshan	101.4	100.0	100.0	100.0	100.0
宜 昌 Yichang	100.0	100.2	100.0	101.1	100.0
襄 樊 Xiangfan	100.0				
岳 阳 Yueyang	99.0	104.5	99.4	109.6	
常 德 Changde	100.0	106.1	115.0	100.0	
惠 州 Huizhou	100.0	100.0	100.0		
湛 江 zhanjiang		100.3	100.0	100.3	
韶 关 Shaoguan	100.0	100.0	100.0	100.0	
桂 林 Guilin	106.1	100.0	100.0	100.0	
北 海 Beihai	100.0	100.0	100.0		
三 亚 Sanya	100.3	100.4	100.5	100.1	100.0
泸 州 Luzhou	100.0	100.9	102.5	100.0	100.0
南 充 Nanchong	100.0	100.0	100.0	100.0	
遵 义 Zunyi	115.0	100.3	100.0	100.4	
大 理 Dali	100.0	100.0	100.0	100.0	

4-7-1 全国居民消费价格分类指数(2001～2008年)

(上年价格=100)

项 目	Item	2001	2002
总指数	**Consumer Price Index**	**100.7**	**99.2**
一、食品	**Food**	**100.0**	**99.4**
1.粮食	Grain	99.3	98.3
2.淀粉	Starches	99.5	100.4
3.干豆类及豆制品	Bean and Its Products	99.0	98.0
4.油脂	Oil or Fat	91.7	98.7
5.肉禽及其制品	Meal, Poultry and Their Products	101.6	99.5
6.蛋	Eggs	106.0	102.6
7.水产品	Aquatic Products	97.1	96.7
8.菜	Vegetables	100.9	98.2
#鲜菜	Fresh Vegetables	101.4	98.1
9.调味品	Flavoring	102.2	101.2
10.糖	Carbohydrate	104.6	97.3
11.茶及饮料	Tea and Beverages	99.1	99.0
茶	Tea	101.0	100.9
饮料	Beverages	98.3	98.2
12.干鲜瓜果	Dried and Fresh Melons and Fruits	99.9	103.1
#鲜果	Fresh Fruits	100.3	103.6
13.糕点饼干面包	Cake, Biscuit and Bread	98.9	98.8
14.液体乳及乳制品	Milk and Its Products	99.1	99.0
15.在外用膳食品	Outward Dinner	100.2	99.9
16.其它食品	Other Foods	98.9	99.0
二、 烟酒及用品	**Tobacco, Liquor and Articles**	**99.7**	**99.9**
1.烟草	Tobacco	99.6	99.9
2.酒	Liquor	99.9	100.1
3.吸烟、饮酒用品	Articles for Smoking and Drinking	99.7	99.6
三、衣着	**Clothing**	**98.1**	**97.6**
1.服装	Garments	97.6	97.4
2.衣着材料	Clothing Material	98.8	98.9
3.鞋袜帽	Footgear and Hats	99.0	98.0
4.衣着加工服务	Clothing Manufacturing Services	100.3	99.9
四、家庭设备用品及维修服务	**Household Facilities, Articles and Maintenance Services**	**97.7**	**97.5**
1.耐用消费品	Durable Consumer Goods	96.1	95.9
家具	Furniture	98.0	97.7
家庭设备	Household Facilities	95.1	95.0
2.室内装饰品	Interior Decorations	98.3	98.8
3.床上用品	Bed Articles	99.3	98.7

Consumer Price Indices by Category (2001 ~ 2008)

(Preceding year=100)

2003	2004	2005	2006	2007	2008
101.2	**103.9**	**101.8**	**101.5**	**104.8**	**105.9**
103.4	**109.9**	**102.9**	**102.3**	**112.3**	**114.3**
102.3	126.4	101.4	102.7	106.3	107.0
100.6	106.8	105.5	101.8	106.2	111.2
106.5	120.5	102.4	100.8	108.0	134.4
112.6	118.2	94.3	98.6	126.7	125.4
103.3	117.6	102.5	97.1	131.7	121.7
98.6	120.2	104.6	96.0	121.8	104.3
100.3	112.7	105.9	101.2	105.1	114.2
117.7	95.1	109.1	108.2	107.9	111.0
120.5	93.9	110.4	108.2	107.3	110.7
100.1	101.5	101.4	102.3	104.1	105.5
97.5	102.2	104.0	111.2	101.6	104.0
99.2	100.0	100.1	101.0	101.5	103.7
99.7	101.1	100.8	101.2	103.3	102.2
98.9	99.5	99.8	100.9	100.7	104.4
103.0	104.0	102.2	117.9	102.2	110.8
101.8	102.2	101.6	121.5	100.1	109.0
99.3	101.6	100.9	101.3	103.6	109.2
99.2	100.5	100.9	100.9	102.7	117.0
100.1	104.1	102.4	101.6	107.3	111.8
99.1	101.2	101.3	101.2	104.2	108.4
99.8	**101.2**	**100.4**	**100.6**	**101.7**	**102.9**
99.8	100.9	100.4	100.2	100.8	100.4
100.1	102.2	100.6	101.2	103.5	107.5
99.3	99.3	99.6	100.7	100.1	100.9
97.8	**98.5**	**98.3**	**99.4**	**99.4**	**98.5**
97.6	98.3	98.1	99.0	99.4	98.3
99.2	100.2	100.0	100.5	101.6	102.4
97.7	98.3	98.3	100.2	99.0	98.2
100.1	100.7	101.1	101.5	102.3	104.1
97.4	**98.6**	**99.9**	**101.2**	**101.9**	**102.8**
95.8	97.1	98.8	100.8	101.6	101.2
97.9	98.9	99.2	100.2	101.9	102.3
94.6	96.1	98.5	101.2	101.4	100.7
98.8	99.2	99.5	100.0	100.3	100.2
98.4	99.3	99.4	99.6	99.4	99.7

4-7-1 续表

(上年价格=100)

项 目	Item	2001
4.家庭日用杂品	Daily Use Household Articles	98.6
5.家庭服务及加工维修服务	Household Service and Manufacturing Upkeep	101.5
五、医疗保健和个人用品	**Health Care and Personal Articles**	**100.0**
1.医疗保健	Health Care	100.3
医疗器具及用品	Medical Instrument and Articles	98.3
中药材及中成药	Traditional Chinese Medicine	101.4
西药	Western Medicine	94.8
保健器具及用品	Health Care Appliances and Articles	97.3
医疗保健服务	Health Care Services	110.5
2.个人用品及服务	Personal Articles and Services	99.5
化妆美容用品	Cosmetics	99.8
清洁化妆用品	Cleem make-up Surrlies	97.9
个人饰品	Personal Decorations	97.8
个人服务	Personal Services	101.7
六、交通和通信	**Transportation and Communication**	**99.0**
1.交通	Transportation	101.0
交通工具	Transportation Facility	96.4
车用燃料及零配件	Fuels and Parts	99.0
车辆使用及维修费	Using and Upkeep Fare	100.4
市内公共交通费	Incity Traffic Fare	105.8
城市间交通费	Intercity Traffic Fare	104.0
2.通信	Communication	96.8
通信工具	Communication Facility	80.5
通信服务	Communication Service	101.1
七、娱乐、教育、文化用品及服务	**Recreation, Education and Culture Articles**	**106.6**
1.文娱用耐用消费品及服务	Durable Consumer Goods for Cultural and Recreational Use and Services	91.2
2.教育	Education	113.6
教材及参考书	Teaching Materials and Reference Books	106.1
学杂托幼费	Tuition and Child Care	114.1
3.文化娱乐	Cultural and Recreational	101.7
文化娱乐用品	Cultural and Recreational Articles	99.4
书报杂志	Newspapers and Magazines	101.9
文娱费	Expenditure of Culture and Recreation	104.4
4.旅游	Touring	100.3
八、居住	**Residence**	**101.2**
1.建房及装修材料	Building and Building Decoration Materials	98.8
2.租房	Rent	108.6
3.自有住房	Private Housing	100.0
4.水电燃料	Water, Electricity and Fuels	102.5

4-7-1 Continued

(Preceding year=100)

2002	2003	2004	2005	2006	2007	2008
98.0	98.3	99.8	100.4	101.1	101.7	104.9
101.2	101.1	101.9	104.4	105.8	107.2	109.0
98.8	**100.9**	**99.7**	**99.9**	**101.1**	**102.1**	**102.9**
98.5	101.2	99.1	99.5	100.2	102.1	102.2
97.2	101.0	102.3	97.4	97.2	98.2	99.7
96.6	105.0	98.9	96.5	99.9	107.9	106.8
94.5	94.5	94.9	97.7	98.4	99.1	101.1
97.1	98.2	98.6	100.0	100.3	101.1	102.1
108.2	108.9	105.2	105.2	103.0	102.2	100.5
99.5	100.2	101.2	100.8	103.2	102.1	104.4
99.7	99.5	98.8	99.4	99.7	100.1	100.6
97.3	97.1	98.4	99.4	99.9	100.3	101.7
99.3	102.9	104.5	101.6	110.8	104.5	109.7
101.2	100.8	101.8	101.9	102.5	103.1	105.0
98.1	**97.8**	**98.5**	**99.0**	**99.9**	**99.1**	**99.1**
99.1	99.5	100.4	101.5	103.2	100.8	102.2
95.0	95.9	96.5	97.3	97.8	97.7	98.4
98.5	108.3	107.7	100.3	112.8	103.5	113.5
100.0	98.9	101.0	102.0	102.4	102.4	100.8
101.9	100.6	101.0	102.2	104.8	101.3	100.5
101.8	101.4	102.5	103.3	105.6	103.0	104.3
97.2	96.1	96.8	96.6	96.4	97.1	95.6
83.5	82.1	84.3	84.1	82.2	81.8	80.7
100.3	99.4	99.8	99.6	100.0	100.6	98.8
100.6	**101.3**	**101.3**	**102.2**	**99.5**	**99.0**	**99.3**
90.5	92.7	93.3	93.8	94.2	93.1	92.3
103.7	104.3	103.4	105.1	100.0	99.6	100.5
99.0	101.7	102.8	100.9	100.3	99.1	100.6
104.0	104.5	103.4	105.4	100.0	99.6	100.5
101.2	101.3	101.1	101.2	101.0	101.0	101.3
98.9	98.7	99.4	99.8	99.6	99.5	99.9
101.0	100.4	100.6	100.8	100.7	100.7	102.1
104.2	104.6	103.2	102.9	102.6	102.7	102.1
95.9	95.4	100.6	99.6	103.1	102.3	101.1
99.9	**102.1**	**104.9**	**105.4**	**104.6**	**104.5**	**105.5**
98.4	99.5	104.3	102.6	103.9	105.1	107.1
104.4	103.5	103.0	101.9	102.7	104.2	103.5
95.4	99.1	100.9	105.6	103.7	107.0	102.8
102.9	105.7	107.5	108.6	105.9	103.0	106.4

4-7-2 全国居民消费价格分类指数(2008年)

Consumer Price Indices by Category (2008)

(上年价格=100) (Preceding year=100)

项目	Item	全国 National Indices	城市 Urban Indices	农村 Rural Indices	36个大中城市 36 Major Cities Indices
居民消费价格总指数	**Consumer Price Index**	**105.9**	**105.6**	**106.5**	**105.7**
一、食品	**Food**	**114.3**	**114.5**	**114.0**	**115.0**
1.粮食	Grain	107.0	107.2	106.7	108.0
2.淀粉	Starches	111.2	111.5	110.8	113.9
3.干豆类及豆制品	Bean and Its Products	134.4	135.4	132.3	135.1
4.油脂	Oil or Fat	125.4	124.9	125.9	124.9
5.肉禽及其制品	Meal, Poultry and Their Products	121.7	122.6	120.0	123.8
(1)食用畜肉及副产品	Meal and Their Products	125.7	126.8	123.6	128.1
(2)禽	Poultry	108.2	108.0	108.6	110.0
(3)加工肉禽	Meal and Poultry Products	118.9	119.6	117.3	120.6
6.蛋	Eggs	104.3	104.3	104.3	105.3
7.水产品	Aquatic Products	114.2	113.8	115.0	113.5
(1)鱼	Fish	118.3	118.5	117.9	118.2
(2)其它水产品	Others	108.0	107.8	108.6	108.7
8.菜	Vegetables	111.0	110.9	111.3	112.4
9.调味品	Flavoring	105.5	106.2	104.5	107.6
10.糖	Carbohydrate	104.0	104.9	102.5	106.4
11.茶及饮料	Tea and Beverages	103.7	103.9	103.2	104.4
(1)茶　　叶	Tea	102.2	102.3	102.1	102.1
(2)饮　　料	Beverages	104.4	104.7	103.8	105.4
12.干鲜瓜果	Dried and Fresh Melons and Fruits	110.8	110.9	110.7	111.3
13.糕点饼干面包	Cake, Biscuit and Bread	109.2	109.7	107.9	111.6
14.液体乳及乳制品	Milk and Its Products	117.0	118.0	113.3	119.9
15.在外用膳食品	Outward Dinner	111.8	111.8	111.9	112.5
16.其它食品	Other Foods	108.4	108.9	107.6	109.9
二、烟酒及用品	**Tobacco, Liquor and Articles**	**102.9**	**103.1**	**102.6**	**103.7**
1.烟草	Tobacco	100.4	100.3	100.5	100.4
2.酒	Liquor	107.5	108.6	106.1	110.1
3.吸烟饮酒用品	Articles for Smoking and Drinking	100.9	101.1	100.6	102.2
三、衣着	**Clothing**	**98.5**	**98.2**	**99.4**	**99.3**
1.服装	Garments	98.3	98.2	98.8	99.7
(1)男式服装	Men's Clothing	98.2	98.1	98.3	99.3
(2)女式服装	Women's Clothing	98.2	98.2	98.2	100.0
(3)儿童服装	Children's Clothing	99.6	98.3	101.2	99.4
2.衣着材料	Clothing Material	102.4	101.7	103.0	102.5
3.鞋袜帽	Footgear and Hats	98.2	97.6	99.8	97.9
(1)鞋	Shoes	97.9	97.2	99.7	97.6
(2)袜子	Socks	100.2	100.1	100.3	99.6
(3)帽子	Hats	100.2	100.5	99.9	101.6
4.衣着加工服务	Clothing Manufacturing Services	104.1	104.8	103.0	103.5

4-7-2 续表 Continued

(上年价格=100) (Preceding year=100)

项 目	Item	全 国 National Indices	城 市 Urban Indices	农 村 Rural Indices	36个大中城市 36 Major Cities Indices
四、家庭设备用品及维修服务	**Household Facilities, Articles and Maintenance Services**	**102.8**	**103.0**	**102.4**	**104.5**
1.耐用消费品	Durable Consumer Goods	101.2	101.3	101.1	102.4
(1)家具	Furniture	102.3	102.4	102.0	104.2
(2)家庭设备	Household Facilities	100.7	100.7	100.6	101.2
2.室内装饰品	Interior Decorations	100.2	100.0	100.8	100.3
3.床上用品	Bed Articles	99.7	99.5	100.1	100.7
4.家庭日用杂品	Daily Use Household Articles	104.9	105.3	104.2	107.0
5.家庭服务及加工维修服务	Household Service and Manufacturing Upkeep	109.0	109.8	106.7	113.1
五、医疗保健和个人用品	**Health Care and Personal Articles**	**102.9**	**102.8**	**103.2**	**102.9**
1.医疗保健	Health Care	102.2	102.1	102.5	102.0
(1)医疗器具及用品	Medical Instrument and Articles	99.7	100.3	98.9	100.9
(2)中药材及中成药	Traditional Chinese Medicine	106.8	106.5	107.5	106.6
(3)西药	Western Medicine	101.1	101.1	101.2	101.0
(4)保健器具及用品	Health Care Appliances and Articles	102.1	102.0	102.6	101.9
(5)医疗保健服务	Health Care Services	100.5	100.1	101.1	100.2
2.个人用品及服务	Personal Articles and Services	104.4	104.2	104.9	104.9
(1)化妆美容用品	Cosmetics	100.6	100.6	100.8	101.2
(2)清洁化妆用品	Sanitation Articles	101.7	101.6	102.0	101.8
(3)个人饰品	Personal Decorations	109.7	110.3	108.3	111.8
(4)个人服务	Personal Services	105.0	104.3	106.4	103.1
六、交通和通信	**Transportation and Communication**	**99.1**	**98.4**	**100.7**	**98.0**
1.交通	Transportation	102.2	101.1	104.3	100.5
(1)交通工具	Transportation Facility	98.4	97.0	101.0	95.9
(2)车用燃料及零配件	Fuels and Parts	113.5	113.6	113.3	114.3
(3)车辆使用及维修	Using and Upkeep Fare	100.8	100.6	101.2	101.1
(4)市区公共交通费	Incity Traffic Fare	100.5	99.8	103.7	98.8
(5)城市间交通费	Intercity Traffic Fare	104.3	102.9	106.5	101.3
2.通信	Communication	95.6	95.6	95.6	95.1
(1)通信工具	Communication Facility	80.7	78.5	85.2	73.4
(2)通信服务	Communication Service	98.8	98.9	98.7	99.3
七、娱乐教育文化用品及服务	**Recreation, Education and Culture Articles**	**99.3**	**99.1**	**99.9**	**98.9**
1.文娱用耐用消费品及服务	Durable Consumer Goods for Cultural and Recreational Use and Services	92.3	91.1	95.1	88.3
2.教育	Education	100.5	100.4	100.9	100.4
(1)教材及参考书	Teaching Materials and Reference Books	100.6	100.7	100.4	100.4
(2)学杂托幼费	Tuition and Child Care	100.5	100.3	100.9	100.4
3.文化娱乐	Cultural and Recreational Articles	101.3	101.3	101.2	101.3
(1)文化娱乐用品	Cultural Articles	99.9	99.4	101.2	98.7
(2)书报杂志	Newspapers and Magazines	102.1	102.5	101.0	103.6
(3)文娱费	Expenditure of Culture and Recreation	102.1	102.2	101.4	102.2
4.旅游	Touring and Outgoing	101.1	101.1	100.4	101.7
八、居住	**Residence**	**105.5**	**104.3**	**108.2**	**103.4**
1.建房及装修材料	Building and Building Decoration Materials	107.1	106.4	107.6	106.6
2.租房	Rent	103.5	103.5	103.8	104.6
3.自有住房	Private Housing	102.8	102.6	104.0	101.7
4.水、电、燃料	Water, Electricity and Fuels	106.4	104.7	110.8	102.8

4-7-3 各地区居民消费价格总指数(1981～2008年)

(上年价格=100)

地 区 Region		1981	1982	1983	1984	1985	1986	1987	1988	1989	1990	1991
全国平均	**National**	**102.5**	**102.0**	**102.0**	**102.7**	**109.3**	**106.5**	**107.3**	**118.8**	**118.0**	**103.1**	**103.4**
北 京	Beijing	101.3	101.8	100.5	102.2	117.6	106.8	108.6	120.4	117.2	105.4	111.9
天 津	Tianjin	101.3	100.5	100.5	101.8	113.1	106.8	106.8	116.9	114.7	103.0	110.2
河 北	Hebei	103.2	100.9	102.0	103.1	108.1	105.7	107.8	118.0	118.7	100.6	103.4
山 西	Shanxi		102.3	101.5	103.0	108.5	105.6	107.4	120.9	119.5	102.2	104.8
内蒙古	Inner Mongolia	101.9	101.7	101.2	104.9	109.3	105.2	107.8	116.3	115.3	102.3	104.6
辽 宁	Liaoning	102.0	101.4	101.7	103.6		-	108.8	119.3	118.2	103.3	105.6
吉 林	Jilin	101.6	104.2	104.5	103.6		-	107.6	120.3	117.2	104.9	106.8
黑龙江	Heilongjiang	102.1	103.0	102.5	104.4	111.8	106.2	109.4	118.0	114.6	105.7	107.4
上 海	Shanghai	101.4	100.3	100.2	102.2	115.2	106.3	108.1	120.1	115.9	106.3	110.5
江 苏	Jiangsu	101.0	100.9	100.5	104.1	109.5	107.1	109.2	121.9	117.1	103.2	104.9
浙 江	Zhejiang	101.7	101.9	102.8	103.7	114.8	106.2	108.8	121.5	118.2	102.1	103.5
安 徽	Anhui	103.2	100.1	102.2	102.1	107.1	106.2	109.1	120.9	117.2	102.7	106.1
福 建	Fujian	103.8	103.1	102.0	102.8	111.3	106.5	109.4	126.5	118.9	99.3	103.5
江 西	Jiangxi	103.8	103.1	101.9	102.6	109.0	106.6	106.6	121.8	118.5	102.1	102.8
山 东	Shandong	101.8	100.9	102.4	101.6	108.7	104.8	108.3	118.7	117.3	103.4	104.9
河 南	Henan	102.4	101.8	102.9	102.2		105.3	106.3	119.4	118.7	100.7	102.3
湖 北	Hubei	102.1	100.9	101.7	102.9	108.4	105.5	107.5	119.0	116.3	104.2	104.9
湖 南	Hunan	101.8	101.6	102.7	103.4	110.9	105.3	109.8	125.6	118.2	100.4	104.4
广 东	Guangdong	106.3	102.6	102.8	101.9	114.8	104.9	111.1	129.4	122.1	97.5	101.2
广 西	Guangxi	102.7	104.1	103.0	104.6	113.0	106.2	108.2	120.8	121.1	101.1	102.8
海 南	Hainan								128.1	128.4	102.1	103.9
重 庆	Chongqing											
四 川	Sichuan	102.7	102.2	101.2	102.2	107.3	104.7	107.6	119.9	119.8	103.8	103.0
贵 州	Guizhou	103.1	103.6	101.6	102.8	107.7	105.4	107.1	119.8	118.3	101.8	104.4
云 南	Yunnan	100.8	101.7	100.6	101.9	108.2	106.1	107.0	119.8	118.6	102.8	103.1
西 藏	Tibet											
陕 西	Shaanxi	103.6	100.4	102.2	103.4	107.4	106.1	108.2	118.8	118.5	102.4	106.6
甘 肃	Gansu	102.7	102.2	100.6	103.3	109.2	106.6	107.6	119.1	117.9	103.2	104.9
青 海	Qinghai	101.3	101.8	100.7	103.4	110.7	106.2	107.2	118.0	117.5	105.1	107.6
宁 夏	Ningxia	102.1	102.8	101.6	103.3	108.6	105.8	107.3	117.1	117.2	107.1	106.3
新 疆	Xinjiang	102.4	100.1	102.2	102.4		107.3	107.2	114.7	116.0	105.0	108.6

Consumer Price Indices by Region(1981 ~ 2008)

(Preceding year=100)

1992	1993	1994	1995	1996	1997	1998	1999	2000	2001	2002	2003	2004	2005	2006	2007	2008
106.4	**114.7**	**124.1**	**117.1**	**108.3**	**102.8**	**99.2**	**98.6**	**100.4**	**100.7**	**99.2**	**101.2**	**103.9**	**101.8**	**101.5**	**104.8**	**105.9**
109.9	119.0	124.9	117.3	111.6	105.3	102.4	100.6	103.5	103.1	98.2	100.2	101.0	101.5	100.9	102.4	105.1
111.4	117.6	124.0	115.3	109.0	103.1	99.5	98.9	99.6	101.2	99.6	101.0	102.3	101.5	101.5	104.2	105.4
106.1	113.8	122.6	115.2	107.1	103.5	98.4	98.1	99.7	100.5	99.0	102.2	104.3	101.8	101.7	104.7	106.2
107.3	115.1	125.2	116.9	107.9	103.1	98.6	99.6	103.9	99.8	98.4	101.8	104.1	102.3	102.0	104.6	107.2
107.4	114.1	122.9	117.5	107.6	104.5	99.3	99.8	101.3	100.6	100.2	102.2	102.9	102.4	101.5	104.6	105.7
106.7	115.2	124.3	116.1	107.9	103.1	99.3	98.6	99.9	100.0	98.9	101.7	103.5	101.4	101.2	105.1	104.6
108.0	112.6	120.6	115.2	107.2	103.7	99.2	98.0	98.6	101.3	99.5	101.2	104.1	101.5	101.4	104.8	105.1
109.2	114.8	121.9	116.1	107.1	104.4	100.4	96.8	98.3	100.8	99.3	100.9	103.8	101.2	101.9	105.4	105.6
110.0	120.2	123.9	118.7	109.2	102.8	100.0	101.5	102.5	100.0	100.5	100.1	102.2	101.0	101.2	103.2	105.8
106.6	118.2	123.2	115.8	109.3	101.7	99.4	98.7	100.1	100.8	99.2	101.0	104.1	102.1	101.6	104.3	105.4
107.5	119.8	124.8	116.6	107.9	102.8	99.7	98.8	101.0	99.8	99.1	101.9	103.9	101.3	101.1	104.2	105.0
108.2	114.7	126.9	114.8	109.9	101.3	100.0	97.8	100.7	100.5	99.0	101.7	104.5	101.4	101.2	105.3	106.2
105.9	115.4	125.3	115.2	105.9	101.7	99.7	99.1	102.1	98.7	99.5	100.8	104.0	102.2	100.8	105.2	104.6
105.7	114.6	126.9	116.9	108.4	102.0	101.0	98.6	100.3	99.5	100.1	100.8	103.5	101.7	101.2	104.8	106.0
106.8	112.7	123.4	117.6	109.6	102.8	99.4	99.3	100.2	101.8	99.3	101.1	103.6	101.7	101.0	104.4	105.3
105.4	110.4	125.2	116.5	110.5	103.5	97.5	96.9	99.2	100.7	100.1	101.6	105.4	102.1	101.3	105.4	107.0
109.6	118.4	125.3	120.0	109.4	103.2	98.4	97.8	99.0	100.3	99.6	102.2	104.9	102.9	101.6	104.8	106.3
110.7	116.8	125.3	119.0	107.7	102.8	100.2	100.5	101.4	99.1	99.5	102.4	105.1	102.3	101.4	105.6	106.0
107.3	121.6	121.7	114.0	107.0	101.9	98.2	98.2	101.4	99.3	98.6	100.6	103.0	102.3	101.8	103.7	105.6
105.9	122.0	126.0	118.4	106.5	100.8	97.0	97.7	99.7	100.6	99.1	101.1	104.4	102.4	101.3	106.1	107.8
108.7	123.3	126.7	113.5	104.3	100.8	97.3	98.3	101.1	98.5	99.5	100.1	104.4	101.5	101.5	105.0	106.9
					103.1	96.4	99.3	96.7	101.7	99.6	100.6	103.7	100.8	102.4	104.7	105.6
107.4	116.8	124.6	118.5	109.3	105.1	99.6	98.5	100.1	102.1	99.7	101.7	104.9	101.7	102.3	105.9	105.1
107.8	116.0	122.8	121.4	109.1	103.4	100.1	99.2	99.5	101.8	99.0	101.2	104.0	101.0	101.7	106.4	107.6
108.9	121.3	119.2	121.3	108.7	104.3	101.7	99.7	97.9	99.1	99.8	101.2	106.0	101.4	101.9	105.9	105.7
							100.0	99.9	100.1	100.4	100.9	102.7	101.5	102.0	103.4	105.7
110.3	113.1	126.7	119.0	109.7	104.8	98.4	97.8	99.5	101.0	98.9	101.7	103.1	101.2	101.5	105.1	106.4
107.2	115.4	123.7	119.8	110.2	102.9	99.0	97.6	99.5	104.0	100.0	101.1	102.3	101.7	101.3	105.5	108.2
108.0	113.2	121.8	118.0	110.8	104.8	100.7	99.5	99.5	102.6	102.3	102.0	103.2	100.8	101.6	106.6	110.1
108.3	114.3	123.1	117.1	106.8	103.8	100.0	98.7	99.6	101.6	99.4	101.7	103.7	101.5	101.9	105.4	108.5
108.6	113.0	126.7	119.7	110.5	103.7	100.2	97.4	99.4	104.0	99.4	100.4	102.7	100.7	101.3	105.5	108.1

4-7-4 各地区居民消费价格指数(2008年)

Consumer Price Indices by Category and Region (2008)

(上年价格=100) (Preceding year=100)

地 区	Region	居民消费价格指数 Consumer Price Index	一、食品 Food	1．粮食 Grain	2.淀粉 Starches	3．干豆类及豆制品 Bean and Its Products	4．油脂 Oil or Fat	5．肉禽及其制品 Meal, Poultry and Their Products	(1)食用畜肉及副产品 Meal and Their Products
全国平均	**National**	**105.9**	**114.3**	**107.0**	**111.2**	**134.4**	**125.4**	**121.7**	**125.7**
北 京	Beijing	105.1	116.1	108.9	117.9	131.5	121.3	125.1	129.2
天 津	Tianjin	105.4	112.1	105.5	98.1	139.9	128.9	118.9	120.3
河 北	Hebei	106.2	114.4	106.7	107.6	130.9	126.9	123.2	126.2
山 西	Shanxi	107.2	117.9	107.5	116.8	138.6	129.0	124.4	125.8
内蒙古	Inner Mongolia	105.7	114.7	106.7	114.0	127.5	132.3	122.5	125.4
辽 宁	Liaoning	104.6	112.3	104.5	115.0	141.9	126.0	122.5	125.0
吉 林	Jilin	105.1	112.3	103.7	108.1	137.6	124.6	124.6	126.6
黑龙江	Heilongjiang	105.6	112.0	104.5	111.6	136.4	129.1	119.6	121.1
上 海	Shanghai	105.8	115.3	107.3	107.9	132.5	124.7	122.9	128.5
江 苏	Jiangsu	105.4	113.0	106.1	107.8	135.3	125.1	120.4	124.4
浙 江	Zhejiang	105.0	113.9	105.4	108.4	143.0	126.3	119.2	123.7
安 徽	Anhui	106.2	114.3	105.7	103.4	136.4	125.3	121.6	125.9
福 建	Fujian	104.6	113.3	105.1	112.4	131.6	121.5	120.8	123.9
江 西	Jiangxi	106.0	113.9	108.2	109.3	127.2	122.8	117.8	122.0
山 东	Shandong	105.3	113.0	106.3	112.4	134.6	124.2	122.2	124.6
河 南	Henan	107.0	116.3	107.7	115.3	136.8	127.0	124.7	127.6
湖 北	Hubei	106.3	115.1	105.7	116.2	134.3	125.2	122.5	126.4
湖 南	Hunan	106.0	114.9	112.5	101.9	134.0	129.7	118.0	122.8
广 东	Guangdong	105.6	113.2	108.1	112.0	121.8	120.1	119.9	125.8
广 西	Guangxi	107.8	120.0	111.9	123.9	139.4	121.5	122.0	127.8
海 南	Hainan	106.9	113.7	109.4	129.9	137.0	123.9	118.9	124.4
重 庆	Chongqing	105.6	115.7	112.0	118.6	128.2	128.5	122.7	126.5
四 川	Sichuan	105.1	112.0	106.1	104.3	117.8	119.6	116.4	119.8
贵 州	Guizhou	107.6	117.3	107.6	104.9	137.4	128.3	124.7	129.8
云 南	Yunnan	105.7	115.4	109.8	104.3	132.1	126.7	127.1	134.3
西 藏	Tibet	105.7	112.1	103.9	109.7	117.0	129.8	125.6	131.4
陕 西	Shaanxi	106.4	115.3	107.7	109.5	145.5	124.3	126.0	131.5
甘 肃	Gansu	108.2	116.2	107.2	117.8	128.1	138.8	126.6	130.7
青 海	Qinghai	110.1	119.0	111.6	110.7	144.4	126.8	128.1	127.6
宁 夏	Ningxia	108.5	118.0	108.9	114.6	142.5	136.7	128.3	131.6
新 疆	Xinjiang	108.1	119.1	111.9	109.7	139.8	131.6	133.5	138.7

4－7－4 续表 1 Continued 1

(上年价格=100) (Preceding year=100)

地区 Region		(2)禽 Poultry	(3)加工肉禽 Meat and Poultry Products	6．蛋 Eggs	7．水产品 Aquatic Products	(1)鱼 Fish	(2)其它水产品 Other Aquatic Products	8．菜 Vegetables	9．调味品 Flavoring
全国平均	**National**	**108.2**	**118.9**	**104.3**	**114.2**	**118.3**	**108.0**	**111.0**	**105.5**
北　京	Beijing	112.4	120.9	106.4	120.1	118.5	121.6	108.6	110.9
天　津	Tianjin	109.9	115.7	103.8	102.9	115.9	94.8	107.2	108.5
河　北	Hebei	114.8	118.0	105.0	114.7	119.3	108.5	109.9	104.5
山　西	Shanxi	111.5	122.6	101.7	119.1	122.7	109.8	116.4	108.5
内蒙古	Inner Mongolia	108.5	117.0	102.1	114.6	117.1	106.4	110.4	104.1
辽　宁	Liaoning	107.7	120.3	101.8	109.2	113.8	103.6	102.1	107.0
吉　林	Jilin	112.3	121.1	109.6	112.3	115.4	105.7	98.5	105.4
黑龙江	Heilongjiang	108.8	119.7	103.4	109.6	113.0	100.6	105.9	105.5
上　海	Shanghai	111.0	117.7	106.4	111.2	116.1	107.4	120.6	109.5
江　苏	Jiangsu	107.9	118.6	104.0	112.0	121.3	100.7	108.3	103.7
浙　江	Zhejiang	105.3	118.7	105.4	113.3	114.3	112.5	112.4	103.5
安　徽	Anhui	108.0	116.9	106.8	119.2	121.9	112.3	111.5	102.9
福　建	Fujian	109.3	120.1	103.8	108.8	111.9	106.1	112.6	104.7
江　西	Jiangxi	104.5	113.8	103.0	119.8	117.3	126.2	108.6	104.3
山　东	Shandong	114.1	118.4	105.2	112.8	118.0	105.8	105.7	105.1
河　南	Henan	108.7	121.4	106.3	121.5	123.6	115.1	112.6	107.7
湖　北	Hubei	108.3	120.9	103.5	123.3	123.5	122.8	109.8	105.6
湖　南	Hunan	106.2	112.5	103.8	122.2	122.4	119.5	118.6	104.0
广　东	Guangdong	106.5	117.7	104.8	115.4	119.9	106.7	115.9	102.8
广　西	Guangxi	110.2	120.2	102.8	117.6	123.5	104.3	137.5	107.6
海　南	Hainan	107.2	113.1	106.8	115.7	117.5	109.9	115.2	105.4
重　庆	Chongqing	111.7	126.5	103.2	125.0	123.7	129.6	108.2	105.5
四　川	Sichuan	105.0	114.8	104.1	116.0	117.1	111.5	104.6	103.1
贵　州	Guizhou	108.0	120.3	100.1	112.2	113.0	110.1	108.1	108.9
云　南	Yunnan	104.7	124.9	102.3	114.6	113.3	118.9	103.6	110.8
西　藏	Tibet	118.3	116.2	109.0	115.5	117.0	111.1	105.6	101.3
陕　西	Shaanxi	108.2	119.1	105.5	119.1	122.4	112.1	108.6	106.2
甘　肃	Gansu	113.8	124.9	101.2	116.2	118.3	110.6	108.5	108.9
青　海	Qinghai	115.3	134.4	104.9	123.1	123.4	122.9	118.6	104.8
宁　夏	Ningxia	110.0	124.3	101.8	112.9	117.3	103.3	114.2	107.4
新　疆	Xinjiang	114.3	118.3	105.9	116.1	121.0	105.6	112.9	108.6

4－7－4 续表 2　Continued 2

(上年价格=100)　(Preceding year=100)

地　区　Region		10．糖 Carbohy-drate	11.茶及饮料 Tea and Beverages	(1)茶叶 Tea	(2)饮料 Beverages	12.干鲜瓜果 Dried and Fresh Melons and Fruits	13.糕点饼干面包 Cake, Biscuit and Bread	14．液体乳及乳制品 Milk and Its Products	15．在外用膳食品 Outward Dinner
全国平均	**National**	**104.0**	**103.7**	**102.2**	**104.4**	**110.8**	**109.2**	**117.0**	**111.8**
北　京	Beijing	110.1	102.6	100.3	104.2	114.7	112.3	125.9	114.7
天　津	Tianjin	105.9	106.1	103.2	107.3	115.1	114.4	131.6	109.4
河　北	Hebei	104.7	103.3	102.2	103.7	110.0	108.0	114.5	114.4
山　西	Shanxi	108.9	104.0	102.5	104.3	112.3	113.0	123.9	122.8
内蒙古	Inner Mongolia	101.5	103.6	103.5	103.6	112.6	107.3	118.7	113.1
辽　宁	Liaoning	104.2	104.6	105.3	104.2	105.2	109.9	122.6	109.9
吉　林	Jilin	101.2	105.4	105.2	105.7	110.3	107.3	115.4	110.1
黑龙江	Heilongjiang	100.8	100.2	100.2	100.2	105.8	106.9	112.4	110.5
上　海	Shanghai	107.4	106.9	105.3	107.1	112.3	112.5	119.4	114.3
江　苏	Jiangsu	105.6	103.5	102.2	103.9	110.9	110.2	120.0	109.9
浙　江	Zhejiang	104.6	106.0	100.2	107.4	111.0	108.8	115.4	111.1
安　徽	Anhui	104.2	102.9	102.4	103.4	111.9	107.7	114.5	108.9
福　建	Fujian	102.2	102.1	98.7	104.4	108.5	108.9	114.0	112.1
江　西	Jiangxi	100.0	103.8	104.0	103.6	108.1	110.9	111.5	112.6
山　东	Shandong	104.4	103.4	100.5	105.5	110.9	106.7	118.1	110.4
河　南	Henan	102.3	105.4	103.6	105.8	115.4	107.5	119.2	113.2
湖　北	Hubei	106.2	105.6	107.1	105.1	110.3	112.0	116.4	111.2
湖　南	Hunan	102.2	101.9	102.3	101.8	110.9	107.2	112.4	109.8
广　东	Guangdong	102.9	102.1	101.0	102.8	109.8	107.1	111.5	107.8
广　西	Guangxi	106.3	103.4	101.7	104.1	110.2	111.4	120.1	115.9
海　南	Hainan	102.1	104.4	100.4	105.5	113.2	103.8	115.9	102.2
重　庆	Chongqing	109.6	105.6	106.1	105.4	118.1	111.0	114.2	110.2
四　川	Sichuan	101.2	103.1	103.4	103.0	108.1	106.1	115.3	111.6
贵　州	Guizhou	105.6	101.8	100.5	101.8	108.5	112.8	120.0	120.7
云　南	Yunnan	105.1	104.2	102.8	105.0	110.1	113.4	110.9	115.3
西　藏	Tibet	104.9	103.8	102.3	105.1	114.1	102.3	115.7	108.5
陕　西	Shaanxi	101.5	103.9	102.9	104.4	114.1	110.2	114.2	114.7
甘　肃	Gansu	114.5	106.2	107.5	105.7	109.6	112.8	112.0	116.4
青　海	Qinghai	107.3	115.5	118.4	110.4	112.6	111.9	127.3	114.7
宁　夏	Ningxia	104.7	103.9	102.6	104.6	112.3	112.3	120.3	116.4
新　疆	Xinjiang	101.8	101.8	101.7	101.9	112.1	112.1	122.2	115.4

(上年价格=100) (Preceding year=100)

地 区	Region	16.其它食品 Other Foods	二、烟酒及用品 Tobacco, Liquor and Articles	1. 烟草 Tobacco	2. 酒 Liquor	3. 吸烟、饮酒用品 Articles for Smoking and Drinking	三、衣着 Clothing	1. 服装 Garments	(1)男式服装 Men's Clothing
全国平均	**National**	**108.4**	**102.9**	**100.4**	**107.5**	**100.9**	**98.5**	**98.3**	**98.2**
北 京	Beijing	113.9	106.0	102.4	111.2	104.3	99.1	101.0	101.4
天 津	Tianjin	107.4	108.0	102.3	120.3	99.0	99.9	100.3	96.5
河 北	Hebei	106.2	104.2	100.4	108.5	101.0	98.2	97.6	96.0
山 西	Shanxi	111.6	102.6	100.5	106.9	102.7	98.8	98.4	98.3
内蒙古	Inner Mongolia	105.0	102.2	100.5	103.8	103.9	100.3	100.3	99.3
辽 宁	Liaoning	109.3	103.1	100.0	108.6	101.1	93.1	92.7	93.4
吉 林	Jilin	108.1	103.4	100.6	106.8	100.9	101.5	101.2	101.8
黑龙江	Heilongjiang	108.2	103.8	100.3	109.8	99.2	99.3	99.0	98.7
上 海	Shanghai	104.3	101.7	100.1	103.4	110.1	101.6	101.7	101.2
江 苏	Jiangsu	111.5	102.9	100.5	107.7	105.4	100.5	100.7	100.8
浙 江	Zhejiang	110.1	102.1	100.3	107.2	100.7	97.9	97.9	98.8
安 徽	Anhui	102.7	103.3	99.8	108.7	100.5	98.9	98.5	98.0
福 建	Fujian	106.7	102.9	100.3	106.8	100.6	94.8	95.3	96.1
江 西	Jiangxi	108.9	102.0	100.3	106.6	99.5	95.7	94.9	93.6
山 东	Shandong	108.6	104.3	100.5	107.7	100.2	97.9	97.3	96.6
河 南	Henan	105.7	103.0	100.3	107.4	101.1	101.2	101.0	100.7
湖 北	Hubei	111.5	103.4	101.1	107.7	101.4	97.9	97.5	97.7
湖 南	Hunan	105.9	101.6	101.0	103.1	100.2	97.3	96.4	95.9
广 东	Guangdong	109.0	101.4	99.7	105.2	100.1	98.4	98.5	98.3
广 西	Guangxi	107.3	103.2	98.8	109.3	97.5	99.2	99.3	99.9
海 南	Hainan	108.3	101.3	98.6	105.6	101.6	98.3	98.0	97.7
重 庆	Chongqing	112.6	102.8	99.4	112.4	96.3	94.2	94.5	93.9
四 川	Sichuan	106.1	102.0	100.1	105.9	100.0	97.3	97.3	98.2
贵 州	Guizhou	106.7	104.0	99.8	113.2	99.6	97.8	98.3	96.9
云 南	Yunnan	113.1	102.4	102.0	105.0	97.3	92.5	91.0	90.0
西 藏	Tibet	103.1	102.3	101.3	104.0	99.9	103.1	103.7	104.3
陕 西	Shaanxi	110.1	102.2	100.1	108.7	100.3	100.0	99.7	99.7
甘 肃	Gansu	112.1	104.4	100.9	110.5	100.2	100.6	99.9	99.3
青 海	Qinghai	108.9	105.6	101.3	110.3	103.1	104.4	106.2	104.9
宁 夏	Ningxia	108.5	102.3	100.1	105.9	105.9	103.4	102.6	102.9
新 疆	Xinjiang	110.0	103.1	99.9	107.0	100.3	99.4	98.9	98.9

4－7－4 续表 4　Continued 4

(上年价格=100)									(Preceding year=100)
地 区	Region	(2)女式服装 Women's Clothing	(3)儿童服装 Children's Clothing	2．衣着材料 Clothing Material	3．鞋袜帽 Footgear and Hats	(1)鞋 Shoes	(2)袜子 Socks	(3)帽子 Hats	4．衣着加工服务 Clothing Manufacturing Services
全国平均	**National**	**98.2**	**99.6**	**102.4**	**98.2**	**97.9**	**100.2**	**100.2**	**104.1**
北 京	Beijing	100.7	103.2	101.3	94.0	93.5	100.2	105.2	103.7
天 津	Tianjin	103.5	92.8	100.6	98.6	98.4	100.0	100.0	106.6
河 北	Hebei	98.4	99.5	102.8	99.1	98.8	101.2	101.8	102.1
山 西	Shanxi	98.1	99.9	100.3	99.3	98.6	102.3	98.6	109.7
内蒙古	Inner Mongolia	100.4	103.3	103.3	99.6	99.3	100.9	100.2	103.8
辽 宁	Liaoning	92.5	91.2	100.5	93.3	92.4	99.1	98.5	102.7
吉 林	Jilin	100.8	100.8	102.8	101.9	102.3	99.7	99.8	102.1
黑龙江	Heilongjiang	98.4	102.4	100.8	100.2	100.3	99.3	99.5	102.9
上 海	Shanghai	102.2	99.7	103.8	100.6	101.0	97.4	103.3	106.6
江 苏	Jiangsu	100.5	101.9	106.8	99.4	98.9	101.4	102.8	103.6
浙 江	Zhejiang	97.7	94.4	102.0	97.0	96.6	101.0	99.8	104.0
安 徽	Anhui	98.2	101.4	103.6	98.7	98.6	100.2	97.8	108.5
福 建	Fujian	95.6	91.2	103.3	91.7	90.4	98.5	99.2	115.5
江 西	Jiangxi	95.5	96.6	102.2	97.2	96.3	100.5	109.2	107.0
山 东	Shandong	97.7	97.8	101.3	98.4	98.5	97.7	97.8	104.3
河 南	Henan	101.2	101.3	104.1	101.3	101.2	101.6	101.1	105.8
湖 北	Hubei	97.6	95.9	101.1	98.4	98.2	99.7	100.8	104.0
湖 南	Hunan	96.3	98.3	101.5	99.1	99.1	99.7	97.9	103.4
广 东	Guangdong	98.2	100.2	104.6	97.4	96.9	100.4	99.5	101.6
广 西	Guangxi	97.1	104.4	101.2	99.1	99.0	98.9	100.2	106.1
海 南	Hainan	97.3	100.7	101.0	98.7	98.6	99.9	101.9	103.2
重 庆	Chongqing	95.0	93.7	100.0	92.9	92.5	99.0	100.0	102.1
四 川	Sichuan	96.7	96.9	101.6	96.6	95.9	100.7	99.1	104.7
贵 州	Guizhou	96.3	109.2	100.3	96.4	95.1	101.1	101.7	101.0
云 南	Yunnan	88.9	99.7	101.2	94.5	92.8	102.8	98.5	97.0
西 藏	Tibet	101.1	107.0	102.5	102.7	105.3	100.7	98.9	101.5
陕 西	Shaanxi	98.9	102.5	100.7	100.4	100.3	100.1	102.0	103.7
甘 肃	Gansu	99.1	104.2	100.4	102.5	103.1	99.9	96.4	101.8
青 海	Qinghai	106.4	110.7	100.3	100.7	100.7	102.3	97.2	107.5
宁 夏	Ningxia	102.2	103.9	107.5	104.8	105.0	103.1	103.8	104.8
新 疆	Xinjiang	98.3	101.2	102.3	99.8	99.6	99.9	104.3	107.6

4－7－4 续表 5　Continued 5

(上年价格=100)　　(Preceding year=100)

地　区　Region	四、家庭设备用品及维修服务 Household Facilities, Articles and Maintenance Services	1.耐用消费品 Durable Consumer Goods	(1)家具 Furniture	(2)家庭设备 Household Facilities	2.室内装饰品 Interior Decorations	3.床上用品 Bed Articles	4.家庭日用杂品 Daily Use Household Articles	5.家庭服务及加工维修服务 Household Service and Manufacturing Upkeep
全国平均　National	**102.8**	**101.2**	**102.3**	**100.7**	**100.2**	**99.7**	**104.9**	**109.0**
北　京　Beijing	104.4	103.4	106.8	100.0	101.5	100.0	104.5	116.6
天　津　Tianjin	106.8	107.1	112.5	102.8	103.6	104.6	105.4	114.6
河　北　Hebei	102.4	100.8	101.9	100.1	100.3	98.9	105.6	108.5
山　西　Shanxi	103.2	101.4	101.3	101.5	99.8	96.5	105.6	116.6
内蒙古　Inner Mongolia	100.8	100.2	100.2	100.2	99.7	100.3	101.0	106.1
辽　宁　Liaoning	103.6	101.4	101.9	101.1	100.3	96.7	108.3	108.9
吉　林　Jilin	102.6	100.6	100.8	100.5	99.7	97.8	106.2	104.9
黑龙江　Heilongjiang	103.1	100.6	99.9	100.9	99.9	99.3	107.6	107.4
上　海　Shanghai	108.3	107.2	108.2	106.3	100.9	101.7	110.4	116.5
江　苏　Jiangsu	104.1	102.2	102.4	102.1	101.4	102.0	107.2	106.6
浙　江　Zhejiang	103.4	101.4	102.3	101.0	101.7	101.4	105.4	111.7
安　徽　Anhui	102.2	101.2	101.7	101.0	100.7	99.5	103.3	108.5
福　建　Fujian	103.2	100.6	104.3	99.4	98.8	101.1	105.8	112.7
江　西　Jiangxi	102.8	99.8	100.9	99.3	101.7	95.6	107.0	110.4
山　东　Shandong	102.0	101.4	102.5	100.6	100.3	97.4	104.4	106.3
河　南　Henan	103.1	101.4	102.0	101.0	100.4	100.6	104.5	113.2
湖　北　Hubei	100.8	98.3	99.3	97.8	100.0	99.3	104.8	103.8
湖　南　Hunan	99.8	98.5	98.5	98.5	101.3	98.4	101.1	103.3
广　东　Guangdong	102.0	100.3	101.5	99.4	100.1	100.7	102.5	107.2
广　西　Guangxi	103.1	100.4	99.2	101.1	101.7	101.7	107.3	106.8
海　南　Hainan	101.9	101.8	102.3	101.4	99.6	99.9	102.9	101.2
重　庆　Chongqing	102.5	101.3	100.4	101.6	96.6	102.4	102.8	108.6
四　川　Sichuan	102.7	101.2	101.4	101.0	100.4	99.9	103.3	109.4
贵　州　Guizhou	103.5	102.8	102.8	102.3	96.1	100.6	102.7	127.1
云　南　Yunnan	100.3	99.5	99.9	99.1	97.1	96.4	100.9	110.6
西　藏　Tibet	102.3	102.1	104.6	99.5	103.9	101.8	102.4	103.1
陕　西　Shaanxi	102.3	100.6	101.9	99.6	96.9	100.6	107.3	104.1
甘　肃　Gansu	103.1	101.1	102.9	99.6	99.4	98.4	106.2	109.7
青　海　Qinghai	102.9	100.7	99.9	101.7	97.4	97.6	108.4	118.4
宁　夏　Ningxia	104.2	102.6	102.6	102.7	104.9	99.8	106.5	111.7
新　疆　Xinjiang	102.5	101.7	102.7	101.2	101.0	100.1	103.0	108.4

4-7-4 续表 6 Continued 6

(上年价格=100) (Preceding year=100)

地 区 Region	五、医疗保健和个人用品 Health Care and Personal Articles	1.医疗保健 Health Care	(1)医疗器具及用品 Medical Instrument and Articles	(2)中药材及中成药 Traditional Chinese Medicine	(3)西药 Western Medicine	(4)保健器具及用品 Health Care Appliances and Articles	(5)医疗保健服务 Health Care Services	2．个人用品及服务 Personal Articles and Services
全国平均 National	**102.9**	**102.2**	**99.7**	**106.8**	**101.1**	**102.1**	**100.5**	**104.4**
北 京 Beijing	102.0	100.6	100.4	102.2	99.1	103.2	100.0	106.3
天 津 Tianjin	102.3	102.4	95.1	109.3	101.5	97.4	100.0	102.2
河 北 Hebei	103.4	102.6	99.9	103.9	103.4	102.6	101.2	105.8
山 西 Shanxi	101.9	100.8	100.3	108.1	99.2	99.8	100.1	105.2
内蒙古 Inner Mongolia	101.9	100.9	97.1	103.6	100.1	100.2	100.2	104.0
辽 宁 Liaoning	103.1	101.5	99.9	104.8	101.5	99.7	100.3	106.8
吉 林 Jilin	101.8	101.3	101.8	106.6	101.5	102.2	97.8	103.1
黑龙江 Heilongjiang	104.3	103.9	96.9	110.8	100.5	101.1	102.8	105.6
上 海 Shanghai	103.1	100.5	103.4	102.9	100.2	100.5	100.0	106.2
江 苏 Jiangsu	102.5	101.4	101.2	106.2	100.4	100.9	100.1	105.1
浙 江 Zhejiang	105.8	106.1	100.6	112.3	106.3	107.0	100.3	105.1
安 徽 Anhui	102.2	101.2	98.5	103.5	100.6	100.8	100.3	104.5
福 建 Fujian	102.8	101.9	98.3	104.4	101.6	100.9	100.6	104.4
江 西 Jiangxi	103.1	102.5	99.5	108.3	100.6	101.5	100.3	104.0
山 东 Shandong	102.2	101.6	98.1	106.0	100.0	101.2	100.9	103.4
河 南 Henan	103.6	102.8	99.6	107.1	100.9	100.2	102.3	105.3
湖 北 Hubei	103.5	102.9	100.8	109.4	100.6	100.3	101.2	105.1
湖 南 Hunan	101.5	101.6	99.1	106.9	100.0	102.0	99.5	101.3
广 东 Guangdong	102.9	102.6	99.2	107.8	99.7	102.4	101.5	103.3
广 西 Guangxi	103.2	102.9	100.1	106.0	101.5	107.2	100.6	103.7
海 南 Hainan	101.6	100.4	100.1	103.0	98.3	99.3	100.4	105.1
重 庆 Chongqing	101.9	101.4	100.9	102.9	101.9	99.9	100.0	103.1
四 川 Sichuan	102.4	102.2	98.6	105.3	101.7	100.7	100.5	102.8
贵 州 Guizhou	100.7	99.2	100.3	104.4	98.3	100.2	98.9	102.4
云 南 Yunnan	104.9	105.2	100.9	110.9	104.4	102.5	98.9	104.1
西 藏 Tibet	102.7	101.5	102.2	99.9	99.4	99.4	107.0	103.8
陕 西 Shaanxi	102.7	102.1	103.2	104.5	101.3	102.0	100.4	104.4
甘 肃 Gansu	103.5	104.0	97.6	108.5	100.8	101.3	104.3	102.6
青 海 Qinghai	106.1	106.1	98.2	113.6	103.5	113.4	104.3	105.9
宁 夏 Ningxia	102.6	101.7	98.7	105.4	100.2	104.4	101.0	104.7
新 疆 Xinjiang	103.5	102.1	97.9	106.0	102.1	101.7	100.4	105.9

(上年价格=100) (Preceding year=100)

地 区	Region	(1)化妆美容用品 Cosmetics	清洁化妆用品 Clean Make-up Supplies	(3)个人饰品 Personal Decorations	(4)个人服务 Personal Services	六、交通和通信 Transportation and Communication	1．交通 Transportation	(1)交通工具 Transportation Facility	(2)车用燃料及零配件 Fuels and Parts
全国平均	**National**	**100.6**	**101.7**	**109.7**	**105.0**	**99.1**	**102.2**	**98.4**	**113.5**
北 京	Beijing	101.8	103.2	114.5	101.5	97.6	99.7	93.3	115.8
天 津	Tianjin	98.9	103.7	105.6	101.4	97.8	101.2	98.5	114.7
河 北	Hebei	100.7	102.1	110.7	107.4	100.4	103.9	99.4	115.2
山 西	Shanxi	99.7	101.6	110.4	107.7	99.5	103.3	100.9	115.5
内蒙古	Inner Mongolia	100.2	100.9	107.4	106.9	99.4	102.3	98.9	111.8
辽 宁	Liaoning	102.4	101.3	111.8	109.0	97.7	102.6	100.5	113.4
吉 林	Jilin	100.7	100.5	107.1	105.3	97.7	101.1	98.9	111.8
黑龙江	Heilongjiang	100.2	101.9	110.3	105.7	100.6	103.0	100.9	110.5
上 海	Shanghai	102.0	101.8	114.1	97.4	97.5	99.2	96.7	110.0
江 苏	Jiangsu	100.4	103.1	112.8	103.6	98.6	100.9	97.0	113.8
浙 江	Zhejiang	101.0	103.1	115.5	102.0	95.6	101.3	97.6	114.8
安 徽	Anhui	100.6	101.3	111.0	104.9	99.7	102.8	100.1	113.7
福 建	Fujian	100.4	102.3	104.8	108.0	98.6	104.7	101.9	114.6
江 西	Jiangxi	100.2	100.3	108.8	105.3	99.9	105.2	100.8	112.7
山 东	Shandong	101.6	101.6	106.0	104.1	99.9	103.0	99.6	112.7
河 南	Henan	100.6	102.1	110.0	108.3	100.1	104.9	101.1	112.5
湖 北	Hubei	100.2	101.9	108.7	109.9	100.5	104.6	100.9	111.6
湖 南	Hunan	99.0	100.6	105.4	101.2	99.2	101.7	98.3	111.4
广 东	Guangdong	100.7	100.6	108.7	104.3	99.7	101.4	97.0	114.7
广 西	Guangxi	99.5	104.4	107.6	107.2	99.2	101.7	97.7	112.1
海 南	Hainan	101.1	106.0	109.0	101.6	101.3	103.9	101.5	111.3
重 庆	Chongqing	101.0	101.7	111.4	100.2	99.3	102.7	101.2	115.7
四 川	Sichuan	99.8	101.5	105.8	103.4	99.8	102.3	98.2	111.8
贵 州	Guizhou	98.6	98.4	103.8	107.1	100.7	103.4	99.9	110.9
云 南	Yunnan	101.5	99.4	106.8	108.1	99.2	102.0	96.1	112.2
西 藏	Tibet	100.1	100.3	109.3	107.4	101.3	103.9	98.1	109.5
陕 西	Shaanxi	101.8	103.6	106.3	104.7	98.9	101.8	101.4	108.9
甘 肃	Gansu	98.6	102.6	103.6	103.2	99.6	103.7	100.1	109.2
青 海	Qinghai	102.9	103.2	114.7	100.1	99.8	103.6	104.3	113.6
宁 夏	Ningxia	101.6	103.6	113.6	104.0	100.5	106.4	102.0	114.0
新 疆	Xinjiang	101.0	102.0	110.3	111.1	100.2	102.6	101.6	113.9

4－7－4 续表 8 Continued 8

(上年价格=100) (Preceding year=100)

地 区	Region	(3)车辆使用及维修 Using and Upkeep Fare	(4)市区公共交通费 Incity Traffic Fare	(5)城市间交通费 Intercity Traffic Fare	2．通信 Communication	(1)通信工具 Communication Facility	(2)通信服务 Communication Service	七、娱乐教育文化用品及服务 Recreation, Education and Culture Articles
全国平均	**National**	**100.8**	**100.5**	**104.3**	**95.6**	**80.7**	**98.8**	**99.3**
北 京	Beijing	99.3	98.1	96.2	94.3	72.5	100.0	98.0
天 津	Tianjin	101.8	100.0	99.2	94.4	65.5	100.0	97.6
河 北	Hebei	103.3	100.7	108.2	97.0	84.3	99.7	99.3
山 西	Shanxi	99.3	101.7	104.4	96.2	78.3	99.6	100.4
内蒙古	Inner Mongolia	99.4	100.9	103.7	96.1	86.8	99.5	99.8
辽 宁	Liaoning	102.0	101.2	102.2	93.6	73.6	96.7	99.1
吉 林	Jilin	101.6	99.3	102.1	94.7	80.8	98.4	99.7
黑龙江	Heilongjiang	99.8	103.7	100.3	97.1	88.0	98.9	100.0
上 海	Shanghai	101.0	97.5	104.7	95.1	67.9	101.3	98.2
江 苏	Jiangsu	99.7	100.7	103.1	95.3	78.4	99.7	99.0
浙 江	Zhejiang	101.5	100.4	104.0	86.4	76.2	88.4	99.0
安 徽	Anhui	101.9	101.3	103.5	97.1	83.8	100.0	100.1
福 建	Fujian	101.3	104.3	104.1	94.0	85.4	95.4	92.9
江 西	Jiangxi	111.6	101.9	107.3	95.8	75.4	99.8	100.5
山 东	Shandong	100.4	100.6	108.4	96.0	85.1	99.8	100.3
河 南	Henan	105.3	102.0	108.0	96.4	81.6	99.1	100.9
湖 北	Hubei	101.5	101.9	109.5	96.7	83.5	99.8	99.1
湖 南	Hunan	100.2	100.6	102.4	97.0	85.7	99.9	100.9
广 东	Guangdong	98.9	100.0	101.3	97.2	81.8	100.0	99.4
广 西	Guangxi	98.2	100.2	103.0	96.4	80.1	100.8	98.5
海 南	Hainan	100.0	100.3	101.6	98.1	88.0	100.0	100.4
重 庆	Chongqing	98.1	100.0	102.5	97.3	74.5	100.2	100.3
四 川	Sichuan	101.9	101.1	103.8	95.9	81.1	99.5	99.9
贵 州	Guizhou	102.6	102.9	106.4	98.3	89.2	100.4	101.6
云 南	Yunnan	101.1	103.3	103.6	96.3	83.3	99.8	98.5
西 藏	Tibet	107.3	102.0	100.8	96.9	91.6	99.4	99.0
陕 西	Shaanxi	104.4	96.6	105.5	95.9	79.9	98.9	98.9
甘 肃	Gansu	101.1	102.7	108.1	94.6	79.0	99.3	100.5
青 海	Qinghai	101.2	102.6	102.1	94.4	80.0	97.6	101.0
宁 夏	Ningxia	104.6	102.7	109.8	94.6	78.3	99.0	99.2
新 疆	Xinjiang	101.3	100.7	101.9	97.6	84.8	100.1	100.0

4－7－4 续表 9 Continued 9

(上年价格=100) (Preceding year=100)

地 区 Region		1.文娱用耐用消费品及服务 Durable Consumer Goods for Cultural and Recreational Use and Services	2．教育 Education	(1)教材及参考书 Teaching Materials and Reference Books	(2)学杂托幼费 Tuition and Child Care	3．文化娱乐 Cultural and Recreational	(1)文化娱乐用品 Cultural Kecreat-ionl Articles	(2)书报杂志 Newspapers and Magazines
全国平均	**National**	**92.3**	**100.5**	**100.6**	**100.5**	**101.3**	**99.9**	**102.1**
北 京	Beijing	89.4	100.4	101.2	100.2	100.6	98.0	105.8
天 津	Tianjin	83.1	100.8	102.4	100.6	99.3	102.3	100.2
河 北	Hebei	93.8	100.3	98.9	100.4	101.3	101.2	100.3
山 西	Shanxi	95.6	100.9	99.5	101.0	101.3	99.9	100.2
内蒙古	Inner Mongolia	95.4	101.3	99.8	101.6	99.6	99.7	100.1
辽 宁	Liaoning	89.9	100.6	100.9	100.6	101.3	99.8	102.8
吉 林	Jilin	90.7	102.2	104.4	101.9	101.4	100.2	104.6
黑龙江	Heilongjiang	93.8	101.0	101.2	100.9	101.5	101.0	100.8
上 海	Shanghai	85.0	101.2	99.0	101.5	100.7	95.7	108.1
江 苏	Jiangsu	87.6	100.6	100.3	100.7	102.3	99.9	106.4
浙 江	Zhejiang	91.9	99.9	101.1	99.8	100.9	100.7	100.5
安 徽	Anhui	94.1	101.5	100.8	101.5	100.9	100.1	100.6
福 建	Fujian	95.4	87.3	105.6	85.6	100.9	100.5	100.0
江 西	Jiangxi	94.1	100.8	97.6	101.1	100.3	100.0	99.9
山 东	Shandong	95.7	101.7	100.6	102.0	100.4	100.1	100.8
河 南	Henan	96.1	102.2	101.3	102.4	101.2	100.9	103.1
湖 北	Hubei	93.3	100.0	99.3	100.1	101.6	100.2	106.5
湖 南	Hunan	93.4	102.6	100.5	102.7	100.7	100.8	100.7
广 东	Guangdong	92.7	100.4	101.6	100.1	100.8	99.3	100.8
广 西	Guangxi	89.6	101.0	98.7	101.3	101.3	99.8	101.6
海 南	Hainan	98.4	101.5	100.0	101.7	100.8	99.8	100.7
重 庆	Chongqing	93.4	101.2	101.2	101.2	101.5	100.4	100.0
四 川	Sichuan	93.8	101.5	97.3	101.9	101.5	100.7	102.3
贵 州	Guizhou	94.6	102.3	100.3	102.3	108.2	99.5	101.7
云 南	Yunnan	90.2	100.3	99.5	100.6	103.5	100.0	102.8
西 藏	Tibet	98.1	100.8	99.0	101.7	100.8	101.6	101.0
陕 西	Shaanxi	88.1	99.7	102.8	99.2	100.6	99.4	102.7
甘 肃	Gansu	94.5	102.5	103.5	102.3	100.9	101.1	101.6
青 海	Qinghai	90.2	104.1	100.4	104.3	102.7	100.2	100.9
宁 夏	Ningxia	91.4	101.4	100.4	101.5	101.5	101.2	101.9
新 疆	Xinjiang	95.5	101.3	102.1	101.2	100.8	99.6	100.4

4－7－4 续表 10 Continued 10

(上年价格=100) (Preceding year=100)

地 区 Region		(3)文娱费 Expenditure of Culture and Recreation	4.旅游 Touring	八、居住 Residence	1．建房及装修材料 Building and Building Decoration Materials	2．租房 Rent	3．自有住房 Private Housing	4.水、电、燃料 Eletricity and Fuel
全国平均	**National**	**102.1**	**101.1**	**105.5**	**107.1**	**103.5**	**102.8**	**106.4**
北 京	Beijing	101.2	97.4	103.0	109.5	101.0	101.4	101.1
天 津	Tianjin	95.7	102.6	105.3	113.3	100.3	101.8	107.6
河 北	Hebei	101.6	100.4	107.6	106.8	103.4	103.1	111.5
山 西	Shanxi	103.3	103.5	108.4	113.6	103.6	103.5	109.8
内蒙古	Inner Mongolia	99.2	101.2	106.3	103.9	103.4	102.7	110.5
辽 宁	Liaoning	101.7	102.0	104.1	105.0	108.8	102.8	103.5
吉 林	Jilin	100.6	99.5	104.2	105.9	104.9	101.7	104.7
黑龙江	Heilongjiang	102.0	101.8	104.5	104.0	103.7	101.9	105.9
上 海	Shanghai	101.8	101.7	102.5	104.5	110.8	101.3	100.5
江 苏	Jiangsu	103.1	101.4	104.2	106.9	102.4	102.2	103.9
浙 江	Zhejiang	101.2	101.3	105.0	107.9	103.8	103.5	103.4
安 徽	Anhui	101.8	100.7	104.5	104.2	105.2	102.2	106.0
福 建	Fujian	102.1	100.9	105.5	105.4	104.1	105.5	105.8
江 西	Jiangxi	101.0	105.2	105.9	105.3	102.5	105.6	107.4
山 东	Shandong	100.5	100.9	107.3	108.3	104.3	105.8	107.3
河 南	Henan	100.1	99.6	106.3	108.1	107.2	102.7	108.9
湖 北	Hubei	100.2	100.5	106.9	108.6	100.7	104.4	107.7
湖 南	Hunan	100.6	102.7	107.6	105.0	100.1	101.3	111.8
广 东	Guangdong	102.1	101.2	104.8	107.0	103.6	102.5	105.6
广 西	Guangxi	102.5	98.8	106.1	109.0	102.7	99.6	108.5
海 南	Hainan	101.8	96.1	106.6	112.5	102.4	103.1	105.4
重 庆	Chongqing	103.2	104.6	101.8	104.5	103.8	101.7	100.4
四 川	Sichuan	101.8	97.5	104.6	106.3	103.4	103.0	103.9
贵 州	Guizhou	115.0	96.8	107.5	104.4	107.4	99.6	112.4
云 南	Yunnan	107.7	98.0	104.8	106.7	105.6	103.0	104.0
西 藏	Tibet	99.6	94.5	106.6	104.0	101.8	110.8	108.7
陕 西	Shaanxi	100.1	103.4	106.8	106.8	101.7	103.4	110.3
甘 肃	Gansu	100.3	106.2	111.3	107.2	108.3	106.9	117.6
青 海	Qinghai	106.0	100.4	115.8	122.7	116.7	104.1	113.0
宁 夏	Ningxia	101.6	99.7	109.9	110.7	100.0	108.7	111.9
新 疆	Xinjiang	102.0	99.5	106.4	110.8	103.9	103.4	104.1

4-7-5 各地区城市居民消费价格指数（2008年）

Urban Consumer Price Indices by Category and Region (2008)

（上年价格=100） (Preceding year=100)

地区	Region	居民消费价格指数 Consumer Price Index	一、食品 Food	1.粮食 Grain	2.淀粉 Starches	3.干豆类及豆制品 Bean and Its Products	4.油脂 Oil or Fat	5.肉禽及其制品 Meal, Poultry and Their Products	(1)食用畜肉及副产品 Meal and Their Products
全国平均	**National**	**105.6**	**114.5**	**107.2**	**111.5**	**135.4**	**124.9**	**122.6**	**126.8**
北京	Beijing	105.1	116.1	108.9	117.9	131.5	121.3	125.1	129.2
天津	Tianjin	105.4	112.1	105.5	98.1	139.9	128.9	118.9	120.3
河北	Hebei	105.2	113.8	106.4	105.6	131.1	122.5	124.0	126.7
山西	Shanxi	107.0	118.6	106.9	125.5	141.8	128.7	124.4	126.0
内蒙古	Inner Mongolia	105.4	114.7	106.4	110.8	127.5	128.9	121.5	123.9
辽宁	Liaoning	104.4	112.3	104.7	116.3	144.7	122.6	122.9	124.8
吉林	Jilin	105.1	112.6	105.2	108.3	140.1	127.2	124.8	126.6
黑龙江	Heilongjiang	105.0	110.9	102.5	109.0	138.7	127.4	119.6	121.2
上海	Shanghai	105.8	115.3	107.3	107.9	132.5	124.7	122.9	128.5
江苏	Jiangsu	105.2	113.5	108.5	108.6	137.8	126.3	120.9	125.3
浙江	Zhejiang	104.8	114.2	105.5	110.6	136.9	127.0	121.0	126.0
安徽	Anhui	106.0	114.6	106.7	105.7	141.9	126.4	122.3	127.4
福建	Fujian	104.5	113.9	105.9	114.6	131.7	123.4	122.6	126.8
江西	Jiangxi	105.9	114.6	107.5	109.0	127.3	123.6	118.2	121.9
山东	Shandong	104.7	112.8	107.3	112.8	136.1	121.5	122.5	125.3
河南	Henan	106.5	116.2	107.7	116.2	136.9	125.8	123.9	127.5
湖北	Hubei	105.5	114.2	103.8	118.4	135.7	121.9	123.3	125.6
湖南	Hunan	105.8	115.0	111.2	102.6	132.0	129.5	119.2	124.9
广东	Guangdong	105.5	113.3	108.2	110.7	122.3	119.6	121.0	127.6
广西	Guangxi	107.6	119.5	112.7	126.3	138.0	121.5	122.2	129.0
海南	Hainan	106.1	112.6	108.9	136.4	145.8	125.5	119.0	124.1
重庆	Chongqing	105.6	115.7	112.0	118.6	128.2	128.5	122.7	126.5
四川	Sichuan	104.7	112.5	105.9	104.9	118.5	121.9	117.9	122.0
贵州	Guizhou	107.0	117.0	108.0	101.1	140.2	126.6	126.0	129.2
云南	Yunnan	105.4	115.6	110.6	99.2	136.7	124.7	129.0	137.0
西藏	Tibet	105.7	113.4	103.6	113.1	117.4	132.3	128.8	139.1
陕西	Shaanxi	106.2	116.2	107.6	105.1	148.9	124.4	127.8	131.6
甘肃	Gansu	108.0	116.7	106.9	116.8	133.8	136.9	127.4	130.4
青海	Qinghai	108.9	118.4	111.1	105.4	149.5	123.7	129.8	130.7
宁夏	Ningxia	107.9	117.9	107.3	111.8	143.9	137.0	128.2	131.8
新疆	Xinjiang	107.3	118.9	110.2	110.6	140.3	133.9	132.8	138.1

4-7-5 续表 1 Continued 1

(上年价格=100) (Preceding year=100)

地 区 Region		(2)禽 Poultry	(3)加工肉禽 Meat and Poultry Products	6. 蛋 Eggs	7. 水产品 Aquatic Products	(1)鱼 Fish	(2)其它水产品 Other Aquatic Products	8. 菜 Vegetables	9. 调味品 Flavoring
全国平均	**National**	**108.0**	**119.6**	**104.3**	**113.8**	**118.5**	**107.8**	**110.9**	**106.2**
北 京	Beijing	112.4	120.9	106.4	120.1	118.5	121.6	108.6	110.9
天 津	Tianjin	109.9	115.7	103.8	102.9	115.9	94.8	107.2	108.5
河 北	Hebei	112.6	118.2	103.4	113.6	118.8	108.5	110.1	105.7
山 西	Shanxi	108.7	122.1	102.8	119.4	123.7	109.4	117.1	108.4
内蒙古	Inner Mongolia	110.1	118.4	102.9	115.2	119.1	105.3	109.1	104.2
辽 宁	Liaoning	109.6	120.7	101.2	109.1	114.3	103.6	102.0	108.1
吉 林	Jilin	111.1	121.3	110.8	112.9	116.4	106.7	98.6	106.8
黑龙江	Heilongjiang	104.7	117.7	103.8	109.2	112.9	100.0	104.1	105.0
上 海	Shanghai	111.0	117.7	106.4	111.2	116.1	107.4	120.6	109.5
江 苏	Jiangsu	107.2	119.9	104.1	110.4	120.5	100.1	107.3	104.0
浙 江	Zhejiang	105.8	120.3	105.9	114.0	114.6	113.6	109.7	104.6
安 徽	Anhui	105.7	119.1	107.1	121.6	125.3	112.8	109.5	104.0
福 建	Fujian	108.0	121.1	103.0	107.7	111.4	105.1	114.9	106.1
江 西	Jiangxi	103.1	115.5	102.7	120.3	116.6	128.5	109.5	106.2
山 东	Shandong	112.7	118.5	104.5	111.8	117.1	106.1	104.5	107.2
河 南	Henan	107.7	121.0	107.4	122.1	125.2	114.8	113.4	108.5
湖 北	Hubei	107.3	122.1	103.2	121.6	120.5	124.6	109.5	106.1
湖 南	Hunan	106.9	112.5	105.0	122.3	123.5	119.1	115.3	102.9
广 东	Guangdong	107.3	118.1	104.6	115.8	120.6	107.2	115.8	102.5
广 西	Guangxi	110.2	119.6	102.8	117.4	123.2	105.0	135.9	106.4
海 南	Hainan	106.9	115.4	105.5	114.8	115.6	111.4	116.3	104.9
重 庆	Chongqing	111.7	126.5	103.2	125.0	123.7	129.6	108.2	105.5
四 川	Sichuan	104.6	115.7	103.5	116.5	118.8	108.7	104.6	105.4
贵 州	Guizhou	108.8	125.6	102.9	112.9	114.1	110.1	108.2	107.6
云 南	Yunnan	104.6	128.3	100.3	115.2	113.6	120.4	102.7	108.2
西 藏	Tibet	119.1	115.6	111.6	117.8	119.2	113.8	106.3	102.5
陕 西	Shaanxi	109.3	123.7	106.6	119.9	122.7	114.2	109.2	109.1
甘 肃	Gansu	116.9	124.3	101.2	116.3	118.3	111.3	111.0	108.2
青 海	Qinghai	107.7	135.4	105.4	123.7	123.7	123.4	116.1	106.6
宁 夏	Ningxia	109.8	123.4	102.8	111.8	116.6	102.8	117.6	108.5
新 疆	Xinjiang	112.3	118.2	106.0	116.2	117.0	114.6	115.9	107.4

4－7－5 续表 2 Continued 2

(上年价格=100) (Preceding year=100)

地 区	Region	10．糖 Carbohy-drate	11.茶及饮料 Tea and Beverages	(1)茶叶 Tea	(2)饮料 Beverages	12.干鲜瓜果 Dried and Fresh Melons and Fruits	13.糕点饼干面包 Cake, Biscuit and Bread	14．液体乳及乳制品 Milk and Its Products	15．在外用膳食品 Outward Dinner
全国平均	**National**	**104.9**	**103.9**	**102.3**	**104.7**	**110.9**	**109.7**	**118.0**	**111.8**
北 京	Beijing	110.1	102.6	100.3	104.2	114.7	112.3	125.9	114.7
天 津	Tianjin	105.9	106.1	103.2	107.3	115.1	114.4	131.6	109.4
河 北	Hebei	105.1	103.2	102.3	103.5	111.5	107.1	113.8	111.9
山 西	Shanxi	110.8	104.2	101.2	104.6	112.3	114.1	124.0	124.9
内蒙古	Inner Mongolia	103.6	103.7	101.7	104.3	109.7	107.0	120.1	115.3
辽 宁	Liaoning	104.5	104.9	106.0	104.4	105.0	109.8	123.7	109.7
吉 林	Jilin	99.8	105.7	100.8	107.5	110.3	108.9	116.3	108.9
黑龙江	Heilongjiang	99.9	99.9	98.9	100.2	102.3	106.3	110.2	110.0
上 海	Shanghai	107.4	106.9	105.3	107.1	112.3	112.5	119.4	114.3
江 苏	Jiangsu	107.7	104.1	102.5	104.7	112.1	111.4	121.4	110.0
浙 江	Zhejiang	105.8	106.4	102.9	107.5	113.6	110.0	119.1	112.4
安 徽	Anhui	104.8	102.9	101.5	104.2	114.3	107.7	114.8	107.9
福 建	Fujian	103.7	102.9	100.6	104.3	108.2	108.0	113.4	113.6
江 西	Jiangxi	101.4	104.6	105.3	104.2	108.9	114.2	111.8	115.8
山 东	Shandong	106.8	103.1	100.6	105.0	112.1	106.8	119.7	110.1
河 南	Henan	103.0	105.7	103.6	106.3	115.0	108.3	120.5	112.8
湖 北	Hubei	106.9	104.9	103.1	105.4	108.4	112.4	117.0	108.5
湖 南	Hunan	102.4	101.9	103.3	101.5	108.5	105.7	113.5	111.6
广 东	Guangdong	102.6	102.4	101.0	103.3	109.7	107.6	112.2	107.9
广 西	Guangxi	105.4	103.2	101.2	104.1	110.1	108.4	120.3	115.9
海 南	Hainan	98.1	102.8	99.6	103.6	111.9	101.5	108.4	100.7
重 庆	Chongqing	109.6	105.6	106.1	105.4	118.1	111.0	114.2	110.2
四 川	Sichuan	101.8	103.5	105.3	102.5	106.2	105.9	117.1	112.1
贵 州	Guizhou	107.9	101.7	100.9	101.5	108.4	110.3	121.7	118.6
云 南	Yunnan	106.1	105.9	104.0	107.0	112.4	114.9	110.6	113.7
西 藏	Tibet	104.7	105.0	102.2	107.2	117.5	103.0	119.5	108.4
陕 西	Shaanxi	102.7	104.3	102.8	104.8	115.0	110.9	114.1	115.0
甘 肃	Gansu	105.8	104.7	105.1	104.8	110.6	113.7	112.5	116.4
青 海	Qinghai	112.3	111.1	111.3	110.8	110.0	110.9	128.7	113.8
宁 夏	Ningxia	104.6	103.7	102.1	104.5	113.1	111.0	119.6	115.1
新 疆	Xinjiang	103.6	102.2	100.9	102.5	113.4	113.7	124.7	113.5

4－7－5 续表 3　Continued 3

(上年价格=100)　　(Preceding year=100)

地区 Region		16.其它食品 Other Foods	二、烟酒及用品 Tobacco, Liquor and Articles	1.烟草 Tobacco	2.酒 Liquor	3.吸烟、饮酒用品 Articles for Smoking and Drinking	三、衣着 Clothing	1.服装 Garments	(1)男式服装 Men's Clothing
全国平均	**National**	**108.9**	**103.1**	**100.3**	**108.6**	**101.1**	**98.2**	**98.2**	**98.1**
北京	Beijing	113.9	106.0	102.4	111.2	104.3	99.1	101.0	101.4
天津	Tianjin	107.4	108.0	102.3	120.3	99.0	99.9	100.3	96.5
河北	Hebei	106.2	103.8	100.1	108.3	100.5	98.0	97.3	95.2
山西	Shanxi	111.6	103.3	100.5	109.2	101.0	98.1	97.7	97.3
内蒙古	Inner Mongolia	104.2	102.4	100.7	105.2	100.0	99.7	99.9	98.9
辽宁	Liaoning	109.7	103.1	100.0	109.1	100.3	92.6	92.4	93.7
吉林	Jilin	107.7	103.2	99.7	108.1	102.2	101.6	101.5	102.6
黑龙江	Heilongjiang	107.9	104.2	100.1	112.8	99.1	98.2	97.9	98.0
上海	Shanghai	104.3	101.7	100.1	103.4	110.1	101.6	101.7	101.2
江苏	Jiangsu	113.1	103.2	100.8	108.7	105.1	101.3	101.8	101.6
浙江	Zhejiang	110.9	102.2	100.1	108.0	101.0	97.5	97.4	98.3
安徽	Anhui	103.3	103.5	99.4	109.4	100.7	97.6	98.1	98.6
福建	Fujian	107.5	103.4	100.3	107.8	101.3	94.6	95.2	94.9
江西	Jiangxi	110.2	101.5	99.2	108.5	99.8	95.0	94.2	92.7
山东	Shandong	108.8	104.3	100.1	108.1	100.1	98.5	97.8	97.3
河南	Henan	107.0	104.3	100.5	109.7	101.4	100.9	100.8	100.8
湖北	Hubei	114.6	104.0	100.8	110.0	101.6	98.2	98.3	98.6
湖南	Hunan	105.6	103.1	102.0	105.7	100.2	96.9	95.7	95.4
广东	Guangdong	108.5	101.1	99.1	105.4	100.1	98.0	98.3	98.1
广西	Guangxi	104.6	102.9	98.6	108.3	100.7	101.3	102.2	103.0
海南	Hainan	110.3	102.2	100.5	105.3	101.1	96.8	96.4	96.9
重庆	Chongqing	112.6	102.8	99.4	112.4	96.3	94.2	94.5	93.9
四川	Sichuan	105.7	101.9	99.7	108.3	98.8	95.8	96.0	97.5
贵州	Guizhou	103.5	102.2	99.9	110.1	99.5	96.7	97.5	96.9
云南	Yunnan	114.7	102.9	102.5	105.3	100.8	89.1	88.6	87.5
西藏	Tibet	103.7	102.2	101.0	103.9	99.8	102.9	104.2	104.4
陕西	Shaanxi	108.7	102.6	100.1	110.0	100.4	99.7	99.8	100.0
甘肃	Gansu	113.4	104.8	99.7	112.7	100.1	99.0	98.3	98.0
青海	Qinghai	110.2	106.2	100.2	113.8	102.9	106.7	108.9	106.8
宁夏	Ningxia	106.7	102.2	99.6	106.1	107.0	103.1	102.5	102.8
新疆	Xinjiang	113.2	104.2	100.6	108.9	100.3	98.7	98.1	98.2

4－7－5 续表 4　Continued 4

(上年价格=100)　　(Preceding year=100)

地　区　Region		(2)女式服装 Women's Clothing	(3)儿童服装 Children's Clothing	2．衣着材料 Clothing Material	3．鞋袜帽 Footgear and Hats	(1)鞋 Shoes	(2)袜子 Socks	(3)帽子 Hats	4．衣着加工服务 Clothing Manufacturing Services
全国平均	**National**	**98.2**	**98.3**	**101.7**	**97.6**	**97.2**	**100.1**	**100.5**	**104.8**
北　京	Beijing	100.7	103.2	101.3	94.0	93.5	100.2	105.2	103.7
天　津	Tianjin	103.5	92.8	100.6	98.6	98.4	100.0	100.0	106.6
河　北	Hebei	98.8	96.8	101.2	99.8	99.9	97.8	101.5	102.4
山　西	Shanxi	97.6	99.5	100.0	98.6	97.9	102.1	98.7	111.3
内蒙古	Inner Mongolia	100.7	100.6	99.8	98.7	98.5	100.6	100.3	102.6
辽　宁	Liaoning	92.1	88.7	100.4	92.4	91.5	98.4	98.8	103.6
吉　林	Jilin	100.9	100.2	104.3	101.6	102.1	98.8	99.7	103.6
黑龙江	Heilongjiang	97.6	100.1	101.1	98.6	98.6	98.7	99.1	103.1
上　海	Shanghai	102.2	99.7	103.8	100.6	101.0	97.4	103.3	106.6
江　苏	Jiangsu	101.8	102.3	106.3	99.4	98.9	102.0	103.7	104.5
浙　江	Zhejiang	97.3	94.8	102.2	96.6	96.2	100.5	100.2	107.8
安　徽	Anhui	97.8	98.2	100.1	95.7	95.4	100.4	96.7	105.1
福　建	Fujian	96.0	92.6	104.8	91.0	89.9	99.1	98.5	122.8
江　西	Jiangxi	95.2	94.3	102.8	96.8	95.8	101.1	110.5	110.4
山　东	Shandong	98.2	97.8	100.7	99.6	99.5	100.8	98.9	105.2
河　南	Henan	101.1	98.2	105.2	100.5	100.2	102.8	100.5	103.6
湖　北	Hubei	98.1	97.6	100.7	97.6	97.2	100.7	99.0	104.5
湖　南	Hunan	95.7	97.1	102.0	99.1	99.1	99.4	97.3	104.0
广　东	Guangdong	98.0	100.3	102.1	96.6	96.1	100.5	99.8	101.0
广　西	Guangxi	101.5	101.9	100.9	99.1	99.0	100.2	99.7	105.9
海　南	Hainan	96.1	95.8	100.0	97.8	97.6	100.0	98.5	100.0
重　庆	Chongqing	95.0	93.7	100.0	92.9	92.5	99.0	100.0	102.1
四　川	Sichuan	95.4	92.5	102.0	94.5	94.1	99.7	93.6	105.8
贵　州	Guizhou	98.0	96.2	100.3	94.3	93.0	100.0	99.9	101.2
云　南	Yunnan	86.1	101.2	99.6	89.7	88.3	99.1	95.5	100.4
西　藏	Tibet	101.1	108.8	101.5	101.5	104.3	98.7	100.0	100.6
陕　西	Shaanxi	99.0	104.2	97.3	99.7	99.7	100.2	101.1	103.6
甘　肃	Gansu	98.0	101.7	99.3	101.1	101.9	87.9	87.8	101.9
青　海	Qinghai	109.2	116.6	102.3	100.6	100.5	102.7	93.6	109.2
宁　夏	Ningxia	102.1	103.1	106.3	104.7	104.8	103.8	103.3	103.6
新　疆	Xinjiang	97.7	99.9	103.0	99.8	99.5	100.0	106.0	106.1

4-7-5 续表 5 Continued 5

(上年价格=100) (Preceding year=100)

地区 Region		四、家庭设备用品及维修服务 Household Facilities, Articles and Meintenance Services	1.耐用消费品 Durable Consumer Goods	(1)家具 Furniture	(2)家庭设备 Household Facilities	2.室内装饰品 Interior Decorations	3.床上用品 Bed Articles	4.家庭日用杂品 Daily Use Household Articles	5.家庭服务及加工维修服务费 Household Service and Manufacturing Upkeep
全国平均	**National**	**103.0**	**101.3**	**102.4**	**100.7**	**100.0**	**99.5**	**105.3**	**109.8**
北京	Beijing	104.4	103.4	106.8	100.0	101.5	100.0	104.5	116.6
天津	Tianjin	106.8	107.1	112.5	102.8	103.6	104.6	105.4	114.6
河北	Hebei	102.0	100.6	101.5	100.1	99.2	98.2	105.7	108.5
山西	Shanxi	102.5	101.1	100.0	101.7	99.4	95.2	105.5	113.4
内蒙古	Inner Mongolia	100.5	100.3	100.3	100.4	99.4	98.9	100.5	106.1
辽宁	Liaoning	104.0	101.6	102.2	101.1	100.3	96.8	109.0	109.9
吉林	Jilin	103.1	100.5	100.8	100.3	99.4	96.7	107.2	106.6
黑龙江	Heilongjiang	103.6	100.6	99.4	101.2	99.9	99.1	109.1	107.8
上海	Shanghai	108.3	107.2	108.2	106.3	100.9	101.7	110.4	116.5
江苏	Jiangsu	105.1	102.8	102.9	102.7	101.8	103.2	109.0	107.4
浙江	Zhejiang	104.5	101.5	102.4	101.2	102.1	100.5	105.5	117.1
安徽	Anhui	101.9	100.9	100.8	100.9	100.7	99.2	102.8	108.4
福建	Fujian	102.9	100.3	104.6	99.1	97.4	101.2	105.9	111.1
江西	Jiangxi	102.5	99.7	101.3	99.1	100.3	93.6	107.2	109.6
山东	Shandong	102.2	101.1	101.3	100.9	100.4	98.4	105.2	107.8
河南	Henan	103.1	101.6	103.1	100.8	100.7	100.5	104.1	115.0
湖北	Hubei	99.6	96.6	98.0	95.9	98.1	100.3	104.1	104.0
湖南	Hunan	100.0	98.8	100.0	98.3	101.5	98.5	101.3	103.5
广东	Guangdong	101.7	99.5	100.5	98.9	99.4	100.4	102.2	108.6
广西	Guangxi	102.4	100.8	98.7	102.0	100.4	99.5	104.8	107.2
海南	Hainan	100.9	100.8	100.2	101.3	100.0	96.6	102.4	99.1
重庆	Chongqing	102.5	101.3	100.4	101.6	96.6	102.4	102.8	108.6
四川	Sichuan	103.2	101.7	102.3	101.3	100.0	99.9	103.8	109.6
贵州	Guizhou	103.3	102.3	103.4	101.2	98.0	100.9	102.0	127.6
云南	Yunnan	100.4	100.0	99.2	100.7	94.5	93.7	101.4	111.7
西藏	Tibet	102.7	102.9	105.6	100.4	104.0	102.6	102.5	100.8
陕西	Shaanxi	101.9	100.0	101.2	99.2	95.4	99.9	108.8	103.0
甘肃	Gansu	103.6	101.1	102.3	100.3	99.1	94.3	108.3	111.6
青海	Qinghai	102.5	99.9	97.9	102.1	97.1	96.2	108.8	116.4
宁夏	Ningxia	104.3	102.3	101.8	102.7	105.0	98.4	108.0	110.2
新疆	Xinjiang	102.5	101.8	103.2	101.0	100.4	99.3	102.8	109.5

4－7－5 续表 6　Continued 6

(上年价格=100)　(Preceding year=100)

地 区	Region	五、医疗保健和个人用品 Health Care and Personal Articles	1.医疗保健 Health Care	(1)医疗器具及用品 Medical Instrument and Articles	(2)中药材及中成药 Traditional Chinese Medicine	(3)西药 Western Medicine	(4)保健器具及用品 Health Care Appliances and Articles	(5)医疗保健服务 Health Care Services	2．个人用品及服务 Personal Articles and Services
全国平均	**National**	**102.8**	**102.1**	**100.3**	**106.5**	**101.1**	**102.0**	**100.1**	**104.2**
北 京	Beijing	102.0	100.6	100.4	102.2	99.1	103.2	100.0	106.3
天 津	Tianjin	102.3	102.4	95.1	109.3	101.5	97.4	100.0	102.2
河 北	Hebei	103.3	102.8	99.0	103.6	104.0	103.0	100.5	105.0
山 西	Shanxi	101.6	100.6	99.6	108.1	99.0	100.0	100.1	104.8
内蒙古	Inner Mongolia	101.2	100.6	102.0	102.3	100.2	100.1	100.0	102.5
辽 宁	Liaoning	102.8	101.3	98.5	104.5	101.4	99.7	100.0	106.3
吉 林	Jilin	101.6	101.0	102.9	106.8	101.4	102.5	96.2	103.1
黑龙江	Heilongjiang	104.5	104.1	105.6	112.9	99.9	101.5	99.9	105.4
上 海	Shanghai	103.1	100.5	103.4	102.9	100.2	100.5	100.0	106.2
江 苏	Jiangsu	102.7	101.7	102.0	106.5	100.7	100.9	100.3	104.9
浙 江	Zhejiang	106.8	107.8	100.8	111.2	111.1	107.8	100.2	104.4
安 徽	Anhui	102.4	101.2	100.3	104.2	100.7	100.9	99.9	105.0
福 建	Fujian	102.8	102.3	99.4	104.2	102.0	101.6	100.9	103.8
江 西	Jiangxi	102.5	102.0	98.0	108.0	100.0	101.5	99.9	103.1
山 东	Shandong	102.0	101.4	99.6	104.4	100.2	101.8	100.9	103.2
河 南	Henan	102.7	101.8	97.4	105.4	100.9	100.2	100.5	104.5
湖 北	Hubei	104.0	103.1	103.9	110.5	100.2	100.4	101.8	106.2
湖 南	Hunan	101.4	101.4	98.6	106.8	99.6	102.0	99.3	101.5
广 东	Guangdong	103.0	102.8	99.7	107.6	99.9	103.2	101.7	103.3
广 西	Guangxi	102.9	102.8	100.2	107.2	101.0	105.7	99.7	103.1
海 南	Hainan	101.2	99.8	100.0	102.3	97.4	97.2	100.0	106.2
重 庆	Chongqing	101.9	101.4	100.9	102.9	101.9	99.9	100.0	103.1
四 川	Sichuan	102.1	101.9	101.6	105.2	100.5	99.8	100.4	102.8
贵 州	Guizhou	100.1	97.8	101.0	101.0	97.0	100.1	98.8	102.3
云 南	Yunnan	105.9	106.2	102.5	112.0	105.3	103.2	98.1	104.9
西 藏	Tibet	102.2	100.7	100.0	100.7	99.8	98.8	103.5	103.6
陕 西	Shaanxi	102.0	101.6	100.8	103.6	100.6	103.3	100.5	102.9
甘 肃	Gansu	102.7	103.2	97.8	107.8	100.6	101.8	100.5	101.4
青 海	Qinghai	105.5	106.6	102.4	116.7	102.9	116.1	102.9	101.7
宁 夏	Ningxia	102.9	102.2	99.7	106.4	100.8	104.6	100.6	104.2
新 疆	Xinjiang	103.2	102.5	97.7	105.9	103.5	102.1	100.0	104.5

4－7－5 续表 7　Continued 7

(上年价格=100)　(Preceding year=100)

地　区	Region	(1)化妆美容用品 Cosmetics	清洁化妆用品 Clean make-up Supplies	(3)个人饰品 Personal Decorations	(4)个人服务 Personal Services	六、交通和通信 Transportation and Communication	1．交通 Transportation	(1)交通工具 Transportation Facility	(2)车用燃料及零配件 Fuels and Parts
全国平均	**National**	**100.6**	**101.6**	**110.3**	**104.3**	**98.4**	**101.1**	**97.0**	**113.6**
北　京	Beijing	101.8	103.2	114.5	101.5	97.6	99.7	93.3	115.8
天　津	Tianjin	98.9	103.7	105.6	101.4	97.8	101.2	98.5	114.7
河　北	Hebei	101.0	102.6	113.4	104.3	99.4	101.7	97.7	112.8
山　西	Shanxi	99.6	101.7	110.2	107.6	98.7	102.5	100.9	114.8
内蒙古	Inner Mongolia	100.1	100.2	105.0	104.9	98.5	101.5	98.2	111.6
辽　宁	Liaoning	102.8	101.4	111.7	108.3	96.9	101.9	99.5	112.8
吉　林	Jilin	100.9	100.9	105.8	105.5	98.2	101.3	98.1	112.7
黑龙江	Heilongjiang	100.2	102.3	109.8	105.6	100.5	102.9	99.4	111.4
上　海	Shanghai	102.0	101.8	114.1	97.4	97.5	99.2	96.7	110.0
江　苏	Jiangsu	100.4	103.6	112.7	102.4	97.7	99.8	95.7	113.8
浙　江	Zhejiang	101.3	102.7	114.4	100.9	94.4	100.1	96.6	115.0
安　徽	Anhui	100.3	101.4	109.5	107.3	99.3	101.9	99.4	113.4
福　建	Fujian	100.3	102.3	102.1	107.8	98.0	104.4	101.7	114.9
江　西	Jiangxi	99.5	99.7	109.8	102.5	98.3	103.0	100.3	113.9
山　东	Shandong	101.7	101.8	106.1	103.3	98.8	101.0	96.7	112.5
河　南	Henan	100.5	102.1	111.7	106.7	99.2	103.5	100.5	111.5
湖　北	Hubei	100.6	102.1	109.4	112.9	99.0	102.6	99.3	111.2
湖　南	Hunan	98.7	100.8	106.0	101.7	99.0	101.9	96.8	111.6
广　东	Guangdong	100.3	99.7	109.7	104.7	99.7	101.0	96.2	115.1
广　西	Guangxi	99.5	103.5	107.6	105.5	98.6	101.7	97.7	112.0
海　南	Hainan	101.0	107.4	113.7	100.0	101.2	103.5	100.5	110.6
重　庆	Chongqing	101.0	101.7	111.4	100.2	99.3	102.7	101.2	115.7
四　川	Sichuan	99.6	102.0	109.9	102.2	98.2	101.1	95.4	112.6
贵　州	Guizhou	98.3	98.9	104.9	106.4	99.6	102.5	99.1	112.8
云　南	Yunnan	101.9	99.0	108.4	109.0	98.7	101.1	95.2	112.0
西　藏	Tibet	100.0	100.8	108.6	106.5	100.0	102.8	98.4	110.2
陕　西	Shaanxi	101.8	102.2	106.8	100.1	97.2	99.4	100.6	108.3
甘　肃	Gansu	97.7	101.2	104.3	100.5	97.9	102.4	99.5	109.3
青　海	Qinghai	103.8	103.2	105.6	97.2	97.5	100.9	102.8	114.0
宁　夏	Ningxia	101.3	103.5	113.5	102.9	99.6	104.7	100.6	111.8
新　疆	Xinjiang	101.8	102.0	110.5	102.1	98.8	100.9	97.9	115.8

4－7－5 续表 8 Continued 8

(上年价格=100) (Preceding year=100)

地 区	Region	(3)车辆使用及维修 Using and Upkeep Fare	(4)市区公共交通费 Incity Traffic Fare	(5)城市间交通费 Intercity Traffic Fare	2．通信 Communication	(1)通信工具 Communication Facility	(2)通信服务 Communication Service	七、娱乐教育文化用品及服务 Recreation, Education and Culture Articles
全国平均	**National**	**100.6**	**99.8**	**102.9**	**95.6**	**78.4**	**98.9**	**99.1**
北 京	Beijing	99.3	98.1	96.2	94.3	72.5	100.0	98.0
天 津	Tianjin	101.8	100.0	99.2	94.4	65.5	100.0	97.6
河 北	Hebei	102.4	100.0	105.0	97.0	81.7	100.0	98.7
山 西	Shanxi	100.4	100.1	103.1	95.9	77.5	99.4	100.2
内蒙古	Inner Mongolia	99.6	100.1	103.4	95.9	87.2	98.7	99.1
辽 宁	Liaoning	103.0	101.0	101.0	92.9	70.1	96.2	98.6
吉 林	Jilin	102.7	100.4	102.4	95.4	78.9	98.9	100.0
黑龙江	Heilongjiang	99.7	103.6	101.5	96.8	81.2	98.7	99.8
上 海	Shanghai	101.0	97.5	104.7	95.1	67.9	101.3	98.2
江 苏	Jiangsu	98.5	100.3	102.1	94.9	75.6	99.6	98.7
浙 江	Zhejiang	100.7	97.1	105.6	85.5	79.9	86.4	99.8
安 徽	Anhui	102.2	100.1	101.9	97.3	81.8	100.0	99.7
福 建	Fujian	100.9	103.8	104.1	94.3	85.0	95.6	91.4
江 西	Jiangxi	101.1	100.3	104.4	95.7	71.7	99.8	100.3
山 东	Shandong	100.8	100.5	104.1	96.1	83.5	99.8	99.5
河 南	Henan	105.4	101.3	103.5	96.6	80.4	99.1	100.8
湖 北	Hubei	102.1	99.4	106.8	96.1	77.8	99.8	98.9
湖 南	Hunan	100.5	100.4	103.6	97.2	85.3	99.9	101.2
广 东	Guangdong	99.9	100.0	100.8	97.6	82.0	100.0	99.3
广 西	Guangxi	99.2	99.8	104.6	95.0	81.4	98.4	99.1
海 南	Hainan	100.0	100.0	100.9	98.7	89.8	100.0	100.0
重 庆	Chongqing	98.1	100.0	102.5	97.3	74.5	100.2	100.3
四 川	Sichuan	100.9	100.7	103.7	95.1	75.0	99.4	99.1
贵 州	Guizhou	100.8	101.2	105.6	97.6	85.1	100.0	102.4
云 南	Yunnan	102.4	101.7	101.7	96.6	81.2	99.7	97.8
西 藏	Tibet	105.1	100.0	99.4	95.3	86.4	99.4	98.7
陕 西	Shaanxi	105.2	92.6	105.1	95.6	78.5	98.6	98.1
甘 肃	Gansu	100.9	102.2	104.3	93.9	74.8	99.9	100.7
青 海	Qinghai	99.1	100.0	100.4	94.0	75.0	97.1	101.3
宁 夏	Ningxia	104.5	100.4	108.4	95.1	74.3	99.9	98.7
新 疆	Xinjiang	99.6	100.0	101.2	97.2	81.8	99.9	99.9

4－7－5 续表 9　Continued 9

(上年价格=100)　(Preceding year=100)

地　区　Region		1.文娱用耐用消费品及服务 Durable Consumer Goods for Cultural and Recreational Use and Services	2．教育 Education	(1)教材及参考书 Teaching Materials and Reference Books	(2)学杂托幼费 Tuition and Child Care	3．文化娱乐 Cultural and Recreational	(1)文化娱乐用品 Cultural Recreationt Articles	(2)书报杂志 Newspapers and Magazines
全国平均	**National**	**91.1**	**100.4**	**100.7**	**100.3**	**101.3**	**99.4**	**102.5**
北　京	Beijing	89.4	100.4	101.2	100.2	100.6	98.0	105.8
天　津	Tianjin	83.1	100.8	102.4	100.6	99.3	102.3	100.2
河　北	Hebei	93.3	99.8	99.7	99.8	100.3	100.1	99.5
山　西	Shanxi	95.3	100.6	100.0	100.7	101.7	99.9	100.1
内蒙古	Inner Mongolia	94.4	100.6	99.8	100.7	99.7	99.2	100.1
辽　宁	Liaoning	88.3	100.3	101.0	100.2	101.2	99.2	103.2
吉　林	Jilin	89.1	102.6	106.3	102.2	101.7	99.7	105.7
黑龙江	Heilongjiang	92.5	100.6	102.1	100.5	101.8	101.5	101.2
上　海	Shanghai	85.0	101.2	99.0	101.5	100.7	95.7	108.1
江　苏	Jiangsu	86.1	100.6	101.6	100.7	102.7	99.9	106.2
浙　江	Zhejiang	92.6	100.6	101.9	100.5	101.3	100.5	100.8
安　徽	Anhui	93.0	101.3	101.7	101.2	100.8	100.0	101.0
福　建	Fujian	95.4	83.2	102.7	81.6	100.9	100.4	99.3
江　西	Jiangxi	92.9	100.5	97.7	100.7	100.3	100.0	99.8
山　东	Shandong	94.5	101.2	101.2	101.2	100.3	99.9	100.8
河　南	Henan	96.0	102.4	101.7	102.5	100.8	99.4	104.5
湖　北	Hubei	89.4	100.0	99.4	100.1	102.0	100.0	109.4
湖　南	Hunan	93.9	102.8	100.1	103.0	100.4	100.0	100.5
广　东	Guangdong	91.5	100.3	100.8	100.1	100.5	98.8	100.9
广　西	Guangxi	92.5	100.7	98.7	101.0	101.7	99.5	101.8
海　南	Hainan	98.7	100.9	99.8	101.0	101.3	100.4	101.0
重　庆	Chongqing	93.4	101.2	101.2	101.2	101.5	100.4	100.0
四　川	Sichuan	90.4	101.2	96.6	101.6	101.4	99.8	102.8
贵　州	Guizhou	93.9	103.7	101.3	103.7	109.9	100.1	99.9
云　南	Yunnan	87.4	99.6	99.3	99.7	105.4	100.1	105.6
西　藏	Tibet	98.7	100.0	99.2	100.4	100.3	100.6	100.6
陕　西	Shaanxi	86.5	98.5	102.2	98.0	100.2	98.3	104.2
甘　肃	Gansu	92.6	103.7	103.6	103.7	100.1	99.8	100.2
青　海	Qinghai	87.5	104.8	98.4	105.2	103.4	99.1	100.1
宁　夏	Ningxia	90.3	101.1	100.8	101.2	102.0	102.5	102.5
新　疆	Xinjiang	95.0	101.6	103.2	101.4	100.8	99.5	100.5

4－7－5 续表 10 Continued 10

(上年价格=100) (Preceding year=100)

地 区 Region		(3)文娱费 Expenditure of Culture and Recreation	4.旅游 Touring	八、居住 Residence	1．建房及装修材料 Building and Building Decoration Materials	2．租房 Rent	3．自有住房 Private Housing	4.水、电、燃料 Eletricity and Fuel
全国平均	**National**	**102.2**	**101.1**	**104.3**	**106.4**	**103.5**	**102.6**	**104.7**
北 京	Beijing	101.2	97.4	103.0	109.5	101.0	101.4	101.1
天 津	Tianjin	95.7	102.6	105.3	113.3	100.3	101.8	107.6
河 北	Hebei	100.6	100.4	103.8	103.3	103.5	102.8	105.2
山 西	Shanxi	104.1	103.9	106.7	112.1	102.3	103.1	109.0
内蒙古	Inner Mongolia	99.9	100.0	106.3	103.4	102.0	101.8	110.7
辽 宁	Liaoning	101.6	102.3	103.8	105.5	109.4	102.8	102.6
吉 林	Jilin	101.0	99.9	102.9	103.2	104.7	101.8	103.2
黑龙江	Heilongjiang	102.0	101.9	104.2	104.4	103.4	102.7	104.8
上 海	Shanghai	101.8	101.7	102.5	104.5	110.8	101.3	100.5
江 苏	Jiangsu	103.7	101.2	103.0	105.3	102.0	103.1	102.6
浙 江	Zhejiang	101.8	102.8	104.0	106.9	103.8	103.6	102.8
安 徽	Anhui	101.4	99.8	103.9	104.2	104.9	101.9	105.2
福 建	Fujian	102.6	100.9	104.8	104.6	103.9	104.4	104.9
江 西	Jiangxi	101.0	105.8	105.7	106.2	101.5	105.8	106.7
山 东	Shandong	100.5	100.5	105.0	106.9	104.4	104.0	104.6
河 南	Henan	99.7	99.4	103.9	108.1	107.0	102.7	105.5
湖 北	Hubei	100.0	100.6	104.8	108.2	100.6	103.9	104.8
湖 南	Hunan	100.6	102.9	106.4	106.9	100.2	101.4	108.6
广 东	Guangdong	101.6	101.5	104.6	106.4	104.0	102.6	105.5
广 西	Guangxi	103.6	98.8	105.6	109.6	102.7	98.9	107.5
海 南	Hainan	102.1	95.2	105.7	112.5	101.7	103.2	105.6
重 庆	Chongqing	103.2	104.6	101.8	104.5	103.8	101.7	100.4
四 川	Sichuan	101.9	97.3	103.1	104.5	103.9	103.3	102.3
贵 州	Guizhou	115.4	96.5	105.6	105.4	109.4	99.2	108.5
云 南	Yunnan	110.4	97.8	103.9	108.6	107.9	101.8	102.2
西 藏	Tibet	99.5	93.6	105.7	104.5	100.1	109.3	107.5
陕 西	Shaanxi	99.7	104.0	105.6	105.3	101.8	103.3	108.6
甘 肃	Gansu	100.5	105.6	109.7	107.5	106.7	106.4	113.1
青 海	Qinghai	107.7	100.3	109.0	110.8	108.7	104.4	109.4
宁 夏	Ningxia	101.3	98.5	107.0	107.0	99.4	111.5	106.9
新 疆	Xinjiang	102.2	99.1	104.8	108.9	103.5	102.4	103.3

4-7-6 各地区农村居民消费价格指数（2008年）

Rural Consumer Price Indices by Category and Region (2008)

（上年价格=100） (Preceding year=100)

地 区	Region	居民消费价格指数 Consumer Price Index	一、食品 Food	1．粮食 Grain	2.淀粉 Starches	3．干豆类及豆制品 Bean and Its Products	4．油脂 Oil or Fat	5．肉禽及其制品 Meal, Poultry and Their Products	(1)食用畜肉及副产品 Meal and Their ts Produc
全国平均	**National**	**106.5**	**114.0**	**106.7**	**110.8**	**132.3**	**125.9**	**120.0**	**123.6**
北 京	Beijing								
天 津	Tianjin								
河 北	Hebei	108.1	115.3	106.8	110.4	130.2	129.4	122.1	125.3
山 西	Shanxi	107.7	115.9	108.6	107.1	132.1	129.5	124.4	125.1
内蒙古	Inner Mongolia	106.3	114.7	107.0	116.3	127.2	133.6	124.0	127.2
辽 宁	Liaoning	105.5	112.3	104.3	112.7	131.7	132.9	120.6	125.0
吉 林	Jilin	105.3	111.7	101.8	110.4	133.1	118.8	124.2	126.4
黑龙江	Heilongjiang	107.2	115.2	107.6	114.9	128.7	131.7	119.5	121.6
上 海	Shanghai								
江 苏	Jiangsu	105.6	112.0	104.2	106.6	131.8	123.2	119.3	122.9
浙 江	Zhejiang	105.3	113.6	105.3	106.1	146.8	125.8	118.2	122.7
安 徽	Anhui	106.4	113.8	104.5	100.6	127.6	123.3	120.4	123.5
福 建	Fujian	104.6	112.0	103.7	107.7	130.6	119.0	117.8	119.3
江 西	Jiangxi	106.3	112.1	110.4	109.5	126.7	121.6	116.9	122.3
山 东	Shandong	106.2	113.3	104.8	111.5	132.1	126.5	121.7	123.8
河 南	Henan	107.9	116.5	107.9	111.2	136.6	128.3	125.9	127.6
湖 北	Hubei	107.4	116.5	108.2	113.9	132.3	128.8	121.5	127.6
湖 南	Hunan	107.4	116.2	113.7	98.3	139.3	133.6	120.1	122.8
广 东	Guangdong	105.8	112.4	107.9	115.6	119.9	120.4	116.3	120.8
广 西	Guangxi	108.5	121.0	110.5	109.1	142.9	124.5	120.9	125.6
海 南	Hainan	108.8	116.3	110.9	110.8	126.7	121.8	118.9	125.1
重 庆	Chongqing								
四 川	Sichuan	105.5	111.3	106.4	103.2	116.7	117.4	114.7	117.2
贵 州	Guizhou	108.8	118.1	107.1	109.5	131.5	127.0	120.9	133.5
云 南	Yunnan	106.0	114.8	109.1	108.3	127.1	128.1	124.2	130.5
西 藏	Tibet	105.7	109.7	104.4	104.5	115.5	124.7	120.8	122.8
陕 西	Shaanxi	106.7	112.9	107.9	115.3	135.1	124.2	120.6	131.1
甘 肃	Gansu	108.7	114.7	108.0	119.0	117.8	140.9	124.9	131.2
青 海	Qinghai	112.3	120.0	112.1	116.5	136.9	130.8	125.5	123.5
宁 夏	Ningxia	109.9	119.2	110.8	118.0	139.2	136.2	129.8	132.2
新 疆	Xinjiang	109.5	119.6	114.9	108.4	138.7	128.8	134.5	139.7

4－7－6 续表 1　Continued 1

(上年价格=100)　　(Preceding year=100)

地　区　Region	(2)禽 Poultry	(3)加工肉禽 Meat and Poultry Products	6．蛋 Eggs	7．水产品 Aquatic Products	(1)鱼 Fish	(2)其它水产品 Other Aquatic Products	8．菜 Vegetables	9．调味品 Flavoring
全国平均　National	**108.6**	**117.3**	**104.3**	**115.0**	**117.9**	**108.6**	**111.3**	**104.5**
北　京　Beijing								
天　津　Tianjin								
河　北　Hebei	116.1	118.0	107.0	117.7	119.7	108.7	108.5	103.4
山　西　Shanxi	115.5	123.3	99.7	117.8	119.1	112.4	114.0	108.8
内蒙古　Inner Mongolia	106.3	112.6	100.5	113.5	114.4	109.7	112.2	103.9
辽　宁　Liaoning	102.2	118.9	103.1	110.0	111.7	103.3	102.6	104.0
吉　林　Jilin	114.0	120.4	106.4	111.8	113.6	105.9	98.2	103.1
黑龙江　Heilongjiang	114.5	122.5	103.1	111.8	113.5	105.2	112.4	106.5
上　海　Shanghai								
江　苏　Jiangsu	109.1	113.0	104.5	116.2	122.5	102.5	111.1	103.2
浙　江　Zhejiang	104.7	117.2	105.0	112.7	114.1	111.1	114.5	103.0
安　徽　Anhui	112.1	111.9	106.1	115.6	117.0	111.5	115.8	101.6
福　建　Fujian	111.1	118.5	105.2	111.2	112.6	109.4	108.1	102.6
江　西　Jiangxi	105.5	111.4	103.7	118.1	118.9	107.8	104.0	102.7
山　东　Shandong	115.5	118.1	105.8	114.9	119.4	104.6	107.8	102.8
河　南　Henan	110.8	122.6	105.1	119.7	119.8	119.3	110.9	106.9
湖　北　Hubei	108.9	118.4	104.1	125.5	127.0	119.8	110.5	105.2
湖　南　Hunan	107.6	112.6	99.9	123.4	123.4	122.9	128.3	105.6
广　东　Guangdong	103.9	116.1	105.2	113.9	117.5	104.0	115.6	103.8
广　西　Guangxi	109.3	122.6	108.4	120.6	126.9	102.7	140.4	108.0
海　南　Hainan	107.6	110.4	109.1	117.4	121.6	108.0	112.8	106.0
重　庆　Chongqing								
四　川　Sichuan	105.6	113.9	105.5	115.2	114.5	119.5	104.6	101.7
贵　州　Guizhou	106.4	116.1	102.4	112.3	110.9	116.9	107.8	110.9
云　南　Yunnan	101.9	120.5	105.0	112.4	112.1	114.2	104.7	112.4
西　藏　Tibet	116.5	116.1	105.2	109.1	111.1	101.4	104.4	98.8
陕　西　Shaanxi	105.9	114.7	103.3	117.7	121.8	101.1	107.5	102.3
甘　肃　Gansu	108.2	125.7	100.6	117.1	120.1	104.7	102.1	110.3
青　海　Qinghai	140.5	128.6	104.2	118.7	118.9	117.4	124.3	103.1
宁　夏　Ningxia	112.5	131.4	98.6	118.5	120.7	108.7	109.9	106.3
新　疆　Xinjiang	117.0	118.2	105.7	116.0	125.6	94.5	106.6	110.0

4-7-6 续表 2　Continued 2

(上年价格=100)　(Preceding year=100)

地　区	Region	10. 糖 Carbohy-drate	11.茶及饮料 Tea and Beverages	(1)茶叶 Tea	(2)饮料 Beverages	12.干鲜瓜果 Dried and Fresh Melons and Fruits	13.糕点饼干面包 Cake, Biscuit and Bread	14. 液体乳及乳制品 Milk and Its Products	15. 在外用膳食品 Outward Dinner
全国平均	**National**	102.5	103.2	102.1	103.8	110.7	107.9	113.3	111.9
北　京	Beijing								
天　津	Tianjin								
河　北	Hebei	104.6	103.6	102.7	103.9	108.5	109.7	117.4	119.1
山　西	Shanxi	102.0	103.1	104.6	102.5	112.3	109.1	123.3	114.9
内蒙古	Inner Mongolia	99.8	103.5	104.9	102.4	116.3	107.7	115.8	108.0
辽　宁	Liaoning	103.2	102.4	100.3	103.2	106.3	110.3	113.7	110.4
吉　林	Jilin	103.9	103.5	108.4	99.2	111.8	103.6	111.4	116.1
黑龙江	Heilongjiang	104.1	101.4	102.7	100.6	117.6	110.3	122.5	113.1
上　海	Shanghai								
江　苏	Jiangsu	101.5	101.5	101.1	101.7	108.1	107.5	113.3	109.5
浙　江	Zhejiang	103.7	105.6	97.1	107.2	108.6	107.6	112.1	109.4
安　徽	Anhui	103.6	102.8	103.6	102.2	107.1	107.5	113.9	111.2
福　建	Fujian	100.0	99.9	94.3	104.7	108.2	110.9	115.2	109.2
江　西	Jiangxi	98.4	101.4	100.2	101.8	105.8	103.5	111.1	106.0
山　东	Shandong	101.9	104.1	100.2	106.6	108.3	106.4	113.4	111.2
河　南	Henan	101.7	104.2	103.1	104.3	116.8	106.6	113.2	113.8
湖　北	Hubei	105.6	106.6	110.8	104.5	114.0	111.0	113.8	115.7
湖　南	Hunan	103.3	102.0	101.0	102.6	113.1	110.1	104.7	105.8
广　东	Guangdong	104.1	101.2	101.1	101.3	110.1	104.8	107.6	107.2
广　西	Guangxi	107.7	104.5	103.9	104.7	116.4	117.1	117.8	115.1
海　南	Hainan	106.9	106.8	100.8	108.5	117.2	109.5	124.9	108.5
重　庆	Chongqing								
四　川	Sichuan	100.5	102.3	100.0	104.0	112.4	106.3	107.9	111.2
贵　州	Guizhou	102.1	101.8	99.0	103.7	112.4	113.0	110.2	127.6
云　南	Yunnan	104.3	102.0	101.2	102.6	106.9	110.7	111.8	119.3
西　藏	Tibet	104.9	101.6	102.3	100.9	106.8	101.2	110.5	108.8
陕　西	Shaanxi	99.6	102.3	103.3	101.6	109.6	107.3	115.5	113.7
甘　肃	Gansu	125.4	110.1	111.5	109.0	105.0	108.4	109.6	116.3
青　海	Qinghai	101.0	120.8	121.9	107.9	122.5	116.8	121.1	117.6
宁　夏	Ningxia	104.8	104.5	103.5	105.3	111.1	118.9	123.4	121.5
新　疆	Xinjiang	98.8	101.2	102.3	100.4	109.9	109.2	116.1	121.5

4－7－6 续表 3　Continued 3

(上年价格=100)　　(Preceding year=100)

地　区	Region	16.其它食品 Other Foods	二、烟酒及用品 Tobacco, Liquor and Articles	1．烟草 Tobacco	2．酒 Liquor	3．吸烟、饮酒用品 Articles for Smoking and Drinking	三、衣着 Clothing	1．服装 Garments	(1)男式服装 Men's Clothing
全国平均	**National**	**107.6**	**102.6**	**100.5**	**106.1**	**100.6**	**99.4**	**98.8**	**98.3**
北　京	Beijing								
天　津	Tianjin								
河　北	Hebei	106.7	104.5	100.7	108.5	103.5	100.1	99.8	99.6
山　西	Shanxi	111.5	101.6	100.6	103.3	107.0	100.8	100.6	101.8
内蒙古	Inner Mongolia	106.3	102.0	100.5	102.8	112.3	101.3	100.9	100.1
辽　宁	Liaoning	106.4	102.9	99.9	107.3	102.7	95.1	93.8	92.0
吉　林	Jilin	108.4	103.7	102.3	105.4	98.6	100.7	99.7	98.3
黑龙江	Heilongjiang	112.3	103.2	100.5	106.3	99.8	103.4	102.5	101.8
上　海	Shanghai								
江　苏	Jiangsu	106.9	102.3	100.0	106.5	106.9	98.4	98.0	98.4
浙　江	Zhejiang	109.5	102.1	100.4	106.8	100.4	98.4	98.3	99.4
安　徽	Anhui	102.0	102.9	100.3	107.5	100.2	101.3	99.4	96.7
福　建	Fujian	105.4	102.1	100.2	105.4	99.5	95.0	95.3	98.3
江　西	Jiangxi	105.1	102.8	102.0	104.7	97.3	97.8	97.2	96.7
山　东	Shandong	108.2	104.3	100.9	107.3	100.3	96.6	96.0	94.8
河　南	Henan	103.4	102.0	100.1	105.4	100.7	101.9	101.5	100.5
湖　北	Hubei	108.5	102.6	101.5	104.9	100.8	97.2	95.8	95.6
湖　南	Hunan	105.5	99.8	100.1	98.9	100.7	97.6	97.2	97.8
广　东	Guangdong	110.2	102.2	100.9	104.9	99.8	100.0	99.3	99.0
广　西	Guangxi	114.5	103.4	99.3	109.9	90.0	98.0	97.2	94.9
海　南	Hainan	106.6	100.3	96.7	105.7	103.2	102.6	102.7	100.1
重　庆	Chongqing								
四　川	Sichuan	106.3	102.0	100.4	104.6	105.0	99.5	99.5	99.6
贵　州	Guizhou	110.9	106.5	99.5	113.7	100.2	101.0	100.7	97.2
云　南	Yunnan	111.6	102.0	101.4	104.9	94.6	97.0	95.3	94.3
西　藏	Tibet	101.8	102.6	101.7	104.3	100.1	103.4	102.5	104.0
陕　西	Shaanxi	112.2	101.6	100.1	106.3	99.9	100.8	99.4	98.7
甘　肃	Gansu	106.4	103.8	102.4	106.7	101.1	103.6	103.5	103.1
青　海	Qinghai	105.1	104.7	103.1	106.2	104.4	99.8	99.1	98.6
宁　夏	Ningxia	114.9	102.5	101.5	105.5	99.8	104.0	103.1	103.3
新　疆	Xinjiang	103.4	100.9	98.3	103.6	100.1	101.1	101.2	100.8

(上年价格=100)　　(Preceding year=100)

地区	Region	(2)女式服装 Women's Clothing	(3)儿童服装 Children's Clothing	2．衣着材料 Clothing Material	3．鞋袜帽 Footgear and Hats	(1)鞋 Shoes	(2)袜子 Socks	(3)帽子 Hats	4．衣着加工服务 Clothing Manufacturing Services
全国平均	**National**	**98.2**	**101.2**	**103.0**	**99.8**	**99.7**	**100.3**	**99.9**	**103.0**
北京	Beijing								
天津	Tianjin								
河北	Hebei	98.4	102.9	104.3	100.1	99.1	104.8	101.8	103.0
山西	Shanxi	99.8	100.5	100.7	101.2	101.0	102.8	98.4	105.9
内蒙古	Inner Mongolia	99.9	104.8	104.6	100.7	100.6	101.1	100.2	105.5
辽宁	Liaoning	94.3	96.0	99.9	96.7	95.9	101.3	97.3	101.2
吉林	Jilin	99.9	102.1	102.2	102.3	102.7	101.0	98.8	102.5
黑龙江	Heilongjiang	102.2	103.8	100.2	106.8	108.9	100.0	100.0	100.7
上海	Shanghai								
江苏	Jiangsu	97.0	101.0	106.2	98.8	98.4	100.3	101.3	101.0
浙江	Zhejiang	98.3	94.0	102.0	97.5	97.1	101.3	99.4	101.4
安徽	Anhui	99.3	106.6	105.7	104.6	105.2	100.1	98.9	114.3
福建	Fujian	94.4	89.0	101.6	92.9	91.4	97.8	100.0	101.1
江西	Jiangxi	96.6	99.2	102.0	98.0	97.8	99.2	100.3	103.6
山东	Shandong	96.2	97.9	101.5	95.8	96.2	92.5	95.3	102.9
河南	Henan	101.3	103.2	103.0	102.6	103.1	100.0	101.6	108.2
湖北	Hubei	96.5	94.3	101.6	99.9	100.0	98.5	101.6	103.4
湖南	Hunan	97.7	95.7	100.8	97.8	97.5	99.6	100.0	100.2
广东	Guangdong	99.3	99.9	108.1	100.0	100.0	100.1	99.0	102.4
广西	Guangxi	94.7	110.2	101.5	99.4	99.5	98.1	103.5	106.6
海南	Hainan	101.6	107.9	104.5	101.6	101.8	99.8	103.3	105.9
重庆	Chongqing								
四川	Sichuan	99.7	99.1	101.4	99.2	98.7	101.2	100.1	103.1
贵州	Guizhou	88.3	120.8	100.1	101.6	101.1	103.1	102.5	100.6
云南	Yunnan	94.7	97.9	101.7	99.5	98.2	105.3	100.1	95.2
西藏	Tibet	101.0	103.1	104.7	104.6	106.4	105.0	97.4	103.7
陕西	Shaanxi	98.6	101.3	108.6	101.9	102.4	100.0	102.5	104.0
甘肃	Gansu	102.4	105.2	101.3	104.9	105.7	103.4	100.0	101.2
青海	Qinghai	99.0	99.9	99.9	100.8	101.1	101.4	98.4	105.1
宁夏	Ningxia	102.5	105.0	108.7	105.0	105.4	101.8	104.6	112.4
新疆	Xinjiang	100.7	102.9	101.6	100.0	100.0	99.6	101.5	109.9

4-7-6 续表 5　Continued 5

(上年价格=100)　(Preceding year=100)

地　区	Region	四、家庭设备用品及维修服务 Household Facilities, Articles and Maintenance Services	1.耐用消费品 Durable Consumer Goods	(1)家具 Furniture	(2)家庭设备 Household Facilities	2.室内装饰品 Interior Decorations	3.床上用品 Bed Articles	4.家庭日用杂品 Daily Use Household Articles	5.家庭服务及加工维修服务 Household Service and Manufacturing Upkeep
全国平均	**National**	**102.4**	**101.1**	**102.0**	**100.6**	**100.8**	**100.1**	**104.2**	**106.7**
北　京	Beijing								
天　津	Tianjin								
河　北	Hebei	102.9	101.2	102.7	100.1	102.1	100.5	105.2	108.9
山　西	Shanxi	105.0	102.6	105.0	100.8	102.1	99.4	106.0	126.1
内蒙古	Inner Mongolia	101.1	100.0	100.0	100.0	99.5	101.7	101.8	106.1
辽　宁	Liaoning	102.0	100.9	100.3	101.1	100.1	96.3	105.5	103.6
吉　林	Jilin	101.6	100.9	100.8	100.9	100.2	101.0	102.9	101.6
黑龙江	Heilongjiang	102.0	100.6	100.8	100.5	100.1	100.0	104.7	104.2
上　海	Shanghai								
江　苏	Jiangsu	101.8	100.8	101.1	100.7	100.4	98.8	103.5	104.1
浙　江	Zhejiang	102.5	101.3	102.2	100.8	101.5	102.3	105.2	105.4
安　徽	Anhui	102.7	101.6	103.0	101.0	100.5	99.9	104.0	109.3
福　建	Fujian	103.4	100.9	103.8	99.7	101.3	100.3	105.5	113.7
江　西	Jiangxi	103.4	100.1	100.4	100.0	104.6	100.0	106.6	112.6
山　东	Shandong	101.6	101.8	104.1	100.0	100.0	95.5	103.1	103.7
河　南	Henan	103.0	101.0	100.3	101.6	99.9	100.9	105.1	110.1
湖　北	Hubei	102.7	101.2	101.4	101.2	102.5	97.7	105.6	103.4
湖　南	Hunan	100.0	98.5	96.7	99.8	100.3	99.8	100.8	104.5
广　东	Guangdong	103.0	103.4	105.6	101.7	102.2	101.8	103.7	101.5
广　西	Guangxi	105.5	99.1	101.0	97.9	107.5	117.7	111.7	104.6
海　南	Hainan	104.7	104.4	105.8	101.9	98.3	104.9	104.1	122.5
重　庆	Chongqing								
四　川	Sichuan	101.9	100.4	100.5	100.3	101.2	99.9	102.8	108.8
贵　州	Guizhou	103.9	102.7	101.2	103.1	96.7	99.9	104.3	125.2
云　南	Yunnan	100.3	98.8	100.6	96.8	98.3	99.9	100.5	109.3
西　藏	Tibet	101.6	100.2	102.8	97.1	103.4	100.1	102.3	114.3
陕　西	Shaanxi	103.4	102.2	103.3	100.6	101.5	101.2	105.2	108.1
甘　肃	Gansu	102.1	101.3	103.9	98.6	100.1	102.6	102.7	104.7
青　海	Qinghai	103.7	102.3	103.9	100.7	98.6	100.0	107.0	118.3
宁　夏	Ningxia	104.1	103.6	104.0	102.7	104.5	101.4	103.9	115.4
新　疆	Xinjiang	102.4	101.6	101.8	101.4	102.1	101.6	103.9	105.9

4－7－6 续表 6　Continued 6

(上年价格=100)　(Preceding year=100)

地　区	Region	五、医疗保健和个人用品 Health Care and Personal Articles	1.医疗保健 Health Care	(1)医疗器具及用品 Medical Instrument and Articles	(2)中药材及中成药 Traditional Chinese Medicine	(3)西药 Western Medicine	(4)保健器具及用品 Health Care Appliances and Articles	(5)医疗保健服务 Health Care Services	2．个人用品及服务 Personal Articles and Services
全国平均	**National**	**103.2**	**102.5**	**98.9**	**107.5**	**101.2**	**102.6**	**101.1**	**104.9**
北　京	Beijing								
天　津	Tianjin								
河　北	Hebei	104.0	102.7	102.5	105.9	102.5	100.8	102.0	107.7
山　西	Shanxi	103.1	101.6	102.7	108.2	100.4	97.8	100.0	106.4
内蒙古	Inner Mongolia	102.8	101.3	98.9	105.7	99.9	100.3	100.4	105.9
辽　宁	Liaoning	104.1	102.3	102.5	106.3	101.6	100.2	101.4	108.7
吉　林	Jilin	102.2	101.9	100.2	105.1	101.9	99.5	100.8	103.1
黑龙江	Heilongjiang	103.9	103.3	94.3	103.2	102.1	99.6	107.2	106.4
上　海	Shanghai								
江　苏	Jiangsu	102.1	100.7	99.3	105.8	99.7	100.1	99.7	105.5
浙　江	Zhejiang	105.0	104.7	100.5	113.0	102.2	106.2	100.3	105.9
安　徽	Anhui	101.8	101.1	92.8	102.5	100.5	100.6	101.0	103.6
福　建	Fujian	102.7	101.4	97.0	104.7	101.1	99.5	100.1	105.3
江　西	Jiangxi	104.5	103.5	101.8	108.8	101.9	101.2	100.8	106.0
山　东	Shandong	102.4	101.9	96.8	108.7	99.6	99.7	100.8	103.6
河　南	Henan	105.1	104.4	101.3	110.6	100.8	100.8	103.8	106.8
湖　北	Hubei	102.8	102.5	98.7	107.7	101.3	99.7	100.6	103.5
湖　南	Hunan	101.6	101.6	99.4	104.4	101.2	101.2	99.8	101.6
广　东	Guangdong	102.5	102.1	97.0	108.1	98.9	99.3	101.0	103.2
广　西	Guangxi	104.8	103.6	100.1	104.6	103.3	113.9	102.1	107.4
海　南	Hainan	102.4	102.0	100.2	106.0	101.1	103.3	101.4	103.5
重　庆	Chongqing								
四　川	Sichuan	102.7	102.5	98.2	105.7	103.6	103.2	100.5	103.0
贵　州	Guizhou	102.1	101.7	99.9	110.1	102.3	101.8	99.4	102.5
云　南	Yunnan	103.3	103.4	99.4	108.3	102.6	101.6	100.3	102.8
西　藏	Tibet	103.7	103.2	108.7	99.0	98.3	101.3	114.5	104.1
陕　西	Shaanxi	104.5	103.3	103.5	107.7	103.4	99.8	100.3	107.6
甘　肃	Gansu	105.3	105.1	97.3	109.4	101.0	99.8	108.4	105.6
青　海	Qinghai	107.1	105.5	88.6	104.3	104.9	99.2	106.2	113.3
宁　夏	Ningxia	102.0	100.7	95.2	103.1	98.9	103.8	101.3	106.2
新　疆	Xinjiang	104.1	101.6	98.2	106.2	100.0	100.4	101.3	108.3

4－7－6 续表 7　Continued 7

(上年价格=100)　(Preceding year=100)

地　区	Region	(1)化妆美容用品 Cosmetics	清洁化妆用品 Clean make-up Supplies	(3)个人饰品 Personal Decorations	(4)个人服务 Personal Services	六、交通和通信 Transportation and Communication	1．交通 Transportation	(1)交通工具 Transportation Facility	(2)车用燃料及零配件 Fuels and Parts
全国平均	**National**	100.8	102.0	108.3	106.4	100.7	104.3	101.0	113.3
北　京	Beijing								
天　津	Tianjin								
河　北	Hebei	99.7	100.4	107.6	114.5	102.0	106.7	100.9	116.6
山　西	Shanxi	99.8	101.1	110.7	107.9	101.3	104.6	100.9	116.3
内蒙古	Inner Mongolia	100.3	102.0	109.9	109.6	100.9	103.1	99.4	111.9
辽　宁	Liaoning	98.9	100.8	112.1	112.5	100.8	104.9	101.6	114.2
吉　林	Jilin	99.7	98.5	110.2	104.5	96.4	100.6	102.2	110.9
黑龙江	Heilongjiang	100.1	100.5	112.5	106.0	100.9	102.9	103.0	109.2
上　海	Shanghai								
江　苏	Jiangsu	100.1	102.1	113.2	105.2	100.6	103.6	100.3	113.8
浙　江	Zhejiang	100.6	103.5	116.4	102.9	96.9	102.6	98.9	114.7
安　徽	Anhui	101.2	101.2	113.8	100.6	100.6	104.3	101.0	114.0
福　建	Fujian	100.9	102.1	107.7	108.2	99.5	105.1	102.2	114.4
江　西	Jiangxi	102.2	101.5	106.7	110.5	103.0	108.1	101.3	111.5
山　东	Shandong	101.3	101.3	105.7	105.4	101.7	106.1	103.0	113.1
河　南	Henan	101.0	102.0	108.5	111.1	101.7	106.6	101.6	114.2
湖　北	Hubei	99.8	101.6	107.4	106.2	102.7	107.0	102.4	111.8
湖　南	Hunan	101.1	100.4	105.3	100.8	99.6	101.3	99.6	111.6
广　东	Guangdong	102.2	103.7	105.0	102.7	99.7	102.8	101.6	113.2
广　西	Guangxi	99.9	108.0	108.8	115.9	100.9	102.0	99.3	112.3
海　南	Hainan	101.3	101.5	106.0	103.0	101.4	104.6	102.5	112.6
重　庆	Chongqing								
四　川	Sichuan	100.5	101.1	103.5	104.2	102.2	103.5	101.0	111.1
贵　州	Guizhou	99.3	98.1	100.8	110.1	103.2	104.8	100.1	108.8
云　南	Yunnan	100.5	99.8	104.2	107.1	99.9	103.4	97.4	112.5
西　藏	Tibet	100.3	99.5	111.0	109.3	103.9	105.9	97.3	108.6
陕　西	Shaanxi	102.3	108.4	105.9	109.1	102.9	105.4	102.1	109.4
甘　肃	Gansu	105.7	108.6	101.9	106.8	103.3	105.7	100.7	109.2
青　海	Qinghai	97.2	103.1	120.0	110.2	104.5	107.2	105.0	113.4
宁　夏	Ningxia	102.3	103.7	113.7	106.5	102.6	109.4	103.2	115.4
新　疆	Xinjiang	99.7	102.1	109.9	121.0	102.9	104.8	104.4	113.1

4－7－6 续表 8　Continued 8

(上年价格=100)　　(Preceding year=100)

地　区　Region	(3)车辆使用及维修 Using and Upkeep Fare	(4)市区公共交通费 Incity Traffic Fare	(5)城市间交通费 Intercity Traffic Fare	2．通信 Communication	(1)通信工具 Communication Facility	(2)通信服务 Communication Service	七、娱乐教育文化用品及服务 Recreation, Education and Culture Articles
全国平均　National	**101.2**	**103.7**	**106.5**	**95.6**	**85.2**	**98.7**	**99.9**
北　京　Beijing							
天　津　Tianjin							
河　北　Hebei	105.6	104.5	112.6	97.0	87.7	99.4	100.1
山　西　Shanxi	98.3	108.9	107.0	97.0	80.2	100.1	100.7
内蒙古　Inner Mongolia	99.0	103.7	104.0	96.5	85.8	101.4	100.8
辽　宁　Liaoning	98.7	104.2	105.9	96.5	83.4	99.2	100.7
吉　林　Jilin	99.7	93.6	101.0	92.5	84.3	96.3	98.6
黑龙江　Heilongjiang	100.6	104.3	99.9	97.8	93.5	99.5	101.1
上　海　Shanghai							
江　苏　Jiangsu	102.3	102.1	104.9	96.2	84.3	99.9	99.6
浙　江　Zhejiang	102.3	104.1	102.8	87.4	73.3	90.9	98.3
安　徽　Anhui	101.8	104.7	106.0	96.8	86.4	100.0	100.9
福　建　Fujian	101.5	105.1	104.1	93.3	85.3	95.0	95.8
江　西　Jiangxi	122.3	105.2	111.0	96.0	82.9	99.6	100.8
山　东　Shandong	99.9	101.2	115.5	96.0	87.1	99.6	101.2
河　南　Henan	105.1	105.8	112.7	95.8	83.4	99.1	101.0
湖　北　Hubei	100.8	106.5	113.1	97.7	90.6	99.8	99.3
湖　南　Hunan	99.7	101.7	100.3	96.1	87.5	100.0	100.8
广　东　Guangdong	95.9	100.3	103.2	95.8	81.3	100.0	99.8
广　西　Guangxi	95.8	101.7	101.6	99.6	79.1	106.0	97.9
海　南　Hainan	100.1	101.2	102.5	96.1	85.7	99.8	101.4
重　庆　Chongqing							
四　川　Sichuan	103.3	101.8	103.8	98.2	93.8	99.7	101.0
贵　州　Guizhou	107.6	117.4	106.9	100.8	97.6	101.9	99.6
云　南　Yunnan	99.7	105.8	106.1	95.8	85.4	100.0	99.7
西　藏　Tibet	111.4	105.4	104.1	100.2	101.7	99.4	99.7
陕　西　Shaanxi	102.4	116.1	105.9	97.3	84.7	100.2	100.8
甘　肃　Gansu	101.5	104.8	114.0	97.5	99.5	96.9	100.2
青　海　Qinghai	102.3	113.8	105.7	96.2	88.4	99.9	100.7
宁　夏　Ningxia	104.7	110.7	115.1	93.7	85.6	96.5	100.2
新　疆　Xinjiang	102.0	102.1	103.4	99.1	93.1	100.4	100.4

4－7－6 续表 9　Continued 9

(上年价格=100)　(Preceding year=100)

地　区	Region	1.文娱用耐用消费品及服务 Durable Consumer Goods for Cultural and Recreational Use and Services	2. 教　育 Education	(1)教材及参考书 Teaching Materials and Reference Books	(2)学杂托幼费 Tuition and Child Care	3. 文化娱乐 Cultural and Recreational	(1)文化娱乐用品 Cultural Recreational Articles	(2)书报杂志 Newspapers and Magazines
全国平均	**National**	95.1	100.9	100.4	100.9	101.2	101.2	101.0
北　京	Beijing							
天　津	Tianjin							
河　北	Hebei	94.8	100.8	99.0	100.9	103.7	102.8	102.7
山　西	Shanxi	96.6	101.6	97.4	101.7	100.2	100.1	100.4
内蒙古	Inner Mongolia	96.7	102.3	99.7	102.7	99.5	100.4	100.0
辽　宁	Liaoning	96.2	101.6	100.4	101.7	101.7	101.5	101.3
吉　林	Jilin	93.7	101.0	100.8	101.0	100.5	101.6	100.0
黑龙江	Heilongjiang	98.0	102.1	94.1	102.3	99.9	99.9	100.0
上　海	Shanghai							
江　苏	Jiangsu	91.9	100.6	98.7	100.7	101.2	99.6	106.8
浙　江	Zhejiang	91.2	99.3	100.5	99.2	100.6	101.1	100.1
安　徽	Anhui	96.3	101.7	99.7	102.0	100.9	100.3	100.1
福　建	Fujian	95.3	93.9	108.8	92.3	101.0	100.7	101.7
江　西	Jiangxi	97.2	101.6	97.6	102.0	100.4	100.1	100.3
山　东	Shandong	97.6	102.2	100.1	102.7	100.6	100.6	100.7
河　南	Henan	96.2	102.0	101.1	102.2	102.1	103.0	100.7
湖　北	Hubei	96.7	100.0	99.2	100.1	100.7	100.6	101.0
湖　南	Hunan	93.8	102.2	100.8	102.3	102.7	104.4	101.2
广　东	Guangdong	96.5	101.0	102.4	100.1	102.4	101.2	100.3
广　西	Guangxi	83.8	101.4	98.9	101.7	100.1	99.9	100.9
海　南	Hainan	97.2	103.1	100.5	103.3	99.5	99.0	100.0
重　庆	Chongqing							
四　川	Sichuan	97.3	101.8	97.9	102.3	101.9	102.7	101.2
贵　州	Guizhou	95.6	100.1	98.5	100.2	100.9	97.7	103.2
云　南	Yunnan	94.2	101.7	99.7	102.3	100.6	100.0	100.5
西　藏	Tibet	96.4	102.6	98.3	104.9	102.0	103.8	101.5
陕　西	Shaanxi	92.5	102.0	104.3	101.7	101.9	103.1	100.5
甘　肃	Gansu	97.9	100.3	102.9	98.8	103.2	103.8	105.6
青　海	Qinghai	94.7	102.6	111.6	102.3	101.8	102.6	104.2
宁　夏	Ningxia	93.6	102.0	99.3	102.2	100.1	98.5	100.9
新　疆	Xinjiang	97.8	100.8	99.7	100.9	100.6	100.4	99.9

4－7－6 续表 10　Continued 10

(上年价格=100)　(Preceding year=100)

地　区　Region		(3)文娱费 Expenditure of Culture and Recreation	4.旅游 Touring	八、居住 Residence	1．建房及装修材料 Building and Building Decoration Materials	2．租房 Rent	3．自有住房 Private Housing	4.水、电、燃料 Eletricity and Fuel
全国平均	**National**	**101.4**	**100.4**	**108.2**	**107.6**	**103.8**	**104.0**	**110.8**
北　京	Beijing							
天　津	Tianjin							
河　北	Hebei	106.7	100.2	113.5	109.0	102.8	105.8	121.5
山　西	Shanxi	100.3	102.0	112.4	114.9	105.2	108.2	111.8
内蒙古	Inner Mongolia	97.3	103.4	106.6	104.3	108.9	104.7	110.2
辽　宁	Liaoning	102.9	99.5	105.2	104.4	104.2	102.9	106.8
吉　林	Jilin	98.9	98.1	108.4	110.8	108.5	100.9	109.0
黑龙江	Heilongjiang	100.0	99.0	105.1	103.7	109.1	100.5	111.9
上　海	Shanghai							
江　苏	Jiangsu	100.0	100.8	107.1	108.6	105.3	102.8	107.1
浙　江	Zhejiang	100.6	99.7	105.7	108.4	103.8	103.4	104.0
安　徽	Anhui	102.5	102.9	105.7	104.3	105.3	104.1	107.6
福　建	Fujian	100.9	100.4	106.9	106.0	104.9	107.1	107.7
江　西	Jiangxi	100.8	101.0	106.2	104.4	105.2	104.8	109.7
山　东	Shandong	100.3	102.4	110.1	108.9	103.6	109.8	112.2
河　南	Henan	101.6	101.3	109.4	108.1	107.3	104.5	112.6
湖　北	Hubei	100.6	100.1	109.7	108.9	101.5	106.3	111.9
湖　南	Hunan	100.7	100.3	109.1	104.3	100.0	100.5	117.8
广　东	Guangdong	104.8	98.7	105.5	107.6	100.1	102.0	105.8
广　西	Guangxi	99.7	102.9	106.7	108.0	102.2	102.6	109.7
海　南	Hainan	100.0	99.7	108.9	112.5	105.2	101.8	104.5
重　庆	Chongqing							
四　川	Sichuan	101.4	98.9	106.0	106.9	101.2	102.4	106.3
贵　州	Guizhou	101.8	100.5	109.6	104.0	105.0	102.4	117.8
云　南	Yunnan	101.4	101.3	105.9	105.3	103.8	104.4	107.8
西　藏	Tibet	99.8	96.5	108.4	102.7	105.7	115.6	110.7
陕　西	Shaanxi	103.5	99.2	109.4	108.1	101.4	104.0	113.8
甘　肃	Gansu	100.0	105.8	114.3	106.8	117.1	107.0	126.3
青　海	Qinghai	99.4	100.5	126.0	131.1	118.0	103.4	123.9
宁　夏	Ningxia	102.3	107.3	115.1	113.4	103.8	101.6	122.4
新　疆	Xinjiang	101.1	100.3	109.7	112.9	105.4	105.8	106.4

4-7-7 36个大中城市居民消费价格指数（2008年）

Consumer Price Indices in 36 Major Cities (2008)

（上年价格=100） (Preceding year=100)

地区	Region	居民消费价格指数 Consumer Price Index	一、食品 Food	1．粮食 Grain	2.淀粉 Starches	3．干豆类及豆制品 Bean and Its Products	4．油脂 Oil or Fat	5．肉禽及其制品 Meal, Poultry and Their Products	(1)食用畜肉及副产品 Meal and Their Products
平均指数	**Average**	**105.7**	**115.0**	**108.0**	**113.9**	**135.1**	**124.9**	**123.8**	**128.1**
北京	Beijing	105.1	116.1	108.9	117.9	131.5	121.3	125.1	129.2
天津	Tianjin	105.4	112.1	105.5	98.1	139.9	128.9	118.9	120.3
石家庄	Shijiazhuang	106.7	116.2	101.3	102.0	131.5	129.4	127.7	131.7
太原	Taiyuan	107.4	119.6	105.7	136.1	135.7	125.3	124.5	126.6
呼和浩特	Hohhot	104.6	115.1	107.7	135.2	119.9	124.4	120.1	119.5
沈阳	Shenyang	104.4	114.0	106.6	125.7	152.5	124.5	126.3	128.8
大连	Dalian	104.4	110.6	103.7	119.0	133.8	121.9	124.4	127.0
长春	Changchun	104.4	110.1	105.6	95.8	141.2	122.2	125.8	128.7
哈尔滨	Harbin	104.7	109.6	104.8	120.1	136.1	129.3	114.2	114.8
上海	Shanghai	105.8	115.3	107.3	107.9	132.5	124.7	122.9	128.5
南京	Nanjing	106.2	115.1	110.4	97.9	139.6	127.8	126.4	129.4
杭州	Hangzhou	104.9	114.6	104.5	108.6	133.2	128.6	119.0	123.7
宁波	Ningbo	105.0	113.8	106.1	105.7	135.3	127.0	124.1	131.0
合肥	Hefei	106.4	114.9	106.6	108.4	139.1	127.9	121.2	125.4
福州	Fuzhou	104.2	114.0	106.9	112.2	123.1	119.6	122.7	127.1
厦门	Xiamen	104.9	113.7	110.4	107.1	129.4	125.9	122.7	124.6
南昌	Nanchang	106.1	114.8	106.7	104.7	126.6	121.4	122.8	128.5
济南	Jinan	105.7	115.5	110.2	115.7	146.5	120.8	126.0	128.7
青岛	Qingdao	104.7	111.7	105.4	115.0	132.7	113.7	117.6	119.8
郑州	Zhengzhou	106.1	115.9	109.4	116.6	138.9	121.8	124.9	128.8
武汉	Wuhan	105.7	114.1	101.5	120.5	133.6	124.9	125.8	130.2
长沙	Changsha	105.2	114.4	113.4	100.0	133.1	132.9	117.8	120.4
广州	Guangzhou	105.9	115.4	109.6	117.9	130.6	111.1	124.7	133.5
深圳	Shenzhen	105.9	113.5	115.1	103.8	129.6	124.8	120.7	126.6
南宁	Nanning	108.4	121.7	108.3	144.8	144.8	117.3	124.7	133.6
海口	Haikou	105.8	112.7	109.0	136.4	146.7	125.6	119.1	123.9
重庆	Chongqing	105.6	115.7	112.0	118.6	128.2	128.5	122.7	126.5
成都	Chengdu	104.3	112.9	105.9	104.4	113.6	125.4	118.5	123.8
贵阳	Guiyang	107.0	118.1	110.3	105.1	164.1	129.5	127.7	131.2
昆明	Kunming	105.8	116.4	111.5	94.2	135.8	124.5	131.4	141.0
拉萨	Lhasa	106.4	115.1	102.9	106.0	121.7	128.1	129.5	144.9
西安	Xi'an	106.0	116.8	106.5	107.3	147.2	127.1	129.7	134.2
兰州	Lanzhou	107.2	117.3	106.2	126.0	123.8	141.2	127.2	129.2
西宁	Xining	108.2	117.8	111.1	100.0	149.9	122.6	130.2	131.0
银川	Yinchuan	107.6	117.7	107.3	105.5	150.8	139.9	128.8	132.2
乌鲁木齐	Urumqi	107.0	118.4	109.0	114.6	146.4	124.2	131.7	138.6

4-7-7 续表 1 Continued 1

(上年价格=100) (Preceding year=100)

地 区	Region	(2)禽 Poultry	(3)加工肉禽 Meat and Poultry Products	6．蛋 Eggs	7．水产品 Aquatic Products	(1)鱼 Fish	(2)其它水产品 Other Aquatic Products	8．菜 Vegetables	9．调味品 Flavoring
平均指数	**Average**	**110.0**	**120.6**	**105.3**	**113.5**	**118.2**	**108.7**	**112.4**	**107.6**
北 京	Beijing	112.4	120.9	106.4	120.1	118.5	121.6	108.6	110.9
天 津	Tianjin	109.9	115.7	103.8	102.9	115.9	94.8	107.2	108.5
石家庄	Shijiazhuang	109.8	124.8	101.0	109.7	114.2	104.5	112.1	106.5
太 原	Taiyuan	110.7	124.9	101.7	114.9	119.5	107.4	120.2	113.2
呼和浩特	Hohhot	113.7	124.3	101.8	115.6	117.9	107.5	103.7	110.7
沈 阳	Shenyang	112.7	125.1	98.9	111.4	113.5	108.9	103.7	112.1
大 连	Dalian	108.9	120.4	106.3	106.9	113.7	102.8	91.4	106.7
长 春	Changchun	113.0	125.3	111.9	111.2	116.0	102.6	93.8	104.3
哈尔滨	Harbin	101.5	116.6	108.1	105.1	113.9	90.7	106.9	103.0
上 海	Shanghai	111.0	117.7	106.4	111.2	116.1	107.4	120.6	109.5
南 京	Nanjing	110.0	130.0	104.7	112.0	122.8	98.4	106.0	102.7
杭 州	Hangzhou	105.8	125.0	105.6	114.8	116.6	113.5	111.8	104.0
宁 波	Ningbo	107.9	118.7	109.7	112.1	109.5	114.2	108.0	102.9
合 肥	Hefei	108.8	119.5	108.8	122.4	121.5	122.4	106.3	106.1
福 州	Fuzhou	106.9	123.5	102.9	111.8	110.8	112.4	111.4	105.6
厦 门	Xiamen	114.4	122.3	105.8	111.1	105.0	115.9	114.5	104.6
南 昌	Nanchang	101.3	120.0	99.4	118.5	114.8	125.6	104.5	105.7
济 南	Jinan	115.0	123.7	104.0	116.2	122.5	112.0	112.4	104.9
青 岛	Qingdao	109.9	113.1	107.5	107.6	117.3	102.3	97.4	112.4
郑 州	Zhengzhou	106.2	122.8	114.3	116.5	125.8	101.7	112.0	106.4
武 汉	Wuhan	107.8	120.9	102.5	118.8	115.6	128.4	111.1	106.8
长 沙	Changsha	112.3	108.4	103.5	119.9	124.9	114.1	114.2	102.4
广 州	Guangzhou	112.0	117.1	103.5	119.5	126.1	109.4	122.7	102.7
深 圳	Shenzhen	102.8	120.1	103.9	119.9	127.3	109.3	113.7	103.9
南 宁	Nanning	110.4	120.4	97.9	119.8	125.6	106.5	156.4	105.4
海 口	Haikou	108.1	117.2	105.5	115.0	116.6	109.5	116.2	105.4
重 庆	Chongqing	111.7	126.5	103.2	125.0	123.7	129.6	108.2	105.5
成 都	Chengdu	104.0	112.5	102.2	117.2	122.5	109.2	103.7	106.9
贵 阳	Guiyang	113.0	131.0	103.2	121.0	123.7	102.4	107.0	111.1
昆 明	Kunming	104.5	130.7	98.4	120.1	119.7	121.2	103.8	107.2
拉 萨	Lhasa	118.8	116.0	112.0	121.1	121.1	121.2	108.3	100.1
西 安	Xi'an	113.5	125.5	108.4	120.0	120.8	119.0	112.8	111.1
兰 州	Lanzhou	120.0	124.2	102.1	114.2	116.2	109.6	115.5	110.8
西 宁	Xining	107.1	135.4	106.0	123.3	125.9	118.9	116.3	104.6
银 川	Yinchuan	111.1	124.0	105.0	109.2	116.2	98.5	117.8	110.3
乌鲁木齐	Urumqi	117.2	112.5	109.5	115.7	114.3	123.6	116.9	109.2

4－7－7 续表 2 Continued 2

(上年价格=100) (Preceding year=100)

地 区	Region	10. 糖 Carbohydrate	11.茶及饮料 Tea and Beverages	(1)茶叶 Tea	(2)饮料 Beverages	12.干鲜瓜果 Dried and Fresh Melons and Fruits	13.糕点饼干面包 Cake, Biscuit and Bread	14. 液体乳及乳制品 Milk and Its Products	15. 在外用膳食品 Outward Dinner
平均指数	**Average**	**106.4**	**104.4**	**102.1**	**105.4**	**111.3**	**111.6**	**119.9**	**112.5**
北 京	Beijing	110.1	102.6	100.3	104.2	114.7	112.3	125.9	114.7
天 津	Tianjin	105.9	106.1	103.2	107.3	115.1	114.4	131.6	109.4
石家庄	Shijiazhuang	111.7	104.0	102.9	104.4	111.3	113.5	116.6	120.2
太 原	Taiyuan	112.4	103.9	99.9	105.6	108.2	116.1	125.3	128.7
呼和浩特	Hohhot	105.9	108.9	105.7	110.0	114.0	113.5	128.8	117.0
沈 阳	Shenyang	106.3	102.9	101.5	103.6	105.6	111.7	126.6	109.4
大 连	Dalian	106.6	105.7	105.5	105.6	99.9	108.7	131.3	113.5
长 春	Changchun	99.9	103.3	100.0	105.5	108.2	111.8	115.5	101.3
哈尔滨	Harbin	97.8	98.1	100.0	97.8	102.4	102.6	103.3	117.3
上 海	Shanghai	107.4	106.9	105.3	107.1	112.3	112.5	119.4	114.3
南 京	Nanjing	107.8	105.3	104.3	106.1	115.0	114.4	121.4	109.6
杭 州	Hangzhou	104.4	107.1	103.1	108.8	112.5	109.9	119.6	115.1
宁 波	Ningbo	107.5	105.6	100.0	107.4	117.2	106.7	125.6	111.7
合 肥	Hefei	105.5	103.4	102.1	105.6	110.9	108.7	121.6	109.2
福 州	Fuzhou	104.0	104.2	100.2	108.1	113.5	107.2	116.2	111.1
厦 门	Xiamen	101.3	101.4	99.8	102.3	105.1	106.6	112.0	108.1
南 昌	Nanchang	104.0	107.9	110.2	106.4	107.0	124.2	106.1	120.7
济 南	Jinan	105.6	102.1	100.0	103.8	112.8	112.9	119.9	111.7
青 岛	Qingdao	106.1	100.7	97.5	103.3	107.8	111.1	129.6	111.4
郑 州	Zhengzhou	103.0	105.4	101.4	107.0	114.6	103.1	130.2	109.1
武 汉	Wuhan	107.2	107.1	104.0	108.1	108.2	116.2	119.0	104.3
长 沙	Changsha	99.2	104.5	104.9	104.4	105.9	102.3	111.8	110.2
广 州	Guangzhou	102.4	103.2	102.1	103.8	112.8	108.6	108.1	110.6
深 圳	Shenzhen	106.1	104.9	107.4	104.6	110.4	111.3	117.8	104.9
南 宁	Nanning	106.9	106.7	100.8	108.2	115.8	112.4	120.5	111.0
海 口	Haikou	97.9	102.6	99.6	103.6	112.3	101.3	108.5	100.4
重 庆	Chongqing	109.6	105.6	106.1	105.4	118.1	111.0	114.2	110.2
成 都	Chengdu	98.5	100.5	100.2	100.7	100.5	105.2	119.3	113.3
贵 阳	Guiyang	114.4	98.4	92.5	101.0	112.6	116.6	127.6	117.5
昆 明	Kunming	106.0	106.5	104.6	107.2	114.5	118.3	109.2	113.4
拉 萨	Lhasa	106.9	108.6	103.5	112.5	116.2	105.1	119.0	103.9
西 安	Xi'an	102.8	101.3	101.0	101.3	120.6	110.9	116.5	112.8
兰 州	Lanzhou	107.5	106.7	97.1	109.8	109.4	119.4	113.9	116.8
西 宁	Xining	110.6	110.9	112.8	109.9	107.4	111.7	128.0	111.8
银 川	Yinchuan	104.3	105.1	103.7	105.8	112.1	110.7	122.2	111.8
乌鲁木齐	Urumqi	108.1	102.0	100.4	102.4	111.3	118.7	124.6	111.1

4-7-7 续表 3　Continued 3

(上年价格=100)　　(Preceding year=100)

地 区	Region	16.其它食品 Other Foods	二、烟酒及用品 Tobacco, Liquor and Articles	1．烟草 Tobacco	2．酒 Liquor	3．吸烟、饮酒用品 Articles for Smoking and Drinking	三、衣着 Clothing	1．服装 Garments	(1)男式服装 Men's Clothing
平均指数	**Average**	**109.9**	**103.7**	**100.4**	**110.1**	**102.2**	**99.3**	**99.7**	**99.3**
北　京	Beijing	113.9	106.0	102.4	111.2	104.3	99.1	101.0	101.4
天　津	Tianjin	107.4	108.0	102.3	120.3	99.0	99.9	100.3	96.5
石家庄	Shijiazhuang	107.5	103.8	100.0	109.0	99.6	100.4	100.3	97.8
太　原	Taiyuan	111.4	104.1	99.8	115.6	104.2	100.4	100.1	99.1
呼和浩特	Hohhot	110.7	102.6	100.0	108.4	99.6	96.3	96.1	93.1
沈　阳	Shenyang	107.8	102.7	99.2	109.7	98.2	94.9	96.7	100.2
大　连	Dalian	107.5	102.6	99.4	108.5	102.0	97.1	94.4	97.0
长　春	Changchun	103.2	104.1	100.1	109.8	100.6	104.6	103.8	103.5
哈尔滨	Harbin	114.4	109.1	100.4	119.6	100.0	101.0	101.4	98.7
上　海	Shanghai	104.3	101.7	100.1	103.4	110.1	101.6	101.7	101.2
南　京	Nanjing	118.5	104.0	100.1	111.3	108.9	108.5	108.8	107.2
杭　州	Hangzhou	113.0	102.5	100.2	109.1	100.3	98.6	98.3	98.1
宁　波	Ningbo	109.0	101.1	98.6	107.6	100.0	100.5	99.7	99.7
合　肥	Hefei	104.1	106.8	100.0	120.0	99.3	96.6	97.9	99.4
福　州	Fuzhou	105.8	104.8	100.4	110.2	103.6	88.0	88.8	88.6
厦　门	Xiamen	108.1	102.0	100.0	105.8	101.6	90.9	92.1	94.1
南　昌	Nanchang	109.4	103.3	98.2	113.6	100.0	92.4	90.1	86.6
济　南	Jinan	108.8	104.1	100.1	107.8	99.9	97.9	96.0	94.1
青　岛	Qingdao	121.6	103.3	99.2	106.9	98.3	103.9	102.9	101.5
郑　州	Zhengzhou	102.8	104.6	101.4	109.0	103.8	100.4	99.8	100.0
武　汉	Wuhan	119.2	105.6	101.4	114.3	102.0	100.4	100.2	100.0
长　沙	Changsha	106.3	102.4	102.1	103.4	100.0	94.2	92.4	93.0
广　州	Guangzhou	112.6	103.0	100.6	107.5	100.9	100.3	102.6	98.6
深　圳	Shenzhen	102.6	103.4	100.8	107.3	100.5	103.7	103.9	107.0
南　宁	Nanning	105.1	101.9	97.9	106.6	100.4	101.2	103.4	105.4
海　口	Haikou	110.3	102.5	100.4	105.6	101.0	96.8	96.2	96.9
重　庆	Chongqing	112.6	102.8	99.4	112.4	96.3	94.2	94.5	93.9
成　都	Chengdu	105.0	100.9	99.6	103.8	98.2	94.9	95.9	97.7
贵　阳	Guiyang	101.8	102.8	100.0	110.8	98.7	94.2	95.2	96.8
昆　明	Kunming	114.5	103.4	103.2	106.0	101.1	86.3	86.2	85.7
拉　萨	Lhasa	105.3	103.3	101.5	106.5	100.0	103.8	105.6	106.1
西　安	Xi'an	106.9	102.5	97.8	112.1	100.0	101.5	101.6	102.1
兰　州	Lanzhou	111.6	104.8	99.5	113.8	100.0	100.0	99.3	97.8
西　宁	Xining	109.3	106.6	100.3	115.5	103.3	105.0	107.4	106.9
银　川	Yinchuan	107.3	101.0	99.6	103.8	111.6	105.5	105.3	104.6
乌鲁木齐	Urumqi	116.8	104.0	100.3	109.3	100.0	96.7	95.6	95.5

4-7-7 续表 4 Continued 4

(上年价格=100) (Preceding year=100)

地 区	Region	(2)女式服装 Women's Clothing	(3)儿童服装 Children's Clothing	2．衣着材料 Clothing Material	3．鞋袜帽 Footgear and Hats	(1)鞋 Shoes	(2)袜子 Socks	(3)帽子 Hats	4．衣着加工服务 Clothing Manufacturing Services
平均指数	**Average**	**100.0**	**99.4**	**102.5**	**97.9**	**97.6**	**99.6**	**101.6**	**103.5**
北 京	Beijing	100.7	103.2	101.3	94.0	93.5	100.2	105.2	103.7
天 津	Tianjin	103.5	92.8	100.6	98.6	98.4	100.0	100.0	106.6
石家庄	Shijiazhuang	103.4	93.2	101.7	100.8	101.4	95.3	100.8	91.0
太 原	Taiyuan	99.2	107.0	101.3	100.7	100.7	101.9	95.2	109.1
呼和浩特	Hohhot	97.6	103.8	99.7	96.5	96.3	100.0	97.4	94.6
沈 阳	Shenyang	94.8	93.5	100.3	90.1	88.7	101.6	100.2	100.0
大 连	Dalian	94.9	81.3	102.2	102.1	102.3	88.3	103.8	102.5
长 春	Changchun	104.7	99.7	102.3	106.8	107.8	95.7	100.0	100.0
哈尔滨	Harbin	103.3	103.3	105.6	99.9	100.2	93.9	100.2	100.0
上 海	Shanghai	102.2	99.7	103.8	100.6	101.0	97.4	103.3	106.6
南 京	Nanjing	111.2	104.2	112.8	107.7	107.3	107.4	112.7	101.7
杭 州	Hangzhou	98.6	97.1	104.2	99.0	98.9	100.2	100.0	106.5
宁 波	Ningbo	100.3	95.8	101.0	102.4	102.2	102.6	109.9	114.9
合 肥	Hefei	96.9	98.2	100.0	92.4	91.9	102.6	86.4	100.0
福 州	Fuzhou	90.3	78.3	102.2	84.4	82.5	97.4	97.4	114.8
厦 门	Xiamen	93.6	77.0	108.7	86.3	85.3	98.4	105.2	115.0
南 昌	Nanchang	92.2	89.9	102.7	97.7	95.7	103.8	127.6	104.0
济 南	Jinan	97.2	98.2	100.4	103.4	103.9	99.7	98.1	100.0
青 岛	Qingdao	105.2	93.5	102.6	106.2	106.3	106.1	103.6	102.7
郑 州	Zhengzhou	100.4	95.9	118.3	101.3	101.5	100.0	100.1	104.2
武 汉	Wuhan	100.4	100.3	99.4	101.2	101.3	100.8	100.8	100.2
长 沙	Changsha	91.9	93.8	100.1	98.1	98.0	100.0	95.3	103.7
广 州	Guangzhou	104.4	105.6	98.7	94.3	94.0	96.8	95.2	98.4
深 圳	Shenzhen	100.9	105.3	106.6	102.8	102.4	104.7	102.9	102.0
南 宁	Nanning	102.6	98.6	100.0	95.4	94.9	100.0	98.1	100.4
海 口	Haikou	95.5	95.8	100.0	97.7	97.6	100.0	98.5	100.0
重 庆	Chongqing	95.0	93.7	100.0	92.9	92.5	99.0	100.0	102.1
成 都	Chengdu	95.8	89.0	100.8	90.6	89.9	100.8	85.2	104.4
贵 阳	Guiyang	94.4	92.5	101.1	90.9	89.2	99.3	99.8	107.3
昆 明	Kunming	82.0	106.4	100.7	85.2	83.0	99.8	95.2	100.7
拉 萨	Lhasa	101.9	112.6	102.0	101.8	105.6	98.5	100.0	100.0
西 安	Xi'an	100.5	109.7	100.0	100.9	100.7	105.0	103.3	100.1
兰 州	Lanzhou	99.7	100.3	100.4	102.3	102.7	100.0	100.0	102.1
西 宁	Xining	106.7	119.5	105.2	97.9	97.8	104.1	89.7	108.3
银 川	Yinchuan	105.6	108.0	105.3	106.2	106.6	101.7	105.8	104.0
乌鲁木齐	Urumqi	95.6	95.9	101.1	97.7	97.4	100.0	100.0	107.1

4-7-7 续表 5　Continued 5

(上年价格=100) (Preceding year=100)

地　区	Region	四、家庭设备用品及维修服务 Household Facilities, Articles and Maintenemce Services	1.耐用消费品 Durable Consumer Goods	(1)家具 Furniture	(2)家庭设备 Household Facilities	2.室内装饰品 Interior Decorations	3.床上用品 Bed Articles	4.家庭日用杂品 Daily Use Household Articles	5.家庭服务及加工维修服务 Household Service and Manufacturing Upkeep
平均指数	**Average**	**104.5**	**102.4**	**104.2**	**101.2**	**100.3**	**100.7**	**107.0**	**113.1**
北　京	Beijing	104.4	103.4	106.8	100.0	101.5	100.0	104.5	116.6
天　津	Tianjin	106.8	107.1	112.5	102.8	103.6	104.6	105.4	114.6
石家庄	Shijiazhuang	103.4	102.8	105.3	101.7	95.6	94.2	109.4	107.8
太　原	Taiyuan	103.4	102.3	96.2	105.6	94.5	90.8	105.4	122.5
呼和浩特	Hohhot	100.2	101.1	97.2	104.4	94.1	92.0	100.4	110.4
沈　阳	Shenyang	104.4	101.9	103.3	101.1	103.7	96.1	106.9	117.9
大　连	Dalian	107.1	103.6	105.1	103.1	98.9	103.8	114.4	104.4
长　春	Changchun	103.9	100.1	100.8	99.8	98.9	94.2	112.1	101.4
哈尔滨	Harbin	108.5	102.3	103.8	101.7	101.4	102.6	110.5	118.9
上　海	Shanghai	108.3	107.2	108.2	106.3	100.9	101.7	110.4	116.5
南　京	Nanjing	108.7	101.1	99.7	101.8	101.7	109.0	117.7	113.1
杭　州	Hangzhou	105.0	102.0	104.0	100.8	105.2	99.7	103.4	121.9
宁　波	Ningbo	103.2	100.8	102.1	100.4	98.6	99.3	109.3	111.3
合　肥	Hefei	101.6	102.8	102.0	103.0	100.0	100.1	100.8	100.0
福　州	Fuzhou	103.0	99.7	104.9	97.9	99.0	99.0	109.1	104.6
厦　门	Xiamen	101.5	98.4	101.1	97.4	88.7	109.7	102.4	112.9
南　昌	Nanchang	104.0	101.2	101.3	101.2	101.2	84.4	111.9	115.2
济　南	Jinan	104.5	101.6	101.0	101.8	100.1	93.5	111.5	108.2
青　岛	Qingdao	103.6	101.7	102.0	101.5	103.2	101.8	106.7	106.4
郑　州	Zhengzhou	103.2	100.7	101.1	100.5	100.3	100.0	102.5	122.6
武　汉	Wuhan	98.1	94.0	96.1	93.2	97.9	101.2	103.6	103.9
长　沙	Changsha	101.7	100.0	101.2	99.6	107.4	97.3	105.2	96.8
广　州	Guangzhou	101.0	97.3	101.4	94.8	100.5	100.9	101.0	111.0
深　圳	Shenzhen	104.4	101.4	99.6	102.6	97.5	108.9	104.2	114.4
南　宁	Nanning	102.3	102.2	101.0	103.0	99.8	95.7	105.2	106.5
海　口	Haikou	100.9	101.0	100.2	101.4	100.0	96.8	102.3	98.9
重　庆	Chongqing	102.5	101.3	100.4	101.6	96.6	102.4	102.8	108.6
成　都	Chengdu	102.9	102.3	102.0	102.4	99.8	100.5	101.4	108.6
贵　阳	Guiyang	105.6	103.8	106.1	101.5	85.0	98.9	101.0	147.9
昆　明	Kunming	101.0	101.3	100.0	102.2	92.1	90.7	102.2	113.5
拉　萨	Lhasa	103.8	103.8	108.2	100.6	107.5	104.1	104.1	100.0
西　安	Xi'an	103.4	98.7	100.4	96.9	94.5	95.4	112.6	112.2
兰　州	Lanzhou	105.6	102.8	103.0	101.6	98.8	91.8	112.6	111.0
西　宁	Xining	103.2	99.7	98.5	101.3	96.4	94.9	114.5	115.1
银　川	Yinchuan	104.8	103.6	102.7	104.2	107.1	97.4	108.4	101.9
乌鲁木齐	Urumqi	103.7	102.4	104.7	101.1	100.0	98.3	106.1	109.4

4-7-7 续表 6　Continued 6

(上年价格=100)　(Preceding year=100)

地 区	Region	五、医疗保健和个人用品 Health Care and Personal Articles	1.医疗保健 Health Care	(1)医疗器具及用品 Medical Instrument and Articles	(2)中药材及中成药 Traditional Chinese Medicine	(3)西药 Western Medicine	(4)保健器具及用品 Health Care Appliances and Articles	(5)医疗保健服务 Health Care Services	2.个人用品及服务 Personal Articles and Services
平均指数	**Average**	**102.9**	**102.0**	**100.9**	**106.6**	**101.0**	**101.9**	**100.2**	**104.9**
北 京	Beijing	102.0	100.6	100.4	102.2	99.1	103.2	100.0	106.3
天 津	Tianjin	102.3	102.4	95.1	109.3	101.5	97.4	100.0	102.2
石家庄	Shijiazhuang	103.8	104.5	100.0	106.9	105.2	100.2	100.0	102.2
太 原	Taiyuan	101.1	100.2	100.3	105.0	98.0	100.3	100.0	104.0
呼和浩特	Hohhot	101.8	101.4	102.0	105.2	100.6	100.2	100.0	102.6
沈 阳	Shenyang	102.3	101.0	97.0	106.1	101.6	99.8	100.0	105.6
大 连	Dalian	104.6	101.2	99.9	108.9	101.5	100.4	100.0	110.9
长 春	Changchun	101.0	100.7	100.0	107.5	99.5	101.5	98.0	102.0
哈尔滨	Harbin	102.9	102.6	113.9	114.5	96.8	102.9	98.7	103.8
上 海	Shanghai	103.1	100.5	103.4	102.9	100.2	100.5	100.0	106.2
南 京	Nanjing	103.1	101.9	100.0	104.1	103.7	99.3	100.9	106.6
杭 州	Hangzhou	105.3	105.7	100.4	108.2	110.6	103.2	100.0	104.2
宁 波	Ningbo	108.7	110.4	104.3	106.6	115.0	115.7	100.4	105.7
合 肥	Hefei	103.7	102.6	100.0	107.7	101.7	100.8	100.0	105.9
福 州	Fuzhou	101.5	101.0	99.5	102.7	100.4	100.0	100.0	102.4
厦 门	Xiamen	103.3	104.2	100.0	101.6	106.5	102.9	104.3	102.0
南 昌	Nanchang	106.3	106.7	100.0	116.9	101.4	99.4	100.0	105.5
济 南	Jinan	104.0	104.1	96.0	107.6	104.4	106.4	100.2	103.8
青 岛	Qingdao	100.7	100.0	98.9	103.3	98.0	99.5	99.7	102.5
郑 州	Zhengzhou	100.8	100.6	97.2	104.2	100.6	98.9	98.2	101.2
武 汉	Wuhan	104.9	104.0	106.3	112.1	101.6	101.0	101.4	107.2
长 沙	Changsha	101.7	101.8	98.7	105.2	99.8	105.1	99.7	101.3
广 州	Guangzhou	103.1	102.4	97.9	106.6	98.3	105.7	100.5	104.0
深 圳	Shenzhen	103.8	104.4	99.7	108.6	100.1	105.2	104.4	102.6
南 宁	Nanning	102.9	103.1	99.1	105.1	102.9	105.8	100.0	102.4
海 口	Haikou	101.1	100.1	100.0	103.6	97.4	97.3	100.0	104.1
重 庆	Chongqing	101.9	101.4	100.9	102.9	101.9	99.9	100.0	103.1
成 都	Chengdu	101.4	101.1	100.0	103.3	100.4	99.3	100.3	102.3
贵 阳	Guiyang	101.1	101.1	100.0	108.5	98.9	100.0	99.3	101.1
昆 明	Kunming	106.7	107.0	101.7	112.9	106.1	103.6	97.3	105.5
拉 萨	Lhasa	102.2	99.8	100.0	100.6	99.7	98.2	99.8	104.8
西 安	Xi'an	101.4	101.5	100.3	101.8	101.8	105.0	100.5	100.8
兰 州	Lanzhou	104.6	103.6	96.7	106.4	99.7	105.9	100.0	106.0
西 宁	Xining	105.3	107.0	102.4	116.8	102.6	117.6	102.9	101.4
银 川	Yinchuan	102.2	101.5	99.7	102.9	101.3	103.4	100.5	103.6
乌鲁木齐	Urumqi	104.3	104.1	95.9	104.1	105.9	103.5	100.0	104.9

4-7-7 续表 7　Continued 7

(上年价格=100)　(Preceding year=100)

地　区	Region	(1)化妆美容用品 Cosmetics	清洁化妆用品 Clean make-up Supplies	(3)个人饰品 Personal Decorations	(4)个人服务 Personal Services	六、交通和通信 Transportation and Comm-unication	1．交通 Transpo-rtation	(1)交通工具 Transportat-ion Facility	(2)车用燃料及零配件 Fuels and Parts
平均指数	**Average**	**101.2**	**101.8**	**111.8**	**103.1**	**98.0**	**100.5**	**95.9**	**114.3**
北　京	Beijing	101.8	103.2	114.5	101.5	97.6	99.7	93.3	115.8
天　津	Tianjin	98.9	103.7	105.6	101.4	97.8	101.2	98.5	114.7
石家庄	Shijiazhuang	101.3	97.3	111.9	100.5	99.5	101.1	99.1	107.5
太　原	Taiyuan	99.0	102.0	109.4	104.9	99.0	102.5	102.2	113.3
呼和浩特	Hohhot	99.8	102.0	104.9	103.1	95.7	101.7	94.2	114.1
沈　阳	Shenyang	104.9	100.3	111.1	105.2	93.2	100.5	98.8	110.0
大　连	Dalian	106.1	104.1	114.2	112.7	97.7	99.8	97.0	114.5
长　春	Changchun	100.6	102.2	103.2	103.1	98.7	100.0	97.3	112.6
哈尔滨	Harbin	100.6	108.4	105.1	101.4	99.0	102.4	99.2	113.6
上　海	Shanghai	102.0	101.8	114.1	97.4	97.5	99.2	96.7	110.0
南　京	Nanjing	101.2	102.8	112.3	113.2	96.2	98.7	93.9	114.8
杭　州	Hangzhou	101.5	100.2	113.9	100.2	94.7	99.5	96.4	113.3
宁　波	Ningbo	103.0	108.4	110.5	100.6	93.4	101.3	101.4	114.0
合　肥	Hefei	99.7	102.2	108.1	109.8	98.9	102.4	100.4	114.0
福　州	Fuzhou	101.3	102.6	100.5	104.2	96.9	103.2	99.3	114.7
厦　门	Xiamen	99.8	105.0	102.4	101.7	99.7	103.3	102.2	115.6
南　昌	Nanchang	99.9	100.7	117.2	103.5	98.4	101.6	99.6	110.6
济　南	Jinan	102.2	101.9	106.0	105.6	98.0	99.6	93.3	113.4
青　岛	Qingdao	99.6	102.3	104.2	103.3	98.9	99.6	96.0	108.7
郑　州	Zhengzhou	99.4	100.4	115.3	96.4	98.9	102.8	100.4	110.8
武　汉	Wuhan	100.0	102.8	109.5	116.4	98.5	102.2	98.2	112.0
长　沙	Changsha	99.6	101.4	106.3	99.5	99.8	101.8	98.9	111.7
广　州	Guangzhou	101.0	99.3	110.8	108.6	98.8	101.5	90.4	117.3
深　圳	Shenzhen	99.3	100.1	113.1	98.5	101.2	103.7	100.5	116.1
南　宁	Nanning	100.5	103.9	101.3	104.7	98.9	101.6	96.5	113.8
海　口	Haikou	101.0	106.2	110.7	100.0	101.1	103.8	100.2	110.9
重　庆	Chongqing	101.0	101.7	111.4	100.2	99.3	102.7	101.2	115.7
成　都	Chengdu	99.8	101.0	109.0	101.3	98.4	100.0	93.1	112.2
贵　阳	Guiyang	96.9	97.5	105.9	107.6	98.9	101.4	100.8	115.0
昆　明	Kunming	102.0	98.4	107.7	110.4	99.0	100.8	94.3	112.5
拉　萨	Lhasa	100.0	101.9	111.4	106.3	100.3	103.1	97.3	109.5
西　安	Xi'an	99.1	101.7	105.6	97.7	95.1	96.8	98.9	112.0
兰　州	Lanzhou	99.9	101.8	107.9	99.8	98.3	102.0	100.6	102.5
西　宁	Xining	101.6	103.4	106.4	95.8	96.7	100.3	99.2	113.8
银　川	Yinchuan	100.5	103.5	111.7	102.7	98.6	104.6	99.7	112.5
乌鲁木齐	Urumqi	103.2	104.2	110.7	100.4	98.1	101.1	95.8	115.0

4－7－7 续表 8　Continued 8

(上年价格=100)　(Preceding year=100)

地　区	Region	(3)车辆使用及维修 Using and Upkeep Fare	(4)市区公共交通费 Incity Traffic Fare	(5)城市间交通费 Intercity Traffic Fare	2．通信 Commun-ication	(1)通信工具 Communicat-ion Facility	(2)通信服务 Communicat-ion Service	七、娱乐教育文化用品及服务 Recreation, Education and Culture Articles
平均指数	**Average**	**101.1**	**98.8**	**101.3**	**95.1**	**73.4**	**99.3**	**98.9**
北　京	Beijing	99.3	98.1	96.2	94.3	72.5	100.0	98.0
天　津	Tianjin	101.8	100.0	99.2	94.4	65.5	100.0	97.6
石家庄	Shijiazhuang	104.3	100.0	102.1	98.3	90.6	100.3	95.8
太　原	Taiyuan	101.0	100.0	101.8	96.4	74.6	100.0	100.0
呼和浩特	Hohhot	98.8	100.0	107.9	90.5	81.8	92.4	96.4
沈　阳	Shenyang	105.3	100.0	99.2	87.8	68.5	89.2	99.5
大　连	Dalian	99.1	100.0	97.8	96.0	68.7	100.0	97.6
长　春	Changchun	107.2	100.0	99.9	97.6	79.7	100.0	98.1
哈尔滨	Harbin	98.2	102.6	101.7	96.7	77.6	100.0	100.4
上　海	Shanghai	101.0	97.5	104.7	95.1	67.9	101.3	98.2
南　京	Nanjing	98.0	100.0	99.9	92.7	59.2	100.0	98.4
杭　州	Hangzhou	96.5	96.8	105.6	87.6	77.9	89.3	99.4
宁　波	Ningbo	102.7	88.0	103.4	84.9	79.3	85.7	100.0
合　肥	Hefei	104.3	100.0	102.1	95.6	68.9	100.0	99.7
福　州	Fuzhou	100.2	100.0	105.8	94.0	88.9	95.1	94.2
厦　门	Xiamen	100.8	100.0	109.7	97.2	80.0	99.5	96.4
南　昌	Nanchang	101.7	100.0	102.9	96.4	70.8	100.0	100.4
济　南	Jinan	100.1	100.0	101.5	95.8	74.7	100.0	100.5
青　岛	Qingdao	98.8	100.9	97.0	98.0	91.0	99.7	98.5
郑　州	Zhengzhou	110.9	100.0	99.8	97.4	75.6	100.0	100.2
武　汉	Wuhan	102.0	99.2	106.8	95.5	74.6	99.3	98.6
长　沙	Changsha	99.9	99.7	105.8	97.8	91.8	98.9	102.5
广　州	Guangzhou	104.0	100.0	98.6	95.8	67.4	100.0	99.2
深　圳	Shenzhen	103.1	100.0	100.9	97.8	87.7	100.0	100.2
南　宁	Nanning	101.1	100.0	102.1	95.7	79.0	100.0	98.8
海　口	Haikou	100.0	100.0	101.1	98.9	88.9	100.0	100.3
重　庆	Chongqing	98.1	100.0	102.5	97.3	74.5	100.2	100.3
成　都	Chengdu	100.0	100.0	102.9	96.8	81.9	100.0	98.6
贵　阳	Guiyang	101.6	100.0	103.3	96.6	80.6	100.0	102.9
昆　明	Kunming	104.0	100.0	102.5	97.4	80.6	100.0	97.5
拉　萨	Lhasa	107.3	100.0	100.3	96.5	84.0	99.4	98.1
西　安	Xi'an	106.5	89.6	99.6	93.3	65.4	98.3	98.7
兰　州	Lanzhou	100.7	102.0	102.8	94.8	70.9	100.0	101.2
西　宁	Xining	98.6	100.1	100.0	93.5	70.3	96.8	99.3
银　川	Yinchuan	104.1	100.0	108.1	94.1	69.7	99.9	98.1
乌鲁木齐	Urumqi	98.8	100.0	100.5	95.6	75.7	100.0	97.3

4-7-7 续表 9 Continued 9

(上年价格=100) (Preceding year=100)

地 区	Region	1.文娱用耐用消费品及服务 Durable Consumer Goods for Cultural and Recreational Use and Services	2. 教育 Education	(1)教材及参考书 Teaching Materials and Reference Books	(2)学杂托幼费 Tuition and Child Care	3. 文化娱乐 Cultural and Recreational	(1)文化娱乐用品 Cultural Recreational Articles	(2)书报杂志 Newspapers and Magazines
平均指数	**Average**	**88.3**	**100.4**	**100.4**	**100.4**	**101.3**	**98.7**	**103.6**
北 京	Beijing	89.4	100.4	101.2	100.2	100.6	98.0	105.8
天 津	Tianjin	83.1	100.8	102.4	100.6	99.3	102.3	100.2
石家庄	Shijiazhuang	90.0	95.9	100.0	95.4	99.2	98.6	100.0
太 原	Taiyuan	95.7	100.3	100.0	100.3	101.6	101.6	100.2
呼和浩特	Hohhot	89.4	100.5	98.8	100.6	96.4	98.1	100.4
沈 阳	Shenyang	91.1	100.3	103.6	100.0	101.9	98.0	103.9
大 连	Dalian	85.8	100.1	101.2	100.0	102.1	103.0	108.6
长 春	Changchun	86.8	99.3	101.0	99.0	103.7	99.7	114.4
哈尔滨	Harbin	88.2	100.8	103.4	100.4	100.3	100.7	100.0
上 海	Shanghai	85.0	101.2	99.0	101.5	100.7	95.7	108.1
南 京	Nanjing	80.3	101.4	99.5	101.7	106.0	99.2	108.9
杭 州	Hangzhou	93.2	100.1	101.3	100.0	101.9	98.0	100.0
宁 波	Ningbo	94.0	100.6	99.2	100.7	101.0	103.1	99.7
合 肥	Hefei	87.2	102.0	101.0	100.5	102.5	100.1	100.0
福 州	Fuzhou	92.7	86.7	109.7	84.5	99.1	102.7	101.3
厦 门	Xiamen	94.9	93.5	94.1	93.3	101.2	99.5	94.1
南 昌	Nanchang	90.9	100.4	99.8	100.5	100.9	99.0	100.0
济 南	Jinan	90.1	103.2	100.8	103.4	101.4	99.5	101.1
青 岛	Qingdao	96.6	98.1	106.1	97.0	99.0	98.9	104.1
郑 州	Zhengzhou	99.1	100.5	100.2	100.6	101.9	100.0	107.0
武 汉	Wuhan	84.2	99.7	98.3	99.8	102.7	99.7	111.8
长 沙	Changsha	94.5	101.9	102.2	102.2	101.4	100.9	100.4
广 州	Guangzhou	85.0	100.2	104.1	100.0	101.0	98.6	100.0
深 圳	Shenzhen	93.4	100.2	100.3	100.2	101.6	99.4	103.9
南 宁	Nanning	94.2	99.9	98.4	100.0	101.1	100.5	101.4
海 口	Haikou	98.8	101.2	100.0	101.3	101.1	100.4	101.0
重 庆	Chongqing	93.4	101.2	101.2	101.2	101.5	100.4	100.0
成 都	Chengdu	94.2	99.4	96.7	99.7	101.5	99.9	103.9
贵 阳	Guiyang	93.2	103.7	100.4	103.8	114.2	100.7	100.0
昆 明	Kunming	86.4	99.4	99.2	99.4	108.4	100.4	107.9
拉 萨	Lhasa	98.6	99.7	98.8	100.0	99.8	99.6	100.9
西 安	Xi'an	84.2	99.3	101.7	98.9	99.2	97.0	107.9
兰 州	Lanzhou	89.0	103.3	102.7	103.4	99.9	99.2	100.0
西 宁	Xining	84.3	102.3	98.2	102.6	106.1	99.2	100.0
银 川	Yinchuan	87.9	101.7	99.9	101.9	102.8	103.0	103.2
乌鲁木齐	Urumqi	89.8	100.5	106.1	100.0	98.9	97.2	100.0

4－7－7 续表 10 Continued 10

(上年价格=100) (Preceding year=100)

地 区	Region	(3)文娱费 Expenditure of Culture and Recreation	4.旅游 Touring	八、居住 Residence	1．建房及装修材料 Building and Building Decoration Materials	2．租房 Rent	3．自有住房 Private Housing	4.水、电、燃料 Eletricity and Fuel
平均指数	**Average**	**102.2**	**101.7**	**103.4**	**106.6**	**104.6**	**101.7**	**102.8**
北 京	Beijing	101.2	97.4	103.0	109.5	101.0	101.4	101.1
天 津	Tianjin	95.7	102.6	105.3	113.3	100.3	101.8	107.6
石家庄	Shijiazhuang	99.2	99.7	106.7	107.4	105.2	103.6	107.3
太 原	Taiyuan	102.1	100.7	105.7	112.9	101.7	102.7	102.9
呼和浩特	Hohhot	90.2	89.2	105.2	97.7	105.7	103.8	108.0
沈 阳	Shenyang	103.2	103.5	101.7	103.6	100.0	103.9	100.6
大 连	Dalian	98.9	93.7	103.0	103.3	118.7	101.1	100.8
长 春	Changchun	100.0	100.1	100.3	102.9	101.7	99.1	101.5
哈尔滨	Harbin	100.0	109.9	103.0	106.2	105.4	101.8	102.2
上 海	Shanghai	101.8	101.7	102.5	104.5	110.8	101.3	100.5
南 京	Nanjing	109.9	99.6	102.1	98.9	102.9	101.0	102.4
杭 州	Hangzhou	104.8	100.5	102.4	103.6	104.6	102.9	101.0
宁 波	Ningbo	100.1	102.5	103.5	108.3	103.5	102.6	101.4
合 肥	Hefei	104.9	101.2	103.6	102.5	111.4	102.1	104.8
福 州	Fuzhou	94.9	111.0	102.7	101.6	103.2	101.7	103.2
厦 门	Xiamen	107.3	100.6	103.9	104.4	101.6	104.7	103.8
南 昌	Nanchang	102.9	106.5	106.1	108.8	100.0	107.6	106.6
济 南	Jinan	103.4	102.0	104.5	104.3	100.7	101.8	105.4
青 岛	Qingdao	94.3	100.2	103.6	102.9	112.8	101.0	103.4
郑 州	Zhengzhou	99.9	99.0	103.1	106.9	101.3	102.8	104.4
武 汉	Wuhan	100.0	103.2	105.1	110.5	100.0	104.3	104.1
长 沙	Changsha	101.9	104.0	102.3	98.1	99.5	100.3	105.3
广 州	Guangzhou	103.8	99.6	104.6	109.1	103.2	101.6	104.0
深 圳	Shenzhen	102.1	104.1	104.5	100.9	105.3	100.5	106.6
南 宁	Nanning	101.1	99.6	106.3	115.9	100.0	97.7	108.1
海 口	Haikou	102.1	95.2	104.9	112.1	101.6	103.1	104.3
重 庆	Chongqing	103.2	104.6	101.8	104.5	103.8	101.7	100.4
成 都	Chengdu	101.6	97.1	103.0	104.5	101.3	102.9	102.5
贵 阳	Guiyang	121.7	97.0	105.2	105.9	109.3	103.5	106.8
昆 明	Kunming	116.8	96.6	103.7	109.6	107.2	101.9	101.8
拉 萨	Lhasa	98.8	92.1	106.8	105.7	100.3	110.4	107.7
西 安	Xi'an	98.1	105.0	102.3	102.8	100.3	102.4	102.5
兰 州	Lanzhou	100.0	106.5	102.3	108.8	105.0	98.4	105.0
西 宁	Xining	112.5	94.6	106.8	108.6	102.4	103.5	109.8
银 川	Yinchuan	102.4	97.6	105.3	106.3	98.9	101.5	107.4
乌鲁木齐	Urumqi	100.3	94.5	104.2	111.1	107.4	102.0	101.7

4-8-1 全国商品零售价格分类指数(1978～2008年)

Retail Price Indices by Category(1978～2008)

(上年价格=100) (Preceding year=100)

年份 Year	总指数* Retail Price Index	食品类 Food	粮食 Grain	油脂 Oil or Fat	肉禽及其制品 Meat, Poultry and Their Products	蛋 Eggs	水产品 Aquatic Products	菜 Vegetables	调味品 Flavoring	食糖 Sugar	糖果 Candy
1978	100.7	101.5	101.3					105.0			
1979	102.0	105.5	103.7					107.8			
1980	106.0	110.5	103.5					110.9			
1981	102.4	103.7	103.9					110.6			
1982	101.9	102.8	100.2					101.8			
1983	101.5	102.4	99.9					112.7			
1984	102.8	102.6	99.8	102.6	105.0		111.1	107.5			
1985	108.8	114.4	110.9	112.3	122.0		134.3	134.5			
1986	106.0	107.4	109.3	111.0	110.1		111.7	103.3			
1987	107.3	110.1	106.2	107.7	116.5		117.0	117.7			
1988	118.5	123.0	114.1	117.1	136.8		131.1	131.7			
1989	117.8	116.2	121.3	121.5	114.3		116.3	102.1			
1990	102.1	100.3	95.2	101.6	97.9		99.3	99.6			
1991	102.9	103.3	108.6	109.9	97.7		101.5	106.1			
1992	105.4	107.7	124.3	105.9	104.8		105.4	109.6			
1993	113.2	114.3	127.7	116.2	114.0		116.3	115.7			
1994	121.7	135.2	148.7	161.4	137.2		120.7	138.2	118.3	138.5	127.1
1995	114.8	124.7	134.4	116.3	124.2		114.2	129.3	117.3	130.5	122.5
1996	106.1	107.7	107.5	92.1	106.4		105.6	118.4	114.3	95.8	109.5
1997	100.8	99.8	92.1	101.6	101.3		101.2	99.5	102.9	98.0	102.9
1998	97.4	96.8	96.9	100.7	92.6		94.2	100.3	99.3	92.8	99.7
1999	97.0	95.8	96.4	94.4	91.1		93.6	100.4	99.9	84.8	98.1
2000	98.5	97.5	90.1	86.2	96.1		102.7	105.3	101.2	108.6	99.2
2001	99.2	100.6	101.5	89.3	102.9		96.3	103.3	100.8	115.8	100.6
2002	98.7	99.9	98.6	100.1	100.4	96.2	100.8	99.6	101.2	88.8	102.5
2003	99.9	103.4	102.2	112.5	103.0	98.5	100.3	116.3	100.3	91.1	103.1
2004	102.8	109.9	126.5	116.8	117.1	119.8	112.5	95.2	101.8	104.1	101.1
2005	100.8	103.1	101.4	94.7	103.0	104.7	105.8	108.1	101.4	106.9	102.6
2006	101.0	102.6	102.5	98.7	97.3	96.3	101.6	108.1	102.2	130.7	103.4
2007	103.8	112.3	106.4	126.3	131.0	121.8	105.3	107.9	103.9	98.8	102.3
2008	105.9	114.4	107.0	125.0	121.7	104.3	114.5	110.4	105.6	98.2	106.3

*自2003年起，商品零售价格指数开始编制定基价格指数。

Making of retail price fixed-base index from 2003.

4-8-1 续表 1 Continued 1

(上年价格=100) (Preceding year=100)

年 份 Year	干鲜瓜果 Dried and Fresh Melons and Fruits	糕点 Cake	液体乳及乳制品 Milk and Its Products	在外用膳食品 Outward Dinner Food	主食 Staple Food	炒菜 Fried Dishes	地方小吃 Local Snack	其它食品 Other Foods	饮料、烟酒 Beverages, Tobacco and Liquor	茶及饮料 Tea and Beverages
1978								102.7	100.1	
1979								103.5	100.7	
1980								106.4	100.5	
1981								102.5	103.3	
1982								101.2	116.4	
1983								105.2	98.7	
1984								104.0	99.9	
1985								115.0	100.7	
1986								106.7	101.2	
1987								109.7	103.2	
1988								120.2	113.0	
1989								121.9	110.7	
1990								102.5	100.9	
1991								103.9	100.8	
1992								103.6	104.6	
1993								109.5	105.8	
1994		127.0	133.3	128.2	133.8	124.8	130.8	126.5	111.3	113.8
1995		124.8	126.3	123.5	128.7	120.5	126.3	123.2	107.8	111.3
1996		110.2	110.3	108.6	110.7	107.1	110.5	108.8	105.1	106.2
1997		103.9	104.8	104.7	104.5	104.7	105.2	103.0	101.2	102.1
1998		100.7	100.0	101.1	101.1	100.7	102.5	99.2	98.8	99.1
1999	99.4	100.7	99.1	99.6	100.3	98.9	100.9	97.8	97.3	98.4
2000	95.7	99.5	100.0	99.8	99.0	99.7	101.3	100.9	98.0	98.5
2001	100.1	99.2	99.9	100.4	99.9	100.4	101.1	101.8	99.5	98.9
2002	100.8	99.3	99.4	100	100.1	99.7	101.1	101.2	99.9	99.5
2003	102.2	99.8	99.7	100	100.7	99.7	100.3	99.2	99.9	99.3
2004	104.1	101.5	100.4	103.8	106.8	102.3	104.9	100.8	101.0	99.8
2005	101.7	100.8	100.9	102.8	102.2	103.2	102	101.2	100.5	100.2
2006	117.0	101.1	101.0	101.9	101.4	102.1	101.7	101.3	100.7	101.0
2007	102.5	104.6	102.9	107.1	108.2	105.9	110.2	104.3	101.8	101.4
2008	111.3	109.2	117.4	111.6	111.6	110.5	116.0	108.3	103.4	103.8

4-8-1 续表 2 Continued 2

(上年价格=100) (Preceding year=100)

年 份 Year	烟草 Tobacco	酒 Liquor	服装、鞋帽 Garments, Shoes and Hats	服装 Garments	鞋袜帽 Footgear and Hats	纺织品 Textiles	棉布 Cotton Cloth	混纺布 Blend Cloth	化纤布 Chemical Fiber Cloth	毛织品 Wool
1978			100.2							
1979			99.5				100.0		97.7	99.7
1980			100.0				100.0		99.3	99.8
1981			99.6				100.0		98.6	99.1
1982			97.9				100.0		92.3	98.9
1983			98.8				119.6		80.6	107.7
1984			100.0				100.0		97.2	100.4
1985			100.9				99.1		100.4	100.5
1986			103.2				102.0		100.2	102.2
1987			103.5				103.0		99.9	105.6
1988			112.7				121.7		102.6	120.0
1989			118.1				132.1		108.9	121.8
1990			107.1				111.2		106.0	107.0
1991			104.1				105.4		103.1	104.7
1992			102.8				101.2		101.0	102.9
1993			106.2				103.1		102.1	106.2
1994	110.8	110.8	119.6	117.9	119.0	114.7	130.9	115.4	111.3	107.8
1995	106.8	106.8	116.8	113.4	117.8	115.4	134.4	116.2	112.2	108.7
1996	104.8	104.8	108.5	107.3	109.4	106.4	109.3	105.1	104.9	107.9
1997	100.9	100.9	103.5	103.0	103.7	101.9	102.8	101.7	101.2	102.3
1998	98.7	98.7	99.3	98.5	99.8	99.1	100.2	99.4	97.0	99.5
1999	97.0	97.0	97.3	96.3	98.3	98.0	98.5	97.7	97.5	98.0
2000	97.8	97.8	99.2	98.7	99.8	98.6	98.9	98.5	99.0	98.4
2001	99.7	99.7	98.9	98.3	99.6	99.1	99.7	99.1	99.6	97.4
2002	100.0	100.0	97.9	97.5	98.0	99.4	99.3	100.3	99.2	98.7
2003	99.8	100.3	97.5	97.5	97.4	99.3	99.9	99.6	100.2	98.5
2004	100.7	102.2	98.2	98.2	98.0	100.0	103.2	101.4	101.2	98.6
2005	100.3	100.9	97.9	97.9	98.1	99.8	101.0	101.2	101.2	100.3
2006	100.2	101.3	99.8	99.4	100.8	100.0	100.9	101.8	100.6	
2007	100.9	103.4	99.4	99.6	98.9	100.2	102.4	102.0	101.4	
2008	100.5	107.5	98.4	98.5	98.1	100.5	102.6	102.1	101.6	

4-8-1 续表 3 Continued 3

(上年价格=100) (Preceding year=100)

年 份 Year	丝织品 Silk	家用电器及音像器材 Household Appliances, Music and Video Equipment	文化办公用品 Cultural and Office Appliances	日用品 Articles for Daily Use	日用百货 General Merchandise for Daily Use	日用杂品 Grocery for Daily Use	体育娱乐用品 Sports and Recreation Articles	交通、通信用品 Transportation and Communication Appliances	家具 Furniture	化妆品 Cosmetics
1978				100.1			100.6			
1979	99.7	100.0	102.3	100.5	99.8	102.2	101.8		100.4	
1980	100.0	93.6	100.8	101.6	100.1	103.0	95.5		101.1	
1981	100.0	97.2	100.4	101.3	100.1	103.2	98.0		107.6	
1982	100.0	96.1	100.2	100.6	100.4	102.2	97.2		107.6	
1983	100.1	95.1	100.3	99.3	100.2	101.8	98.1		101.1	
1984	99.6	99.7	100.3	100.2	100.8	104.6	99.8		101.7	
1985	101.1	100.8	103.9	102.7	103.8	109.5	101.5		103.9	
1986	106.6	99.6	105.1	106.1	105.9	109.8	101.0		103.6	
1987	109.7	100.2	107.9	106.1	106.0	110.4	102.5		105.7	
1988	112.3	115.3	114.8	112.2	121.7	112.8	114.1		109.2	
1989	119.2	114.0	119.2	115.3	124.1	118.0	114.3		111.6	
1990	106.5	93.1	111.4	101.9	107.7	108.3	97.5		102.3	
1991	102.9	93.2	105.0	101.5	103.8	103.7	96.2		100.4	
1992	101.5	93.0	102.7	101.4	101.4	103.6	95.7		100.6	
1993	104.6	99.5	107.3	107.9	107.8	112.2	101.6		107.3	
1994	114.2	106.7	109.4	113.9	114.0	118.0	109.8		111.0	116.4
1995	109.7	100.7	108.6	109.7	110.6	112.5	108.9		106.6	109.9
1996	104.2	98.7	106.2	105.3	105.7	107.1	106.7		103.7	105.0
1997	101.6	95.6	100.9	102.3	102.2	102.7	101.7		102.3	102.3
1998	99.8	93.9	98.4	99.0	99.5	99.8	99.0		97.9	100.5
1999	98.4	94.0	99.5	97.9	97.8	98.6	99.5		97.6	99.6
2000	98.8	93.6	98.9	98.1	97.9	99.4	98.9		97.8	98.9
2001	99.6	93.9	98.4	98.3	98.4	99.6	98.6		97.6	98.8
2002	99.3	94.2	98.6	98.7	98.8	99.0	99.3		98.4	98.4
2003	99.2	94.2	95.8	98.5	98.0	99.7	98.1	91.1	97.8	98.9
2004	98.8	94.7	96.9	99.6	99.7	100.3	98.2	91.8	98.8	98.9
2005	98.6	96.3	96.7	100.2	100.0	100.7	98.4	91.7	99.1	99.3
2006		97.3	97.6	100.8	100.5	101.2	98.5	92.3	100.1	99.8
2007		97.4	97.0	101.1	100.7	101.5	97.4	92.7	101.6	100.2
2008		96.9	96.8	103.7	103.2	101.8	97.7	93.2	102.6	100.7

4-8-1 续表 4 Continued 4

(上年价格=100) (Preceding year=100)

年 份 Year	金银珠宝 Gold, Silver and Jewelry	中西药品及医疗保健用品 Traditional Chinese and Western Medicines and Health Care Articles	医疗器具及用品 Medical Apparatus and Article	中药材及中成药 Traditional Chinese Medicinal Materials and Medicines	西药 Western Medicines	书报杂志及电子出版物 Books, Newspapers, Magazines and Electronic Publications	燃料 Fuels	建筑材料及五金电料 Building Materials and Hardware	建筑装璜材料 Building Decoration Materials	五金电料 Hardware
1978		100.5					100.1			
1979		101.7	99.7	105.7	99.7		100.2			
1980		100.9	99.8	102.9	99.8		100.7			
1981		100.2	98.1	102.9	98.1		100.6			
1982		101.3	100.4	102.9	100.4		100.8			
1983		103.9	101.8	107.2	101.8		101.0			
1984		104.9	102.1	109.0	102.1	100.0	102.2			
1985		103.8	102.5	105.8	102.5	132.5	104.0			
1986		102.0	101.9	102.0	101.9	113.9	103.9			
1987		104.6	106.1	102.5	106.1	101.4	103.6			
1988		124.8	117.6	134.8	117.6	115.2	116.1		121.4	
1989		121.2	121.9	120.1	121.9	192.7	127.4		118.7	
1990		102.4	106.8	96.6	106.8	107.6	108.2		97.0	
1991		103.4	101.1	106.3	101.1	100.8	115.6		100.8	
1992		109.1	102.1	118.4	102.1	103.3	114.6		106.5	
1993		109.2	106.2	113.1	106.2	107.1	135.0		128.8	
1994	110.1	111.8	113.4	109.3	113.4	133.5	115.1		112.9	
1995	99.4	111.5	114.9	111.6	111.0	115.2	107.2		105.7	
1996	99.4	108.8	106.8	112.8	106.2	136.9	105.0		101.2	
1997	97.8	104.4	103.5	108.4	101.6	112.8	107.3		99.0	
1998	90.9	102.8	101.0	108.1	99.1	105.1	96.1		97.1	
1999	94.5	101.0	100.1	105.6	97.9	104.9	100.4		98.3	
2000	97.6	100.2	99.6	104.6	97.3	105.4	117.7		98.4	
2001	90.7	98.5	98.8	102.3	95.8	108.1	102.4		100.1	
2002	100.9	96.5	99.0	97.5	95.4	100.8	102.0		100.1	
2003	108.6	98.4	100.6	104.4	94.3	100.3	109.3	99.7	99.7	99.7
2004	111.6	96.7	101.9	98.4	94.5	101.0	112.4	103.7	104.2	102.0
2005	104.4	97.6	98.4	96.5	97.8	100.3	115.4	102.1	102.3	101.5
2006	119.7	99.1	98.3	100.0	98.4	100.2	112.4	103.0	102.8	103.6
2007	107.9	102.0	98.5	108.0	99.0	99.7	104.2	105.1	105.6	103.4
2008	116.8	103.1	99.6	106.9	101.3	101.5	116.0	107.9	109.5	102.9

4-8-2 全国商品零售价格分类指数（2008年）
Retail Price Indices by Category (2008)

(上年价格=100) (Preceding year=100)

项 目	Item	全 国 National Indices	城 市 Urban Indices	36个大中城市 36 Major Cities	农 村 Rural Indices
商品零售价格总指数	**Retail Price Index**	**105.9**	**105.5**	**105.3**	**106.7**
一、食品	**Food**	**114.4**	**114.5**	**114.8**	**114.0**
1.粮食	Grain	107.0	106.9	107.3	107.1
2.淀粉	Starches	111.2	111.9	113.1	110.0
3.干豆类及豆制品	Bean and Its Products	134.1	135.1	134.8	132.1
4.油脂	Oil or Fat	125.0	124.7	124.9	125.5
5.肉禽及其制品	Meat, Poultry and Their Products	121.7	122.7	123.4	119.9
6.蛋	Eggs	104.3	104.3	105.2	104.4
7.水产品	Aquatic Products	114.5	114.0	114.0	115.9
8.菜	Vegetables	110.4	110.1	110.2	111.1
9.调味品	Flavoring	105.6	106.3	107.6	104.5
10.糖	Carbohydrate	103.9	104.8	105.6	102.5
11.干鲜瓜果	Dried and Fresh Melons and Fruits	111.3	111.3	111.4	111.1
12.糕点饼干面包	Cake	109.3	109.8	111.5	108.0
13.液体乳及乳制品	Milk and Its Products	117.4	118.5	119.7	112.7
14.在外用膳食品	Outward Dinner Food	111.6	111.5	111.8	111.7
15.其它食品	Other Foods	108.3	108.9	109.2	107.2
二、饮料、烟酒	**Beverages, Tobacco and Liquor**	**103.4**	**103.8**	**104.1**	**102.8**
1.茶及饮料	Tea and Beverages	103.8	104.2	104.3	102.9
2.烟草	Tobacco	100.5	100.4	100.5	100.5
3.酒	Liquor	107.5	108.6	110.2	105.8
三、服装、鞋帽	**Garments, Shoes and Hats**	**98.4**	**98.0**	**99.1**	**99.2**
1.服装	Garments	98.5	98.2	99.5	99.0
2.鞋袜帽	Footgear and Hats	98.1	97.5	98.1	99.6
3.其它	Others	98.1	98.1	97.4	98.1
四、纺织品	**Textiles**	**100.5**	**100.4**	**100.8**	**100.8**
1.衣着材料	Clothing Material	101.9	101.7	102.2	102.2
2.床上用品	Bed Articles	99.7	99.7	100.4	99.7
五、家用电器及音像器材	**Household Appliances, Music and Video Equipment**	**96.9**	**96.4**	**95.1**	**98.3**
1.家庭设备	Household Facilities	100.7	100.7	101.0	100.8
2.文娱用耐用消费品	Durable Consumer Goods for Cultural and Recreational Use	91.6	90.0	**86.9**	95.1
3.音像器材	Music and Video Equipment	97.2	96.9	95.5	98.9
六、文化办公用品	**Cultural and Office Appliances**	**96.8**	**95.9**	**94.9**	**99.2**
七、日用品	**Articles for Daily Use**	**103.7**	**103.6**	**103.9**	**103.9**
1.日用百货	General Merchandise for Daily Use	103.2	102.9	103.1	103.9
2.日用杂品	Grocery for Daily Use	101.8	101.6	101.9	102.3
3.洗涤用品	Wash	107.9	108.1	108.9	107.3
4.其它日用品	Other Articles for Daily Use	101.3	101.5	101.7	101.0
八、体育娱乐用品	**Sports and Recreation Articles**	**97.7**	**96.7**	**94.9**	**100.1**
1,体育用品	Sports Articles	100.8	100.7	101.3	101.1
2.娱乐用品	Recreation Articles	95.4	94.1	91.6	99.2
九、交通、通信用品	**Transportation and Communication Appliances**	**93.2**	**92.6**	**91.8**	**94.8**
1.交通运输机械	Transportation Appliances	97.7	97.2	96.7	99.7
2.通讯器材	Communication Appliances	84.4	82.9	78.2	87.9
十、家具	**Furniture**	**102.6**	**102.5**	**104.0**	**102.7**
十一、化妆品	**Cosmetics**	**100.7**	**100.6**	**101.0**	**100.7**
十二、金银珠宝	**Gold, Silver and Jewelry**	**116.8**	**116.4**	**116.8**	**118.1**
十三、中西药品及医疗保健用品	**Traditional Chinese and Western Medicines and Health Care Articles**	**103.1**	**103.0**	**103.0**	**103.2**
1.医疗器具及用品	Medical Apparatus and Article	99.6	99.9	100.4	99.0
2.中药材及中成药	Traditional Chinese Medicinal Materials and Medicines	106.9	106.4	106.6	107.8
3.西药	Western Medicines	101.3	101.5	101.4	100.9
4.保健器具及用品	Health Care Appliances and Articles	102.1	102.4	102.5	101.1
十四、书报杂志及电子出版物	**Books, Newspapers, Magazines and Electronic Publications**	**101.5**	**102.0**	**101.4**	**100.6**
1.教材及参考书	Teaching Materials and Reference Books	100.7	101.1	100.7	100.0
2.书报杂志	Newspapers and Magazines	103.7	104.5	105.1	101.8
3.电子音像制品	Electronic Publications	98.1	97.6	95.9	99.4
十五、燃料	**Fuels**	**116.0**	**114.3**	**113.7**	**120.2**
1.煤炭及制品	Coal and its product	127.0	124.9	128.6	129.2
2.石油及制品	Petroleum and its product	113.4	112.6	112.3	115.8
十六、建筑材料及五金电料	**Building Materials and Hardware**	**107.9**	**107.4**	**107.5**	**108.7**
1.建筑装璜材料	Building Decoration Materials	109.5	109.1	109.2	110.0
2.五金电料	Hardware	102.9	102.3	102.2	104.1

4-8-3 各地区商品零售价格总指数(1981～2008年)

(上年价格=100)

地区	Region	1981	1982	1983	1984	1985	1986	1987	1988	1989	1990	1991	1992
全国	**National**	**102.4**	**101.9**	**101.5**	**102.8**	**108.8**	**106.0**	**107.3**	**118.5**	**117.8**	**102.1**	**102.9**	**105.4**
北京	Beijing	101.4	102.0	100.6	102.1	118.6	106.7	108.7	121.9	118.5	104.1	108.5	108.3
天津	Tianjin	101.5	100.5	100.5	101.8	113.9	107.2	106.9	117.7	115.1	102.7	108.0	109.4
河北	Hebei	102.1	101.5	101.4	103.4	107.8	105.2	108.3	118.1	118.4	99.9	102.8	105.2
山西	Shanxi	102.3	102.2	101.2	103.0	107.6	105.3	107.5	121.0	119.1	102.1	103.9	106.3
内蒙古	Inner Mongolia	101.8	101.7	101.0	104.4	108.5	105.0	108.1	116.3	115.9	102.9	104.5	106.8
辽宁	Liaoning	101.6	101.2	101.5	103.9	110.0	106.0	109.0	119.3	118.4	102.7	104.1	106.0
吉林	Jilin	101.7	103.0	102.6	104.2	109.7	105.4	107.5	119.9	116.9	103.9	105.1	107.1
黑龙江	Heilongjiang	102.1	102.8	102.2	104.4	111.7	105.9	109.6	117.8	114.0	104.9	106.5	108.5
上海	Shanghai	101.5	100.3	100.1	102.2	116.4	106.7	108.8	121.3	116.7	104.8	109.5	109.7
江苏	Jiangsu	101.6	101.1	100.8	103.5	109.2	106.5	109.3	121.7	118.0	102.3	104.4	104.8
浙江	Zhejiang	101.5	100.9	102.0	103.4	114.0	106.0	109.5	122.1	117.8	101.6	103.0	106.6
安徽	Anhui	101.7	101.0	101.1	102.0	106.4	105.2	109.7	121.8	117.1	101.9	105.7	106.6
福建	Fujian	103.4	103.6	101.5	101.9	110.6	105.9	109.4	126.5	118.8	98.9	103.6	105.0
江西	Jiangxi	104.6	102.9	101.4	102.5	108.3	105.8	106.9	121.8	118.6	101.3	102.4	105.6
山东	Shandong	101.8	100.9	100.5	102.6	107.1	104.2	108.0	118.3	117.1	101.8	104.7	105.9
河南	Henan	101.6	101.5	102.3	102.1	104.9	105.0	108.1	120.2	118.3	99.7	101.7	104.4
湖北	Hubei	101.4	100.7	101.4	103.0	107.5	104.2	107.6	119.5	117.0	102.9	104.3	107.0
湖南	Hunan	100.9	101.7	102.4	103.1	111.1	104.8	110.6	125.9	118.1	99.4	104.1	109.5
广东	Guangdong	109.3	102.3	100.7	101.2	113.6	104.8	111.7	130.2	121.0	95.6	100.6	105.8
广西	Guangxi	101.7	103.1	102.8	104.2	111.2	105.1	108.0	121.0	121.3	100.1	102.5	104.6
海南	Hainan								127.8	126.8	100.6	103.1	108.7
重庆	Chongqing												
四川	Sichuan	101.8	102.3	100.7	102.3	106.8	103.9	107.5	120.0	118.3	103.1	102.3	106.4
贵州	Guizhou	102.3	102.0	100.7	102.5	107.7	105.3	107.3	120.2	117.4	101.4	103.3	107.4
云南	Yunnan	101.2	101.9	101.0	102.7	108.0	105.0	106.6	199.6	119.3	102.1	103.7	107.7
西藏	Tibet												
陕西	Shaanxi	103.0	101.0	101.5	103.9	106.5	105.2	108.6	119.0	118.8	101.6	105.8	109.5
甘肃	Gansu	102.0	101.4	100.2	103.0	108.5	106.0	107.4	118.6	116.4	103.4	104.6	105.8
青海	Qinghai	101.4	101.8	100.7	103.8	110.7	106.1	107.3	118.3	117.7	104.5	106.3	106.4
宁夏	Ningxia	102.0	102.5	101.1	103.2	107.8	104.9	108.0	117.5	117.8	104.2	105.7	107.4
新疆	Xinjiang	101.6	100.2	101.5	103.1	108.1	106.7	107.1	114.6	116.7	104.1	108.0	108.1

Retail Price Indices by Region(1981 ~ 2008)

(Preceding year=100)

1993	1994	1995	1996	1997	1998	1999	2000	2001	2002	2003	2004	2005年	2006	2007	2008
113.2	**121.7**	**114.8**	**106.1**	**100.8**	**97.4**	**97.0**	**98.5**	**99.2**	**98.7**	**99.9**	**102.8**	**100.8**	**101.0**	**103.8**	**105.9**
116.9	117.9	112.6	107.3	103.8	98.3	98.8	98.9	98.8	98.4	98.2	99.2	99.7	100.2	100.8	104.4
114.3	115.6	110.6	105.1	100.7	96.6	97.5	98.6	98.6	97.4	97.4	100.8	99.9	100.4	103.2	105.1
110.5	121.4	115.8	106.2	102.1	97.7	97.8	99.1	99.8	99.2	100.2	103.2	101.1	101.5	104.1	106.7
113.1	121.6	115.6	106.2	101.3	97.0	96.8	97.1	99.0	98.6	100.3	103.1	100.3	101.2	104.2	107.2
112.5	119.3	116.8	105.8	102.3	98.1	97.7	98.8	100.0	99.4	99.6	102.7	101.5	101.4	103.6	104.7
113.5	120.6	114.0	105.4	101.0	97.6	96.1	98.4	99.4	97.4	98.9	101.9	100.1	101.3	104.4	105.3
111.3	119.9	114.2	105.1	101.8	97.9	96.7	98.0	100.9	99.0	100.5	103.5	101.1	101.5	103.3	106.2
114.6	120.7	114.3	105.1	102.2	98.4	96.1	97.8	100.4	98.5	99.7	102.8	100.4	101.5	105.6	105.8
117.5	117.5	113.0	105.0	98.8	95.1	97.3	96.4	98.6	98.7	99.0	100.9	99.4	100.2	102.4	105.3
115.4	123.6	114.3	106.8	99.3	98.2	96.9	98.6	98.9	98.4	99.8	102.2	100.3	100.8	102.9	104.9
116.7	121.7	113.5	105.8	100.3	98.4	97.7	99.0	98.1	98.7	99.6	102.7	100.9	100.8	103.8	106.3
112.9	123.3	112.7	107.1	99.4	98.1	96.6	98.0	99.6	99.2	101.3	102.7	100.6	100.8	104.5	106.3
113.4	123.0	114.4	104.5	99.8	98.5	96.5	98.9	98.0	98.3	99.1	102.7	100.6	100.5	104.3	105.7
111.1	125.1	115.9	106.6	99.6	98.8	96.8	98.5	98.4	100.2	100.1	103.0	100.9	101.2	104.0	106.1
110.7	120.3	114.2	107.0	100.8	97.1	97.1	98.6	100.0	98.8	100.2	102.8	100.6	100.6	103.6	104.9
108.4	120.6	114.9	107.9	100.5	96.6	96.2	98.5	99.8	99.2	101.3	105.7	101.7	100.9	104.4	107.5
115.0	124.9	116.6	106.5	101.5	97.1	95.9	97.8	97.4	98.8	101.2	104.1	102.1	101.1	104.2	106.3
115.1	125.3	115.5	105.2	100.3	97.9	97.6	99.3	98.8	99.2	100.6	103.9	102.3	101.3	104.3	105.6
118.2	118.9	111.6	104.4	99.8	97.0	96.7	99.9	98.7	98.5	100.0	102.9	101.8	101.5	103.4	106.0
118.9	124.4	116.4	104.5	99.6	96.3	97.2	98.6	97.8	98.1	100.2	103.9	101.1	100.3	104.8	107.6
123.9	121.8	111.3	102.3	99.4	96.5	96.6	99.9	97.7	98.4	100.4	103.4	100.9	101.3	103.8	106.7
				101.6	94.5	96.5	95.5	99.0	98.9	99.5	101.4	98.7	101.6	103.7	105.0
113.9	123.9	117.0	107.7	102.9	97.7	97.3	97.7	100.8	99.4	100.1	103.7	100.6	101.7	105.3	105.3
114.8	119.5	117.2	106.9	101.5	98.9	97.9	97.3	98.4	99.3	100.0	103.2	101.3	100.9	104.2	107.2
118.9	116.0	118.1	106.6	102.3	99.2	98.3	97.6	98.4	98.1	99.9	104.7	100.1	100.8	104.4	106.1
						98.8	99.2	99.6	99.5	99.4	100.7	100.8	100.2	101.7	103.9
111.8	125.9	117.0	108.1	101.6	96.2	97.5	98.3	99.1	98.6	100.5	102.5	100.1	101.8	105.0	106.9
113.0	122.5	116.5	106.6	101.6	98.1	97.2	99.1	99.6	98.9	100.2	102.1	99.9	101.2	104.4	107.9
112.5	123.2	116.3	107.8	103.0	99.6	98.5	99.0	99.9	99.3	100.8	102.6	100.7	102.0	106.0	110.6
112.8	120.1	115.3	106.7	102.2	97.5	97.9	97.6	100.0	98.6	99.5	102.8	100.4	101.3	104.1	108.5
112.6	125.7	116.7	108.8	101.8	99.7	96.2	98.3	102.5	97.9	99.2	100.7	99.4	101.8	105.1	108.5

4-8-4 各地区商品零售价格分类指数（2008年）

Retail Price Indices by Category and Region (2008)

（上年价格=100） (Preceding year=100)

地 区	Region	总指数 Retail Price Index	一、食 品 Food	1.粮 食 Grain	2.淀粉 Starches	3.干豆类及豆制品 Dried Bean and Their Products	4.油 脂 Oil or Fat	5.肉禽及其制品 Meat, Poultry and Their Products	6.蛋 Eggs
全国平均	**National**	**105.9**	**114.4**	**107.0**	**111.2**	**134.1**	**125.0**	**121.7**	**104.3**
北 京	Beijing	104.4	116.5	108.9	117.9	131.5	121.3	125.1	106.4
天 津	Tianjin	105.1	112.2	105.5	98.1	139.9	129.0	118.9	103.6
河 北	Hebei	106.7	115.1	107.1	111.7	133.4	127.4	122.9	105.5
山 西	Shanxi	107.2	117.3	107.6	113.7	140.1	129.6	123.7	101.7
内蒙古	Inner Mongolia	104.7	113.3	106.3	115.0	126.3	129.2	120.6	101.2
辽 宁	Liaoning	105.3	112.6	104.8	116.1	144.2	124.6	123.0	102.0
吉 林	Jilin	106.2	112.6	104.3	106.8	136.3	122.2	124.0	111.3
黑龙江	Heilongjiang	105.8	112.0	103.9	109.6	136.1	128.9	119.6	103.7
上 海	Shanghai	105.3	115.3	107.3	107.9	132.5	124.7	122.9	106.4
江 苏	Jiangsu	104.9	113.5	106.1	107.5	136.1	125.9	121.3	103.6
浙 江	Zhejiang	106.3	114.0	105.1	108.4	140.6	126.8	119.2	105.5
安 徽	Anhui	106.3	114.5	105.7	102.8	133.8	125.5	121.6	106.7
福 建	Fujian	105.7	113.8	105.5	112.4	128.0	120.4	121.0	104.0
江 西	Jiangxi	106.1	113.8	107.7	109.2	126.5	122.2	119.3	102.4
山 东	Shandong	104.9	113.2	106.7	111.3	134.4	123.5	122.6	105.0
河 南	Henan	107.5	116.1	106.8	112.3	136.4	126.1	124.5	106.6
湖 北	Hubei	106.3	115.8	105.6	114.2	134.8	126.7	124.5	103.6
湖 南	Hunan	105.6	114.2	114.2	105.3	136.5	129.3	115.8	102.2
广 东	Guangdong	106.0	113.7	108.3	111.9	125.2	120.2	120.3	104.2
广 西	Guangxi	107.6	120.4	112.1	125.2	139.5	121.0	122.0	102.2
海 南	Hainan	106.7	113.7	109.7	128.7	138.6	124.1	119.0	106.7
重 庆	Chongqing	105.0	116.0	112.0	118.6	128.2	128.5	122.7	103.2
四 川	Sichuan	105.3	111.9	105.9	102.8	117.5	119.3	116.0	104.2
贵 州	Guizhou	107.2	117.8	108.8	110.2	143.8	123.7	125.9	101.7
云 南	Yunnan	106.1	116.0	109.3	106.4	132.5	125.9	127.5	101.0
西 藏	Tibet	103.9	112.5	103.7	107.4	116.8	127.8	124.6	110.3
陕 西	Shaanxi	106.9	116.4	107.3	110.2	141.4	126.2	127.1	106.0
甘 肃	Gansu	107.9	116.5	107.6	121.3	129.2	144.6	127.6	101.0
青 海	Qinghai	110.6	118.3	108.6	105.5	148.4	126.7	128.1	104.9
宁 夏	Ningxia	108.5	117.5	108.6	118.5	135.3	135.9	128.5	103.5
新 疆	Xinjiang	108.5	118.9	110.9	109.6	137.3	133.7	131.4	106.6

4-8-4 续表 1 Continued 1

(上年价格=100) (Preceding year=100)

地 区 Region	7.水产品 Aquatic Products	8.菜 Vegetables	9.调味品 Flavoring	10.糖 Carbohydrate	11.干鲜瓜果 Dried and Fresh Melons and Fruits	12.糕点饼干面包 Cake	13.液体乳及乳制品 Milk and Its Products	14.在外用膳食品 Outward Dinner Food
全国平均 National	**114.5**	**110.4**	**105.6**	**103.9**	**111.3**	**109.3**	**117.4**	**111.6**
北 京 Beijing	120.2	108.6	110.9	110.1	114.7	112.3	125.9	114.7
天 津 Tianjin	102.6	107.1	108.5	105.9	115.2	114.5	132.8	109.3
河 北 Hebei	117.0	110.9	104.7	104.9	110.7	108.0	115.5	114.7
山 西 Shanxi	120.5	114.8	108.0	107.1	114.4	111.9	123.3	119.5
内蒙古 Inner Mongolia	114.4	107.0	103.3	101.5	111.1	106.4	116.9	113.1
辽 宁 Liaoning	109.8	100.8	107.6	105.1	104.6	110.3	124.2	110.5
吉 林 Jilin	112.9	100.0	106.1	101.6	111.0	109.0	116.2	108.7
黑龙江 Heilongjiang	109.9	105.6	105.4	100.3	105.8	107.6	111.2	111.3
上 海 Shanghai	110.8	120.6	109.5	107.4	112.3	112.5	119.4	114.3
江 苏 Jiangsu	112.0	109.4	103.8	105.8	111.1	110.5	120.1	109.7
浙 江 Zhejiang	114.1	111.7	103.9	104.2	111.6	109.1	116.4	111.4
安 徽 Anhui	119.4	111.7	102.8	103.9	111.5	107.8	114.6	109.1
福 建 Fujian	111.0	113.9	104.6	102.3	109.1	108.8	115.0	112.2
江 西 Jiangxi	120.2	108.0	105.2	100.5	107.2	113.4	112.0	112.6
山 东 Shandong	112.3	104.5	105.2	103.6	112.5	106.2	118.5	110.6
河 南 Henan	122.4	112.1	107.4	102.0	115.1	107.5	119.7	112.0
湖 北 Hubei	122.9	108.9	105.7	105.9	110.8	112.0	115.8	111.9
湖 南 Hunan	120.1	122.1	104.4	101.4	110.4	106.7	111.2	109.0
广 东 Guangdong	116.2	116.6	103.2	103.1	111.2	107.1	111.5	107.6
广 西 Guangxi	116.7	139.8	107.4	106.9	109.8	112.6	120.4	116.4
海 南 Hainan	116.3	116.4	105.1	102.6	113.8	104.1	111.8	102.1
重 庆 Chongqing	125.0	108.2	105.5	109.6	118.1	111.0	114.2	110.2
四 川 Sichuan	114.1	105.4	102.9	101.3	108.0	105.9	113.7	111.5
贵 州 Guizhou	115.5	108.4	109.4	105.3	111.7	110.2	118.7	119.0
云 南 Yunnan	115.2	105.5	110.9	105.5	111.4	113.1	110.0	115.4
西 藏 Tibet	114.6	105.8	101.0	104.8	113.3	102.7	119.0	107.8
陕 西 Shaanxi	118.9	109.2	106.6	100.9	114.8	108.6	114.8	113.7
甘 肃 Gansu	116.1	107.6	109.2	112.9	109.7	111.3	110.3	115.9
青 海 Qinghai	122.0	119.0	103.7	104.7	112.2	112.2	130.4	114.7
宁 夏 Ningxia	110.0	113.8	108.7	104.5	112.4	111.6	119.9	116.8
新 疆 Xinjiang	117.2	112.8	110.0	102.9	111.9	115.1	121.7	114.6

4-8-4 续表 2 Continued 2

(上年价格=100) (Preceding year=100)

地 区	Region	15.其它食品 Other Foods	二、饮料、烟酒 Beverages, Tobacco and Liquor	1.茶及饮料 Tea and Beverages	2.烟 草 Tobacco	3.酒 Liquor	三、服装、鞋帽 Garments, Shoes and Hats	1.服 装 Garments	2.鞋袜帽 Footgear and Hats
全国平均	**National**	**108.3**	**103.4**	**103.8**	**100.5**	**107.5**	**98.4**	**98.5**	**98.1**
北 京	Beijing	113.9	104.6	102.6	102.4	111.2	99.1	101.0	94.0
天 津	Tianjin	107.4	108.5	105.9	102.3	119.8	99.8	100.3	98.6
河 北	Hebei	106.1	103.7	103.8	100.6	107.4	99.4	98.8	100.8
山 西	Shanxi	111.0	102.3	104.1	100.7	106.5	99.0	98.5	100.4
内 蒙 古	Inner Mongolia	104.5	101.1	101.8	99.4	102.7	98.5	98.9	97.7
辽 宁	Liaoning	108.4	104.5	104.7	99.8	109.9	93.5	94.0	92.4
吉 林	Jilin	107.0	104.9	106.1	99.9	109.3	101.4	101.6	101.1
黑 龙 江	Heilongjiang	108.6	105.4	100.5	99.8	113.0	99.9	99.2	101.3
上 海	Shanghai	104.3	102.7	106.9	100.1	103.4	101.5	101.7	100.6
江 苏	Jiangsu	112.2	102.8	102.9	100.6	107.8	100.7	101.0	99.0
浙 江	Zhejiang	110.2	103.8	106.1	100.2	107.5	97.1	97.2	96.9
安 徽	Anhui	102.2	103.1	102.9	99.8	108.2	98.9	98.8	99.4
福 建	Fujian	106.1	103.2	102.3	100.2	107.3	93.9	94.6	91.2
江 西	Jiangxi	108.7	103.8	104.1	100.3	108.2	95.5	94.6	96.6
山 东	Shandong	107.6	104.1	103.9	100.5	107.2	96.9	96.4	97.8
河 南	Henan	105.1	103.6	104.7	100.3	106.6	100.8	100.8	101.3
湖 北	Hubei	112.6	104.4	105.3	101.6	108.2	97.8	97.4	98.7
湖 南	Hunan	106.0	101.9	102.4	100.6	103.8	97.5	96.9	99.0
广 东	Guangdong	109.2	102.5	102.7	100.9	104.9	99.4	99.6	98.8
广 西	Guangxi	105.1	103.6	103.4	98.9	109.2	97.8	97.8	97.9
海 南	Hainan	109.7	102.6	103.8	99.5	105.7	97.4	97.7	98.5
重 庆	Chongqing	112.6	103.9	105.6	99.4	112.3	94.1	94.5	92.9
四 川	Sichuan	105.8	102.6	102.4	100.1	106.3	97.6	97.9	96.8
贵 州	Guizhou	106.1	102.3	100.7	99.6	110.0	98.6	99.5	96.9
云 南	Yunnan	110.8	103.7	104.4	102.0	106.1	92.3	91.2	94.4
西 藏	Tibet	103.3	103.3	105.3	101.2	104.6	103.1	103.9	102.2
陕 西	Shaanxi	110.0	103.4	103.4	99.6	108.1	100.8	100.9	100.9
甘 肃	Gansu	112.8	105.1	105.9	100.6	109.2	100.4	99.6	102.8
青 海	Qinghai	110.7	106.6	111.0	101.1	109.5	103.0	104.4	99.5
宁 夏	Ningxia	109.5	102.9	104.0	100.4	105.3	103.2	103.0	104.7
新 疆	Xinjiang	111.8	102.9	102.0	99.6	107.0	98.5	98.0	99.3

4-8-4 续表 3 Continued 3

(上年价格=100) (Preceding year=100)

地 区 Region		3.其 它 Others	四、纺织品 Textiles	1.衣着材料 Clothing Material	2.床上用品 Bed Articles	五、家用电器及音像器材 Household Appliances, Music and Video Equipment	1.家庭设备 Household Facilities	2.文娱用耐用消费品 Durable Consumer Goods for Cultural and Recreational Use	3.音像器材 Music and Video Equipment
全国平均	**National**	**98.1**	**100.5**	**101.9**	**99.7**	**96.9**	**100.7**	**91.6**	**97.2**
北 京	Beijing	101.4	100.3	101.3	100.0	94.8	100.0	87.6	96.4
天 津	Tianjin	98.1	103.3	100.6	104.6	93.6	102.3	80.5	99.9
河 北	Hebei	98.1	101.1	103.4	99.6	96.2	99.9	92.1	94.8
山 西	Shanxi	99.6	99.1	100.9	98.0	97.9	100.7	94.3	97.7
内 蒙 古	Inner Mongolia	97.0	99.2	99.3	99.1	97.1	99.5	93.4	97.8
辽 宁	Liaoning	93.9	99.0	100.7	97.6	95.7	101.0	88.1	97.4
吉 林	Jilin	99.0	100.0	101.9	98.2	96.2	100.7	89.4	98.7
黑 龙 江	Heilongjiang	101.0	100.7	101.5	99.8	97.0	101.1	91.7	99.1
上 海	Shanghai	100.9	102.1	103.8	101.7	94.7	106.3	81.5	96.5
江 苏	Jiangsu	100.2	103.8	105.8	103.0	98.3	102.1	90.5	96.2
浙 江	Zhejiang	95.6	101.5	102.1	101.1	98.0	100.9	91.7	99.4
安 徽	Anhui	99.2	101.2	103.4	99.6	98.1	101.2	93.5	99.1
福 建	Fujian	96.5	101.4	102.5	100.9	95.3	99.0	94.4	68.4
江 西	Jiangxi	100.0	98.8	103.3	94.8	97.2	99.7	94.2	97.0
山 东	Shandong	98.3	99.1	101.5	97.2	98.4	100.7	95.1	99.7
河 南	Henan	98.0	102.3	104.2	100.5	98.7	101.2	95.3	97.8
湖 北	Hubei	99.0	99.6	100.9	99.0	95.2	97.9	90.7	98.8
湖 南	Hunan	96.1	98.7	99.8	98.0	96.8	98.8	93.6	104.1
广 东	Guangdong	98.9	102.0	103.0	101.6	97.3	100.0	94.0	96.5
广 西	Guangxi	100.3	100.6	101.3	100.0	95.2	101.4	87.1	99.3
海 南	Hainan	93.3	99.7	101.2	99.0	99.7	101.4	97.3	99.3
重 庆	Chongqing	92.5	102.2	100.0	102.4	97.8	101.6	92.2	100.0
四 川	Sichuan	99.6	100.2	100.8	99.9	99.2	100.9	96.5	98.5
贵 州	Guizhou	99.6	101.0	100.1	101.3	98.1	101.9	95.3	97.8
云 南	Yunnan	95.0	98.6	100.8	97.4	94.8	99.3	89.4	100.6
西 藏	Tibet	100.2	102.1	102.4	102.0	97.9	99.6	96.7	95.8
陕 西	Shaanxi	98.5	98.9	101.5	97.4	94.2	100.0	83.7	100.4
甘 肃	Gansu	98.3	98.9	100.6	96.5	97.5	99.7	94.1	99.7
青 海	Qinghai	101.5	99.6	102.4	97.2	98.1	101.7	92.8	99.6
宁 夏	Ningxia	94.7	100.8	105.6	98.6	97.8	102.8	90.7	99.3
新 疆	Xinjiang	99.1	100.1	101.6	98.9	98.5	100.8	95.6	100.1

4-8-4 续表 4 Continued 4

(上年价格=100) (Preceding year=100)

地 区	Region	六、文化办公用品 Cultural and Office Appliances	七、日用品 Articles for Daily Use	1.日用百货 General Merchandise for Daily Use	2.日用杂品 Grocery for Daily Use	3.洗涤用品 Wash	4.其它日用品 Other Articles for Daily Use	八、体育娱乐用品 Sports and Recreation Articles	1.体育用品 Sports Articles
全国平均	**National**	**96.8**	**103.7**	**103.2**	**101.8**	**107.9**	**101.3**	**97.7**	**100.8**
北 京	Beijing	96.5	103.9	102.4	103.8	118.1	99.7	87.7	103.1
天 津	Tianjin	90.2	103.8	101.3	100.3	112.4	104.5	98.0	108.5
河 北	Hebei	99.2	104.4	102.6	102.6	109.1	103.5	100.0	102.1
山 西	Shanxi	98.4	105.0	102.3	104.0	111.0	100.3	99.1	102.1
内 蒙 古	Inner Mongolia	96.6	100.7	101.4	99.2	101.7	99.8	99.0	99.3
辽 宁	Liaoning	96.4	105.4	103.5	104.3	112.4	101.3	95.7	98.3
吉 林	Jilin	95.9	105.2	108.1	101.5	109.6	100.6	99.5	99.6
黑 龙 江	Heilongjiang	98.9	105.1	105.0	100.3	110.4	101.4	96.6	100.2
上 海	Shanghai	94.9	105.8	105.8	103.1	110.5	104.7	92.2	101.2
江 苏	Jiangsu	92.1	104.6	103.7	102.5	108.5	101.7	92.1	99.2
浙 江	Zhejiang	98.3	104.0	103.5	100.4	108.3	102.5	100.1	101.9
安 徽	Anhui	97.9	102.7	102.8	101.7	104.2	101.6	98.3	100.5
福 建	Fujian	98.3	103.6	104.3	102.3	106.4	100.2	98.4	102.6
江 西	Jiangxi	97.5	104.4	103.5	101.4	109.5	101.8	98.1	99.9
山 东	Shandong	97.8	102.7	102.6	101.1	106.2	100.4	99.4	100.4
河 南	Henan	100.0	104.5	104.7	103.2	107.2	101.2	99.0	100.1
湖 北	Hubei	96.9	102.5	102.4	100.8	106.3	100.2	98.2	100.1
湖 南	Hunan	98.5	101.5	99.8	102.1	104.8	99.0	100.7	101.7
广 东	Guangdong	95.7	101.2	101.0	100.7	103.5	100.0	98.9	101.4
广 西	Guangxi	95.9	105.0	102.3	104.6	109.7	102.6	98.1	99.7
海 南	Hainan	98.5	104.0	106.3	100.7	105.4	101.7	101.6	101.9
重 庆	Chongqing	97.9	103.3	106.2	98.4	108.0	100.4	98.2	98.7
四 川	Sichuan	97.3	102.7	102.1	100.6	105.2	100.5	99.2	100.8
贵 州	Guizhou	98.5	103.8	102.9	103.6	106.7	100.8	99.8	100.5
云 南	Yunnan	95.2	102.5	103.1	99.2	104.6	100.2	98.3	101.6
西 藏	Tibet	98.1	99.9	98.3	100.4	100.6	100.6	97.2	98.2
陕 西	Shaanxi	97.9	108.0	107.5	106.7	118.2	99.4	95.8	100.5
甘 肃	Gansu	98.6	104.6	105.0	102.1	108.3	102.0	100.0	100.6
青 海	Qinghai	96.1	105.7	107.2	102.4	108.3	102.2	99.1	101.9
宁 夏	Ningxia	96.4	108.0	106.5	105.2	109.6	108.4	96.1	104.2
新 疆	Xinjiang	97.4	104.6	103.6	101.1	108.9	103.3	99.1	102.7

4-8-4 续表 5 Continued 5

(上年价格=100) (Preceding year=100)

地 区 Region		2、娱乐用品 Recreation Articles	九、交通、通信用品 Transportation and Communication Appliances	1.交通运输机械 Transportation Appliances	2.通讯器材 Communication Appliances	十、家具 Furniture	十一、化妆品 Cosmetics	十二、金银珠宝 Gold, Silver and Jewelry	十三、中西药品及医疗保健用品 Traditional Chinese and Western Medicines and Health Care Articles
全国平均	**National**	**95.4**	**93.2**	**97.7**	**84.4**	**102.6**	**100.7**	**116.8**	**103.1**
北 京	Beijing	82.0	91.3	95.5	73.7	106.8	101.6	121.4	100.7
天 津	Tianjin	94.6	89.2	100.0	65.9	112.5	99.1	120.2	103.7
河 北	Hebei	97.9	94.7	98.7	88.2	101.7	101.2	118.1	103.2
山 西	Shanxi	96.7	94.8	99.2	85.5	102.8	99.6	115.7	101.8
内蒙古	Inner Mongolia	98.7	93.2	98.8	88.0	98.6	99.4	117.9	101.0
辽 宁	Liaoning	94.1	92.3	99.6	80.7	103.1	102.7	117.4	102.5
吉 林	Jilin	99.4	91.8	98.1	82.3	100.8	101.3	118.5	102.9
黑龙江	Heilongjiang	93.7	91.6	101.1	85.1	100.3	101.0	118.4	104.1
上 海	Shanghai	88.0	89.5	95.9	68.2	108.2	101.8	110.3	100.7
江 苏	Jiangsu	90.4	92.4	96.4	75.5	101.8	100.5	117.7	101.9
浙 江	Zhejiang	99.0	95.3	98.2	83.7	102.1	101.0	117.7	108.5
安 徽	Anhui	96.6	95.8	98.8	89.1	102.3	100.6	119.3	101.6
福 建	Fujian	95.6	95.4	99.5	88.2	104.0	100.3	112.4	102.4
江 西	Jiangxi	96.8	92.3	98.6	84.0	102.0	99.9	120.0	103.4
山 东	Shandong	98.3	94.9	97.9	89.3	102.6	101.6	114.3	101.5
河 南	Henan	97.6	92.3	98.0	83.7	101.4	100.6	118.8	102.9
湖 北	Hubei	96.5	91.7	98.6	84.9	98.9	99.7	119.0	103.8
湖 南	Hunan	99.8	93.7	98.0	88.4	99.0	99.8	117.2	102.9
广 东	Guangdong	96.3	92.7	98.0	86.6	102.1	100.4	114.6	103.1
广 西	Guangxi	96.3	92.9	97.9	82.5	99.6	99.8	111.2	103.4
海 南	Hainan	101.3	95.4	99.5	88.6	102.2	100.0	114.4	100.1
重 庆	Chongqing	98.0	89.4	98.4	82.5	100.4	101.1	119.7	102.0
四 川	Sichuan	98.9	94.3	97.0	89.2	101.5	100.0	114.8	102.0
贵 州	Guizhou	99.4	97.4	99.7	92.8	102.7	98.3	113.3	102.4
云 南	Yunnan	96.0	92.8	95.9	88.4	99.5	102.1	124.5	105.7
西 藏	Tibet	96.0	92.9	98.1	89.0	104.9	99.6	113.3	99.9
陕 西	Shaanxi	92.5	94.1	98.1	84.4	101.9	100.7	113.4	103.0
甘 肃	Gansu	99.5	95.0	98.4	90.2	103.3	101.0	124.2	104.0
青 海	Qinghai	97.4	98.0	103.6	84.0	99.5	100.2	134.4	108.1
宁 夏	Ningxia	89.7	92.0	99.6	80.0	102.6	100.8	116.8	102.4
新 疆	Xinjiang	95.7	93.9	99.5	87.0	103.3	101.0	113.1	103.4

4-8-4 续表 6 Continued 6

(上年价格=100) (Preceding year=100)

地 区 Region		1.医疗器具及用品 Medical Apparatus and Article	2.中药材及中成药 Tradtional Chinese Medicinal Materials and Medicines	3.西 药 Western Medicines	4.保健器具及用品 Health Care Appliances and Articles	十四、书报杂志及电子出版物 Books, Newspapers, Magazines and Electronic Publications	1.教材及参考书 Teaching Materials and Reference Books	2.书报杂志 Newspapers and Magazines
全国平均	**National**	**99.6**	**106.9**	**101.3**	**102.1**	**101.5**	**100.7**	**103.7**
北 京	Beijing	100.4	102.2	99.2	103.2	103.0	101.2	105.8
天 津	Tianjin	95.1	109.3	101.5	97.3	100.9	102.4	100.2
河 北	Hebei	101.3	105.1	102.4	102.0	99.8	99.4	100.5
山 西	Shanxi	100.5	107.8	99.8	100.6	99.6	99.1	100.3
内蒙古	Inner Mongolia	100.9	104.4	99.0	99.6	98.7	98.8	99.4
辽 宁	Liaoning	98.6	105.0	101.8	99.5	101.6	100.6	104.7
吉 林	Jilin	100.6	107.2	101.4	101.4	102.6	100.4	107.1
黑龙江	Heilongjiang	103.6	108.8	101.2	100.8	99.5	98.1	100.7
上 海	Shanghai	103.4	102.9	100.2	100.5	101.8	99.0	108.1
江 苏	Jiangsu	101.7	106.4	100.9	100.8	108.0	101.1	110.2
浙 江	Zhejiang	100.8	110.8	108.4	107.4	100.8	101.4	100.8
安 徽	Anhui	97.2	103.8	100.7	101.0	100.2	100.7	100.4
福 建	Fujian	98.8	104.2	101.7	100.4	102.0	105.3	101.0
江 西	Jiangxi	99.3	108.7	100.6	100.7	98.8	97.8	100.0
山 东	Shandong	98.0	105.2	99.7	101.2	100.4	100.8	100.9
河 南	Henan	100.0	107.4	100.8	100.3	102.8	101.8	104.1
湖 北	Hubei	100.8	109.8	100.7	100.3	102.4	99.1	106.9
湖 南	Hunan	97.9	108.3	100.1	102.7	100.8	102.1	100.4
广 东	Guangdong	98.2	108.3	99.5	102.5	99.8	101.4	101.2
广 西	Guangxi	99.7	105.4	101.5	107.8	99.7	98.2	101.4
海 南	Hainan	100.0	102.4	98.5	99.6	100.1	100.2	100.7
重 庆	Chongqing	100.9	102.9	101.9	99.9	100.4	101.2	100.0
四 川	Sichuan	99.6	105.1	101.1	100.4	99.9	98.4	102.5
贵 州	Guizhou	104.3	107.2	99.3	101.0	100.3	99.7	101.4
云 南	Yunnan	101.5	109.2	104.0	103.9	100.0	98.9	103.6
西 藏	Tibet	101.8	100.3	99.0	100.0	96.7	99.1	100.7
陕 西	Shaanxi	102.0	105.2	101.6	102.6	102.3	102.6	103.7
甘 肃	Gansu	98.6	108.5	101.0	102.5	101.1	103.5	101.9
青 海	Qinghai	98.2	113.4	104.2	110.1	102.5	104.2	101.8
宁 夏	Ningxia	99.2	105.2	100.6	104.1	101.5	101.1	102.7
新 疆	Xinjiang	96.5	105.6	103.0	102.6	100.5	102.1	100.2

4-8-4 续表 7 Continued 7

(上年价格=100) (Preceding year=100)

地 区	Region	3.电子音像制品 Electronic Publications	十五、燃料 Fuels	1.煤炭及制品 Coal and its product	2.石油及制品 Petroleum and its product	十六、建筑材料及五金电料 Building Materials and Hardware	1.建筑装璜材料 Building Decoration Materials	2.五金电料 Hardware
全国平均	**National**	**98.1**	**116.0**	**127.0**	**113.4**	**107.9**	**109.5**	**102.9**
北 京	Beijing	98.9	111.7	118.7	111.4	106.9	110.9	91.2
天 津	Tianjin	98.2	109.8	145.8	106.7	112.2	114.6	101.3
河 北	Hebei	99.6	121.5	138.3	114.2	107.4	108.0	104.8
山 西	Shanxi	99.4	121.5	135.7	115.3	113.7	114.6	110.5
内蒙古	Inner Mongolia	97.2	120.7	128.4	116.3	103.5	104.3	101.4
辽 宁	Liaoning	96.8	115.4	126.6	112.4	104.8	104.8	104.8
吉 林	Jilin	98.5	115.5	124.4	113.1	106.7	108.4	102.5
黑龙江	Heilongjiang	100.3	114.0	115.8	112.6	105.5	107.0	101.9
上 海	Shanghai	97.2	112.0	116.6	111.8	106.6	107.5	103.0
江 苏	Jiangsu	99.1	112.2	119.6	111.6	107.5	110.0	101.5
浙 江	Zhejiang	99.7	114.5	122.7	113.3	108.1	109.5	104.4
安 徽	Anhui	99.6	115.1	118.1	113.9	106.7	108.4	101.3
福 建	Fujian	98.9	115.1	119.6	114.7	108.5	109.4	104.8
江 西	Jiangxi	98.0	117.1	126.0	114.0	108.1	108.6	105.7
山 东	Shandong	98.8	117.8	128.9	112.3	107.6	109.9	102.2
河 南	Henan	100.7	119.3	127.3	115.3	109.3	111.5	102.2
湖 北	Hubei	99.3	115.6	119.4	114.8	108.7	110.5	103.5
湖 南	Hunan	99.1	122.8	139.9	115.1	105.5	105.4	106.4
广 东	Guangdong	94.3	115.7	123.6	115.1	107.7	109.3	102.6
广 西	Guangxi	99.4	117.6	128.6	116.2	110.5	112.6	102.7
海 南	Hainan	99.1	113.7	141.1	112.0	113.2	116.0	103.0
重 庆	Chongqing	100.0	107.0	128.3	106.1	105.1	108.3	100.3
四 川	Sichuan	99.1	115.8	124.1	111.2	107.4	108.1	103.2
贵 州	Guizhou	99.7	124.5	148.5	113.7	112.7	113.0	110.8
云 南	Yunnan	95.3	113.0	119.7	111.5	107.6	108.3	104.6
西 藏	Tibet	89.8	110.4	102.0	113.8	102.2	102.9	99.8
陕 西	Shaanxi	98.5	116.3	137.6	111.6	107.0	107.3	106.1
甘 肃	Gansu	96.0	119.1	132.7	113.3	109.6	110.8	106.3
青 海	Qinghai	99.5	121.3	139.3	114.7	115.0	118.9	104.3
宁 夏	Ningxia	99.6	125.1	156.4	112.9	114.1	115.5	111.3
新 疆	Xinjiang	98.3	112.7	112.8	112.7	110.0	111.7	105.6

4-8-5 各地区城市商品零售价格分类指数(2008年)

Urban Retail Price Indices by Category and Region (2008)

(上年价格=100) (Preceding year=100)

地区	Region	总指数 Retail Price Index	一、食品 Food	1.粮食 Grain	2.淀粉 Starches	3.干豆类及豆制品 Dried Bean and Their Products	4.油脂 Oil or Fat	5.肉禽及其制品 Meat, Poultry and Their Products	6.蛋 Eggs
全国平均	National	105.5	114.5	106.9	111.9	135.1	124.7	122.7	104.3
北京	Beijing	104.4	116.5	108.9	117.9	131.5	121.3	125.1	106.4
天津	Tianjin	105.1	112.2	105.5	98.1	139.9	129.0	118.9	103.6
河北	Hebei	105.4	114.5	106.6	106.9	132.5	123.8	124.1	103.3
山西	Shanxi	107.3	118.1	107.4	123.8	144.8	129.6	123.2	102.7
内蒙古	Inner Mongolia	104.1	113.0	104.9	114.3	125.6	126.3	120.2	101.0
辽宁	Liaoning	105.2	112.8	104.4	116.1	147.2	122.8	123.4	101.6
吉林	Jilin	106.1	112.7	105.2	105.5	138.5	123.6	124.5	110.7
黑龙江	Heilongjiang	105.1	111.1	102.2	108.7	137.7	127.6	118.8	104.7
上海	Shanghai	105.3	115.3	107.3	107.9	132.5	124.7	122.9	106.4
江苏	Jiangsu	104.9	113.8	108.4	108.3	138.1	126.4	121.8	104.1
浙江	Zhejiang	106.3	114.3	104.9	110.4	136.9	128.8	120.1	105.6
安徽	Anhui	106.0	114.6	106.3	106.1	140.3	126.1	121.8	107.3
福建	Fujian	105.5	114.6	106.6	116.2	126.9	120.9	122.7	103.4
江西	Jiangxi	106.0	114.5	106.9	109.1	126.0	121.9	119.8	102.0
山东	Shandong	104.5	113.4	107.6	111.4	136.7	122.1	123.3	104.9
河南	Henan	107.4	116.4	106.7	115.4	136.3	124.0	124.5	108.3
湖北	Hubei	105.4	115.0	103.0	118.3	135.8	124.9	126.3	103.1
湖南	Hunan	104.5	114.3	111.8	101.3	132.7	129.8	118.5	104.5
广东	Guangdong	106.0	114.1	108.7	111.5	126.2	120.2	122.0	104.0
广西	Guangxi	107.6	119.6	112.7	128.7	138.9	121.0	122.2	101.8
海南	Hainan	105.7	112.4	109.2	136.4	145.5	125.5	118.8	105.8
重庆	Chongqing	105.0	116.0	112.0	118.6	128.2	128.5	122.7	103.2
四川	Sichuan	105.1	112.8	105.6	105.0	117.4	122.2	118.1	103.3
贵州	Guizhou	106.3	117.6	107.0	102.5	150.5	126.5	127.3	102.7
云南	Yunnan	105.3	116.2	109.9	106.6	135.8	122.1	130.4	99.0
西藏	Tibet	104.1	113.9	103.3	109.8	116.1	130.7	128.3	111.8
陕西	Shaanxi	106.8	117.7	107.6	105.8	148.2	127.2	128.5	107.3
甘肃	Gansu	107.7	116.8	107.1	119.1	133.7	144.7	127.9	101.6
青海	Qinghai	110.2	117.9	108.0	103.7	150.0	124.0	129.1	106.1
宁夏	Ningxia	107.1	116.6	106.3	116.2	134.3	135.5	127.5	105.2
新疆	Xinjiang	108.3	119.1	109.1	111.7	140.7	135.9	130.4	107.3

4-8-5 续表 1 Continued 1

(上年价格=100) (Preceding year=100)

地 区	Region	7.水产品 Aquatic Products	8.菜 Vegetables	9.调味品 Flavoring	10.糖 Carbohydrate	11.干鲜瓜果 Dried and Fresh Melons and Fruits	12.糕点饼干面包 Cake	13.液体乳及乳制品 Milk and Its Products	14.在外用膳食品 Outward Dinner Food
全国平均	**National**	**114.0**	**110.1**	**106.3**	**104.8**	**111.3**	**109.8**	**118.5**	**111.5**
北 京	Beijing	120.2	108.6	110.9	110.1	114.7	112.3	125.9	114.7
天 津	Tianjin	102.6	107.1	108.5	105.9	115.2	114.5	132.8	109.3
河 北	Hebei	114.3	110.9	106.2	106.1	110.8	107.5	114.4	112.3
山 西	Shanxi	120.9	116.4	107.5	108.5	114.7	113.3	123.3	121.2
内蒙古	Inner Mongolia	113.9	106.4	103.7	102.6	108.6	105.6	117.7	115.3
辽 宁	Liaoning	110.2	100.9	108.5	105.2	104.2	110.0	125.1	110.5
吉 林	Jilin	112.2	99.2	106.5	100.8	110.6	109.9	116.9	108.4
黑龙江	Heilongjiang	109.3	104.9	105.1	98.1	103.0	106.6	108.6	110.7
上 海	Shanghai	110.8	120.6	109.5	107.4	112.3	112.5	119.4	114.3
江 苏	Jiangsu	110.4	107.3	104.0	107.6	112.1	111.3	121.3	110.1
浙 江	Zhejiang	114.1	109.8	104.5	104.8	113.4	110.2	119.3	112.0
安 徽	Anhui	121.6	108.6	104.4	105.5	113.3	107.9	116.2	108.0
福 建	Fujian	110.9	114.7	105.9	104.0	109.7	108.2	114.7	113.0
江 西	Jiangxi	121.9	109.1	106.5	101.4	107.8	116.3	112.8	115.2
山 东	Shandong	111.2	103.5	106.6	105.7	114.2	105.8	119.7	110.2
河 南	Henan	123.6	113.8	108.5	103.0	114.5	107.7	121.8	112.0
湖 北	Hubei	120.6	109.3	106.2	106.8	108.4	113.1	117.4	109.1
湖 南	Hunan	120.8	115.4	102.5	101.4	107.2	104.6	112.1	110.2
广 东	Guangdong	116.6	117.1	103.2	102.9	111.0	108.2	112.6	107.7
广 西	Guangxi	116.2	139.8	107.4	106.1	109.8	108.9	120.5	116.4
海 南	Hainan	114.6	116.3	105.7	98.4	112.4	101.6	108.0	100.4
重 庆	Chongqing	125.0	108.2	105.5	109.6	118.1	111.0	114.2	110.2
四 川	Sichuan	115.3	104.8	105.0	100.7	105.0	105.7	116.8	112.4
贵 州	Guizhou	116.0	108.5	107.8	108.2	109.7	109.4	119.0	117.3
云 南	Yunnan	117.4	103.4	107.3	106.0	112.8	115.0	109.7	113.5
西 藏	Tibet	116.2	106.1	102.6	104.6	116.5	103.4	127.5	108.0
陕 西	Shaanxi	119.8	110.4	109.5	103.2	117.0	109.9	114.9	113.8
甘 肃	Gansu	115.1	109.1	108.8	105.8	109.5	112.9	109.8	115.9
青 海	Qinghai	122.6	116.9	105.3	107.5	109.3	110.8	132.5	113.2
宁 夏	Ningxia	109.2	115.4	109.3	104.9	112.8	111.1	119.6	115.3
新 疆	Xinjiang	115.9	116.1	109.1	105.0	112.3	117.3	123.3	113.3

4-8-5 续表 2 Continued 2

(上年价格=100) (Preceding year=100)

地 区 Region		15.其它食品 Other Foods	二、饮料、烟酒 Beverages, Tobacco and Liquor	1.茶及饮料 Tea and Beverages	2.烟 草 Tobacco	3.酒 Liquor	三、服装、鞋帽 Garments, Shoes and Hats	1.服 装 Garments	2.鞋袜帽 Footgear and Hats
全国平均	**National**	**108.9**	**103.8**	**104.2**	**100.4**	**108.6**	**98.0**	**98.2**	**97.5**
北 京	Beijing	113.9	104.6	102.6	102.4	111.2	99.1	101.0	94.0
天 津	Tianjin	107.4	108.5	105.9	102.3	119.8	99.8	100.3	98.6
河 北	Hebei	105.5	103.4	104.3	100.3	107.3	97.6	97.0	98.9
山 西	Shanxi	110.8	103.0	104.4	100.8	108.5	98.0	97.2	100.1
内 蒙 古	Inner Mongoli:	104.8	100.8	101.2	98.9	103.0	97.5	98.2	96.1
辽 宁	Liaoning	108.6	104.8	105.2	99.9	110.4	93.0	93.8	91.3
吉 林	Jilin	108.4	104.9	106.9	99.5	109.6	101.9	101.7	102.6
黑 龙 江	Heilongjiang	107.8	105.7	100.2	99.7	114.3	98.8	98.5	99.2
上 海	Shanghai	104.3	102.7	106.9	100.1	103.4	101.5	101.7	100.6
江 苏	Jiangsu	113.7	103.3	104.1	100.8	108.4	101.8	102.4	99.3
浙 江	Zhejiang	111.2	104.2	106.5	100.0	108.2	96.8	96.9	96.6
安 徽	Anhui	103.2	103.7	103.1	99.5	109.6	97.5	98.2	95.6
福 建	Fujian	107.0	103.8	103.5	100.3	108.1	92.4	93.3	89.8
江 西	Jiangxi	110.2	103.9	104.9	99.2	109.5	94.6	93.8	95.8
山 东	Shandong	108.5	103.8	102.6	100.3	107.2	97.5	96.8	99.3
河 南	Henan	105.5	104.5	105.2	100.5	108.5	100.3	100.3	100.3
湖 北	Hubei	115.8	105.0	105.2	100.8	111.5	98.1	98.1	97.8
湖 南	Hunan	105.8	103.5	102.3	102.2	106.0	95.6	94.5	98.7
广 东	Guangdong	108.7	102.6	103.0	100.5	106.4	99.1	99.5	98.0
广 西	Guangxi	104.2	102.9	103.0	98.6	107.8	101.6	102.4	99.8
海 南	Hainan	110.3	102.7	102.7	100.4	105.5	96.2	96.4	97.8
重 庆	Chongqing	112.6	103.9	105.6	99.4	112.3	94.1	94.5	92.9
四 川	Sichuan	105.3	102.8	102.7	99.6	107.2	95.6	96.1	93.6
贵 州	Guizhou	105.0	102.3	100.7	99.8	110.4	96.9	97.9	94.3
云 南	Yunnan	112.1	104.4	105.8	102.8	106.4	87.5	86.9	88.4
西 藏	Tibet	104.5	103.6	106.5	100.9	104.4	103.2	104.4	101.4
陕 西	Shaanxi	108.4	104.0	104.0	99.0	109.3	100.9	101.3	100.3
甘 肃	Gansu	117.5	105.6	105.8	99.5	112.0	98.9	98.1	101.5
青 海	Qinghai	112.9	107.1	110.4	100.6	112.3	104.9	107.1	98.3
宁 夏	Ningxia	105.6	102.6	103.9	99.4	105.3	103.0	102.6	104.4
新 疆	Xinjiang	114.6	103.7	102.3	100.4	108.0	97.7	96.8	99.2

4-8-5 续表 3 Continued 3

(上年价格=100) (Preceding year=100)

地 区 Region		3.其 它 Others	四、纺织品 Textiles	1.衣着材料 Clothing Material	2.床上用品 Bed Articles	五、家用电器及音像器材 Household Appliances, Music and Video Equipment	1.家庭设备 Household Facilities	2.文娱用耐用消费品 Durable Consumer Goods for Cultural and Recreational Use	3.音像器材 Music and Video Equipment
全国平均	**National**	**98.1**	**100.4**	**101.7**	**99.7**	**96.4**	**100.7**	**90.0**	**96.9**
北 京	Beijing	101.4	100.3	101.3	100.0	94.8	100.0	87.6	96.4
天 津	Tianjin	98.1	103.3	100.6	104.6	93.6	102.3	80.5	99.9
河 北	Hebei	99.8	98.8	101.4	97.7	95.3	99.8	90.4	93.0
山 西	Shanxi	99.1	98.5	100.7	97.3	97.4	100.9	92.8	98.0
内 蒙 古	Inner Mongolia	95.2	98.0	98.0	98.1	96.8	99.1	93.1	97.8
辽 宁	Liaoning	93.0	99.2	100.8	97.9	95.2	101.0	86.4	96.8
吉 林	Jilin	98.5	99.5	103.1	97.0	95.9	100.5	88.5	98.8
黑 龙 江	Heilongjiang	101.1	100.9	102.0	99.7	96.4	101.0	90.4	99.0
上 海	Shanghai	100.9	102.1	103.8	101.7	94.7	106.3	81.5	96.5
江 苏	Jiangsu	100.8	104.4	105.7	104.1	98.1	102.8	88.7	96.2
浙 江	Zhejiang	99.0	101.0	102.3	100.2	98.5	101.0	91.9	99.2
安 徽	Anhui	99.4	99.8	100.6	99.4	97.4	101.4	91.1	99.4
福 建	Fujian	90.5	101.6	103.1	101.1	93.8	98.6	93.4	56.6
江 西	Jiangxi	100.2	97.8	103.2	92.8	97.0	99.7	93.1	96.9
山 东	Shandong	98.4	99.4	102.0	97.8	98.2	100.9	93.9	99.7
河 南	Henan	99.8	102.8	106.5	100.3	98.2	100.6	95.3	97.0
湖 北	Hubei	99.6	100.2	100.3	100.2	92.1	95.3	87.1	98.3
湖 南	Hunan	95.6	98.7	99.9	98.1	98.3	98.7	96.0	105.6
广 东	Guangdong	99.1	101.6	101.2	101.8	96.2	99.1	92.5	95.9
广 西	Guangxi	100.5	100.2	100.8	100.0	96.8	102.1	90.1	99.2
海 南	Hainan	91.6	97.8	100.0	96.6	99.8	101.2	97.9	99.7
重 庆	Chongqing	92.5	102.2	100.0	102.4	97.8	101.6	92.2	100.0
四 川	Sichuan	100.6	100.8	101.6	100.5	99.3	101.5	94.3	98.1
贵 州	Guizhou	100.5	102.4	100.3	103.4	99.1	101.4	96.5	100.0
云 南	Yunnan	93.3	95.3	100.3	93.1	94.0	100.4	87.3	101.0
西 藏	Tibet	100.0	102.1	101.5	102.6	98.6	100.3	97.1	97.3
陕 西	Shaanxi	97.9	96.8	97.8	96.4	92.5	99.6	76.6	99.4
甘 肃	Gansu	96.5	97.9	100.2	94.5	96.9	100.1	91.9	97.8
青 海	Qinghai	107.6	99.4	104.3	95.9	98.2	102.1	91.7	98.6
宁 夏	Ningxia	99.2	100.3	105.9	98.1	97.7	102.9	89.8	99.9
新 疆	Xinjiang	98.9	99.7	101.6	98.2	97.9	100.8	94.1	100.2

4-8-5 续表 4 Continued 4

(上年价格=100) (Preceding year=100)

地 区 Region		六、文化办公用品 Cultural and Office Appliances	七、日用品 Articles for Daily Use	1.日用百货 General Merchandise for Daily Use	2.日用杂品 Grocery for Daily Use	3.洗涤用品 Wash	4.其它日用品 Other Articles for Daily Use	八、体育娱乐用品 Sports and Recreation Articles	1.体育用品 Sports Articles
全国平均	**National**	**95.9**	**103.6**	**102.9**	**101.6**	**108.1**	**101.5**	**96.7**	**100.7**
北 京	Beijing	96.5	103.9	102.4	103.8	118.1	99.7	87.7	103.1
天 津	Tianjin	90.2	103.8	101.3	100.3	112.4	104.5	98.0	108.5
河 北	Hebei	98.4	104.1	101.5	101.6	110.5	103.5	97.8	100.4
山 西	Shanxi	98.3	105.4	102.2	103.3	111.9	100.4	98.9	102.6
内蒙古	Inner Mongolia	95.5	99.6	100.1	98.1	100.2	99.2	98.7	99.1
辽 宁	Liaoning	95.5	105.6	103.8	103.9	113.5	101.5	94.8	97.4
吉 林	Jilin	95.5	105.4	109.0	102.0	110.1	100.3	99.4	99.4
黑龙江	Heilongjiang	99.0	105.0	105.4	100.0	109.9	101.8	95.4	100.3
上 海	Shanghai	94.9	105.8	105.8	103.1	110.5	104.7	92.2	101.2
江 苏	Jiangsu	91.2	105.1	103.8	102.5	109.5	102.3	89.3	98.4
浙 江	Zhejiang	98.3	103.8	103.5	99.2	108.5	102.3	99.9	102.2
安 徽	Anhui	97.0	103.3	102.9	103.0	105.4	102.1	96.9	100.3
福 建	Fujian	98.4	103.6	103.9	102.1	107.4	99.8	97.9	103.8
江 西	Jiangxi	97.0	104.4	103.9	101.3	109.0	102.1	97.5	99.3
山 东	Shandong	96.5	102.1	101.9	100.7	105.5	100.1	99.1	100.1
河 南	Henan	99.0	102.9	102.3	102.4	105.2	101.0	98.0	99.2
湖 北	Hubei	95.7	102.0	102.1	100.2	105.0	100.5	96.5	100.0
湖 南	Hunan	97.8	100.8	98.5	102.3	103.1	99.1	99.9	100.7
广 东	Guangdong	94.6	100.6	99.9	100.6	102.4	99.7	98.5	101.7
广 西	Guangxi	96.7	104.6	102.1	103.2	109.1	102.6	99.1	100.3
海 南	Hainan	98.1	103.8	106.6	99.9	105.7	100.3	101.3	100.0
重 庆	Chongqing	97.9	103.3	106.2	98.4	108.0	100.4	98.2	98.7
四 川	Sichuan	94.2	103.2	102.4	100.9	105.6	101.0	98.4	101.1
贵 州	Guizhou	98.1	101.6	103.3	100.2	101.4	100.8	99.8	101.0
云 南	Yunnan	93.0	102.7	103.5	96.8	104.6	100.9	96.7	100.8
西 藏	Tibet	99.1	100.3	98.9	100.8	101.7	100.1	97.3	98.2
陕 西	Shaanxi	96.7	108.5	107.1	108.5	121.0	98.4	94.5	100.9
甘 肃	Gansu	97.4	104.6	104.0	102.2	109.5	103.5	99.5	99.8
青 海	Qinghai	93.3	106.1	107.8	102.0	108.5	103.1	98.6	102.7
宁 夏	Ningxia	96.1	107.8	104.0	106.1	110.9	107.6	96.3	105.0
新 疆	Xinjiang	96.4	105.1	103.3	100.8	109.5	104.4	98.6	103.6

4-8-5 续表 5 Continued 5

(上年价格=100) (Preceding year=100)

地 区 Region	2、娱乐用品 Recreation Articles	九、交通、通信用品 Transportation and Communication Appliances	1.交通运输机械 Transportation Appliances	2.通讯器材 Communication Appliances	十、家具 Furniture	十一、化妆品 Cosmetics	十二、金银珠宝 Gold, Silver and Jewelry	十三、中西药品及医疗保健用品 Traditional Chinese and Western Medicines and Health Care Articles
全国平均 National	**94.1**	**92.6**	**97.2**	**82.9**	**102.5**	**100.6**	**116.4**	**103.0**
北 京 Beijing	82.0	91.3	95.5	73.7	106.8	101.6	121.4	100.7
天 津 Tianjin	94.6	89.2	100.0	65.9	112.5	99.1	120.2	103.7
河 北 Hebei	95.9	93.9	97.7	87.3	101.8	100.9	120.9	102.7
山 西 Shanxi	95.8	94.6	99.0	85.1	101.5	99.6	115.1	101.3
内蒙古 Inner Mongolia	98.3	92.4	98.3	86.9	98.2	98.9	117.5	100.1
辽 宁 Liaoning	93.3	91.6	99.3	79.3	103.5	103.3	117.0	102.4
吉 林 Jilin	99.3	91.3	97.0	81.8	101.0	101.7	117.1	102.8
黑龙江 Heilongjiang	92.3	89.8	101.2	81.9	100.0	101.2	117.5	105.1
上 海 Shanghai	88.0	89.5	95.9	68.2	108.2	101.8	110.3	100.7
江 苏 Jiangsu	87.8	92.0	96.4	72.4	102.6	100.6	117.7	102.1
浙 江 Zhejiang	98.5	95.5	98.0	85.1	101.7	101.2	117.7	110.2
安 徽 Anhui	94.7	95.0	97.9	88.1	101.2	100.2	117.2	102.0
福 建 Fujian	94.1	95.2	98.9	88.3	104.0	100.3	109.9	102.6
江 西 Jiangxi	96.2	92.0	98.0	83.4	102.2	99.3	120.0	103.3
山 东 Shandong	98.2	94.5	97.0	89.2	101.0	101.5	110.9	101.2
河 南 Henan	96.8	92.8	97.1	82.3	103.0	100.3	118.3	101.6
湖 北 Hubei	93.9	89.5	97.7	80.2	97.6	99.8	117.6	103.8
湖 南 Hunan	99.2	93.8	97.6	88.8	100.4	99.9	115.7	102.4
广 东 Guangdong	95.1	92.4	97.3	86.7	100.4	99.8	116.2	103.5
广 西 Guangxi	97.8	93.9	97.9	82.5	99.4	99.8	111.2	103.4
海 南 Hainan	102.1	95.9	98.7	91.5	100.3	100.0	114.7	98.9
重 庆 Chongqing	98.0	89.4	98.4	82.5	100.4	101.1	119.7	102.0
四 川 Sichuan	97.7	92.2	95.2	84.6	102.2	100.3	116.7	101.4
贵 州 Guizhou	99.4	96.0	100.1	91.0	103.2	98.2	117.3	101.2
云 南 Yunnan	95.1	93.2	95.4	89.5	99.3	102.5	123.5	106.4
西 藏 Tibet	96.4	90.8	98.3	85.2	106.0	100.7	114.4	100.0
陕 西 Shaanxi	90.5	94.6	97.2	82.9	100.9	100.3	111.5	102.0
甘 肃 Gansu	99.2	92.9	98.0	80.9	102.5	100.2	124.5	104.0
青 海 Qinghai	96.6	99.2	103.6	81.1	97.5	100.7	146.5	109.4
宁 夏 Ningxia	90.0	91.4	98.9	78.3	102.4	100.9	115.6	103.1
新 疆 Xinjiang	93.9	92.0	98.4	83.8	103.8	101.6	114.8	103.8

4-8-5 续表 6 Continued 6

(上年价格=100) (Preceding year=100)

地 区 Region		1.医疗器具及用品 Medical Apparatus and Article	2.中药材及中成药 Tradtional Chinese Medicinal Materials and Medicines	3.西 药 Western Medicines	4.保健器具及用品 Health Care Appliances and Articles	十四、书报杂志及电子出版物 Books, Newspapers, Magazines and Electronic Publications	1.教材及参考书 Teaching Materials and Reference Books	2.书报杂志 Newspapers and Magazines
全国平均	**National**	**99.9**	**106.4**	**101.5**	**102.4**	**102.0**	**101.1**	**104.5**
北 京	Beijing	100.4	102.2	99.2	103.2	103.0	101.2	105.8
天 津	Tianjin	95.1	109.3	101.5	97.3	100.9	102.4	100.2
河 北	Hebei	99.5	102.8	103.0	102.4	99.8	99.4	99.9
山 西	Shanxi	99.4	108.4	99.5	101.0	99.9	99.9	100.2
内蒙古	Inner Mongolia	101.5	102.0	98.9	99.3	98.2	98.5	99.1
辽 宁	Liaoning	97.7	104.8	101.8	99.3	101.8	100.7	105.1
吉 林	Jilin	100.6	107.8	101.1	102.1	103.2	100.6	108.7
黑龙江	Heilongjiang	108.2	111.3	100.8	101.6	101.3	102.3	101.0
上 海	Shanghai	103.4	102.9	100.2	100.5	101.8	99.0	108.1
江 苏	Jiangsu	102.2	106.8	101.1	101.0	109.3	102.4	111.4
浙 江	Zhejiang	101.1	111.2	111.4	108.1	101.0	101.9	101.2
安 徽	Anhui	100.2	104.1	100.9	101.4	100.7	101.3	100.6
福 建	Fujian	99.6	103.8	102.1	100.7	101.1	104.0	100.5
江 西	Jiangxi	98.7	108.8	100.3	100.6	98.6	97.7	99.9
山 东	Shandong	98.2	103.4	100.2	101.7	100.4	101.3	100.7
河 南	Henan	97.1	104.2	100.8	99.9	103.3	101.0	105.8
湖 北	Hubei	104.4	110.7	100.3	100.6	104.6	99.3	110.3
湖 南	Hunan	98.6	107.6	99.5	102.7	100.7	102.4	100.0
广 东	Guangdong	98.9	108.4	99.7	103.8	99.5	101.5	101.5
广 西	Guangxi	99.7	107.3	100.9	106.4	100.1	98.2	101.4
海 南	Hainan	100.0	101.2	97.3	98.0	100.1	99.9	101.0
重 庆	Chongqing	100.9	102.9	101.9	99.9	100.4	101.2	100.0
四 川	Sichuan	100.4	104.3	100.8	99.7	100.1	97.2	103.3
贵 州	Guizhou	105.7	105.0	98.3	100.8	100.0	99.9	100.0
云 南	Yunnan	101.5	109.3	105.2	104.6	100.7	99.2	106.4
西 藏	Tibet	100.0	100.9	99.8	99.2	96.2	99.2	100.4
陕 西	Shaanxi	100.4	103.8	100.6	104.1	102.4	101.8	105.3
甘 肃	Gansu	97.4	107.7	101.3	103.7	99.7	105.3	100.4
青 海	Qinghai	102.2	115.7	104.0	113.2	99.4	98.8	100.1
宁 夏	Ningxia	99.7	105.8	101.5	104.3	102.0	101.3	103.2
新 疆	Xinjiang	96.0	104.3	104.4	103.1	100.8	103.1	100.3

4-8-5 续表 7 Continued 7

(上年价格=100) (Preceding year=100)

地 区 Region		3.电子音像制品 Electronic Publications	十五、燃料 Fuels	1.煤炭及制品 Coal and its product	2.石油及制品 Petroleum and its product	十六、建筑材料及五金电料 Building Materials and Hardware	1.建筑装璜材料 Building Decoration Materials	2.五金电料 Hardware
全国平均	**National**	**97.6**	**114.3**	**124.9**	**112.6**	**107.4**	**109.1**	**102.3**
北 京	Beijing	98.9	111.7	118.7	111.4	106.9	110.9	91.2
天 津	Tianjin	98.2	109.8	145.8	106.7	112.2	114.6	101.3
河 北	Hebei	100.8	115.2	140.6	111.2	105.4	106.0	103.5
山 西	Shanxi	98.8	121.3	137.5	115.2	112.8	113.8	109.5
内蒙古	Inner Mongolia	95.8	119.9	127.4	116.0	102.4	102.9	100.9
辽 宁	Liaoning	96.5	114.8	128.2	111.8	104.8	104.8	104.9
吉 林	Jilin	97.7	114.9	123.7	112.8	105.0	106.3	101.6
黑龙江	Heilongjiang	100.3	110.8	111.2	110.6	105.5	107.8	100.2
上 海	Shanghai	97.2	112.0	116.6	111.8	106.6	107.5	103.0
江 苏	Jiangsu	99.2	110.5	119.0	109.9	108.0	110.6	101.9
浙 江	Zhejiang	99.0	113.7	120.6	112.8	107.0	108.8	102.8
安 徽	Anhui	100.1	114.2	118.0	113.3	106.1	107.3	102.5
福 建	Fujian	98.2	113.7	108.8	114.0	107.3	108.2	103.6
江 西	Jiangxi	97.9	115.6	125.8	112.9	108.9	109.5	105.9
山 东	Shandong	98.9	114.4	123.7	111.0	106.8	109.5	101.5
河 南	Henan	101.0	118.4	129.9	114.6	109.9	113.0	101.4
湖 北	Hubei	99.9	114.5	114.2	114.5	108.4	110.1	104.1
湖 南	Hunan	98.9	114.5	117.5	113.8	103.9	104.2	103.0
广 东	Guangdong	92.6	116.4	141.1	115.3	107.1	108.7	102.7
广 西	Guangxi	99.7	116.8	131.9	114.9	110.9	113.6	101.4
海 南	Hainan	99.0	114.0	150.7	111.3	112.0	116.5	100.0
重 庆	Chongqing	100.0	107.0	128.3	106.1	105.1	108.3	100.3
四 川	Sichuan	98.6	114.4	125.9	110.9	107.8	108.1	105.7
贵 州	Guizhou	99.9	118.9	145.7	112.3	108.2	110.2	101.4
云 南	Yunnan	94.4	110.0	111.8	109.9	108.9	109.1	107.9
西 藏	Tibet	88.8	111.7	103.0	115.1	102.7	103.3	100.7
陕 西	Shaanxi	97.9	113.5	143.8	109.0	105.7	106.2	103.8
甘 肃	Gansu	87.0	119.1	144.1	112.6	109.6	110.8	106.1
青 海	Qinghai	98.1	119.4	140.5	114.0	110.0	113.2	102.7
宁 夏	Ningxia	99.7	117.1	146.0	112.0	111.7	113.8	108.7
新 疆	Xinjiang	98.0	112.0	111.9	112.0	110.4	111.4	107.6

4-8-6 各地区农村商品零售价格分类指数(2008年)

Rural Retail Price Indices by Category and RegionUrban (2008)

(上年价格=100) (Preceding year=100)

地 区	Region	总指数 Retail Price Index	一、食 品 Food	1.粮 食 Grain	2.淀粉 Starches	3.干豆类及豆制品 Dried Bean and Their Products	4.油 脂 Oil or Fat	5.肉禽及其制品 Meat, Poultry and Their Products	6.蛋 Eggs
全国平均	**National**	**106.7**	**114.0**	**107.1**	**110.0**	**132.1**	**125.5**	**119.9**	**104.4**
北 京	Beijing								
天 津	Tianjin								
河 北	Hebei	107.9	115.7	107.4	114.5	134.5	129.0	121.9	106.7
山 西	Shanxi	107.2	115.6	107.9	105.7	131.0	129.4	124.4	100.3
内蒙古	Inner Mongolia	106.1	114.2	108.6	116.6	127.5	134.7	121.5	101.6
辽 宁	Liaoning	105.9	111.7	105.9	116.3	132.0	130.0	120.7	103.6
吉 林	Jilin	106.4	112.0	102.5	110.4	131.3	118.3	122.1	114.2
黑龙江	Heilongjiang	108.2	115.0	106.7	112.2	130.7	131.3	122.8	101.1
上 海	Shanghai								
江 苏	Jiangsu	105.1	112.6	104.3	105.7	133.1	125.0	120.3	102.1
浙 江	Zhejiang	106.1	113.3	105.5	106.0	146.0	123.7	117.5	105.2
安 徽	Anhui	106.7	114.3	105.0	99.7	127.9	124.8	121.4	105.8
福 建	Fujian	106.1	112.4	103.8	107.3	129.6	119.7	118.3	105.1
江 西	Jiangxi	106.4	111.6	109.9	109.9	128.0	123.1	118.0	104.2
山 东	Shandong	105.8	112.7	104.8	111.9	130.3	125.4	121.2	105.6
河 南	Henan	107.5	115.7	106.9	109.2	136.8	128.1	124.3	104.7
湖 北	Hubei	107.6	116.8	108.4	112.3	133.5	128.2	122.3	104.2
湖 南	Hunan	108.7	115.9	112.6	101.4	136.7	136.8	118.7	98.9
广 东	Guangdong	106.2	112.8	107.4	112.7	123.1	120.2	117.0	104.5
广 西	Guangxi	108.3	121.0	110.8	111.2	140.5	125.7	121.1	111.7
海 南	Hainan	108.3	115.8	111.0	111.2	126.8	122.3	119.2	108.9
重 庆	Chongqing								
四 川	Sichuan	105.4	110.9	106.1	100.5	117.6	117.3	114.3	105.3
贵 州	Guizhou	108.4	117.9	110.1	117.8	135.8	122.6	123.2	99.5
云 南	Yunnan	107.0	115.7	109.0	106.2	129.8	128.0	124.1	103.9
西 藏	Tibet	103.5	110.1	104.4	103.9	118.5	121.7	120.4	106.1
陕 西	Shaanxi	107.1	113.9	107.0	114.4	133.5	124.7	123.6	103.2
甘 肃	Gansu	108.4	116.1	108.2	122.7	124.8	145.1	127.1	99.8
青 海	Qinghai	111.3	118.9	109.6	107.6	142.9	131.5	125.4	101.9
宁 夏	Ningxia	112.5	119.4	111.2	118.7	137.3	136.5	130.0	98.3
新 疆	Xinjiang	108.8	118.2	113.7	108.0	133.5	130.5	133.9	104.9

4-8-6 续表 1 Continued 1

(上年价格=100) (Preceding year=100)

地 区	Region	7.水产品 Aquatic Products	8.菜 Vegetables	9.调味品 Flavoring	10.糖 Carbohydrate	11.干鲜瓜果 Dried and Fresh Melons and Fruits	12.糕点饼干面包 Cake	13.液体乳及乳制品 Milk and Its Products	14.在外用膳食品 Outward Dinner Food
全国平均	**National**	**115.9**	**111.1**	**104.5**	**102.5**	**111.1**	**108.0**	**112.7**	**111.7**
北 京	Beijing								
天 津	Tianjin								
河 北	Hebei	120.4	110.9	104.1	104.1	110.7	108.4	118.4	117.8
山 西	Shanxi	119.3	111.1	108.4	103.2	113.3	108.2	123.4	115.0
内蒙古	Inner Mongolia	115.3	108.6	102.4	99.9	117.4	108.1	114.8	107.6
辽 宁	Liaoning	107.4	100.3	104.5	104.4	106.6	112.3	113.8	110.1
吉 林	Jilin	115.6	103.0	105.0	103.6	113.4	105.6	110.9	111.3
黑龙江	Heilongjiang	111.8	108.0	106.2	104.8	116.5	111.3	124.8	113.8
上 海	Shanghai								
江 苏	Jiangsu	116.3	114.9	103.4	101.6	108.1	107.9	114.1	108.9
浙 江	Zhejiang	113.9	115.0	102.8	103.4	108.3	107.4	111.0	109.7
安 徽	Anhui	117.1	115.9	101.4	102.8	108.5	107.6	111.8	110.6
福 建	Fujian	111.3	112.7	102.4	100.0	107.3	110.3	115.7	109.9
江 西	Jiangxi	114.8	104.3	102.2	98.4	105.4	103.3	109.6	106.0
山 东	Shandong	115.5	107.3	102.4	100.2	106.8	107.2	111.9	111.4
河 南	Henan	120.5	110.0	106.6	101.2	116.1	107.4	113.7	112.0
湖 北	Hubei	125.2	108.4	105.4	105.4	114.2	110.3	112.0	116.2
湖 南	Hunan	123.9	126.8	105.5	103.6	113.0	110.2	105.6	106.2
广 东	Guangdong	115.2	115.3	103.2	103.5	111.6	104.4	107.7	107.2
广 西	Guangxi	120.9	139.6	106.4	107.0	116.8	116.8	117.4	114.6
海 南	Hainan	118.4	113.3	105.0	107.3	118.4	110.1	126.9	107.7
重 庆	Chongqing								
四 川	Sichuan	112.6	106.1	102.1	101.6	112.1	106.1	107.6	110.5
贵 州	Guizhou	115.0	108.3	109.9	101.5	117.5	116.0	109.2	121.9
云 南	Yunnan	112.1	108.0	113.2	105.1	110.1	110.9	110.9	118.8
西 藏	Tibet	109.9	105.5	98.0	105.2	106.7	101.3	110.6	107.3
陕 西	Shaanxi	116.1	107.2	102.2	98.3	109.8	106.8	115.3	113.7
甘 肃	Gansu	118.5	104.8	109.7	122.2	110.3	107.9	111.4	116.1
青 海	Qinghai	119.1	124.3	102.3	100.5	119.7	115.7	122.4	117.2
宁 夏	Ningxia	118.0	110.3	107.4	102.0	110.3	117.7	122.1	121.8
新 疆	Xinjiang	120.5	107.0	111.6	99.1	110.8	108.9	115.2	120.6

4-8-6 续表 2 Continued 2

(上年价格=100) (Preceding year=100)

地 区	Region	15.其它食品 Other Foods	二、饮料、烟酒 Beverages, Tobacco and Liquor	1.茶及饮料 Tea and Beverages	2.烟 草 Tobacco	3.酒 Liquor	三、服装、鞋帽 Garments, Shoes and Hats	1.服 装 Garments	2.鞋袜帽 Footgear and Hats
全国平均	**National**	**107.2**	**102.8**	**102.9**	**100.5**	**105.8**	**99.2**	**99.0**	**99.6**
北 京	Beijing								
天 津	Tianjin								
河 北	Hebei	106.5	103.9	103.3	100.9	107.4	101.1	100.6	102.5
山 西	Shanxi	111.1	101.2	102.7	100.4	103.5	101.1	101.2	101.0
内蒙古	Inner Mongolia	103.9	101.6	103.0	100.3	102.4	100.6	100.5	100.7
辽 宁	Liaoning	107.7	103.0	102.4	99.7	107.5	96.2	95.1	97.9
吉 林	Jilin	102.0	104.8	103.7	101.7	108.2	99.7	101.5	96.6
黑龙江	Heilongjiang	111.9	104.0	101.6	100.2	107.8	103.9	102.1	107.0
上 海	Shanghai								
江 苏	Jiangsu	108.0	101.6	100.3	100.0	106.6	97.8	97.7	98.2
浙 江	Zhejiang	108.6	103.3	105.2	100.3	106.7	97.7	97.9	97.6
安 徽	Anhui	101.1	102.5	102.4	100.0	106.5	101.0	99.7	104.3
福 建	Fujian	105.1	102.4	100.7	100.2	106.0	96.6	97.2	93.7
江 西	Jiangxi	104.6	103.5	101.1	103.0	105.0	97.9	97.4	98.5
山 东	Shandong	106.1	104.5	106.1	100.7	107.0	95.3	95.1	95.1
河 南	Henan	104.9	102.9	104.2	100.2	105.1	101.5	101.3	102.4
湖 北	Hubei	108.8	103.8	105.4	102.5	104.3	97.3	96.1	99.8
湖 南	Hunan	104.9	100.2	102.6	100.1	99.7	97.2	97.0	97.6
广 东	Guangdong	110.6	102.2	102.0	101.7	103.0	99.8	99.7	100.5
广 西	Guangxi	113.8	104.3	105.3	99.1	109.5	96.9	97.4	95.8
海 南	Hainan	107.0	102.7	107.3	96.3	107.2	102.2	102.6	101.9
重 庆	Chongqing								
四 川	Sichuan	106.0	102.4	101.8	100.3	105.7	99.4	99.7	98.9
贵 州	Guizhou	107.9	102.3	101.0	99.3	109.5	101.5	103.1	99.8
云 南	Yunnan	110.0	103.1	103.1	101.2	106.0	97.5	96.5	99.5
西 藏	Tibet	101.2	102.8	101.8	101.7	104.9	102.9	102.5	104.1
陕 西	Shaanxi	112.0	102.3	101.8	100.3	105.9	100.4	99.8	101.7
甘 肃	Gansu	107.9	104.2	106.2	102.9	104.7	103.5	102.9	105.3
青 海	Qinghai	105.4	105.4	113.2	102.0	106.0	99.6	98.8	101.4
宁 夏	Ningxia	115.6	103.6	105.0	101.9	105.4	103.7	103.7	105.4
新 疆	Xinjiang	102.3	101.1	101.4	97.5	104.6	100.6	101.0	99.8

4-8-6 续表 3 Continued 3

(上年价格=100) (Preceding year=100)

地 区	Region	3.其 它 Others	四、纺织品 Textiles	1.衣着材料 Clothing Material	2.床上用品 Bed Articles	五、家用电器及音像器材 Household Appliances, Music and Video Equipment	1.家庭设备 Household Facilities	2.文娱用耐用消费品 Durable Consumer Goods for Cultural and Recreational Use	3.音像器材 Music and Video Equipment
全国平均	**National**	**98.1**	**100.8**	**102.2**	**99.7**	**98.3**	**100.8**	**95.1**	**98.9**
北 京	Beijing								
天 津	Tianjin								
河 北	Hebei	97.1	102.5	104.2	101.1	97.1	100.0	93.8	98.2
山 西	Shanxi	100.3	100.4	101.0	99.7	98.8	100.5	96.8	95.4
内 蒙 古	Inner Mongolia	100.6	101.5	101.4	101.6	97.6	100.3	93.8	100.0
辽 宁	Liaoning	97.0	98.4	100.3	96.3	98.7	100.8	96.2	100.0
吉 林	Jilin	100.0	100.7	100.7	100.6	97.4	101.5	92.3	98.4
黑 龙 江	Heilongjiang	100.0	100.1	100.2	100.0	100.0	101.5	98.1	100.0
上 海	Shanghai								
江 苏	Jiangsu	99.0	102.4	105.9	99.1	98.7	100.6	94.5	95.7
浙 江	Zhejiang	94.3	102.4	101.7	103.1	96.9	100.7	91.2	99.9
安 徽	Anhui	99.1	102.9	105.8	99.9	99.0	100.9	96.4	98.9
福 建	Fujian	101.1	100.9	101.9	100.4	98.4	99.8	96.2	99.7
江 西	Jiangxi	99.7	101.8	103.7	100.2	98.3	99.5	97.1	100.0
山 东	Shandong	97.8	98.9	101.2	96.0	98.8	100.2	97.1	100.7
河 南	Henan	96.5	101.9	102.9	100.7	99.4	101.9	95.4	99.9
湖 北	Hubei	98.3	99.0	101.4	97.8	99.7	101.4	96.8	99.2
湖 南	Hunan	98.9	100.1	100.5	99.9	95.5	99.8	93.4	98.5
广 东	Guangdong	98.7	102.7	105.7	101.4	99.9	102.6	97.2	99.1
广 西	Guangxi	96.5	110.7	101.7	116.6	91.0	98.2	81.2	99.9
海 南	Hainan	99.7	104.3	104.8	104.1	99.4	101.7	96.6	96.5
重 庆	Chongqing								
四 川	Sichuan	99.1	100.0	100.7	99.6	99.1	100.0	98.1	99.1
贵 州	Guizhou	96.3	99.8	100.0	99.7	96.4	102.7	93.9	90.2
云 南	Yunnan	96.5	100.6	101.1	100.2	96.2	97.7	93.7	99.7
西 藏	Tibet	100.7	102.3	105.5	100.0	95.9	97.6	95.6	85.8
陕 西	Shaanxi	99.5	102.9	105.3	100.2	97.4	100.7	93.3	111.8
甘 肃	Gansu	100.2	100.6	101.0	100.1	98.6	98.6	97.6	104.0
青 海	Qinghai	100.0	100.0	99.9	100.0	97.8	100.7	94.7	100.0
宁 夏	Ningxia	84.8	102.6	104.8	100.9	98.1	102.6	93.9	95.3
新 疆	Xinjiang	99.6	101.1	101.4	100.7	100.0	100.9	98.9	99.8

4-8-6 续表 4 Continued 4

(上年价格=100) (Preceding year=100)

地 区	Region	六、文化办公用品 Cultural and Office Appliances	七、日用品 Articles for Daily Use	1.日用百货 General Merchandise for Daily Use	2.日用杂品 Grocery for Daily Use	3.洗涤用品 Wash	4.其它日用品 Other Articles for Daily Use	八、体育娱乐用品 Sports and Recreation Articles	1.体育用品 Sports Articles
全国平均	**National**	**99.2**	**103.9**	**103.9**	**102.3**	**107.3**	**101.0**	**100.1**	**101.1**
北 京	Beijing								
天 津	Tianjin								
河 北	Hebei	100.0	104.7	103.7	103.7	107.8	103.5	101.6	103.2
山 西	Shanxi	98.7	104.2	102.6	104.7	109.1	100.0	99.5	101.0
内 蒙 古	Inner Mongolia	99.3	103.3	104.5	101.4	105.7	101.2	99.5	99.7
辽 宁	Liaoning	100.7	104.1	102.3	106.1	106.9	99.6	99.5	101.2
吉 林	Jilin	97.5	104.4	105.8	100.4	108.0	101.9	99.9	100.0
黑 龙 江	Heilongjiang	98.6	105.2	103.3	101.4	112.5	100.3	99.9	100.0
上 海	Shanghai								
江 苏	Jiangsu	94.9	103.7	103.7	102.7	106.4	100.5	99.2	100.2
浙 江	Zhejiang	98.3	104.5	103.7	102.4	107.9	102.8	100.6	101.1
安 徽	Anhui	98.9	101.8	102.5	100.2	102.6	100.8	100.6	100.8
福 建	Fujian	97.9	103.6	104.8	102.5	104.8	100.8	99.5	100.4
江 西	Jiangxi	99.4	104.3	102.6	101.6	110.9	100.4	100.0	102.3
山 东	Shandong	100.2	104.0	103.9	102.6	107.5	101.0	99.8	100.8
河 南	Henan	102.9	106.1	106.9	104.1	109.0	101.4	100.5	101.3
湖 北	Hubei	99.0	103.1	102.7	101.5	107.5	99.8	99.9	100.2
湖 南	Hunan	102.2	103.1	102.3	102.9	109.1	99.9	103.0	104.2
广 东	Guangdong	98.8	102.9	103.6	100.9	106.4	100.7	100.0	100.6
广 西	Guangxi	95.0	107.6	104.6	105.8	115.5	102.9	95.1	98.1
海 南	Hainan	99.0	104.2	104.9	103.1	104.4	104.3	102.8	106.8
重 庆	Chongqing								
四 川	Sichuan	100.4	102.2	101.8	100.5	104.8	100.2	100.0	100.4
贵 州	Guizhou	101.2	107.3	102.7	108.6	115.3	101.4	99.5	99.5
云 南	Yunnan	98.5	102.4	102.5	101.2	104.5	99.5	99.9	101.9
西 藏	Tibet	95.7	99.0	97.3	99.5	98.7	101.8	96.5	98.1
陕 西	Shaanxi	100.3	107.4	108.1	104.3	113.8	101.3	99.3	99.9
甘 肃	Gansu	100.9	104.6	106.8	101.8	106.8	100.8	100.8	101.5
青 海	Qinghai	104.1	104.6	105.8	103.6	107.6	100.3	100.3	100.2
宁 夏	Ningxia	97.7	108.5	112.4	102.2	104.7	110.7	96.8	102.1
新 疆	Xinjiang	100.5	102.9	104.0	101.9	105.1	100.6	100.5	100.1

4-8-6 续表 5 Continued 5

(上年价格=100) (Preceding year=100)

地 区 Region		2、娱乐用品 Recreation Articles	九、交通、通信用品 Transportation and Communication Appliances	1.交通运输机械 Transportation Appliances	2.通讯器材 Communication Appliances	十、家具 Furniture	十一、化妆品 Cosmetics	十二、金银珠宝 Gold, Silver and Jewelry	十三、中西药品及医疗保健用品 Traditional Chinese and Western Medicines and Health Care Articles
全国平均	**National**	**99.2**	**94.8**	**99.7**	**87.9**	**102.7**	**100.7**	**118.1**	**103.2**
北 京	Beijing								
天 津	Tianjin								
河 北	Hebei	99.8	95.7	100.0	89.3	101.6	101.4	114.7	103.5
山 西	Shanxi	98.5	95.2	99.6	86.2	105.0	99.5	117.0	102.6
内蒙古	Inner Mongolia	99.3	94.9	99.7	90.2	99.5	100.4	119.1	102.9
辽 宁	Liaoning	97.9	95.9	101.2	87.4	100.4	98.9	119.1	103.1
吉 林	Jilin	99.7	94.0	103.5	83.8	99.7	99.3	124.3	103.3
黑龙江	Heilongjiang	99.8	97.6	100.8	95.5	101.0	100.1	121.6	101.7
上 海	Shanghai								
江 苏	Jiangsu	98.8	93.7	96.6	84.1	100.6	100.5	117.8	101.3
浙 江	Zhejiang	100.2	94.8	98.8	80.7	102.7	100.8	117.8	105.3
安 徽	Anhui	100.4	96.8	100.1	90.0	103.6	101.2	122.4	101.2
福 建	Fujian	98.8	95.9	101.0	87.8	104.0	100.5	117.8	102.0
江 西	Jiangxi	98.6	93.7	101.6	85.8	101.4	101.6	119.9	103.8
山 东	Shandong	98.6	95.8	101.4	89.3	105.7	101.8	126.4	102.4
河 南	Henan	99.1	91.5	100.7	84.9	100.2	100.9	119.9	104.2
湖 北	Hubei	99.6	95.5	100.2	91.7	100.8	99.6	120.7	103.9
湖 南	Hunan	101.8	94.5	99.6	89.7	97.5	100.5	121.9	102.2
广 东	Guangdong	99.5	93.4	100.2	86.3	105.8	101.9	109.6	102.3
广 西	Guangxi	92.1	92.7	98.0	83.1	101.6	99.9	118.7	104.3
海 南	Hainan	97.1	94.8	100.9	84.2	105.9	100.8	115.5	103.0
重 庆	Chongqing								
四 川	Sichuan	100.0	97.2	100.1	93.3	100.4	99.7	112.3	102.6
贵 州	Guizhou	99.4	98.7	99.3	96.5	101.8	98.1	105.3	104.1
云 南	Yunnan	97.5	92.0	96.8	86.9	99.7	101.1	125.4	104.5
西 藏	Tibet	94.2	98.1	97.6	98.4	102.3	97.5	110.1	99.6
陕 西	Shaanxi	98.8	93.0	101.3	85.4	103.7	101.5	117.5	104.5
甘 肃	Gansu	100.1	98.5	99.6	97.7	104.4	102.6	125.2	104.1
青 海	Qinghai	100.3	94.9	103.6	86.8	103.0	97.6	124.6	105.2
宁 夏	Ningxia	90.7	94.0	102.9	84.7	103.1	100.5	126.1	100.3
新 疆	Xinjiang	100.8	97.5	101.8	92.7	101.6	98.7	108.0	102.5

4-8-6 续表 6 Continued 6

(上年价格=100) (Preceding year=100)

地 区 Region		1.医疗器具及用品 Medical Apparatus and Article	2.中药材及中成药 Tradtional Chinese Medicinal Materials and Medicines	3.西 药 Western Medicines	4.保健器具及用品 Health Care Appliances and Articles	十四、书报杂志及电子出版物 Books, Newspapers, Magazines and Electronic Publications	1.教材及参考书 Teaching Materials and Reference Books	2.书报杂志 Newspapers and Magazines
全国平均	**National**	**99.0**	**107.8**	**100.9**	**101.1**	**100.6**	**100.0**	**101.8**
北 京	Beijing							
天 津	Tianjin							
河 北	Hebei	102.4	107.1	101.9	101.3	99.9	99.4	101.1
山 西	Shanxi	101.9	107.2	100.6	99.3	99.2	97.5	100.6
内蒙古	Inner Mongolia	99.4	108.9	99.0	100.4	99.9	99.6	100.0
辽 宁	Liaoning	102.7	106.1	101.8	100.6	100.8	100.3	102.5
吉 林	Jilin	100.6	105.4	103.1	98.6	99.8	98.7	100.0
黑龙江	Heilongjiang	96.9	102.7	102.3	99.5	96.5	92.5	100.0
上 海	Shanghai							
江 苏	Jiangsu	99.2	105.3	100.5	100.4	105.0	99.3	107.2
浙 江	Zhejiang	100.4	110.3	102.5	105.7	100.4	100.7	100.1
安 徽	Anhui	94.0	103.4	100.5	100.3	99.7	100.1	100.1
福 建	Fujian	98.0	105.1	100.9	99.8	103.6	107.5	102.1
江 西	Jiangxi	102.0	108.3	101.4	101.1	99.1	98.0	100.5
山 东	Shandong	97.6	109.6	99.0	100.3	100.3	99.9	101.7
河 南	Henan	102.9	110.0	100.9	100.8	102.0	103.0	101.4
湖 北	Hubei	98.2	108.9	101.3	99.5	99.4	98.8	100.7
湖 南	Hunan	98.3	104.6	101.3	101.2	101.2	101.1	101.1
广 东	Guangdong	96.5	108.2	98.7	99.5	100.4	101.3	100.3
广 西	Guangxi	100.1	104.4	103.4	113.4	99.3	98.6	101.1
海 南	Hainan	100.1	105.3	101.3	103.7	100.1	100.5	100.0
重 庆	Chongqing							
四 川	Sichuan	98.4	105.6	101.6	101.6	99.6	99.1	100.9
贵 州	Guizhou	99.7	110.3	100.7	101.2	100.8	98.9	103.9
云 南	Yunnan	101.5	109.0	102.3	102.3	99.1	98.6	100.5
西 藏	Tibet	106.0	99.3	97.3	102.3	97.9	98.9	101.1
陕 西	Shaanxi	103.3	107.5	103.2	100.3	102.0	104.4	100.5
甘 肃	Gansu	100.0	109.5	100.6	101.0	102.9	100.1	104.0
青 海	Qinghai	91.9	107.7	104.6	99.0	107.4	112.5	105.3
宁 夏	Ningxia	97.1	103.3	98.4	103.9	100.1	100.3	100.6
新 疆	Xinjiang	97.3	108.5	99.3	100.3	99.6	99.7	99.9

4-8-6 续表 7 Continued 7

(上年价格=100) (Preceding year=100)

地 区 Region		3.电子音像制品 Electronic Publications	十五、燃料 Fuels	1.煤炭及制品 Coal and its product	2.石油及制品 Petroleum and its product	十六、建筑材料及五金电料 Building Materials and Hardware	1.建筑装璜材料 Building Decoration Materials	2.五金电料 Hardware
全国平均	**National**	**99.4**	**120.2**	**129.2**	**115.8**	**108.7**	**110.0**	**104.1**
北 京	Beijing							
天 津	Tianjin							
河 北	Hebei	98.6	126.9	137.7	118.2	108.7	109.3	105.7
山 西	Shanxi	100.1	121.9	133.2	115.5	115.0	115.8	112.0
内 蒙 古	Inner Mongolia	100.0	122.8	130.3	117.2	105.5	106.8	102.2
辽 宁	Liaoning	98.7	118.1	122.1	116.1	104.7	105.0	104.1
吉 林	Jilin	100.9	117.8	126.0	114.2	110.8	113.5	104.6
黑 龙 江	Heilongjiang	100.0	121.7	125.7	117.6	106.2	105.0	109.4
上 海	Shanghai							
江 苏	Jiangsu	98.9	115.9	120.7	115.5	106.3	108.5	100.5
浙 江	Zhejiang	100.7	116.1	126.8	114.4	110.1	110.6	107.9
安 徽	Anhui	99.1	116.4	118.4	114.9	107.2	109.2	100.1
福 建	Fujian	100.2	118.1	131.1	116.1	110.3	111.3	106.5
江 西	Jiangxi	98.5	121.1	126.4	117.6	106.7	107.0	105.2
山 东	Shandong	98.7	125.0	136.9	116.1	108.7	110.7	103.2
河 南	Henan	100.1	120.7	124.8	117.1	108.8	110.1	103.2
湖 北	Hubei	98.5	117.5	123.3	115.3	109.1	110.9	102.6
湖 南	Hunan	101.9	137.7	164.1	117.2	110.9	110.6	113.4
广 东	Guangdong	98.9	114.0	112.4	114.2	109.1	110.7	102.1
广 西	Guangxi	97.8	117.8	121.6	117.4	110.1	111.1	106.2
海 南	Hainan	99.4	112.3	101.9	112.6	113.9	114.8	109.6
重 庆	Chongqing							
四 川	Sichuan	99.8	117.4	123.3	111.6	106.9	108.0	101.6
贵 州	Guizhou	99.2	131.5	150.1	115.9	115.0	114.3	120.7
云 南	Yunnan	96.7	117.2	120.4	114.9	106.5	107.6	102.8
西 藏	Tibet	92.6	108.5	100.3	111.9	101.2	102.1	97.8
陕 西	Shaanxi	99.3	121.1	132.6	116.8	109.0	109.1	108.8
甘 肃	Gansu	105.2	120.4	125.1	115.8	109.5	110.9	106.4
青 海	Qinghai	100.9	126.4	136.9	117.5	126.0	129.7	110.1
宁 夏	Ningxia	97.0	143.6	162.6	116.7	117.0	117.2	116.5
新 疆	Xinjiang	99.3	114.2	113.7	114.8	109.4	112.3	102.3

4-8-7　36个大中城市商品零售价格分类指数(2008年)

Retail Price Indices by Category in 36 Major Cities (2008)

(上年价格=100)　　(Preceding year=100)

地区	Region	总指数 Retail Price Index	一、食品 Food	1.粮食 Grain	2.淀粉 Starches	3.干豆类及豆制品 Dried Bean and Their Products	4.油脂 Oil or Fat	5.肉禽及其制品 Meat, Poultry and Their Products	6.蛋 Eggs
平均指数	**Average**	**105.3**	**114.8**	**107.3**	**113.1**	**134.8**	**124.9**	**123.4**	**105.2**
北京	Beijing	104.4	116.5	108.9	117.9	131.5	121.3	125.1	106.4
天津	Tianjin	105.1	112.2	105.5	98.1	139.9	129.0	118.9	103.6
石家庄	Shijiazhuang	107.7	116.8	103.0	102.0	129.8	128.6	128.5	101.0
太原	Taiyuan	107.9	120.1	105.7	136.1	135.7	125.3	124.5	101.7
呼和浩特	Hohhot	105.4	115.6	107.7	135.2	119.9	124.4	120.1	101.8
沈阳	Shenyang	105.0	114.8	106.6	125.7	152.5	124.5	126.4	98.9
大连	Dalian	106.0	111.5	103.7	119.0	133.8	121.9	124.4	106.3
长春	Changchun	105.6	110.1	105.6	95.8	141.2	122.2	125.8	111.9
哈尔滨	Harbin	105.3	110.1	104.2	120.1	136.0	128.5	113.6	107.8
上海	Shanghai	105.3	115.3	107.3	107.9	132.5	124.7	122.9	106.4
南京	Nanjing	103.7	115.5	110.3	97.9	139.6	127.8	126.8	104.7
杭州	Hangzhou	106.0	115.3	104.4	108.6	132.6	129.8	119.7	105.5
宁波	Ningbo	107.1	113.9	105.1	105.7	135.3	127.1	123.4	109.7
合肥	Hefei	106.3	114.9	105.9	108.4	137.0	125.6	120.7	108.9
福州	Fuzhou	104.4	114.5	106.6	112.2	123.1	118.5	123.5	102.9
厦门	Xiamen	104.5	113.4	110.4	107.1	129.4	125.9	122.7	105.8
南昌	Nanchang	106.2	114.9	106.0	104.7	126.5	120.4	123.8	99.5
济南	Jinan	104.5	115.9	110.2	115.7	146.5	120.8	126.0	104.0
青岛	Qingdao	103.9	112.4	101.9	115.0	131.7	114.8	117.9	107.5
郑州	Zhengzhou	106.0	115.8	107.4	116.6	138.9	122.5	124.7	114.3
武汉	Wuhan	105.1	114.1	101.4	120.5	133.6	124.9	126.3	102.4
长沙	Changsha	103.9	113.7	113.5	100.0	133.0	133.3	117.0	103.5
广州	Guangzhou	105.7	116.0	109.6	117.9	130.6	110.8	124.8	103.5
深圳	Shenzhen	106.5	113.7	114.4	103.8	129.3	124.7	120.1	103.2
南宁	Nanning	107.9	121.9	108.3	144.8	144.8	117.3	124.7	97.9
海口	Haikou	105.6	112.7	109.0	136.4	145.5	125.4	119.1	105.8
重庆	Chongqing	105.0	116.0	112.0	118.6	128.2	128.5	122.7	103.2
成都	Chengdu	104.5	113.4	106.1	104.4	113.6	125.4	119.1	102.2
贵阳	Guiyang	105.4	119.5	109.7	105.1	163.4	129.4	129.0	103.1
昆明	Kunming	105.4	117.0	110.4	94.2	135.6	121.6	132.1	98.4
拉萨	Lhasa	104.6	114.1	102.9	106.0	121.7	128.1	129.5	112.0
西安	Xi'an	105.4	116.9	107.1	107.3	143.8	127.2	129.1	108.5
兰州	Lanzhou	107.2	117.2	105.5	126.0	123.8	143.7	127.5	102.1
西宁	Xining	110.1	117.5	107.7	100.0	151.0	123.4	130.1	106.3
银川	Yinchuan	105.9	116.3	106.1	105.5	136.6	138.8	127.4	106.1
乌鲁木齐	Urumqi	108.7	119.0	108.6	114.6	146.3	128.0	130.7	109.5

4-8-7 续表 1 Continued 1

(上年价格=100) (Preceding year=100)

地 区	Region	7.水产品 Aquatic Products	8.菜 Vegetables	9.调味品 Flavoring	10.糖 Carbohydrate	11.干鲜瓜果 Dried and Fresh Melons and Fruits	12.糕点饼干面包 Cake	13.液体乳及乳制品 Milk and Its Products	14.在外用膳食品 Outward Dinner Food
平均指数	**Average**	**114.0**	**110.2**	**107.6**	**105.6**	**111.4**	**111.5**	**119.7**	**111.8**
北 京	Beijing	120.2	108.6	110.9	110.1	114.7	112.3	125.9	114.7
天 津	Tianjin	102.6	107.1	108.5	105.9	115.2	114.5	132.8	109.3
石 家 庄	Shijiazhuang	110.9	111.9	106.5	111.6	111.6	113.1	116.2	120.1
太 原	Taiyuan	114.9	120.2	113.2	112.4	108.2	116.1	125.3	128.7
呼和浩特	Hohhot	115.6	103.7	110.7	105.9	114.0	113.5	128.8	117.0
沈 阳	Shenyang	111.3	103.7	112.1	106.3	105.6	111.7	126.6	109.4
大 连	Dalian	107.4	91.4	107.1	106.6	99.9	108.7	131.3	113.5
长 春	Changchun	111.2	93.8	104.3	99.9	108.2	111.8	115.5	101.3
哈 尔 滨	Harbin	105.3	106.7	104.3	101.0	102.8	102.7	103.1	117.3
上 海	Shanghai	110.8	120.6	109.5	107.4	112.3	112.5	119.4	114.3
南 京	Nanjing	111.8	106.0	102.7	107.8	115.0	114.4	121.4	109.8
杭 州	Hangzhou	114.9	111.8	103.4	103.2	112.7	110.2	119.6	115.6
宁 波	Ningbo	112.3	108.2	102.9	108.6	117.4	106.7	126.3	110.7
合 肥	Hefei	124.4	106.3	107.0	105.3	110.9	108.1	121.3	110.0
福 州	Fuzhou	111.4	111.4	105.6	104.1	113.5	107.2	115.9	113.6
厦 门	Xiamen	111.1	114.5	104.2	101.3	105.1	106.6	112.3	108.1
南 昌	Nanchang	118.3	104.4	106.1	107.9	107.1	126.2	106.0	120.4
济 南	Jinan	115.7	112.4	104.9	105.6	112.8	112.9	119.9	111.7
青 岛	Qingdao	110.7	98.4	112.9	106.8	108.2	111.4	129.2	111.1
郑 州	Zhengzhou	116.8	113.2	106.4	103.0	114.6	103.1	130.2	108.5
武 汉	Wuhan	118.5	111.1	106.9	107.2	108.2	116.2	119.3	105.0
长 沙	Changsha	117.9	114.3	102.4	97.7	104.8	101.9	110.5	109.9
广 州	Guangzhou	121.2	122.6	102.3	102.4	112.8	108.6	108.1	110.6
深 圳	Shenzhen	120.1	113.2	103.7	105.9	110.5	111.3	117.1	104.9
南 宁	Nanning	119.0	156.4	105.4	106.9	115.8	112.4	120.5	111.0
海 口	Haikou	113.6	116.3	105.3	98.7	112.1	101.3	108.0	100.4
重 庆	Chongqing	125.0	108.2	105.5	109.6	118.1	111.0	114.2	110.2
成 都	Chengdu	117.8	103.8	107.0	98.5	100.5	105.2	119.3	113.4
贵 阳	Guiyang	121.1	107.0	111.1	112.9	112.8	116.5	126.7	117.5
昆 明	Kunming	120.9	104.2	107.2	106.0	114.8	118.1	109.2	113.2
拉 萨	Lhasa	121.1	108.3	100.1	106.9	115.7	105.1	119.0	103.9
西 安	Xi'an	118.6	112.1	111.7	101.8	120.1	109.9	116.5	113.4
兰 州	Lanzhou	113.8	115.0	110.8	107.5	108.1	119.4	114.0	116.8
西 宁	Xining	122.5	116.1	106.0	107.3	107.6	111.6	132.8	111.7
银 川	Yinchuan	103.6	117.0	112.6	105.6	111.9	111.5	123.9	112.7
乌鲁木齐	Urumqi	115.8	117.0	109.5	108.1	111.2	119.1	124.6	111.2

4-8-7 续表 2 Continued 2

(上年价格=100) (Preceding year=100)

地 区	Region	15.其它食品 Other Foods	二、饮料、烟酒 Beverages, Tobacco and Liquor	1.茶及饮料 Tea and Beverages	2.烟草 Tobacco	3.酒 Liquor	三、服装、鞋帽 Garments, Shoes and Hats	1.服装 Garments	2.鞋袜帽 Footgear and Hats
平均指数	**Average**	**109.2**	**104.1**	**104.3**	**100.5**	**110.2**	**99.1**	**99.5**	**98.1**
北 京	Beijing	113.9	104.6	102.6	102.4	111.2	99.1	101.0	94.0
天 津	Tianjin	107.4	108.5	105.9	102.3	119.8	99.8	100.3	98.6
石家庄	Shijiazhuang	107.5	104.6	104.0	100.0	109.3	100.0	99.9	100.4
太 原	Taiyuan	111.4	103.2	104.5	99.8	115.6	100.3	100.1	100.7
呼和浩特	Hohhot	110.7	104.4	108.9	100.0	108.4	96.3	96.3	96.5
沈 阳	Shenyang	107.8	103.3	103.0	99.2	109.7	94.9	96.8	89.5
大 连	Dalian	107.5	104.9	105.7	99.4	112.2	96.7	95.7	102.1
长 春	Changchun	103.2	104.2	104.1	100.1	109.8	104.5	103.8	106.8
哈尔滨	Harbin	114.4	108.4	98.1	100.4	119.7	101.3	101.6	100.4
上 海	Shanghai	104.3	102.7	106.9	100.1	103.4	101.5	101.7	100.6
南 京	Nanjing	118.5	104.2	105.1	100.3	111.3	108.7	108.9	107.6
杭 州	Hangzhou	113.0	103.8	107.3	100.1	107.9	98.4	98.3	99.0
宁 波	Ningbo	109.0	102.4	105.9	98.7	107.8	100.3	99.7	102.3
合 肥	Hefei	104.1	105.1	103.8	100.0	116.4	96.6	97.9	92.8
福 州	Fuzhou	105.8	104.8	104.2	100.4	110.2	88.2	89.4	84.4
厦 门	Xiamen	108.1	101.7	100.9	100.0	105.8	91.0	92.2	87.2
南 昌	Nanchang	109.4	106.2	107.5	98.1	113.7	92.1	89.9	97.6
济 南	Jinan	108.8	103.3	102.1	100.1	107.8	97.9	96.0	103.4
青 岛	Qingdao	121.6	103.3	102.6	99.4	107.3	104.3	102.4	106.4
郑 州	Zhengzhou	102.8	104.8	105.3	101.4	108.8	100.2	99.8	101.3
武 汉	Wuhan	119.2	106.5	107.1	101.3	114.2	100.4	100.2	101.2
长 沙	Changsha	106.3	102.9	104.7	102.0	102.9	94.3	92.8	98.1
广 州	Guangzhou	112.6	103.1	103.2	101.0	106.8	100.6	102.8	94.5
深 圳	Shenzhen	102.6	103.3	104.6	100.9	107.4	102.9	103.7	102.8
南 宁	Nanning	105.1	103.3	106.7	97.9	106.6	101.1	103.4	95.4
海 口	Haikou	110.3	102.7	102.6	100.4	105.6	96.0	96.0	97.7
重 庆	Chongqing	112.6	103.9	105.6	99.4	112.3	94.1	94.5	92.9
成 都	Chengdu	105.0	101.0	99.9	99.6	103.8	94.6	95.8	90.6
贵 阳	Guiyang	101.8	102.3	98.5	100.0	110.9	94.1	95.0	90.0
昆 明	Kunming	114.5	104.6	105.5	103.3	106.8	85.5	85.1	86.2
拉 萨	Lhasa	105.3	104.9	108.2	101.5	106.5	104.9	106.8	102.4
西 安	Xi'an	106.9	102.1	101.8	97.0	112.3	102.0	102.1	101.1
兰 州	Lanzhou	111.6	105.8	106.0	99.5	114.2	100.0	99.2	102.3
西 宁	Xining	109.3	107.9	110.4	100.5	114.0	105.2	107.7	97.4
银 川	Yinchuan	107.3	103.2	104.7	99.4	103.9	105.2	105.2	105.9
乌鲁木齐	Urumqi	116.8	104.1	102.0	100.3	109.4	96.3	95.7	97.7

4-8-7 续表 3　Continued 3

(上年价格=100)　　(Preceding year=100)

地　区	Region	3.其它 Others	四、纺织品 Textiles	1.衣着材料 Clothing Material	2.床上用品 Bed Articles	五、家用电器及音像器材 Household Appliances, Music and Video Equipment	1.家庭设备 Household Facilities	2.文娱用耐用消费品 Durable Consumer Goods for Cultural and Recreational Use	3.音像器材 Music and Video Equipment
平均指数	**Average**	**97.4**	**100.8**	**102.2**	**100.4**	**95.1**	**101.0**	**86.9**	**95.5**
北　京	Beijing	101.4	100.3	101.3	100.0	94.8	100.0	87.6	96.4
天　津	Tianjin	98.1	103.3	100.6	104.6	93.6	102.3	80.5	99.9
石家庄	Shijiazhuang	100.0	96.3	101.6	94.5	94.9	101.5	86.8	90.9
太　原	Taiyuan	105.4	95.0	101.3	90.8	100.1	105.6	92.6	97.3
呼和浩特	Hohhot	90.3	94.1	99.7	92.0	97.8	103.2	91.5	99.5
沈　阳	Shenyang	93.2	97.5	100.3	96.1	94.2	101.1	83.4	100.0
大　连	Dalian	95.0	103.7	102.0	103.8	93.1	104.1	83.5	96.8
长　春	Changchun	99.3	97.8	102.3	94.2	92.5	99.8	81.4	101.1
哈尔滨	Harbin	100.0	103.8	105.6	102.7	94.9	101.9	86.4	99.0
上　海	Shanghai	100.9	102.1	103.8	101.7	94.7	106.3	81.5	96.5
南　京	Nanjing	103.2	109.4	111.5	109.0	93.3	101.4	81.4	85.2
杭　州	Hangzhou	95.5	101.4	104.0	99.5	97.8	100.5	91.8	99.6
宁　波	Ningbo	108.8	99.8	101.0	99.2	98.1	99.9	93.3	99.9
合　肥	Hefei	100.0	100.0	100.0	100.0	98.3	103.2	89.2	100.0
福　州	Fuzhou	83.4	99.9	102.2	99.0	88.0	98.0	90.0	
厦　门	Xiamen	81.6	109.6	108.7	109.7	96.3	97.4	94.1	94.8
南　昌	Nanchang	100.0	94.3	102.6	87.3	98.5	101.3	94.3	96.5
济　南	Jinan	87.3	94.8	100.4	93.5	98.8	101.8	92.8	99.9
青　岛	Qingdao	93.4	101.8	102.7	101.7	98.6	101.6	94.4	99.6
郑　州	Zhengzhou	100.0	104.3	118.3	100.0	99.3	100.4	98.0	99.5
武　汉	Wuhan	99.6	100.8	99.4	101.4	88.8	93.2	82.8	96.6
长　沙	Changsha	97.0	98.9	100.1	98.3	98.6	99.6	96.5	98.5
广　州	Guangzhou	101.4	100.3	98.8	101.0	93.3	94.9	91.5	90.7
深　圳	Shenzhen	97.6	108.1	106.6	108.9	99.0	102.6	89.2	98.6
南　宁	Nanning	97.9	96.9	100.0	95.7	98.6	103.0	92.7	98.6
海　口	Haikou	91.6	98.2	100.0	97.3	99.9	101.3	97.9	99.7
重　庆	Chongqing	92.5	102.2	100.0	102.4	97.8	101.6	92.2	100.0
成　都	Chengdu	99.2	100.7	100.8	100.6	100.7	102.3	96.9	98.7
贵　阳	Guiyang	101.3	102.4	101.1	102.9	97.7	101.4	92.0	100.0
昆　明	Kunming	89.0	93.6	100.7	90.7	94.0	101.6	86.4	101.5
拉　萨	Lhasa	100.0	103.0	102.0	104.1	98.8	100.6	97.0	92.3
西　安	Xi'an	102.8	96.4	99.6	96.3	85.4	98.1	75.0	100.0
兰　州	Lanzhou	100.0	95.7	100.4	91.8	95.6	101.6	90.0	97.1
西　宁	Xining	94.3	99.2	105.2	95.3	97.4	101.6	89.2	98.6
银　川	Yinchuan	99.7	99.1	105.4	98.0	96.8	103.4	88.2	101.2
乌鲁木齐	Urumqi	97.1	99.1	101.2	98.0	97.2	101.1	91.6	100.0

4-8-7 续表 4 Continued 4

(上年价格=100) (Preceding year=100)

地区	Region	六、文化办公用品 Cultural and Office Appliances	七、日用品 Articles for Daily Use	1.日用百货 General Merchandise for Daily Use	2.日用杂品 Grocery for Daily Use	3.洗涤用品 Wash	4.其它日用品 Other Articles for Daily Use	八、体育娱乐用品 Sports and Recreation Articles	1.体育用品 Sports Articles
平均指数	**Average**	**94.9**	**103.9**	**103.1**	**101.9**	**108.9**	**101.7**	**94.9**	**101.3**
北京	Beijing	96.5	103.9	102.4	103.8	118.1	99.7	87.7	103.1
天津	Tianjin	90.2	103.8	101.3	100.3	112.4	104.5	98.0	108.5
石家庄	Shijiazhuang	98.8	104.6	101.9	102.2	112.1	104.7	99.2	105.3
太原	Taiyuan	99.6	104.0	103.2	108.5	106.1	99.0	100.6	106.0
呼和浩特	Hohhot	95.0	100.2	101.1	99.7	100.0	99.5	97.7	100.0
沈阳	Shenyang	96.3	104.9	103.8	102.9	107.8	104.4	93.4	99.2
大连	Dalian	89.2	107.1	107.3	108.9	113.2	103.2	92.0	95.7
长春	Changchun	94.6	106.4	116.6	102.3	113.7	95.5	98.6	98.5
哈尔滨	Harbin	100.7	107.1	108.5	101.0	113.2	100.6	91.4	98.9
上海	Shanghai	94.9	105.8	105.8	103.1	110.5	104.7	92.2	101.2
南京	Nanjing	90.5	108.5	107.5	101.6	116.8	102.3	83.8	97.1
杭州	Hangzhou	98.6	101.0	102.4	94.6	106.1	99.5	103.6	103.0
宁波	Ningbo	98.7	105.6	102.5	104.0	116.8	103.4	98.6	105.4
合肥	Hefei	95.2	104.5	103.1	108.2	102.3	106.7	93.3	99.9
福州	Fuzhou	98.5	103.5	102.6	103.1	106.9	100.0	95.9	101.7
厦门	Xiamen	98.7	103.8	106.8	100.8	109.2	96.6	91.7	101.2
南昌	Nanchang	95.2	105.3	105.0	101.1	107.9	105.1	96.0	100.0
济南	Jinan	92.3	104.2	102.3	102.8	109.1	102.0	100.0	99.8
青岛	Qingdao	98.7	103.8	103.4	100.3	112.3	98.5	97.5	105.1
郑州	Zhengzhou	99.6	100.1	100.8	100.2	98.9	100.8	98.7	97.9
武汉	Wuhan	93.8	101.7	101.9	100.3	104.0	100.4	94.3	99.3
长沙	Changsha	97.6	101.2	98.0	104.0	103.3	99.8	100.7	102.5
广州	Guangzhou	91.6	99.5	101.0	99.5	100.2	97.7	98.1	102.3
深圳	Shenzhen	96.4	99.6	97.6	101.6	101.6	100.3	95.9	102.1
南宁	Nanning	98.5	103.3	99.8	100.3	109.9	101.4	99.0	98.7
海口	Haikou	97.9	103.9	106.7	99.9	105.8	100.3	101.3	100.0
重庆	Chongqing	97.9	103.3	106.2	98.4	108.0	100.4	98.2	98.7
成都	Chengdu	92.6	102.6	101.3	100.3	104.9	101.6	97.5	100.2
贵阳	Guiyang	99.5	101.7	104.0	100.0	101.8	100.7	100.5	102.5
昆明	Kunming	92.2	103.0	104.8	95.5	104.4	101.0	95.3	100.2
拉萨	Lhasa	100.3	100.6	98.3	101.8	102.3	100.5	97.5	98.0
西安	Xi'an	94.8	106.9	105.9	106.5	119.3	96.4	90.2	101.0
兰州	Lanzhou	83.2	108.8	102.2	104.0	115.2	106.2	99.9	100.3
西宁	Xining	91.4	105.7	106.7	102.1	108.0	103.0	98.8	103.0
银川	Yinchuan	94.8	109.3	104.8	108.6	110.8	109.1	96.5	105.8
乌鲁木齐	Urumqi	93.7	107.6	103.2	100.0	112.3	105.4	97.2	105.7

4-8-7 续表 5 Continued 5

(上年价格=100) (Preceding year=100)

地 区	Region	2.娱乐用品 Recreation Articles	九、交通、通信用品 Transportation and Communication Appliances	1.交通运输机械 Transportation Appliances	2.通讯器材 Communication Appliances	十、家具 Furniture	十一、化妆品 Cosmetics	十二、金银珠宝 Gold, Silver and Jewelry	十三、中西药品及医疗保健用品 Traditional Chinese and Western Medicines and Health Care Articles
平均指数	**Average**	**91.6**	**91.8**	**96.7**	**78.2**	**104.0**	**101.0**	**116.8**	**103.0**
北 京	Beijing	82.0	91.3	95.5	73.7	106.8	101.6	121.4	100.7
天 津	Tianjin	94.6	89.2	100.0	65.9	112.5	99.1	120.2	103.7
石家庄	Shijiazhuang	94.8	94.2	100.0	88.6	105.1	100.4	119.4	103.9
太 原	Taiyuan	96.1	92.4	100.1	83.2	96.2	99.1	114.0	101.0
呼和浩特	Hohhot	95.3	95.2	99.7	84.5	97.2	99.8	121.2	102.0
沈 阳	Shenyang	91.7	92.3	100.1	71.5	103.3	104.6	115.9	100.9
大 连	Dalian	90.1	96.1	98.4	75.6	105.1	105.2	119.0	102.4
长 春	Changchun	98.5	97.0	97.6	85.2	100.7	101.6	117.5	101.7
哈尔滨	Harbin	86.8	92.5	102.1	82.8	103.4	101.3	113.9	105.1
上 海	Shanghai	88.0	89.5	95.9	68.2	108.2	101.8	110.3	100.7
南 京	Nanjing	78.3	86.7	94.4	59.6	99.8	100.8	119.2	102.9
杭 州	Hangzhou	103.8	93.6	95.5	80.9	104.2	100.7	117.0	107.8
宁 波	Ningbo	95.4	98.6	100.2	83.7	101.9	104.8	122.4	112.0
合 肥	Hefei	88.4	94.4	98.3	78.9	102.1	99.4	120.6	103.0
福 州	Fuzhou	92.7	95.8	98.6	90.5	104.9	101.0	105.0	101.3
厦 门	Xiamen	87.7	96.9	98.6	83.4	101.1	100.1	112.5	104.7
南 昌	Nanchang	92.7	92.0	97.6	82.3	101.3	100.0	120.8	105.7
济 南	Jinan	100.2	93.1	95.6	85.5	101.0	102.0	107.1	105.5
青 岛	Qingdao	96.0	95.9	97.2	91.4	101.8	100.4	109.6	100.2
郑 州	Zhengzhou	100.0	91.4	95.5	81.1	101.0	99.0	117.2	101.4
武 汉	Wuhan	89.8	87.4	96.7	78.8	96.2	99.3	118.7	104.8
长 沙	Changsha	99.5	97.7	98.9	93.3	101.3	99.6	116.9	101.2
广 州	Guangzhou	95.9	89.0	93.7	77.5	101.1	100.4	119.4	102.4
深 圳	Shenzhen	94.2	94.1	100.3	83.9	99.6	99.1	117.4	103.7
南 宁	Nanning	99.3	93.2	99.1	82.2	101.0	100.4	104.2	103.7
海 口	Haikou	102.0	95.8	98.5	91.5	100.3	100.0	115.3	99.1
重 庆	Chongqing	98.0	89.4	98.4	82.5	100.4	101.1	119.7	102.0
成 都	Chengdu	96.8	90.6	92.4	83.9	102.0	100.1	117.2	100.8
贵 阳	Guiyang	99.2	97.2	100.8	88.7	105.6	96.5	119.1	102.5
昆 明	Kunming	94.2	93.5	95.1	90.5	100.0	103.2	125.4	107.1
拉 萨	Lhasa	97.0	91.9	98.3	85.1	108.5	101.2	116.4	100.0
西 安	Xi'an	86.2	92.4	96.9	71.5	100.1	99.1	105.8	101.8
兰 州	Lanzhou	99.6	83.3	98.7	70.8	103.0	100.9	125.9	102.8
西 宁	Xining	96.9	98.9	103.5	76.1	97.0	100.6	121.2	109.1
银 川	Yinchuan	89.0	90.2	99.0	76.3	102.9	100.3	115.3	102.8
乌鲁木齐	Urumqi	90.2	89.1	98.1	77.9	104.2	102.4	117.1	104.4

4-8-7 续表 6 Continued 6

(上年价格=100) (Preceding year=100)

地 区	Region	1.医疗器具及用品 Medical Apparatus and Article	2.中药材及中成药 Traditional Chinese Medicinal Materials and Medicines	3.西药 Western Medicines	4.保健器具及用品 Health Care Appliances and Articles	十四、书报杂志及电子出版物 Books, Newspapers, Magazines and Electronic Publications	1.教材及参考书 Teaching Materials and Reference Books	2.书报杂志 Newspapers and Magazines
平均指数	**Average**	**100.4**	**106.6**	**101.4**	**102.5**	**101.4**	**100.7**	**105.1**
北 京	Beijing	100.4	102.2	99.2	103.2	103.0	101.2	105.8
天 津	Tianjin	95.1	109.3	101.5	97.3	100.9	102.4	100.2
石家庄	Shijiazhuang	100.0	105.5	104.8	99.6	100.6	100.0	100.0
太 原	Taiyuan	100.3	105.0	98.0	100.5	100.1	100.0	100.2
呼和浩特	Hohhot	102.0	105.2	100.6	100.2	97.8	98.8	100.4
沈 阳	Shenyang	97.0	101.6	101.6	99.8	102.1	103.6	103.9
大 连	Dalian	99.9	108.9	101.5	100.4	103.7	101.1	111.0
长 春	Changchun	100.0	107.5	99.5	101.5	107.3	100.7	119.3
哈尔滨	Harbin	113.9	115.3	96.8	103.2	101.5	102.5	100.0
上 海	Shanghai	103.4	102.9	100.2	100.5	101.8	99.0	108.1
南 京	Nanjing	100.0	104.1	103.7	99.3	111.5	99.5	113.8
杭 州	Hangzhou	100.4	108.2	110.6	103.1	99.9	101.2	100.0
宁 波	Ningbo	104.3	106.5	114.8	115.0	99.4	99.1	99.8
合 肥	Hefei	100.0	105.9	101.7	100.8	101.1	101.0	100.0
福 州	Fuzhou	99.5	102.7	100.3	100.0	103.6	108.3	101.3
厦 门	Xiamen	100.0	101.6	106.5	102.9	95.4	94.1	94.1
南 昌	Nanchang	100.0	115.1	101.7	99.4	99.7	99.8	100.0
济 南	Jinan	96.0	107.6	104.4	105.9	100.6	100.8	101.1
青 岛	Qingdao	98.9	103.0	98.0	99.5	103.6	106.7	104.3
郑 州	Zhengzhou	97.2	104.2	100.6	98.9	103.9	100.3	107.0
武 汉	Wuhan	106.3	112.0	101.6	101.0	106.0	98.8	113.3
长 沙	Changsha	98.7	105.1	99.0	105.5	100.8	101.5	100.3
广 州	Guangzhou	97.9	106.4	98.3	105.9	93.7	104.1	100.0
深 圳	Shenzhen	99.7	108.6	100.1	104.9	101.0	100.3	104.1
南 宁	Nanning	99.1	105.1	102.9	105.8	100.0	98.4	101.4
海 口	Haikou	100.0	101.5	97.2	98.1	100.2	99.9	101.0
重 庆	Chongqing	100.9	102.9	101.9	99.9	100.4	101.2	100.0
成 都	Chengdu	100.0	103.3	100.4	99.3	100.1	96.7	103.9
贵 阳	Guiyang	100.0	109.4	98.9	99.9	100.0	100.8	100.0
昆 明	Kunming	101.7	109.8	106.1	104.8	101.2	99.1	107.9
拉 萨	Lhasa	100.0	101.2	99.7	98.6	95.1	98.0	100.5
西 安	Xi'an	100.3	101.8	101.7	105.0	103.6	102.4	107.9
兰 州	Lanzhou	96.7	106.4	99.7	105.9	95.4	102.7	100.0
西 宁	Xining	102.4	115.1	102.7	117.8	99.2	98.5	100.0
银 川	Yinchuan	99.7	105.4	101.4	102.9	102.9	101.4	103.6
乌鲁木齐	Urumqi	95.9	104.0	105.9	103.5	100.9	105.9	100.0

(上年价格=100) (Preceding year=100)

地 区	Region	3.电子音像制品 Electronic Publications	十五、燃料 Fuels	1.煤炭及制品 Coal and Its Product	2.石油及制品 Petroleum and Its Product	十六、建筑材料及五金电料 Building Materials and Hardware	1.建筑装璜材料 Building Decoration Materials	2.五金电料 Hardware
平均指数	**Average**	**95.9**	**113.7**	**128.6**	**112.3**	**107.5**	**109.2**	**102.2**
北 京	Beijing	98.9	111.7	118.7	111.4	106.9	110.9	91.2
天 津	Tianjin	98.2	109.8	145.8	106.7	112.2	114.6	101.3
石家庄	Shijiazhuang	103.7	120.1	147.6	107.9	108.8	109.8	104.9
太 原	Taiyuan	100.0	117.4	131.1	111.2	111.3	114.7	103.3
呼和浩特	Hohhot	91.4	118.4	146.7	111.0	103.4	104.5	100.9
沈 阳	Shenyang	95.3	112.8	121.5	112.5	104.3	104.9	102.7
大 连	Dalian	96.3	115.2	147.6	113.3	109.7	109.1	110.6
长 春	Changchun	100.0	117.9	126.7	113.3	104.4	105.3	100.0
哈尔滨	Harbin	102.9	111.2	110.8	111.5	110.5	113.4	97.0
上 海	Shanghai	97.2	112.0	116.6	111.8	106.6	107.5	103.0
南 京	Nanjing	97.0	111.3	113.0	111.1	105.4	106.8	101.1
杭 州	Hangzhou	97.3	113.1	116.5	112.6	105.0	107.0	100.2
宁 波	Ningbo	98.6	114.6	126.6	113.3	106.5	109.8	100.5
合 肥	Hefei	99.8	114.2	127.1	112.7	106.0	107.3	101.1
福 州	Fuzhou	100.0	110.1	100.0	111.0	106.4	107.1	103.7
厦 门	Xiamen	98.7	116.2		116.2	102.8	104.7	100.6
南 昌	Nanchang	98.6	114.4	131.0	112.8	110.5	111.3	107.5
济 南	Jinan	100.1	117.9	137.1	113.0	107.7	109.1	104.0
青 岛	Qingdao	95.6	108.3	122.1	107.4	102.0	103.0	100.4
郑 州	Zhengzhou	105.1	115.2	129.4	112.7	110.2	114.3	99.9
武 汉	Wuhan	100.2	113.4	113.7	113.3	110.4	112.5	105.7
长 沙	Changsha	100.5	115.6	114.6	115.7	100.3	100.1	100.8
广 州	Guangzhou	82.9	117.2	151.9	113.8	111.5	113.9	104.3
深 圳	Shenzhen	99.5	117.3	142.2	117.0	105.7	106.7	102.7
南 宁	Nanning	100.0	116.5	148.4	114.2	112.9	116.1	100.0
海 口	Haikou	99.0	113.7	150.7	110.5	112.4	117.0	100.0
重 庆	Chongqing	100.0	107.0	128.3	106.1	105.1	108.3	100.3
成 都	Chengdu	98.8	111.0	127.5	110.0	108.1	108.0	108.2
贵 阳	Guiyang	100.0	114.0	143.4	110.8	106.6	109.0	96.9
昆 明	Kunming	94.1	109.5	112.5	109.5	108.9	108.7	109.9
拉 萨	Lhasa	86.5	114.0	106.2	116.2	103.1	105.4	99.2
西 安	Xi'an	99.4	113.4	145.2	110.5	105.3	106.6	103.7
兰 州	Lanzhou	78.4	117.4	142.3	106.2	108.2	110.3	104.6
西 宁	Xining	96.9	119.6	141.7	114.1	109.4	112.6	102.7
银 川	Yinchuan	99.4	116.1	155.6	112.8	109.9	110.9	108.3
乌鲁木齐	Urumqi	96.8	110.9	106.0	111.3	111.3	111.8	109.5

4-9-1 各地区农业生产资料价格分类指数(2008年)

Price Indices of Means of Agricultural Production by Category (2008)

(上年价格=100) (Preceding year=100)

地 区	Region	农业生产资料价格指数 General Index	一、农用手工工具 Hand Tool for Farming	二、饲 料 Forage	三、产品畜 Production Livestock	四、半机械化农具 Half-mechanized Farm Tools	五、机械化农具 Mechanized Farm Tools	六、化学肥料 Chemical Fertilizer	七、农药及农药械 Pesticide and Its Appliances
全国平均	National	120.3	112.5	115.8	131.5	107.9	109.0	131.7	108.0
河 北	Hebei	118.6	112.2	120.7	135.6	106.2	107.2	121.2	104.3
山 西	Shanxi	118.7	108.9	109.6	130.9	103.3	105.1	131.7	105.3
内蒙古	Inner Mongolia	114.9	104.1	118.8	127.6	102.5	102.3	129.1	111.0
辽 宁	Liaoning	128.1	112.0	120.9	157.9	107.2	106.5	134.3	108.7
吉 林	Jilin	127.3	101.2	111.0	154.0	105.2	107.3	145.8	106.4
黑龙江	Heilongjiang	122.7	119.5	125.0	130.5	123.2	117.7	130.5	102.3
江 苏	Jiangsu	117.3	106.0	110.8	125.3	104.0	104.3	131.1	106.6
浙 江	Zhejiang	118.9	110.4	113.4	114.3	111.3	114.2	138.4	105.9
安 徽	Anhui	123.9	120.1	122.8	126.5	126.2	121.9	136.4	108.2
福 建	Fujian	123.6	111.2	116.0	124.9	102.3	107.7	140.9	117.3
江 西	Jiangxi	119.9	109.8	121.6	117.0	111.9	107.9	137.4	108.7
山 东	Shandong	119.3	114.6	115.3	126.4	108.1	108.1	131.1	108.8
河 南	Henan	120.9	118.1	113.2	126.4	105.6	107.3	138.5	108.4
湖 北	Hubei	127.2	120.2	120.2	147.9	107.3	107.7	141.1	104.8
湖 南	Hunan	126.5	104.3	120.6	136.4	111.3	113.7	131.7	117.0
广 东	Guangdong	114.5	110.6	112.6	105.2	105.6	106.5	125.9	102.7
广 西	Guangxi	124.0	122.5	112.4	108.0	100.1	117.9	143.0	106.4
海 南	Hainan	114.8	111.2	111.6	103.8	113.3	117.3	130.4	106.0
四 川	Sichuan	116.6	109.8	111.8	133.3	103.9	105.7	120.5	105.5
贵 州	Guizhou	113.4	107.3	108.5	114.9	116.1	110.6	121.3	100.3
云 南	Yunnan	116.6	111.3	114.0	131.6	102.6	102.7	125.2	106.1
西 藏	Tibet	103.2	101.2	108.7	104.9	99.3	100.3	101.1	100.0
陕 西	Shanxi	122.0	115.3	117.7	144.8	110.0	110.9	130.6	111.6
甘 肃	Gansu	114.7	106.2	106.7	150.6	101.1	99.0	120.9	101.9
青 海	Qinghai	124.2	107.9	112.8	167.8	112.6	122.2	128.1	112.5
宁 夏	Ningxia	126.2	116.4	129.0	148.3	106.0	116.6	133.7	108.6
新 疆	Xinjiang	112.3	102.9	116.7	150.9	100.7	101.6	111.5	103.9

4-9-1 续表 Continued

(上年价格=100) (Preceding year=100)

地 区 Region	1.化学农药 Chemical Pesticide	2.农药器械 Pesticides Appliances	八、农用机油 Oil for Farm Machinery	九、其他农业生产资料 Others Means of Agricultural Production	1.农用种子 Seed	2.其 他 Others	十、农 业生产服务 Services for Agriculture
全国平均 National	**108.4**	**105.0**	**113.1**	**108.1**	**108.3**	**107.6**	**110.3**
河 北 Hebei	104.4	104.4	116.9	110.9	112.3	108.5	115.7
山 西 Shanxi	106.1	102.3	114.7	111.3	113.5	106.4	122.7
内 蒙 古 Inner Mongolia	113.6	100.6	111.4	104.4	104.9	103.9	102.6
辽 宁 Liaoning	109.0	106.2	114.8	115.1	115.8	113.2	121.1
吉 林 Jilin	106.5	106.2	111.9	115.9	116.4	106.1	103.4
黑 龙 江 Heilongjiang	100.6	115.4	111.3	112.0	116.1	107.5	102.2
江 苏 Jiangsu	106.9	102.6	110.5	104.3	103.1	106.7	106.4
浙 江 Zhejiang	106.4	100.7	111.8	102.5	98.7	109.9	107.0
安 徽 Anhui	108.6	103.9	109.4	113.0	116.4	108.8	108.3
福 建 Fujian	117.8	111.9	114.8	107.6	104.8	112.4	114.7
江 西 Jiangxi	109.6	104.7	116.7	104.9	102.8	108.0	113.0
山 东 Shandong	109.2	105.9	112.1	107.5	107.8	107.2	112.8
河 南 Henan	109.0	105.8	115.4	105.1	104.8	105.8	106.0
湖 北 Hubei	104.7	104.9	112.2	112.9	113.8	110.2	113.0
湖 南 Hunan	117.2	111.2	118.9	101.9	100.8	104.1	126.2
广 东 Guangdong	102.2	106.3	110.9	103.5	102.3	105.5	111.7
广 西 Guangxi	106.8	104.4	117.1	118.7	122.2	113.8	110.5
海 南 Hainan	107.0	100.0	114.9	106.9	108.5	102.9	101.9
四 川 Sichuan	105.3	106.7	112.6	104.4	103.3	106.1	114.5
贵 州 Guizhou	101.0	99.1	106.5	103.7	102.6	108.1	104.7
云 南 Yunnan	107.2	100.7	113.7	103.5	101.2	107.3	105.8
西 藏 Tibet	100.1	99.5	108.5	101.7	103.1	100.2	100.0
陕 西 Shanxi	112.7	104.7	109.4	108.9	107.8	110.1	106.5
甘 肃 Gansu	101.6	103.6	116.6	104.4	99.7	108.1	104.5
青 海 Qinghai	115.0	100.4	116.0	117.3	120.6	112.7	116.2
宁 夏 Ningxia	108.6	108.2	117.8	109.3	108.0	111.1	116.3
新 疆 Xinjiang	104.2	102.6	112.9	108.0	108.9	107.3	107.0

4-9-2 各地区农业生产资料价格总指数(1994～2008年)

Price Indices of Means of Agricultural Production by Region(1994～2008)

(上年价格=100) (Preceding year=100)

地 区	Region	1994	1995	1996	1997	1998	1999	2000
全国平均	**National**	**121.6**	**127.4**	**108.4**	**99.5**	**94.5**	**95.8**	**99.1**
河 北	Hebei	117.0	120.9	108.0	104.3	98.7	97.5	101.5
山 西	Shanxi	122.4	129.3	111.5	104.3	95.8	94.1	102.5
内蒙古	Inner Mongolia	122.6	128.5	109.9	104.0	98.7	96.3	106.1
辽 宁	Liaoning	121.5	128.7	109.0	99.2	95.6	94.4	97.5
吉 林	Jilin	120.2	130.2	111.5	99.8	97.2	97.6	98.9
黑龙江	Heilongjiang	125.9	123.1	110.3	100.6	96.0	96.5	98.6
江 苏	Jiangsu	121.5	126.9	106.6	101.2	92.5	95.5	98.9
浙 江	Zhejiang	126.5	129.8	106.7	99.7	92.4	95.8	100.4
安 徽	Anhui	122.8	128.0	107.2	98.9	94.8	95.3	98.2
福 建	Fujian	117.8	120.2	106.2	99.5	94.6	96.1	97.4
江 西	Jiangxi	116.7	128.7	107.0	100.4	95.5	93.8	95.9
山 东	Shandong	124.1	133.3	105.5	96.6	96.2	95.1	98.7
河 南	Henan	124.4	125.8	107.9	99.3	94.2	95.7	99.6
湖 北	Hubei	122.4	129.0	108.6	96.0	91.9	93.9	97.6
湖 南	Hunan	118.6	129.3	107.3	97.9	89.5	95.3	99.3
广 东	Guangdong	115.8	120.3	104.7	98.2	94.9	95.5	98.1
广 西	Guangxi	118.1	130.1	103.8	100.3	92.1	96.4	99.9
海 南	Hainan	138.2	115.7	106.8	100.3	98.4	97.1	98.0
四 川	Sichuan	117.4	130.8	114.0	100.9	92.9	95.2	96.2
贵 州	Guizhou	114.9	135.7	108.1	101.3	95.0	94.9	100.6
云 南	Yunnan	114.6	125.5	113.3	102.4	96.5	98.7	98.9
西 藏	Tibet							96.0
陕 西	Shaanxi	128.6	126.3	110.3	102.4	95.2	93.9	102.2
甘 肃	Gansu	123.2	129.6	110.7	101.4	96.3	95.8	103.9
青 海	Qinghai	125.0	123.9	112.6	105.0	100.3	95.6	100.7
宁 夏	Ningxia	123.3	130.4	109.0	98.2	96.1	93.4	96.0
新 疆	Xinjiang	126.8	126.6	115.5	106.5	100.8	97.0	97.9

4-9-2 续表 Continued

(上年价格=100) (Preceding year=100)

地 区	Region	2001	2002	2003	2004	2005	2006	2007	2008
全国平均	**National**	**99.1**	**100.5**	**101.4**	**110.6**	**108.3**	**101.5**	**107.7**	**120.3**
河 北	Hebei	100.2	100.4	99.8	106.7	106.8	101.6	106.9	118.6
山 西	Shanxi	101.9	100.9	98.4	107.3	113.3	103.6	106.2	118.7
内蒙古	Inner Mongolia	101.4	102.6	101.2	109.5	108.3	101.1	103.0	114.9
辽 宁	Liaoning	100.5	101.7	98.4	113.3	110.0	100.5	114.2	128.1
吉 林	Jilin	101.1	100.4	101.0	106.3	109.2	97.2	106.0	127.3
黑龙江	Heilongjiang	98.9	99.7	101.8	112.0	108.6	101.9	109.4	122.7
江 苏	Jiangsu	96.8	99.3	101.9	112.3	106.9	101.7	106.9	117.3
浙 江	Zhejiang	99.7	99.5	102.9	113.2	105.8	99.6	107.3	118.9
安 徽	Anhui	97.9	99.9	100.2	112.0	108.3	100.0	106.8	123.9
福 建	Fujian	98.7	99.9	101.8	112.5	108.1	100.9	110.3	123.6
江 西	Jiangxi	99.6	99.8	102.5	110.7	107.9	101.1	106.6	119.9
山 东	Shandong	101.8	100.3	102.4	110.2	106.2	103.0	107.1	119.3
河 南	Henan	99.1	100.9	101.9	111.4	107.9	101.2	106.1	120.9
湖 北	Hubei	99.3	101.0	100.8	111.3	115.1	101.4	108.0	127.2
湖 南	Hunan	98.4	98.9	102.6	112.1	111.2	100.7	113.0	126.5
广 东	Guangdong	97.1	98.4	99.6	109.4	105.8	102.6	105.8	114.5
广 西	Guangxi	97.7	98.2	102.4	115.3	110.5	101.0	114.4	124.0
海 南	Hainan	99.5	101.7	104.8	111.3	108.9	100.7	107.1	114.8
四 川	Sichuan	97.8	104.1	100.8	110.9	107.2	103.3	109.0	116.6
贵 州	Guizhou	99.4	100.6	104.1	109.0	110.2	105.4	105.1	113.4
云 南	Yunnan	96.6	100.4	101.9	106.3	105.9	102.8	107.0	116.6
西 藏	Tibet	98.9		102.8	101.3	100.6	100.4	101.0	103.2
陕 西	Shaanxi	101.9	100.8	102.3	111.6	107.2	100.7	108.3	122.0
甘 肃	Gansu	98.6	100.4	101.8	107.4	109.0	104.4	107.1	114.7
青 海	Qinghai	99.6	98.0	101.1	109.2	106.5	102.1	108.1	124.2
宁 夏	Ningxia	102.0	103.5	99.4	113.5	109.3	100.8	112.2	126.2
新 疆	Xinjiang	103.0	99.6	101.1	107.3	105.3	102.5	106.2	112.3

附录

Appendix

附录1 主要统计指标解释

第1篇 收入与消费

家庭人口数:指居住在一起,经济上合在一起共同生活的家庭成员。凡计算为家庭人口的成员其全部收支都应包括在调查表中。

有收入者人数:指就业者及当月财产性收入、转移性收入、零星劳动收入等在100元以上的非就业者。

就业人口数:包括:

(1)国有经济单位职工。

(2)城镇集体经济单位职工。

(3)其他各种经济类型单位职工。

(4)个体经营者:指个体雇主与自营者。包括:

雇主:指在工商行政管理部门领取个体营业执照并雇用一人以上(但不包括家属劳动者)进行生产、经营或服务性工作的人员。

自营者:指在工商行政管理部门领取个体营业执照(除家属劳动者外未雇佣任何工作人员)自己进行生产、经营或服务性工作的人员。

(5)个体被雇人员:指受雇于个体经营者的人员。

(6)离退休再就业人员:指离退休人员接受原单位或其他单位聘用并单独领取离退休金以外报酬的人。

包括离退休后领取个体执照、从事个体劳动的人以及在所调查的月份内从事社会劳动时间超过半个月,所取得的报酬在当地足以维持本人生活的离退休人员。

(7)其他就业人口:指以上6部分以外的就业人口,包括没有固定性职业,在所调查的月份内从事社会劳动时间超过半个月,所取得的报酬在当地足以维持本人生活的人员。如从企业领取原料在自己家里进行生产加工、家庭拆洗缝补、家庭托儿、保姆以及其他未领执照的个体劳动者。

初中、高中、大专院校的学生在假期参加劳动,虽然领取一定的劳动报酬,但不计算为就业人口。

离退休人数:按规定退出工作岗位,并领取离退休金的人员。不包括离退休再就业人员。

其他有收入者人数:指除就业人员和离退休人员以外的家庭成员,当月财产性收入、转移性收入、零星劳动收入等在100元以上的未就业者。

无收入者人数:指当月收入不足100元的非就业者。

期末家庭人口数:指月末或年末登记时点的家庭人口。

家庭总收入:指调查户中生活在一起的所有家庭成员在调查期得到的工薪收入、经营净收入、财产性收入、转移性收入的总和,不包括出售财物和借贷收入。收入的统计标准以实际发生的数额为准,无论收入是补发还是预发,只要是调查期得到的都应如实计算,不作分摊。

可支配收入:指调查户可用于最终消费支出和其它非义务性支出以及储蓄的总和,即居民家庭可以用来自由支配的收入。它是家庭总收入扣除交纳的所得税、个人交纳的社会保障费以及调查户的记账补贴后的收入。计算公式为:

可支配收入=家庭总收入-交纳所得税-个人交纳的社会保障支出-记账补贴

工薪收入:指就业人员通过各种途径得到的全部劳动报酬,包括所从事的主要职业的工资以及从事第二职业、其他兼职和零星劳动得到的其它劳动收入。

工资及补贴收入:指劳动者从工作单位得到的全部劳动报酬。既包括单位支付的计时计件劳动报酬,也包括根据国家的有关政策、法令规定,为了不使职工工资受某些特殊因素影响而支付的工资性津贴、补贴,以及根据国家法律、法规和政策规定,因病、工伤、产假、计划生育假、婚丧假、事假、探亲假、定期休假、停工学习、执行国家或社会义务等原因按计时工资标准或计时工资标准的一定比例支付的工资。工资收入按应发数计算,只要是在调查期内实际得到的工资收入都应记账,无论该工资是补发还是预发(不包括一次性买断工龄收入,买断工龄收入记入转移性收入)。工资收入中不包括单位出资交纳的各种社会保障费,如养老金、住房公积金、医疗基金和失业基金等。工资收入应包括各种扣款,如工作单位代扣的应由个人承担的养老金、住房公积金、医疗保险等;单位在工资中代扣的房租、水电费、托儿费、医疗费、借款等也应包括在工资收入中,同时把所扣除的各项费用分别记入各项支出中。工资收入不论就业者所在单位的经济类型,个体被雇人员的劳动报酬、退休再就业人员的劳动收入都作为工资收入统计。因企业停工发给职工的生活费用也统计在内。

职工从单位得到的各种福利收入,如生活困难补助费、福利费(如洗理费)、上下班交通费(通勤津贴)、自行车补助费、独生子女费、冬季取暖费、防暑降温费、对接触有毒物质、矽尘作业、放射线作业和潜水、沉箱作业、高温作业等工种所享受的保健食品费、文娱费、出差伙食补助和交通补贴、误餐补助、调动工作的旅费和安家费、计划生育奖、创造发明奖、自然科学奖、合理化建议、技术改进奖等。实行医疗制度改革的单位直接支付给个人或单位报销的医疗费、现金发放的劳保用品等也都包括在内。不包括发给的实物和票证。

其它劳动收入:指家庭成员从事第二职业、兼职、零星劳动所得的劳动报酬。如稿费、翻译费、讲课费、课题费、咨询费、信息费、调查费、商品推销费、购进旧家电维修后出售所得的净收入等。

经营净收入:指家庭成员从事生产经营活动所获得的净收入。是全部生产经营收入中扣除生产成本和税金后所得的收入。如当期收入小于生产费用的开支,其差额记入“其他借贷支出”中。

财产性收入:指家庭拥有的动产(如银行存款、有价证券)、不动产(如房屋、车辆、土地、收藏品等)所获得的收入。包括出让财产使用权所获得的利息、租金、专利收入;财产营运所获得的红利收入、财产增值收益等。

利息收入:指资产所有者按预先约定的利率获得的高于存款本金以外的那部分收入。包括各类定期和活期存款利息、债券利息、储蓄性奖券和存款的“中奖”收入。利息与红利的差异:利息一般是预先约定的,与企业的经营状况无关,而红利的多少与企业的经营效益直接有关,一般不预先约定。利息收入是应得收入,包括银行代扣的利息所得税。

股息与红利收入:指购买公司股票所获得的各种收益。包括股票发行公司按入股数量定期分配的股息、年终分红,股票买、卖所获得的营运净收益。如果结算时发生亏损,则亏损额记入“其他借贷支出”中。

保险收益:家庭参加储蓄性保险,扣除交纳的保险本金后,所获得的保险净收益。不包括保险责任人对保险人给予的保险理赔收入。

其它投资收入:指家庭从事股票投资、保险以外的投资行为所获得的投资收益。如出售艺术品、邮票等收藏品超过原购买价的那部分收入;如投资各种经营活动(自己不参与经营)所获得的利润;财产转让溢价部分收入。

出租房屋收入:指出租房屋所得的租金净收入。租金收入中应扣除交纳的各税费、出租房屋的维修费用等各种成本支出。

知识产权收入:指出让家庭或家庭成员拥有的专利、版权等知识产权所获得的净收入。

其它财产性收入:指家庭所得的除上述以外的各种财产性收入。

转移性收入:指国家、单位、社会团体对居民家庭的各种转移支付和居民家庭间的收入转移。包括政府对个人收入转移的离退休金、失业救济金、赔偿等;单位对个人收入转移的辞退金、保险索赔、住房公积金、家庭间的赠送和赡养等。

养老金或离退休金:指根据国家有关规定,离开生产或工作岗位,正式办理了离休、退休手续并享受离退休待遇的人员,领取的离退休金。包括退休人员的退休金、离休人员的离休金、生活补贴、保姆津贴,因工致伤离退休人员的护理费,离退休人员异地安家补助费、取暖补贴、医疗费、旅游补贴、书报费、困难补助以及在原工作单位所得的各种其它收入。

社会救济收入:指国家对各类特殊家庭、人员提供的特别津贴。包括国家对享受城镇居民最低生活保障待遇的家庭,发放的最低生活保障金;国家和社会对特殊困难家庭给予的困难补助、受灾救济款、国家对伤残军人的抚恤金等。只计算得到的现金收入,不包括赠送的实物。

辞退金:职工被解除劳动合同时,单位或雇主支付的补偿费,包括一次性工龄买断收入。

赔偿收入:指国家、单位、个人支付给受到财产损失、人身伤害家庭的各种赔偿,不包括保险赔偿收入。

保险收入:指参加保险的住户从保险公司得到的保险理赔款。如人身意外事故赔偿、财产损失赔偿。不包括人寿保险返回的年金。

失业保险金:按照国家《失业保险条例》规定,失业保险经办机构对符合条件的失业人员,进行失业登记,并定期发放的失业救济金。

赡养收入:指亲友因赡养和抚养义务给家庭成员的现金。包括家庭人员到外地工作,带回、寄回给家庭的收入。

捐赠收入:指家庭得到的亲友赠送收入,包括遗产收入。与赡养收入的区别,赠送是对本家庭成员无赡养义务的亲友给家庭成员的现金。

亲友搭伙费:指未计入家庭人口的成员,包括亲友和保姆等在调查家庭用饭所交的伙食费。

提取住房公积金:指参加住房公积金制度的职工,通过一定的手续提取的住房公积金。包括个人交纳的公积金和单位交纳的公积金。也包括单位给未达到住房面积标准的职工和离退休人员发放的住房补贴。发放的住房补贴是指已提取现金或已用于购房,如果仅是名义上划入个人住房公积金账户的,不作统计。

记账补贴:指调查户因承担记账工作从统计部门、工作单位和其它途径所得到的现金。不包括实物部分。

其他转移性收入:指家庭从除上述各项收入以外得到的其他转移性收入。如单位发放的抚恤金、军人的转业费、复员费、各种有奖彩票的中奖收入等。

出售财物收入:指调查户出售家庭财物所得到的收入。由于出售财物是家庭财产从实物形态转为货币形态,家庭财产总量不变,因此不计入可支配收入中。

出售住房收入:指调查户出售所拥有的全部或部分产权的住房,得到的购买该住房时所支付的房款。本指标只反映出售住房的全部值,高于购房原价的增值部分(扣除各种交易费用)统计在“其它投资收入”指标中。

出售其他物品收入:指家庭出售各种废旧物品收入。

借贷收入:指家庭资产不发生增减的周转性收入。包括提取银行存款、提取储金会款、借入款、收回借出款、兑售有价证券、收回的投资本金、贷款等。

提取(存入)储蓄存款:指从金融机构提取已存入的活期或定期存款。按实际发生数填列,即按本月内调查户实际提取的存款总金额填列,不包括利息和奖金。

借入款:指调查户向亲友或工作单位借入的现金。不包括临时周转借款(即当月归还的)以及因公从工作单位借入的现金,如旅差费等。

收回借出款:指调查户收回非当月借出的现金。

收回储蓄性保险本金:指收回到期的调查户支付的本金。

兑售有价证券:指出售股票、兑换债券的收入。出售股票收入仅计等于或低于原来购买股票时支付的金额,如果出售所得高于原购买金额,超出部分统计在财产性收入的“股息与红利收入”。兑售债券收入仅指购买时支付的金额,所得利息计入“利息收入”。

收回投资本金:指居民家庭从事除股票、债券以外的投资活动,结束投资行为时,收回的投资本金。如返还的集资款原值、出售艺术品、收藏品等回收的原值。

住房贷款:指居民家庭为购买住房向金融机构、住房公积金中心取得的银行贷款和住房公积金贷款。

汽车贷款:指居民家庭为购买消费用家用汽车从金融机构取得的银行贷款。

教育贷款:指为家庭成员就学向银行、学校申请的贷款。

其他贷款:指除住房、汽车、教育以外,以消费为目的向金融机构申请的贷款,如耐用品贷款、旅游贷款等。

其他借贷收入:指除以上几项外的各种借贷收入。

家庭总支出:指家庭除借贷支出以外的全部实际支出。包括消费性支出、购房建房支出、转移性支出、财产性支出、社会保障支出。支出统计是以实际购得的商品或服务的总价值填报,不论其付款方式是一次付清、分期付款,还是赊购,只要商品或服务已被消费就要按其总价值计量。如果采用分期付款或赊购形式,则要在借贷收入类相应的项目填入实付款与总的应付款的差额。

消费支出:指调查户用于本家庭日常生活的全部支出,包括食品、衣着、家庭设备用品及服务、医疗保健、交通和通讯、娱乐教育文化服务、居住、杂项商品和服务八大类等。不包括用于赠送的商品或服务。消费支出按商品(服务)的用途分类,详细解释见消费支出表。

服务性消费支出:指调查户用于本家庭支付社会提供的各种文化和生活方面的非商品性服务费用。不包括为别人付款的服务。服务消费与商品消费不同,其特点在于其劳动过程和消费过程在时间与空间上的统一。

服务性消费支出 = 食品加工服务费用 + 在外饮食业 × 50% + 衣着加工服务费 + 家庭服务 + 医疗费 + 交通工具服务支出 + 交通费 + 通信服务 + 文化娱乐服务费 + 教育费用 + 房租 + 自有房租折算 + 住房装潢支出 × 40% + 居住服务费 + 杂项服务费

这一指标是派生的,由计算机根据各类消费支出的性质自动生成。

购房与建房支出:指包括居民家庭购买住房、建房时的全部支出。

购房:指购买商品房、房改房、二手房的房价支出。如采用按揭购房,按房屋全价计算,贷款部分计入“住房贷款”。不包括购买时交纳的各种税费(统计在财产性支出的住房指标中)。

建房:指自建房的全部支出,包括土地购置费、单位集资建房自付部分。不包括用于住房维修的建筑材料支出、人工费。

转移性支出:指居民家庭对国家、单位、住户、个人的转移支付。包括交纳的税款、捐赠和赡养支出等。

交纳的税赋:指调查对象向税务机关交纳的各种税款。如个人所得税、利息税等。

捐赠支出:指家庭赠送、捐款给别的家庭或个人、单位的支出,包括个人对公共设施建设的各类捐款。不包括实物,购买商品赠送亲友的支出记入消费支出。捐赠支出应按实际发生的金额计算,不论是从报告期收入中开支的,还是从银行存款、手存现金以及其他非经常性收入中开支的,均应包括在内。捐赠支出不论用途、对象、途径,只要是现金的无偿转让,均作为捐赠支出,如送给客人的路费、替亲友交纳的学费、为亲友支付的医疗费、寺庙的捐款均应作为捐赠支出统计。

购买彩票:指居民购买经政府批准公开发行的彩票支出。例如,福利彩票、体育彩票等。

赡养支出:指调查户因赡养和抚养义务而付给亲友的现金。不包括实物。赡养支出应按实际发生的金额计算,不论是从报告期收入中开支的,还是从银行存款、手存现金以及其他非经常性收入中开支的,均应包括在内。

在外就学子女费用:指供养在外地就学,不算作家庭人口的子女的学费、生活费。

各种非储蓄性保险支出:指不能收回本金的保险支出。如人身意外保险、疾病保险、财产保险、责任保险等。

车辆保险支出:指各类机动车保险支出。

其他转移性支出:指除交纳的税收、捐赠和赡养支出以外的转移性支出。如赔偿他人的支出;各种罚款,如交通罚款、违反计划生育罚款;兵役费;政府部门向居民提供服务收取的服务费,如迁户口的办理费、办理身份证费等。

财产性支出:指家庭购买或维护财产所支付的利息等有关费用。

非生产性贷款利息支出:指非生产性贷款、借款的利息支出。如果归还贷款时,本金与利息一起支付的,要进行分摊。

社会保障支出:指调查户成员参加国家法律、法规规定的社会保障项目中由个人交纳的保障支出。不包括职工所在单位交纳的那部分社会保障金。

个人交纳的养老基金:根据国家统一规定,按一定的工资比例个人交纳的养老保险金,以及私营企业主、个体经营户、其他人员全部由个人承担的养老保险金。

个人交纳的住房公积金:指参加住房公积金制度的个人由单位从工资中代扣的住房公积金。

个人交纳的医疗基金:指职工参加医疗保险个人交纳的医疗基金。

个人交纳的失业基金:指职工参加失业保险个人交纳的失业基金。

其他社会保障支出:指以上几项以外的个人支付的其他各种社会保障支出。

借贷支出:包括所有权没有变化的周转性支付,如存入储蓄款、借出款;资金归还,如归还借款、归还各类贷款等。

存入储蓄款:指存入各类金融机构的存款。

借出款:指调查户借给亲友的现金。不包括临时周转借款(即当月归还的)。按各月实际发生数填列。借出款与借入款应分别计算,不可相互冲抵。

归还借款:指调查户归还过去从各种途径借入的现金。不包括归还旅差费等因公借款。

储蓄性保险支出:指调查户参加储蓄性保险的支出。储蓄性保险是到期能归还保险本金,并能获得增值的险种。包括财产两全保险,人身两全保险、养老保险等能收回本金的储蓄性保险。

购买有价证券支出:指购买由政府、公司发行的各类股票、债券支出。债券一般有事先约定的利率和兑付期限。股票是对公司出资额的一种凭证。购买股票既包括上市公司的股票,也包括非上市股份公司的股票。股票收益主要有分红、送股、转让溢价。包括职工参与企业集资所交纳的集资款。

其他投资支出:指除购买各类有价证券、参加储蓄性保险投资行为以外的各类投资支出。如为转卖增值而购买的字画、邮票、古董、工艺美术品等;购买店面用于出租、购买汽车承包给他人营运的购车支出;民间高利息的借贷支出也作为其他投资支出。由于换户而造成的现金收支不平衡,如期初手存现金、家庭总收入、借贷收入之和小于家庭总支出、借贷支出、期末手存现金之和,则将差额填入"其他借贷收入";反之,如后者之和小于前者之和,则可将差额填入"其他借贷支出"。由于漏记账而发生的不平衡,不可作"其他借贷收入(支出)"记账。

归还住房贷款:指归还因购置住房向金融机构或住房公积金中心申请的贷款本金,不包括贷款利息。

归还汽车贷款:指除归还汽车贷款的本金,不包括贷款利息。

归还教育贷款:指归还教育贷款的本金,不包括贷款利息。

归还其他贷款:指除归还上述贷款以外,而从银行贷款的本金,不包括贷款利息。

其他借贷支出:指除以上几项以外的各种借贷支出。如各种押金、计划生育保证金、住房保证金等。

期末手存现金:见期初手存现金。

消费支出:指调查户用于满足家庭日常生活消费需要的全部支出,包括食品、衣着、家庭设备用品及服务、医疗保健、交通和通讯、娱乐教育文化服务、居住、杂项商品和服务等八大类。消费支出构成是按照商品或服务的用途进行分类,如果消费支出的目的与用途不一致时,必须按照用途归入相应类内。

食品:指居民为摄取身体所需要的营养和满足某种嗜好而进食的各种消费品,包括在商店、集市、工作单位食堂和饮食业购买的主食、副食、烟草、酒、饮料以及干鲜瓜果、糖果、糕点、奶制品等。

粮食:指居民用作主食的各种成品粮及其加工品,包括大米、面粉、粗杂粮以及各种粗、细粮制品,不包括薯类、豆类及糕点食品。

大米:包括粳米、籼米、杂交米、糯米等。

面粉:指小麦面粉。

其他粮食及制品:包括大米面粉之外的其他各种粗杂粮,如玉米、小米、大麦等,以及各种粮食类的加工制品,包括生制品和熟制品,如面包、馒头、面条、方便面、饺子皮、米粉等。

淀粉及薯类:各种薯类、淀粉以及淀粉制品。包括马铃薯、红薯及各种淀粉和制品。

干豆类及豆制品:包括大豆、杂豆等各种豆类及豆制品。

油脂类:指各种食用油脂,包括植物油和动物油。

食用植物油:以植物果实为原料榨取的油料。包括花生油、菜籽油、芝麻油、豆油、茶油、葵花籽油等。也包括以几种植物果实为原料混合加工提取的食用调和油、色拉油等。

食用动物油:指各种生、熟的动物油,包括猪油、黄油等,如果购买生猪油加工食用,其数量按八折计算。

肉禽蛋水产品类:包括肉、禽、蛋和水产品。

肉类:指各种家畜、野畜肉食品,包括活的、鲜的、冻的以及各种加工制品。

猪肉:指鲜、冻猪肉,包括内脏、头、爪、皮、骨头、猪血。不包括各种猪肉加工品。

牛肉:指鲜、冻牛肉,包括内脏、头、爪。不包括各种牛肉加工品。

羊肉:指鲜、冻羊肉,包括内脏、头、爪。不包括各种羊肉加工品。

其他肉及制品:指猪、牛、羊肉以外的兔、驴、马、狗、蛇肉以及各种野畜肉等,以及各种肉的加工制品,包括熟肉品、酱肉、腊肉、咸肉、火腿、香肠、火腿肠、西式火腿、红肠、各种灌肠、烤羊肉串、肉松、肉干、肉元、鲜肉贡丸、油炸猪肉皮以及各种肉罐头等。

禽类:指用于食用的各种家禽和野禽。

鸡:指食用的活鸡、白条鸡、分割的鸡腿、鸡翅、速冻的鸡脯肉,包括鸡头、鸡爪、鸡架、各种内脏,不包括加工品。

鸭:指食用的活鸭、白条鸭、分割的鸭腿、鸭翅,包括鸭头、鸭爪、各种内脏。不包括加工品。

其他禽类及制品:指鸡、鸭以外的各种禽类。如鹅、鹌鹑、野鸡、野鸭、火鸡、鸽子等,以及家禽和野禽的腌、腊、酱、烧、熏、烤制品以及各种禽制罐头等,也包括内脏加工品。

蛋类:包括各种禽蛋和禽蛋制品。

鲜蛋:指鲜鸡蛋、鲜鸭蛋以及各种鲜禽蛋,如鹅蛋、鹌鹑蛋等,不包括蛋制品。

蛋制品:各种禽蛋的加工制品,包括咸蛋、松花蛋(也称皮蛋、彩蛋)、冰蛋、糟蛋、茶叶蛋等。

水产品类:包括鱼、虾、蟹、贝、藻等各类海水和淡水产品。

鱼:包括各类海水鱼和淡水鱼。主要有黄花鱼、带鱼、草鱼、鲤鱼、鲢鱼、鲫鱼、鲳鱼、鳗鱼、黄鳝、鲥鱼、扁鱼、黑鱼等。

虾:包括海水和淡水产的活、鲜、冻、咸、干的各种虾,主要有对虾、毛虾、米虾、白虾、沼虾、龙虾、河虾、草虾、基围虾等。包括熟虾、各种虾制品、虾罐头等,如虾皮、虾米、虾干、虾仁。不包括虾片(可列入各类淀粉及制品项目)、虾油(列入调味品)、虾酱(列入其他水产品项目)。

其他水产品及制品:指鱼和虾以外的各种水产品,主要包括各种水生软体动物和蟹类。品种有:淡菜、干贝、海蛎、海参、海蜇、蛤利、蛏子、河蚌、蚬子、螺蛳、墨鱼、牡蛎、生蚝、鲜贝、赤贝、扇贝、鱿鱼、章鱼;蟹的主要品种有:海蟹、河蟹、青蟹、梭子蟹,还包括龟、鳖、食用的青蛙、海菜、石花菜、海带、紫菜。包括其它水产品的制品,如人造海蜇。

水产制品是指经过腌、干、薰等方法加工的水产制品,包括鱼干、鱼丸、海鲜贡丸、鱼松、烤鱼片、油炸鱼、熏鱼以及各种鱼虾罐头。论袋、论包、论只买的应根据实际情况折算统计。

蔬菜类:包括各种叶菜、茎菜、根菜、花菜、果菜以及各种食用菌类。

鲜菜:指没有经过腌制、干制、霉制等加工的新鲜的蔬菜。包括经过简单洗切的净菜。主要品种:白菜、洋白菜、菠菜、油菜、芹菜、韭菜、空心菜、大葱、菜花、萝卜、胡萝卜、葱头、生姜、莴笋、蒜台、蒜头、黄瓜、冬瓜、丝瓜、西红柿、茄子、青椒、豆角、莲藕、豆芽菜、毛豆角、红辣椒、蚕豆芽、鲜黄花菜、鲜香菇等。

干菜:指鲜菜经过干制的加工品。包括干制的笋干、黄花菜、黑木耳、蘑菇、食用白木耳等菌类食品。也包括水发的笋干、黑木耳。

菜制品:指鲜菜的再制品。包括腌菜、榨菜、泡菜、酱菜、萝卜干、蔬菜罐头、速冻蔬菜等。

调味品:包括食用盐、酱油、虾油(鱼卤)、醋、味精、鸡精、糖精、料酒、辣椒酱、花生酱、芝麻酱、蕃茄酱、花椒、八角、茴香、胡椒、咖喱粉、五香粉、炸鸡粉等。

糖烟酒饮料类:包括各类糖、烟草、酒类和饮料。

糖类:以糖为主要原料,生产加工的食品。包括食糖、糖果、糖类小食品。不包括糖精。

烟草类:包括卷烟、烟叶。

酒类:是用高粱、大麦、米、葡萄或其他水果发酵制成的含酒精饮料。主要有白酒、黄酒、葡萄酒、啤酒。

白酒:由淀粉或糖质原料制成酒醅或发酵经蒸馏而得,是一种蒸馏酒。包括散装和瓶装两种,瓶装、罐装、坛装的应折合成千克计算。

果酒:以各种水果以及某些野生果实用发酵法酿成的酒,主要有葡萄酒、苹果酒、荔枝酒、桔子酒等,瓶装的应折合千克计算。

啤酒:以大麦芽、酒花为主要原料,经酵母发酵作用而成的包含二氧化碳的低酒精度酒。包括罐装、瓶装、散装的鲜啤酒、熟啤酒、黑啤酒、黄啤酒,罐装和瓶装应折合成千克计算。

其他酒:指白酒、果酒、啤酒以外的各种含酒精饮料和泡制酒。包括黄酒、米酒、五加皮酒、人参酒、香槟酒、汽酒及各种滋补酒等。不包括药酒和作调味用的料酒,药酒可计入滋补品,料酒可计入调味品。

饮料:饮料是指以水、粮食、果蔬或奶为基本原料加工而成的流体、半流体或固体冲剂食品。不包括白开水。

碳酸饮料:包含二氧化碳的非酒精液体饮料。包括盐汽水、甜汽水、果味汽水,以及罐装、瓶装、杯装的各种可乐。

瓶装饮用水:包括小瓶装的矿泉水、纯净水、天然水等。也包括饮水机用的桶装饮用水。

茶叶:以茶树新梢上的芽叶嫩梢为原料加工而成的产品。主要分为绿茶、红茶、黄茶、黑茶、白茶、青茶、花茶等。

其他饮料:指除碳酸饮料、果蔬饮料、瓶装饮用水、咖啡可可粉以外的各种非酒精饮料。主要有果味晶体饮料(桔子粉、酸梅粉、山楂晶、菊花晶)、白菊花、非奶制冰棍等。

干鲜瓜果类:包括干鲜瓜果及制品。

鲜果:包括苹果、梨、山楂;桃、杏、李、梅、樱桃、葡萄、柿子、猕猴桃、草莓、树莓、越橘、香蕉、椰子、芒果、菠萝、龙眼、荔枝、枇杷、杨梅、油橄榄、石榴、甘蔗、荸荠、莲蓬、百合等。不包括各类坚果。

鲜瓜:包括西瓜、甜瓜、哈密瓜等。

其他干鲜瓜果类及制品:指鲜果、鲜瓜以外的各种干鲜瓜果及制品。主要有干果、坚果、果仁及瓜果制品等。干果是由各种水果经过日晒或烘干而成的食品。带壳的有荔枝干、桂圆干等;带皮的有葡萄干、红枣、黑枣、南枣、无花果等;对切的有杏干、桃干等;片状的有山楂干、苹果干、梨干等。瓜果制品是指鲜瓜果经过工业加工而成的再制品,包括各种蜜饯(果脯、桔饼、加应子、话梅、蜜饯、蜜枣等)、水果罐头、果酱、山楂糕、山楂片等。坚果及果仁包括生的和熟的大核桃、小核桃、板栗、银杏、榛子、松子、瓜子、花生、芝麻和各种坚果及果仁的加工品。包括湿花生、嫩花生、鱼皮花生、糖衣花生、油炸花生等。

糕点:指以面粉和糖为基本原料,以油、蛋、奶、果仁、果料等为辅料,经过调制、成型、熟制而成的食品。包括饼干和蛋糕、冻米糕、米花糖,不包括面包。幼儿园、中小学生交纳的点心费,如不能分清具体品种,归入糕点指标。

奶及奶制品:包括鲜奶品、奶粉、酸奶以及其他奶制品。不包括代乳粉、糕干粉等以粮食或豆类为主加工的制品。

鲜乳品:包括牛奶、马奶、羊奶、以及以鲜奶为主要原料配制的混合奶,不包括酸奶、活性乳、奶粉等各种奶制品,也不包括豆奶。

奶粉:以鲜奶为原料,经预处理及真空浓缩,然后喷雾干燥而制成的粉末状食品。

酸奶:以牛(马、羊)乳为原料,接入专用菌种,经保温发酵而制成的乳制品。

其他奶制品:指除鲜奶、奶粉、酸奶以外的以奶为主要原料制成的加工品,包括炼乳、奶酪、麦乳精、可可奶、活性乳,也包括以奶为主要原料制成的冷食,如冰淇淋、雪糕。不包括含奶量很低的各种果奶饮料。

其它食品:指上述各类食品以外的其他食品,包括半成品净菜、面筋、奶糕、代乳粉、蜂蜜、发酵粉、甜酒药、糖桂花、各种膨化食品等。

饮食服务:包括在外用餐和食品加工费。

食品加工服务费:指用于食品加工所支付的加工服务费,包括磨粉、爆米花、炒花生、做糕点、加工彩蛋等费用。

在外饮食:指在家庭以外地点的自费用餐支出,包括在单位食堂、餐饮业、亲友家的用餐支出。对于从单位食堂、餐饮业购买并带回家直接食用的食品,若能单列具体品种的,则分别计入相应的食品项中,若不能单列的,则作为在外用餐支出。公费在外饮食不含在内。

衣着:指各种穿着用品及加工穿着品的各种材料,包括棉、麻、丝、毛和各种人造纤维、合成纤维纺织的各种布匹、呢绒、绸缎及其加工的服装,各种鞋、袜、帽及其他零星穿着用品等。

服装:指以各种棉布、棉花化纤混纺布、化纤布、呢绒、绸缎、毛皮等为材料加工的各式服装,以及棉、麻、毛、丝、化纤纯纺或混纺经针织而成的服装，按穿着对象分为男士服装、女士服装、各式童装，不包括塑料雨衣和胶布雨衣(雨披)。

衣着材料：指以棉、麻、丝、毛和各种人造纤维纺织及混纺的各种衣着材料，也包括加工衣着品所需的其他各种材料。不包括用于加工床上用品、窗帘、台布的布料。

鞋类：包括用棉布、呢绒、绸缎、化纤、塑料、橡胶、皮革、人造革等为材料制作的有各种式样和用途的皮鞋、旅游鞋、布鞋、雨鞋、凉鞋、拖鞋、运动鞋、健身鞋、婴儿鞋等。

其他衣着用品：指除服装、鞋以外的各种穿着用品，主要有帽子、袜子、手套、护脚套、耳罩、胸罩；装饰性服饰件，如头纱、披巾、红领巾、领带、领带夹、面纱、发带、围巾；雨披；鞋垫；鞋带；皮带等。

衣着加工服务费：指为加工服装、鞋、帽等穿着用品所支付的各项加工维修、保养和洗涤等服务费。包括拷边、裁剪、绒线编结(手织或机织)、打油、洗涤、修鞋等费用。

居住：指与居住有关的支出，包括住房、水、电、燃料方面的支出。

住房：指调查户用于住房的直接支出，包括房租、房屋维修支出、物业管理费、房屋装潢支出。

租赁房房租：指调查户租赁公房或私房支付的房租。不包括外出住旅店、宾馆或招待所支付的住宿费。如果单位管理的宿舍，房租、水、电合并计算的，要根据实际情况估算分摊，分别计入房租、水费、电费项内。

住房装潢支出：装潢是指依附于建筑物的各种装修支出，装潢后与建筑物合为一体，不能搬移。主要包括水电装修、墙面、门窗、地面、顶装饰、厨房间、卫生间的装修等。包括全部装潢材料和人工费。不包括装潢时制作的各种家具、电器支出和饰品的支出。

维修用建筑材料：指调查户购买用于住房维修的各种建筑材料支出。如木材、水泥、钢筋、砖、瓦、防水材料、玻璃、防盗门、防盗窗、雨蓬等。不包括新建住房购买的各种建筑材料支出。

其他住房支出：指调查户用于房租、房屋维修支出、物业管理费、房屋装潢支出以外的其他住房支出。

水电燃料及其他：指调查户支付的水费、电费、燃料费、取暖费等支出。

水：指调查户支付的自来水费。不包括桶装饮用水。其消费量以吨或立方米为计量单位。

电：住户用于照明和使用家用电器等所支付的电费。

燃料：指家庭用于购买煤炭、液化气、煤气等的燃料支出。

煤炭：包括原煤、煤球、蜂窝煤。论个、论筐、论车购买的都要按实际情况折算成重量(千克)计算。

罐装液化石油气：指罐装的液化石油气。

管道液化石油气：指通过管道运输供调查户使用的液化石油气。

管道煤气：指通过管道运输供调查户使用的煤气、包括焦炉煤气。

管道天然气：指通过管道运输供调查户使用的管道天然气。

柴油：指用于燃料的柴油。

其他燃料：指煤炭、液化石油气、管道煤气以外的各种燃料，包括煤油、柴油、酒精、柴草、木炭等家用燃料。

取暖费：指调查户使用集中供暖而支付的取暖费用。

其他相关支出：指调查户用于水、电、燃料支出以外的其他支出，包括取暖费、管道燃气的初装费、液化气的开户费、电力一户一表的扩容费等。

居住服务费：指用于住房各种服务费用，包括物业管理费、住房维修服务费等。

物业管理费：指住户向承担本住宅管理的物业管理部门交纳的物业管理费。包括治安费、清洁费、绿化费等。

维修服务费：指调查户用于住房装潢和维修房屋所支付的人工费、招待费等。

其他居住服务费：除上述各项住房支出外的其他各类住房支出

家庭设备用品及服务：指家庭各类日用消费品及家庭服务。包括日用耐用消费品、室内装饰品、床上用品、家庭日用杂品、家具、家庭服务。不含个人用品和服务。

耐用消费品：指价值比较高、消费期较长的家用电器和家庭设备。

家具：主要有坐卧类家具，如椅子、凳子、沙发、床；凭椅类家具，如桌子、茶几；贮藏类家具，如柜、箱；隔断类家具，如屏风等。

家庭设备：指家庭使用的各类电气和电子器具，不包括文娱用家电。包括制冷电器，如冰箱、冷饮机；空气调节器，如空调、电扇、冷热风机、换气扇、空气除湿机；清洁电器，如洗衣机、电熨斗、吸尘器、干衣机；厨房电器，包括热水器、微波炉、电饭煲、消毒碗柜、电炒锅、食品加工机；电暖器具，如取暖器、油汀等。

洗衣机：指一次洗衣在6公斤以下的自动、半自动、单缸、双缸、滚筒家用洗衣机，不包括手摇洗衣机。

电冰箱(柜)：指单门、双门、三门家用电冰箱，包括冰柜。

微波炉：指利用微波辐射来烹饪食物的厨房电器。

空调器：指具有空气的加热、冷却、增湿、除湿等功能的空气调节器，不包括冷暖风机。

淋浴热水器：指家用淋浴热水器，包括电热水器、燃气热水器、太阳能热水器。

消毒碗柜：利用红外线对食用器具进行杀菌消毒的电子器具。

洗碗机：利用电力清洗碗、碟、杯、盘等餐具的厨房电器。

其他家庭设备：指以上各列以外的其他各项家庭设备。包括电风扇、电炊具、排油烟机、吸尘器、饮水机、取暖器、排气扇、电熨斗、甩干机、食品加工机、干衣机等。

室内装饰品：指美化、装饰房间用的各种装饰品及工艺品，包括纺织装饰品、装饰灯具及其它装饰品。不含珍藏的艺术品。

纺织装饰品：指用于房间装饰用的纺织品及纺织工艺品。包括棉、麻、丝、化纤等为原料纺织或编结的窗帘、台布、茶具罩、电视机罩等，也包括各种装饰用的织锦品和刺绣品以及其他纺织工艺品等。

装饰灯具:指带有各种装饰性、艺术性的灯具。如落地灯、吊灯、壁灯、吸顶灯、工艺台灯等,一般价格比较高。不包括普通的照明灯具,如日光灯、白炽灯、荧光灯以及各种节能灯等以照明为主要目的普通灯具。

其他装饰品:指除纺织装饰品和装饰灯具以外的各种室内装饰品。包括各种泥、石、塑、竹、木、骨、石膏等各种材料制作的雕塑品、插花,以及字画、条幅、年画、挂历、花架、盆景、陶瓷工艺品、塑料百页窗、塑料和木珠门帘、塑料台布等。

床上用品:指以棉、毛、丝及合成纤维等材料纺织或针织制品,各种纺织品制成的各种床上用品。包括毛毯、床单、被单、床罩、被套、枕具、蚊帐、凉席、垫褥以及各种棉被、鸭绒被、棉毯、线毯、电热毯、毛巾被等。

家庭日用杂品:指除家具、室内装饰品、各种家庭设备以及床上用品以外的各类家庭日用品。包括厨、炊、茶具、家用工具、家庭清洁用品等日用杂品。包括各种材料制作的锅、勺、刀、水壶、案板、水缸、碗、碟、匙、筷,各种炉灶具(电炉、煤油炉、煤炉、鼓风机、煤气灶、煤气瓶等)、各种茶具及咖啡具等;各种榔头、钳子、锯子、板手、锉刀、泥刀等泥工、木工、电工等家用工具;肥皂、香皂、洗衣粉、洗衣皂、丝毛洗剂、洗洁精、去污粉、衣物漂白剂、衣物柔软剂、空气清新剂、家居消毒剂、除臭剂、家具光亮剂、地板蜡、鞋油等家居清洁用各种日用化工产品;小五金(如元钉、木螺丝、铁丝、合页、插销、门勾、锁等);各种电料(如插座、插头、开关、灯头、电线、镇流器、日光灯管、日光灯架、灯泡、灯罩、普通台灯、电表);各种材料的自来水管、各种水笼头、阀门、水表等;各种保温瓶(如大口冰瓶、热水瓶、气压热水瓶、瓶胆等);各种扫帚、床刷、剪刀、扇子、竹帘、烟筒、火柴、照明用蜡烛、各种灭蚊用品、电池、皮鞋刷等;各种材料制成的脸盆、脚盆、水桶、洗衣板、簸箕、手电筒、窗纱、雨伞等;各种纸制品(如卫生纸、卫生巾、餐巾纸、皱纹纸、纸杯等);各种购物袋(如网线袋、塑料袋、纺织袋、编织袋等);做衣服用的针线、顶针、编织衣物的针、勾针等。

家具材料:指自制家具用的材料,包括木材、胶合板、纤维板、玻璃、粘胶、油漆以及各种零配件材料等。住房装潢时自制的各种柜、家具,应对用于家具部分的支出进行估算。

家庭服务:指家政服务支出及加工维修费用。

家政服务:指家庭日常生活中,各类家庭服务所支付的费用,如雇请的长期或计日、计时的保姆费、钟点工;搬运费;送气费;送煤费、管道疏通费等。不包括家庭的托幼费、归入物业管理的治安费和清洁费。

加工维修服务费:指家庭用于加工和维修所支付的服务费用。包括各种设备维修(零配件)、自制家具加工费、修锁和配钥匙的费用等。

医疗保健:指用于医疗和保健的药品、用品和服务费用。包括医疗器具、保健用品、医药费、滋补保健品、医疗保健服务及其他医疗保健费用。实行医疗改革的单位,医疗基金(医保卡)支付的全部费用计入工资及补贴收入中,同时记入相应的医疗保健支出中。个人先现金支付然后到单位报销的医疗费在记入相应消费的同时,如果是在职职工则记入工资性收入,如果是离退休职工则记入离退休金中。

医疗器具:指家庭购买的用于医疗的器具。包括血压计、体温计、注射器等。

保健器具:指用于身体保健的器具。包括按摩器、健身球、磁疗枕(药枕)、护膝、护腰、护肩等。不包括体育运动器械,如扩胸器、哑铃等。

药品费:指去医院治疗或直接向药店购买的西药、中成药、中草药(包括药用的白木耳),包括输血费。交纳的子女统筹医疗费也作为药品费统计。不包括滋补品和可报销部分的药品费。

滋补保健品:为了简化统计归类,市场上销售的具有滋补保健作用的保健食品均统计在内,包括人参、鹿茸、蜂王浆、阿胶、青春宝、西洋参、各种营养口服液、燕窝、胎盘等。

医疗费:指用于医疗保健的服务性支出。包括挂号费、诊疗费、注射费、手术费、透视费、镶牙费、出诊费、送药费、陪侍费、住院费、救护车费等。

其他医疗保健支出:指除医疗器具、保健用品、药品费、滋补保健品、医疗保健服务以外的其他医疗保健支出,包括胶布、纱布、药棉及学习气功和太极拳学费等。

交通和通信:指用于交通和通信工具和相关的各种服务费、维修等支出。

交通:指购置交通工具及零配件、支付各种交通费、修理服务费、油料费等的支出。

家庭交通工具:指家庭购买摩托车、自行车、家用汽车及其他家庭交通工具的支出。不包括购买经营用交通工具。

摩托车:以汽油机为动力的二轮或三轮机动车,包括轻便摩托车。

助力车:也称助动车,主要以电力、小型汽油发动机为辅助动力的二轮或三轮车。

家用汽车:指购买以消费为主的各种家用汽车。包括轿车、面包车等。

其他交通工具:指除摩托车、助力车、家用汽车以外的其他交通工具。包括三轮车、自行车、残疾人车、母子斗车以及购买零件自行装配的自行车等。

车辆用燃料及零配件指用于家庭交通工具的燃料及充电费和零配件。

燃料:包括汽油、柴油、机油、电瓶以及电瓶充电费。

汽油:指购买车辆用汽油的费用。

柴油:指购买车辆用柴油的费用。

零配件:指购买交通工具的零配件支出。包括摩托车头盔、挡风板、挡泥板、防冻手套、护膝等。

交通工具服务支出:除车辆用油支出和零配件外的使用各项交通工具所发生的相关费用,包括交通工具维修费其它相关支出。

维修费:指维修各种交通工具的支出,不包括零配件支出。

汽车使用税费:指汽车使用中所支付的各种税、费。包括购买时支付的相关费用,如上牌费、牌照成本费、喷码费、销售单位出库费、过路费、过桥费、停车费;也包括养路费、车辆管理费、车辆年检费、排污费等。包括与汽车有关的各种税及汽车内装修费用。

其它车辆使用费:指除汽车外的其它车辆的使用费。

交通费:指家庭成员乘坐各种交通工具所支付的交通费。不包括因公出差暂由个人垫付的交通费。

飞机:指家庭成员乘坐飞机旅行的机票费及机场建设费。不包括保险费,保险费计在"非储蓄性支出"内。

火车:指家庭成员乘坐火车旅行的火车票费及相关的订票费等。

长途汽车:指家庭成员乘坐除市内公交汽车以外的长途汽车旅行(一般指车程在三小时以上)的汽车票费。

市内公共交通:指家庭成员乘坐市内交通工具出行的车票费。如公共汽车、地铁、轻轨铁路等。不包括乘坐出租汽车和其它交通工具。

出租汽车费:指乘坐出租汽车所支付的交通费,出租汽车一般以里程计费。包括向汽车租赁公司租用汽车的租用费。不包括公共小汽车、机动三轮车等的费用。

其他交通费:指除以上各类交通工具以外的各类其它交通工具费用。如三轮车费、摆渡费等。不包括公园内的车船及摆渡费、以及碰碰车、脚踏船、自划船的租借费(列入文娱费)。

通信:指家庭用于通信方面的全部支出。包括通信工具、电话费、邮费及其他通信费用。

通信工具:指购买各种通信工具所支付的费用。包括固定电话机、移动电话机、寻呼机、传真机等。

电话机:指购买固定电话的电话机支出,不包括电话初装费。

移动电话机:指购买移动电话的电话机,包括本地通、小灵通。不包括入网费。

其他通信工具:指购买电话机、移动电话机以外的通信工具,如对讲机、寻呼机、传真机等,也包括为通信工具购买的附件及零配件,如移动电话电池、皮套、挂件、电话线、电话号码簿等。

通信服务:指家庭用于电话初装费、入网费、电信费、邮费等方面的服务支出。

电信费:指居民交纳的电信业务使用费,包括月租费、特种业务费和根据通信时间和次数收取的通信费,也包括购买IC卡、IP卡、磁卡等各种电信卡费、电报费、电传费、公用电话费、公用电话呼叫费、电报纸费等。

邮费:指用于邮寄信件、包裹以及汇款等支付的邮资,也包括购买包装匣、包装箱的费用、包装费、特快专递的信封费、包裹超时保管费。不包括为集邮所支付的费用。

其他通信服务费:指除购买通信工具、电信费和邮费以外的其它家庭通信费。包括移动通信工具的修理费,各类通信工具的安装费和入网,即为取得特种电讯业务的使用权向电信部门支付的费用,如申请固定电话交纳的电话初装费、移动电话的入网费、申请一线通(ISDN)的专线费、申请163账号的入网费等。

教育文化娱乐服务:指调查户用于教育和文化娱乐方面的支出。

文化娱乐用品:指调查户用于购置家庭文娱用耐用消费品和其它文娱用品的支出。其中,购买家庭影院的根据其设备配置情况分别记为彩色电视机、影碟机、组合音响等。

彩色电视机:也称彩色电视接收机。包括显像管彩色电视机和固体显示(液晶显示、等离子显示)彩色电视机,不包括可以接收电视的计算机。

家用电脑:指有显示器、中央处理器、键盘输入设备、存贮器等主要部件组成的家用电子计算机,主要有台式计算机和便携式计算机。不包括学习机、掌上电脑。

购买整机:指一次购买剧具有显示器、主机、键盘全部部件的计算机。包括自行购买散件一次性组装而成的计算机。

计算机外部设备:指安装在主机外的计算机外部附属设备。主要包括显示器、键盘、鼠标、外置光驱、移动硬盘、扫描仪、打印机、音响、调制解调器、数码摄像头等。

各种零配件及耗材:指令性购买主机内的各种零件和配件。

组合音响:指收录、扩音、放音等两件和两件以上的多功能组合音响。不包括普通音箱以及自制的音箱。

摄像机:把景物的图像和现场的声音转换为电子信号的设备。不包括有录像功能的电视监视器。

照相机:把景物记录在感光材料或磁性材料上的设备。包括普通照相机和数码照相机。

钢琴:击奏弦鸣乐器,主要部件包括键盘、踏板、击弦机、弦槌、琴弦、金属框架及共鸣板。主要式样有三角钢琴和立式钢琴。

其他中高档乐器:指除钢琴以外的价格在200元以上的各种中高档乐器。包括提琴、手风琴、吉他及各种电子乐器。

健身器材:指价值500元以上的体育锻炼器械,如跑步器、划船器等,不包括医疗功能的按摩器。

电子词典:指各类袖珍电子工具。包括好易通、商务通、掌上电脑、快译通等。不包括计算器。

音像制品和软件:指除用于教育之外的记录声音、图像、文字等的磁介质和各类光盘。包括磁带、录像带、CD、VCD、DVD、游戏娱乐光盘、电子书籍等。

体育用品:包括各类体育运动器材和体育用品。如球类、棋类、乒乓球板、乒乓球台、小型健身用品(哑铃、拉力器)、秒表等,不包括运动服、运动鞋。

书报杂志:指除教材及参考书以外的各种中外文图书、报纸、杂志。预订的书报杂志按订购的全部金额记入付款当月。

纸张文具:包括各种簿册、纸张、各种笔、文具盒、墨水、图钉、胶水、日历、写字台板玻璃、书立、电子计算器等。

其他文娱用品:指除上述所列文娱用耐用消费品和音像制品、体育用品以外的各类文化娱乐用品。主要包括电唱机、录像带倒带机、单放机和自制音箱、照相器材、各类玩具、低档乐器、扑克、游戏带、胶卷、鞭炮、集邮品(不包括用于投资的)、价值低廉的饰品、钓鱼用具、喂养花、宠物的食物、用具、肥料支出、有线电视接线和信号分配器、儿童玩具童车、明信片、贺卡、请柬、鲜花、盆花等。

文化娱乐服务:指和文化娱乐活动有关的各种服务费用。

参观游览:指参观各类展览、游览公园的门票及游览设施的使用费。

健身活动:指为锻炼身体而进行的各类健身活动的费

用。如游泳、打球、去健身房等。如果是一次性购买活动卡，要一次性记录花费。

团体旅游：指随旅游团参加国内或出境旅游，无法拆分旅游花费的。如是自费旅游或可以拆分旅游花费，需分别记入各项花费中。

其它文娱活动费：指除以上3项文娱活动以外的其它文娱活动费。如电影票、演出门票、体育娱乐用品的租借费、游泳场的沐浴费、存衣费、有限电视安装及使用费等。

文娱用品修理服务费：指文娱用品的修理服务费用及零配件。

教育：教育是指按一定的目的要求，对受教育者的德育、智育、体育、爱好、技能等诸方面施以影响的一种有计划的活动，与这一活动直接相关的支出即为教育支出。包括学费、教材费、家教费、赞助费、寄宿学生的住宿费等。

教材：接受各类教育购买的学习用书。

课本及参考书：指用于教育的教材及参考书，包括成人教育（包括自学者和五大生），大、中、小学学生以及幼儿的课本、讲义和其他各种学习用书，也包括报考研究生、公务员的考前培训班书费。

教育软件：指家庭购买的各种教育用软件支出，如英语学习软件、中小学教材辅导软件等。包括系统工具软件，不包括游戏软件、电子书籍及娱乐用CD、VCD、DVD等。

其它教材：指课本及参考书和教育软件以外的各类教育用书。

教育费用：包括付给学校的各种学费、杂费及其它教育支出。

非义务教育学杂费：指高中及以上学生以及在非国立学校就读的学生在校期间交纳的各种学费和杂费。

义务教育学杂费：指在义务教育期的中、小学学生在公立学校学习而支付的学杂费，包括学费、杂费、报告费、补课费以及学生参加必须参加的文化艺术、体育班学习的费用（自愿参加的培训班费用不计在其中）、向学校交纳的各种管理费、电费、困难班费、自备课桌椅购置费、电扇费等，不包括课本及讲义费，如一并交付的应进行分摊，部分费用列入教材及参考书支出项目中。

托幼费：指支付给幼儿园、托儿所和请私人带小孩的费用。不包括伙食费、家庭保姆工资以及可报销的部分托幼费。

成人教育费：指用于成人教育所支付的有关教育费用，包括学杂费、报名费、听课费、培训费等。

家教费：指聘请专业人员在家庭给子女进行各类辅导的费用。包括语文、数学等文化课的家教费，也包括对子女进行音乐、美术等艺术教育的家教费。

培训班：指在校学生自愿参加各种类型的培训班所交纳的费用。

学校住宿费：指在本市寄宿的学生在学校所交纳的住宿费。

其他教育费用：指除上列各项教育费用以外的其他教育费支出。如赞助费、转学费、捐资助学费、旁听费、教材及参考书租借费等。

其他商品和服务：指无法直接归入上述各类支出以外的个人用品和其他商品与服务支出。

其他商品：指七大类以外的个人用品和各种其他商品。

金银珠宝饰品：指以珍珠、玉器等珠宝和金银制作或镀金、镀银的耳坠、耳针、手镯、戒指、项链、胸针、头簪等装饰品。不包括价值低廉的玻璃、铝制饰品（列入文娱用品项目中）等。

手表：一种戴在手上的计时工具，包括机械表、电子表、石英表、自动表。不包括怀表和运动秒表。

理发美容用具：指用于理发和美容的工具。包括剃须刀、刮脸刀具、理发用具、镜子、梳子、电吹风、卷发器等。

化妆品：指清洁、保护、美化人体面部、皮肤以及毛发等的日用化学品。包括护肤化妆品、毛发化妆品、美容化妆品。主要有：胭脂、粉饼、指甲油、洗面奶、润肤霜、爽肤水、唇膏、眉笔、香粉、香水、头油、摩丝、定型水、焗油膏、倒膜膏、染发用品等。

其他商品：指饰品、手表、化妆品、理发美容工具以外的各种个人用品支出，包括手提包、眼镜、牙膏、牙刷、毛巾、打火机、怀表、表带、手杖、发套、甘油、蛤蜊油、痱子粉、花露水等。包括无法列入七大类支出的其他各类商品，如迷信用品、丧葬用品、老鼠药、蟑螂药、各种驱蚊药水（片）等。

服务：指用于个人消费中的服务费，包括旅馆住宿费、理发洗澡费、美容费等。

旅馆住宿费：指居住饭店、旅馆、招待所等场所支付的住宿费，不包括住校的住宿费。

理发洗澡费：指用于一般的理（烫）发和洗澡费用。不包括出于美容和其他需要而支付的染发、中高档烫发、修发和蒸气浴、桑拿浴以及修脚、搓澡、按摩的费用。

美容费：指出于美容的目的而支付的服务费。包括整容、面部护理、整形、染发、中高档烫发等。

其他服务费：指除理发洗澡费、美容费以外的其他服务费，包括蒸气浴、桑拿浴以及修脚、搓澡、按摩的费用。包括无法归入七大类服务支出的其他各项服务支出，如迷信服务费、丧葬费、请律师等（指非营业性）的诉讼费、公证费以及部分证件的工本费，参加各类应聘的报名和考试费（与教育类中的考试报名费不同）。对服务性支出，根据用途性质记入相应的七类商品支出中，确实无法归入的，统计在本项中。

第2篇　城市资源与经济

年末总人口：是指本市本年12月31日24时的人口总数。

非农业人口：是指从事农业以外的职业维持生活的人口以及由他们抚养的人口，本年报采用按农业、非农业户口分类的户籍统计口径。

年末单位从业人员数:是指在各级国家机关、政党机关、社会团体及企业、事业单位中工作,并取得劳动报酬的全部人员。包括在岗职工、再就业的离退休人员、民办教师以及在各单位中工作的外方工作人员和港、澳、台人员、兼职人员、借用的外单位人员和第二职业者。不包括离开本单位仍保留劳动关系的职工。

年末城镇登记失业人员数:是指有非农业户口,在一定的劳动年龄内,有劳动能力,无业而要求就业,并在当地就业服务机构进行求职登记的人员。

行政区域土地面积:是指在该行政区划内的全部土地面积(包括水面面积)。计算土地面积是以行政区划为准。

建成区面积:指市政区范围内经过征用的土地和实际建设发展起来的非农业生产建设地段,包括市区集中连片的部分以及分散在近郊区与城市有着密切联系,具有基本完善的市政公用设施的城市建设用地(如机场、污水处理厂、通讯电台)。

国内生产总值(GDP):指按市场价格计算的一个国家(地区)所有常住单位在一定时期内生产活动的最终成果。

地方财政一般预算内收入:包括:(1)各项税收;(2)国有资产经营收益;(3)国有企业计划亏损补贴 ;(4)行政性收费收入(5)罚没收入;(6)海域场矿区使用费收入;(7)专项收入;(8)其他收入。不包括中央补助收入(含税收返还)、地方向国外借款收入、国债转贷收入、国债转贷资金上年结余、上年结余收入和调入其他资金等。

地方财政一般预算内支出:包括:(1)基本建设支出;(2)企业挖潜改造资金;(3)地质勘探费;(4)科技三项费用;(5)流动资金;(7)农业支出;(8)林业支出;(9)水利气象支出(10)工业交通等部门的事业费;(11)流通部门事业费;(12)文体广播事业费;(13)教育支出;(14)科学支出;(15)医疗卫生支出;(16)其他部门的事业费(17)抚恤金和社会福利救济费;(18)行政事业单位离退休支出;(19)社会保障补助支出;(20)行政管理费;(21)武装警察部队支出;(22)公检法司支出;(23)城市维护费;(24)政策性补贴支出;(25)支援不发达地区支出;(26)海域开发建设和场地使用费支出;(27)车辆税费支出;(28)债务利息支出;(29)专项支出;(30)其他支出;(31)总预备费。不包括上中央支出、建设预算周转资金、地方向国外借款安排的支出、地方向国外借款还本付息支出、国债转贷收入安排的支出、国债转贷收入结余、调出资金和年终滚存结余等。

城乡居民储蓄年末余额:包括城镇居民储蓄、农民个人储蓄两部分的年末余额。不包括工矿企业、部队、机关团体等集团存款。

社会消费品零售总额:指国民经济各行各业售给城乡居民直接用于生活消费的商品和社会集团直接用于公共消费的商品的总量。

在岗职工平均人数:是指在国有经济、城镇集体经济和其他各种经济类型单位及附属机构生产或工作,并由单位支付工资的在岗人员人数(包括在乡镇一级管理机构中工作、由国家支付工资的干部),不包括已退休的职工、在农村乡镇企、事业单位中参加劳动并取得收入的劳动者和城乡个体劳动者。职工平均人数等于 12 个月月末人数之和除以 12 或 4 个季度的季末人数之和除以 4 求得。

在岗职工工资总额:指各单位在一定时期内直接支付给本单位在岗职工的劳动报酬总额。包括:计时工资、计件工资、奖金、津贴和补贴、加班加点工资和其他工资。

第 3 篇　城市生活质量与环境

普通高等学校:是指按国家规定的标准和审批程序批准建立的,通过全国普通高等教育统一招生考试、招收高级中等学校毕业为主要培养对象,实施高等学历教育的全日制大学、独立设置的学院和高等专科学校、高等职业学校和其他机构。

中等职业技术学校:是指按国家规定的设置标准和审批程序批准建立的,招收初中(或部分高中)毕业生或同等学历者,实施中等职业技术教育,培养中等职业技术人才的学校。招收初中毕业生的,修业年限一般为三至四年;招收高中毕业生的,修业年限一般为二年至三年。包括中等专业学校、技工学校、职业中学(高中)等。统计中等职业学校时应注意,已承担培养学生任务的中等职业技术学校和独立设置的高等学校中专部或中专学校计算校数。正在筹建、尚未招生的中等职业学校和高等学校附设的中专班不计校数。

普通中学:指按国家规定的审批程序批准设立的,招收小学、初中(或部分高中)毕业生或同等学历者,实施普通中学教育的学校。

剧场、影剧院数:是指独立核算的专用剧场和属文化部门主管的能演出戏剧的影剧院、兼映电影的剧场,以及附属在剧院、团公开营业的非独立核算的剧场、排演场。

公共图书馆图书总藏量:指图书馆已编目的古籍、图书、期刊和报纸的合订本、小册子、手稿、以及缩微制品、录像带、录音带、光盘等听视文献资料数量总和。

体育场馆数:体育场指有 400 米跑道(中心含足球场)、有固定道牙、跑道 6 条以上并有固定看台的室外田径场地。体育场按看台容纳观众人数分为:甲级 25000 人以上,乙级 15000 ~ 25000 人,丙级 5000 ~ 15000 人,丁级 5000 人以下;体育馆指有固定看台、可供篮球、排球、羽毛球、乒乓球、体操等项目训练比赛活动用的室内运动场地。体育馆按看台容纳观众人数分为:甲级 6000 人以上,乙级 4000 ~ 6000 人,丙级 2000 ~ 4000 人,丁级 2000 人以下。

医院、卫生院数:是指卫生部门、工业及其他部门(如农业、铁道、邮电、公安、文教、民政、社团、等)、集体所有制单位、私人、各种合作方式(全民与集体或个体合办集体与个体合办、中外合资)等举办的医院和卫生院数(包括县及县以上医院数、城市街道卫生院、农村卫生院及其他医院数)。

医院、卫生院床位数:指各级各类医院本年10月底的固定实有床位(非编制床位)。包括正规床、简易床、监护床和正在消毒、修理的床位及因扩建或大修理而停用的床位(按扩建或大修理前的床位计算),但不包括产科的新生儿床、库存床、临时增设的床位、病人家属的陪床、接产室的待产床等。

在岗职工平均人数:是指在国有经济、城镇集体经济和其他各种经济类型单位及附属机构生产或工作,并由单位支付工资的在岗人员人数(包括在乡镇一级管理机构中工作、由国家支付工资的干部),不包括已退休的职工、在农村乡镇企、事业单位中参加劳动并取得收入的劳动者和城乡个体劳动者。职工平均人数等于12个月月末人数之和除以12或4个季度的季末人数之和除以4求得。

在岗职工工资总额:指各单位在一定时期内直接支付给本单位在岗职工的劳动报酬总额。包括:计时工资、计件工资、奖金、津贴和补贴、加班加点工资和其他工资。

人均住房使用面积:使用面积和常住人口的比值。此数据由住户调查得到。

基本养老保险参保职工:指报告期末参加基本养老保险的职工人数。

基本医疗保险参保人数:指报告期末参加基本医疗保险的职工人数。

失业保险参保人数:指报告期末参加失业保险的人数。

居民最低生活保障线以下人数:指在报告期末,家庭平均收入在当地规定的最低生活保障线以下的城镇居民数。包括“三无对象”,失业人员和在职、下岗,退休人员。

年末实有城市道路面积:是指路面经过铺筑的路面宽度在3.5米以上(含3.5米)的道路。包括高级、次高级道路和普通道路,不包括街道内部路面宽度不足3.5米的胡同、里弄。

道路面积只包括路面面积和与道路相通的广场、桥梁、停车场面积。不包括街心花坛、侧石、人行道和路肩的面积。人均实有道路面积指该指标除以年末总人口。

居民家庭用水量:指城市范围内所有居民家庭的日常生活用水。包括城市居民、农民家庭、公共供水站用水。

用水人口:指供应生活用水的年末实际人口。包括非农业人口和农业人口。

人均家庭生活用水量指居民家庭用水量除以用水人口。

用水普及率指城市用水人口数与城市人口总数的比率。2000年数据系非农业人口计算。

煤气(人工煤气、天然气)供气总量:是指城市煤气企业向城市生产用户、家庭用户和其他用户供应的全部煤气量,包括外购及损失量。

用煤气人口:指报告期末家庭用户的用气人口。

人均煤气家庭用量指煤气供气总量除以用煤气人口。

用气普及率指报告期末使用燃气的城市人口数与城市人口总数的比率。

年末实有公共汽(电)车运营车辆数:是指城市公共交通企业可参加营运的全部车辆数。包括技术完好的、在修的、待修的、长期停驶的,以及拟报废尚未经上级主管部门批准报废的运营车辆数。不包括公交企业的油罐车、货车和其他专用车等非运营车,也不包括借入、租入的客运车辆。

全年公共汽(电)车客运总量:指运送乘客的总人数。包括普通票乘客人次,月票乘客人次和包车乘客人次。普通票乘客人次按上车付现金购票,一张票计算一个人次;月票日乘车次按5个人次计算;团体包车,一个乘客按一个人次计算,往返按二个人次计算。

年末实有出租汽车数:指经有关部门批准的专门从事出租业务的一切营业车辆。包括轿车、面包车、大客车。

园林绿地面积:指用作园林和绿化的各种绿地面积。包括公共绿地、单位附属绿地、居住区绿地、生产绿地、防护绿地和风景林地的总面积。

人均园林绿地面积 = (公共绿地 + 单位附属绿地 + 居住区绿地 + 生产防护绿地 + 风景林地) ÷ 城市非农业人口

公共绿地面积:指开放的各级各类公园和街头绿地。

建成区绿化覆盖面积:指城市建成区内各单位管理的一切用于绿化的乔灌木和多年生草本植物的垂直投影面积。包括园林绿地以外的道路绿化覆盖面积(即道路的隔离带、中心绿岛和林荫道及行道树的覆盖面积)和单株树木的覆盖面积。行道和单株树覆盖面积,可按各种树的平均垂直投影面积乘以各种树木的总株数求得。乔木树冠下重叠的灌木和草本植物不再重复计算。

第四篇 价格指数

一、居民消费价格和商品零售价格

食品:指人们为摄取身体所需要的营养和满足某种嗜好而进食的各种消费品,包括在商店、集市、工作单位食堂和饮食业购买的主食、副食以及干鲜瓜果、糖果、糕点、奶制品等。

粮食:指人们用作主食的各种成品粮及其加工品,包括大米、面粉、粗杂粮以及各种粗、细粮制品,不包括薯类、豆类及糕点食品。

大米:包括粳米、籼米、杂交米、糯米等。

面粉:指小麦粉。

粮食制品:指各种粮食类的加工制品,包括生制品和熟制品,如馒头、面条、方便面、饺子皮、米粉等。

其他粮食:包括大米、面粉之外的其他各种粗杂粮,如玉米、小米、大麦等。

淀粉:包括各种淀粉及淀粉制品。

干豆类及豆制品:包括大豆、杂豆等各种豆类及豆制品。

油脂类:指各种食用油脂,包括植物油、植物油制品和动物油等。

食用植物油:以植物果实为原料榨取的油料。包括花生油、菜籽油、芝麻油、豆油、茶油、葵花籽油等。

植物油制品:指各种以植物油为原料制作的食用油品,包括色拉油、调和油等。

肉禽及其制品类:包括肉、禽及其制品。

食用畜肉及副产品:指各种家畜、野畜肉食品,包括活的、鲜的、冻的。

猪肉:指鲜、冻猪肉,不包括各种内脏及猪肉加工品。

牛肉:指鲜、冻牛肉,不包括内脏及各种牛肉加工品。

羊肉:指鲜、冻羊肉,不包括内脏及各种羊肉加工品。

畜肉副产品:指上述畜类内脏、头、爪、皮、骨头等。

其他畜肉:指猪、牛、羊肉以外的兔、驴、马、狗、蛇肉以及各种野畜肉等。

禽类:指用于食用的各种家禽和野禽。

鸡:指食用的活鸡、白条鸡、分割的鸡腿、鸡翅、速冻的鸡脯肉等,包括鸡头、鸡爪、鸡架、各种内脏,不包括加工品。

鸭:指食用的活鸭、白条鸭、分割的鸭腿、鸭翅等,包括鸭头、鸭爪、各种内脏,不包括加工品。

其他禽类:指鸡、鸭以外的各种禽类。如鹅、鹌鹑、野鸡、野鸭、火鸡、鸽子,不包括加工品。

畜肉加工制品:指各种畜肉的加工制品,包括熟肉品、酱肉、腊肉、咸肉、火腿、香肠、火腿肠、西式火腿、红肠、各种灌肠、烤羊肉串、肉松、肉干、肉圆、鲜肉贡丸、油炸猪肉皮以及各种肉罐头等。

禽制品:指家禽和野禽的腌、腊、酱、烧、熏、烤制品以及各种禽制罐头等,也包括内脏加工品。

蛋类:包括各种禽蛋和禽蛋制品。

鲜蛋:指鲜鸡蛋、鲜鸭蛋以及各种鲜禽蛋,如鹅蛋、鹌鹑蛋等,不包括蛋制品。

蛋制品:各种禽蛋的加工制品,包括咸蛋、松花蛋(也称皮蛋、彩蛋)、冰蛋、糟蛋、茶叶蛋等。

水产品类:包括鱼、虾、蟹、贝、藻等各类海水和淡水产品。

鱼:包括各类海水鱼和淡水鱼。主要有黄花鱼、带鱼、草鱼、鲤鱼、鲢鱼、鲫鱼、鲳鱼、鳗鱼、黄鳝、鲥鱼、扁鱼、黑鱼等。

其他水产品:指鱼以外的各种水产品,主要包括各种水生软体动物、虾蟹类及贝类等。品种有:淡菜、干贝、海蛎、海参、海蜇、蛤蜊、蛤子、河蚌、蚬子、螺蛳、墨鱼、牡蛎、生蚝、鲜贝、赤贝、扇贝、鱿鱼、章鱼;虾的主要品种有:对虾、毛虾、米虾、白虾、沼虾、龙虾、河虾、草虾、基围虾等;蟹的主要品种有:海蟹、河蟹、青蟹、梭子蟹。还包括龟、鳖、食用的青蛙、海菜、石花菜、海带、紫菜。包括其他水产品的制品,如人造海蜇。

蔬菜类:包括各种叶菜、茎菜、根菜、花菜、果菜以及各种食用菌类。

鲜菜:指没有经过腌制、干制、霉制等加工的新鲜的蔬菜,包括经过简单洗切的净菜。主要品种:白菜、洋白菜、菠菜、油菜、芹菜、韭菜、空心菜、大葱、菜花、萝卜、胡萝卜、葱头、生姜、莴笋、蒜苔、蒜头、黄瓜、冬瓜、丝瓜、西红柿、茄子、青椒、豆角、莲藕、豆芽菜、毛豆角、红辣椒、蚕豆芽、鲜黄花菜、鲜香菇等。

干菜及菜制品:指鲜菜经过干制的加工品和鲜菜再制品。包括干制的笋干、黄花菜、黑木耳、磨菇、食用白木耳等食品。也包括水发的笋干、黑木耳。鲜菜再制品包括:腌菜、榨菜、泡菜、酱菜、萝卜干、蔬菜罐头、速冻蔬菜等。

薯类:各种薯类,包括马铃薯、红薯等。

调味品:包括食用盐、酱油、虾油(鱼卤)、醋、味精、鸡精、糖精、料酒、辣椒酱、花生酱、芝麻酱、蕃茄酱、花椒、八角、茴香、胡椒、咖喱粉、五香粉、炸鸡粉等。

糖类:以糖为主要原料,生产加工的食品。包括食糖、糖果、巧克力制品和糖类小食品,不包括糖精。

干鲜瓜果:包括干鲜瓜果及制品。

鲜瓜果:鲜瓜类包括西瓜、甜瓜、哈密瓜等;鲜果类包括:苹果、梨、山楂、桃、杏、李、梅、樱桃、葡萄、柿子、猕猴桃、草莓、树莓、柑桔、香蕉、椰子、芒果、菠萝、龙眼、荔枝、枇杷、杨梅、油橄榄、石榴、甘蔗、荸荠、莲蓬、百合等。不包括各类干、坚果。

干(坚)果及瓜果制品:包括各种干(坚)果及瓜果制品。干果包括各种水果经过日晒或烘干而成的食品。带壳的有荔枝干、桂圆干等;带皮的有葡萄干、红枣、黑枣、南枣、无花果等;对切的有杏干、桃干等;片状的有山楂干、苹果干、梨干等。坚果指坚果及果仁,具体包括生的和熟的大核桃、小核桃、板栗、银杏、榛子、松子、瓜子、花生、芝麻和各种坚果及果仁的加工品。包括湿花生、嫩花生、鱼皮花生、糖衣花生、油炸花生等。瓜果制品指鲜瓜果经过工业加工而成的再制品,包括各种蜜饯(果脯、桔饼、加应子、话梅、蜜枣等)、水果罐头、果酱、山楂糕、山楂片等。

糕点饼干面包:指以面粉和糖为基本原料,以油、蛋、奶、果仁、果料等为辅料,经过调制、成型、熟制而成的食品,包括饼干、面包、蛋糕等。

液体乳及乳制品:包括鲜奶、奶粉、酸奶以及其他乳制品。不包括代乳粉、糕干粉等以粮食或豆类为主加工的制品。这里的鲜奶包括鲜牛奶、鲜马奶、鲜羊奶以及以鲜奶为主要原料配制的混合奶,不包括活性乳、奶粉等各种奶制品,也不包括豆奶。

巴氏杀菌奶:通常指将生奶加热到72℃~85℃,瞬间杀死致病微生物,保留有益菌群,对牛奶营养物质破坏少,充分保持牛奶的鲜度,但只能低温保存且保存时间短的产品。

高温杀菌奶:在135℃~150℃下对牛奶进行4-15秒的瞬间杀菌处理,完全破坏其中可生长的微生物和芽孢,能在常温下可保存数月的产品。

目前市场上销售的绝大部分“鲜奶”均为上述产品。一般来说,每日供应的、低温条件下保质期在48小时以内的“鲜奶”多为“巴氏杀菌奶”;避光条件下常温保存30~45天的“鲜奶”多为“高温杀菌奶”。

酸奶:指以新鲜牛乳为原料,添加适量的砂糖,经巴氏杀菌和冷却后加入纯乳酸菌发酵剂,经保温发酵而制成的产品。

奶粉:以鲜奶为原料,经预处理及真空浓缩,然后喷雾干燥而制成的粉末状食品。

其他乳制品:指除鲜奶、酸奶、奶粉以外的以奶为主要原料制成的加工品,包括炼乳、奶酪、麦乳精、可可奶、活性乳,不包括含奶量很低的各种果奶饮料。

在外用膳食品:指在家庭以外地点的用餐,主要是在餐饮业用餐的食品,包括主食、炒菜和地方小吃。

其他食品:指上述各类食品以外的其他食品,包括半成品净菜、面筋、代乳粉、蜂蜜、发酵粉、甜酒药、糖桂花、各种膨化食品等,但不包括面包、糕点类食品。

茶叶:以茶树新梢上的芽叶嫩梢为原料加工而成的产品。主要分为绿茶、红茶、黄茶、黑茶、白茶、青茶、花茶等。

饮料:指以水、粮食、果蔬或奶为基本原料加工而成的流体、半流体或固体冲剂食品,包括固体饮料、液体饮料和冷冻饮品。固体饮料包括咖啡、可可粉和一些果味晶体饮料,如桔子粉、酸梅粉、山楂晶、菊花晶等;液体饮料主要有碳酸饮料、果蔬饮料和桶装矿泉水、饮用水等。碳酸饮料指含二氧化碳的非酒精液体饮料,包括盐汽水、甜汽水、果味汽水,以及罐装、瓶装、杯装的各种可乐。果蔬饮料是以水果、蔬菜、植物的根、茎、叶、花为原料,经压榨或浸渍抽提等方法取汁后加工而成的饮料;冷冻饮品主要是以奶为主要原料制成的冷食,如冰淇淋、雪糕等。

烟草类:指卷烟和烟叶。包括国产卷烟和进口卷烟。

酒:指用高粱、大麦、米、葡萄或其他水果发酵制成的含酒精饮料。主要有白酒、黄酒、葡萄酒、啤酒等。

白酒:由淀粉或糖质原料制成酒醅或发酵经蒸馏而得,是一种蒸馏酒。包括散装和瓶装两种,瓶装、罐装、坛装的应折合成千克计算。

葡萄酒:用经过发酵的葡萄酿成的酒,含酒精量较低。瓶装的应折合成千克计算。

啤酒:以大麦芽、酒花为主要原料,经酵母发酵作用而成的包含二氧化碳的低酒精度酒。包括罐装、瓶装、散装的鲜啤酒、熟啤酒、黑啤酒、黄啤酒,罐装和瓶装的应折合成千克计算。

其他酒:指白酒、葡萄酒、啤酒以外的各种含酒精饮料和泡制酒。包括黄酒、米酒、五加皮酒、人参酒、香槟酒、汽酒及各种滋补酒等。不包括药酒和作调味用的料酒,药酒可计入滋补品,料酒可计入调味品。

服装鞋帽类:指各种穿戴用品,包括棉、麻、丝、毛和各种人造纤维、合成纤维纺织的各种布匹、呢绒和绸缎加工而成的服装,各种鞋、袜、帽等。

服装:指以各种棉布、棉花化纤混纺布、化纤布、呢绒、绸缎、毛皮等为材料加工的各式服装,以及棉、麻、毛、丝、化纤纯纺或混纺经针织而成的服装,按穿着对象分为男士服装、女士服装、各式童装,不包括塑料雨衣和胶布雨衣(雨披)。

男式服装:指各类材料、各种工艺制作的各式男士服装,包括单衣、夹衣、棉衣、内衣、外衣等。

女式服装:指各类材料、各种工艺制作的各式女士服装,包括单衣、夹衣、大衣、裤子、内衣、外衣等。

儿童服装:指各类材料、各种工艺制作的各式儿童服装,包括单衣、夹衣、棉衣、大衣、毛线衣、披风、各种学生装、各种婴儿服装。儿童一般指年龄 12 周岁及以下。

鞋袜帽类:包括皮鞋、胶鞋、布鞋、全塑料鞋及各种材料制作的靴子、凉鞋、便鞋、拖鞋、运动鞋、旅游鞋、春秋鞋。帽袜包括男、女、童、婴儿的各种面料、各种样式的帽子和袜子。

纺织品:指以棉、麻、丝、毛和各种人造纤维纺织及混纺的各种衣着材料和床上用品,也包括加工衣着品和其他用品所需的其他各种纺织类产品。

床上用品:指以棉、毛、丝及合成纤维等为材料纺织或针织制成的各种床上用品。包括毛毯、床单、被单、床罩、被套、枕具、蚊帐、凉席、垫褥以及各种棉被、鸭绒被、棉毯、线毯、电热毯、毛巾被等。

家庭设备:包括洗涤电器:洗衣机、甩干机;制冷电器:电冰箱、电冰柜;清洁电器:吸尘器、加湿器、空气净化器、电熨斗、电风扇、房间空调器、电淋浴器等;家用厨房电器具:食品加工机、电炊具、吸排油烟机、微波炉、电饭煲、饮水机、电烤箱、洗碗机、消毒柜;家用保健电器:电取暖器、电动按摩器等。

洗衣机:指一次洗衣在 6 公斤以下的自动、半自动、单缸、双缸、滚筒家用洗衣机,不包括手摇洗衣机。

电风扇:包括各种规格、型号的台扇、壁扇、落地扇、吊扇,不包括换气扇。

电冰箱:指单门、双门、三门家用电冰箱,不包括冰柜。

冰柜:指用于冷冻食品的各种规格家用冰柜。

微波炉:指利用微波辐射来烹饪食物的厨房电器。

空调器:指具有空气的加热、冷却、增湿、除湿等功能的空气调节器,不包括冷暖风机。

电炊具:指以电为热能的家用炊具,包括电饭煲、电炒锅、电水壶、电火锅、电烤箱等,不包括电炉子。

吸排油烟机:指家庭炊事用的排油烟机,又称抽油烟机或脱排油烟机,不包括换气扇、排气风扇。

电暖器:包括油汀、暖风机、石英管取暖器、浴霸等取暖设备。

其他家用设备:指除上述已列出的其他家庭设备,如吸尘器、消毒碗柜、洗碗机等,不包括家庭文娱用耐用消费品。

文娱用耐用消费品:包括彩色电视机、激光视盘机(LD、VCD、DVD)、摄像机、音响、收录音机、录放像机、幻灯机等。

彩色电视机:也称彩色电视接收机。包括显像管彩色电视机和固体显示(液晶显示、等离子显示)彩色电视机,不包括可以接收电视的计算机。

激光视盘机:主要包括 VCD 视盘播放机、DVD 视盘播放机、DVD 视盘录放机等。

便携式音响:主要包括袖珍盒式磁带录放机、MP3、CD 机、MD 机和复读机等产品。

音像器材类:包括专业音响器材、专业声像器材及其配件。

自行车:包括脚踏自行车、助动车。助动车指主要以蓄电池或燃油作为辅助能源,具有两个车轮,能实现人力骑行、电动或电动助力功能的特种自行车。

义务教育:指按照国家义务教育法规定的、并主要由政府财政支出的初等教育和成人扫盲教育及按照国家义务教育法规定的对小学毕业生进行的初级中等教育。

非义务教育:指主要由政府财政支出的,通过考试招收初中毕业生进行普通高中教育的活动以及普通高等教育。

技能培训:指经教育主管部门、劳动部门或有关主管部门批准,由政府部门、企业、社会力量办的职业培训、就业培训及各种知识、技能的培训活动。

学杂托幼费中其他项:主要指社会力量所办初等教育、初中教育和高中教育所收取的学费。家教费及择校费也可归入此类。

文化办公用品:包括学习和办公用的纸张、文具、计算机及其配件、打印机及配件、复印机、扫描仪、油印机、速印机、电子辞典、计算器、印刷材料以及教学用的设备、普通测绘仪器、器材、标本、模型等,不包括通讯器材。计算机及其配套产品包括大、中、小、微型、台式和手提式电子计算机、掌上电脑和计算机的辅助设备,如不间断电源、多媒体配件以及专用设备、零配件,计算机用光盘、磁盘、磁带等,不包括单板机、插卡式电脑学习机和各种电子计算机软件。打印机及配件包括各种打印机(针式、喷墨、激光)以及相关的打印机用纸、色带、硒鼓等。

日用百货:包括非机动车及配件(主要是自行车及配件)、雨衣雨伞、理发用具、剃须刀具、部分日用小五金(如刀、剪、针线、锁等)、卫生纸、卫生巾、保温瓶、打火机等。

日用杂品:包括精铝、铸铝、铝合金家用器皿、不锈钢餐具、家用厨具及其他不锈钢器皿等,不包括工业建筑的通用金属器皿;日用搪瓷制品,包括单瓷、双瓷的面盆、口杯及其他搪瓷制品等,不包括工业建筑的通用搪瓷制品;铁锅、笼屉、瓷碗、碟等餐具和炊事用具,清洁卫生用具,竹、木、藤、柳编制品以及炉子、烟筒等。

洗涤用品:包括洗衣粉、肥皂、香皂、浴皂、药皂、牙膏及各种清洁洗涤剂(膏、液、粉)等日用洗涤用品。

洗浴服务:指专业洗浴室以及在宾馆、饭店或娱乐场所常设的独立(或相对独立)洗浴服务。

其他日用品:不包括以上列出的其他日用品。包括:各种燃气灶具、各种儿童玩具、照明器具(各种灯具、灯泡、灯管等)、钟表(各种机械、石英电子的闹钟、挂钟、座钟等;各种机械、石英电子手表、怀表等及钟表零配件)、眼镜(各种成品眼镜、眼镜架、眼镜片、眼镜毛坯、眼镜零配件)、工艺美术品(各种雕塑工艺品,如玉雕、牙雕等;金属工艺品;漆器工艺品;画类工艺品;人造花卉;天然植物、纤维编织工艺品,如竹、藤、草编工艺品等;刺绣工艺品;抽纱工艺品)、日用塑料制品、日用皮革制品、日用玻璃器皿和日用普通饰品等。

体育用品:包括球类及球类器材、棋牌和健身器材。球类包括篮球、足球、排球、羽毛球、乒乓球等;棋牌包括象棋、国际象棋、围棋、克郎棋、军棋、跳棋、扑克牌、麻将牌等。健身器材包括各种通过器械达到锻炼身体、提高身体素质的器材,如侧重于"练块的"扩胸机、举重床、自重式健力器、哑铃组合架、坐式后拉器、卧式后屈腿训练器等;侧重于身体素质训练的跑步机、健步器、骑马机、滑雪器、健骑机等以及集消除疲劳、减肥健身为一体的各种非电动按摩机、健腹器等。其他体育用品包括体操运动器材,举重运动器材,田径运动器材,水上运动器材,冰雪运动器材,射击、射箭、击剑器材,场地器材,航空、航海模型材料,运动保护用具,钓鱼用具等。

娱乐用品:包括游艺器材、照相器材和乐器等。游艺器材包括游戏机、插卡式电脑学习机、儿童运动游艺器材等;照相器材,包括照相机、胶卷、存储卡、座机、外拍机、胶片(不包括X光胶片及工业胶片)、相纸、放大机、照相镜头、摄影灯具、零配件等,暗房用品,如上光机、反拍机、翻版机、冲片机等,修相用品,如修相油、上光用品、修底版用具等,洗相药品,如显影液、定影液等。乐器包括中西乐器、电子乐器、乐器辅助用品及配件,如钢琴、提琴、手风琴、吉他等。

交通运输机械:包括各类轿车、客车、货车、摩托车等机动车辆及其配件。

通信器材:包括各种通信工具器材,如固定电话机、移动电话机、传真机、对讲机及其配件等。

家具:主要有坐卧类家具,如椅子、凳子、沙发、床;凭椅类家具,如桌子、茶几;贮藏类家具,如柜、箱;隔断类家具,如屏风等;以及具有多种组合功能的组合家具等。

柜:包括卧室柜(服装柜)、书柜、展示柜、厨房整体橱柜等产品。

床上套件:包括床单(罩)、被罩、枕套等产品的不同组合。

化妆品类:包括护肤品、美容品、护发美容品、清洁化妆品和药物美容用品等。护肤品,如霜、香脂、乳液、润肤油等;美容品,如香粉(粉饼)、胭脂、唇膏、眼影、眉笔、指甲油及各种化妆盒、假发等;护发美容品,如发油、发霜、发蜡、发宝、营养发水、护发素、发胶、摩丝、各种染发剂等;清洁化妆用品,如洗发香波、洗发膏、洗发精、剃发膏、花露水、爽身粉、腋下香、香水等;药物美容用品,如防秃生发水、浓眉露、止痒水(粉)、祛斑霜、粉刺露、防晒剂、痱子粉(水)、减肥霜等。

金银珠宝类:包括以金、银、铂等金属及钻石、宝(玉)石、翡翠、珍珠、水晶、象牙、骨角等为原料,经加工和连接组合、镶嵌等方法,制成各种图案造型的装饰品、饰品、工艺品等。包括首饰,如项链、戒指、耳环、手镯、脚链、挂件、别针、发卡等;珠宝饰品,如宝(玉)石、钻石镶嵌、珍珠镶嵌、宝(玉)石首饰以及其他金银珠宝饰品等。

医疗器具:指人使用的用于医疗的小型器具。包括血压计、体温计、注射器等,不包括医疗用的各种大型设备,如CT机、核磁共振器等医疗器材。

保健器具:指用于身体保健的器具。包括按摩器、健身球、磁疗枕(药枕)、护膝、护腰、护肩等。不包括体育运动器械,如扩胸器、哑铃等。

滋补保健用品:指市场上销售的具有滋补保健作用的保健食品,包括人参、鹿茸、蜂王浆、阿胶、青春宝、西洋参、各种营养口服液、燕窝、胎盘等。

抗微生物药:包括抗生素类药品、合成抗菌药、抗分枝杆菌药、抗真菌药、抗病毒类药。其中,(1)抗生素类药品主要包括青霉素类、头孢菌类、大环内酯类等药品。青霉素类主要包括窄谱青霉素类的青霉素(注射剂)、普鲁卡因青霉素(注射剂)和广谱青霉素及复方制剂的阿莫西林(口服常释剂型);头孢菌类主要包括第一代头孢菌类中的头孢氨苄、头孢拉定;大环内酯类主要包括红霉素、琥乙红霉素、罗红霉素、乙酰螺旋霉素等药品。(2)合成抗菌药主要包括磺胺类、喹诺酮类(主要包括吡哌酸、环丙沙星、诺氟沙星等药品)和硝基咪唑类(主要指甲硝唑类)等药品。

消化系统用药:包括抗酸药及抗溃疡病药、助消化药、胃肠解痉及胃动力药、泻药、止泻药、肝病辅助治疗药、利胆药、肛肠科用药和其他消化系统药物。其中,(1)抗酸药及抗溃疡病药主要包括抗酸药及胃粘膜保护药、抑酸药。抗酸药及胃粘膜保护药主要包括大黄碳酸氢钠、复方铝酸铋、枸橼酸铋钾等药品。抑酸药主要包括雷尼替丁、西咪替丁等药品。(2)助消化药主要包括乳酶生(口服常释剂型)。(3)胃肠解痉及胃动力药主要包括胃肠解痉药、胃动力药和止吐药、催吐药。(4)其他消化系统药物主要包括缓解消化道不适症状的复方OTC制剂。

呼吸系统用药:包括祛痰药、镇咳药和平喘药。

解热镇痛及非甾体抗炎药:包括解热镇痛及非甾体抗炎药和抗痛风药。其中,解热镇痛及非甾体抗炎类药品主要包括阿司匹林(口服常释剂型)、布洛芬(口服常释剂型)、复方阿司匹林(口服常释剂型)及缓解感冒症状的复方OTC制剂。

抗肿瘤药:包括细胞毒药物、激素类及抗激素类抗肿瘤药和其他抗肿瘤药。

激素及调节内分泌功能药:包括胰岛素及其他影响血糖的药物、雄激素、抗雄激素及同化激素类、肾上腺皮质激素类、甲状腺激素及抗甲状腺药和下丘脑垂体激素及其类似物。其中,胰岛素及其他影响血糖的药物主要包括胰岛素类药品和口服降糖药。

循环系统用药:包括强心药、抗心律失常药、利尿降压药、钙拮抗药、血管舒张药、降血脂药等。血管舒张类药主要包括复方降压药、硝酸甘油等药品。

神经系统用药:包括脑血管病用药、抗重症肌无力药、抗癫痫药、抗帕金森病药、中枢兴奋药、镇静催眠药、抗偏头痛药和其他神经系统用药。其中,脑血管病用药主要包括尼莫地平(口服常释剂型)、倍他司汀(口服常释剂型或注射剂)和丹参酮IIA(注射剂)等药品。

专科用药:包括皮肤科外用药、眼科用药、耳鼻喉科用药、口腔科用药和妇产科用药。皮肤科外用药主要包括红霉素(软膏剂)、环丙沙星(软膏剂)、甲硝唑(凝胶剂)、地塞米松(软膏剂)、克霉唑(软膏剂)、尿素(软膏剂)等药品。眼科用药主要包括红霉素(眼膏剂)、金霉素(眼膏剂)、氯霉素(滴眼剂)、环丙沙星(滴眼剂)、可的松(滴眼剂、眼膏剂)等药品。耳鼻喉科用药主要包括复方硼砂漱口(口服常释剂型)、复方诺氟沙星(滴鼻剂)、克霉唑(滴耳剂)等药品。口腔科用药主要包括糠甾醇(牙周宁)。妇产科用药主要包括甲硝唑、克霉唑、咪康唑等药品。

书报杂志:包括以纸介质形态出版发行的各种中、外文书籍,工具书、课本,教材,图片,报纸和杂志等。

电子音像制品:包括以数字代码方式将声音、图像、文字和编码等图文音像信息编辑加工后存储在磁、光、电介质上,通过计算机或者具有类似功能的设备读取使用的产品,其媒体形态包括软磁盘(FD)、只读光盘(CD—ROM)、交互式光盘(CD—I)、照片光盘(PHOTO—ROM)、高密度只读光盘(DVD—ROM)等。音像制品指各种磁、光、电介质的录音、录像的磁带、光盘(CD、LD、VCD、DVD)等。

煤炭及制品类:包括原煤、煤炭及制品,如焦炭、石油焦、半焦、煤(饼)块和煤球等。

石油及制品类:包括液化石油气、管道燃气、汽油、柴油、机油等。

木材及制品类:包括原木、板材、锯材等。

五金、电料类:包括五金工具、电工工具、工具配件、水暖器材、各种专业工具、五金杂品,各种五金商品,木瓦工具,电工、电讯器材及配件等各类商品。如各种榔头、钳子、锯子、扳手、锉刀、泥刀、自来水管、各种水龙头、暖气片、阀门、螺丝、螺母、水表、电表、插座、插头、开关、电线、铁丝、镇流器、灯架、灯罩等。

二、固定资产投资价格

固定资产投资额:固定资产投资额(又称固定资产投资完成额)是以货币形式表现的在一定时期内建造和购置固定资产的工作量以及与此有关的费用的总称。它是反映固定资产投资规模、结构和发展速度的综合性指标,又是观察工程进度和考核投资效果的重要依据。

固定资产投资额的构成:指固定资产投资额的工程内容和实现方式,包括:

1. 建筑工程:指各种房屋、建筑物的建造工程,又称建筑工作量。这部分投资额必须兴工动料,通过施工活动才能实现,是固定资产投资额的重要组成部分。

建筑工程包括:

(1)各种房屋如厂房、仓库、办公室、住宅、商店、学校、医院、俱乐部、食堂、招待所等工程。包括房屋的土建工程;列入房屋工程预算内的暖气、卫生、通风、照明、煤气等设备的价值及装设油饰工程,列入建筑工程预算内的各种管道(如蒸汽、压缩空气、石油、给排水等管道)、电力、电讯电缆导线等的敷设工程;房地产开发单位进行的商品房屋开发建设工程。

(2)设备基础、支柱、操作平台、梯子、烟囱、凉水塔、水池、灰塔等建筑工程;炼焦炉、裂解炉、蒸汽炉等各种窑炉的砌筑工程及金属结构工程。

(3)为施工而进行的建筑场地的布置、工程地质勘探,原有建筑和障碍物的拆除、平整场地、施工临时用水、电、汽、道路工程,以及完工后建筑场地的清理、环境绿化美化工作等;房地产开发单位进行的土地开发工程。

(4)矿井的开凿,井巷掘进延伸,露天矿的剥离,石油、天然气钻井工程和铁路、公路、港口、桥梁等工程。

(5)水利工程,如水库、堤坝、灌溉以及河道整治等工程。

(6)防空、地下建筑等特殊工程及其他建筑工程。

2. 安装工程:指各种设备、装置的安装工程,又称安装工作量。

安装工程包括：

（1）生产、动力、起重、运输、传动和医疗、实验等各种需要安装设备的装配和安装，与设备相连的工作台、梯子、栏杆等装设工程，附属于被安装设备的管线敷设工程，被安装设备的绝缘、防腐、保温、油漆等工作。

（2）为测定安装工程质量，对单个设备、系统设备进行单机试运、系统联动无负荷试运工作（投料试运工作不包括在内）。在安装工程中，不包括被安装设备本身价值。

3. 设备、工具、器具购置：指把工业企业生产的产品转为固定资产的购置活动，包括建设单位或企、事业单位购置或自制的，达到固定资产标准的设备、工具、器具的价值。新建单位及扩建单位的新建车间，按照设计或计划要求购置或自制的全部设备、工具、器具，不论是否达到固定资产标准均计入“设备、工具、器具购置”中。

（1）设备：指各种生产设备、传导设备、动力设备、运输设备等。分为需要安装的设备和不需要安装的设备两种。

需要安装的设备（简称“需安设备”）：指必须将其整体或几个部位装配起来，安装在基础上或建筑物支架上才能使用的设备。如轧钢机、发电机、蒸汽锅炉、变压器、塔、换热器、各种泵、机床等。有的设备虽不要基础，但必须进行组装工作，并在一定范围内使用的，如生产用电铲、塔吊、门吊、皮带运输机等也作为需要安装的设备统计。

不需要安装的设备（简称“不需安设备”）：指不必固定在一定位置或支架上就可以使用的各种设备，如电焊机、叉车、汽车、机车、飞机、船舶以及生产上流动使用的空压机、泵等。

（2）工具、器具：指具有独立用途的各种生产用具、工作工具和仪器。如生产和维修用的切削工具、压延工具、铆焊工具、模压器、铸型、风镐等，检验、实验测量用的各种计量、分析、化验仪器，以及达到固定资产标准的包装容器等。

4. 其他费用：指在固定资产建造和购置过程中发生的，除上述几项内容以外的各种应分摊计入固定资产的费用（包括范围见“其他费用的内容”）。

其中：土地购置费是指行政事业单位建设项目通过出让方式取得土地使用权而支付的出让金。

旧建筑物购置费是指购置已使用过的各种旧房屋及其他建筑物。

建筑安装工程投资额的费用项目：建筑安装工程费用划分为直接工程费、间接工程费两个部分。

直接工程费，由直接费、其他直接费、现场经费组成。

1. 直接费：指施工过程中耗费的构成工程实体和有助于工程形成的各项费用，包括人工费、材料费、施工机械使用费。

（1）人工费，指直接从事建筑安装工程施工的生产工人开支的各项费用，内容包括：①基本工资②工资性补贴③生产工人辅助工资④职工福利费⑤生产工人劳动保护费。

（2）材料费，指施工过程中耗用的构成工程实体的原材料、辅助材料、构配件、零件和半成品的费用以及周转使用材料的摊销（或租赁）费用，内容包括：①材料原价（或供应价）②供销部门手续费③包装费④材料装卸费、运输费及途耗⑤采购及保管费。

（3）机械使用费，指使用施工机械作业所发生的机械使用费以及机械安、拆及进出场费用，内容包括：①折旧费②大修费③经修费④安拆费及场外运输费⑤燃料动力费⑥人工费⑦运输机械养路费、车船使用税及保险费。

2. 其他直接费：指直接费以外施工过程中发生的其他费用，内容包括：①冬雨季施工增加费②夜间施工增加费③二次搬运费④仪器仪表使用费⑤生产工具用具使用费⑥检验试验费⑦特殊工种培训费⑧工程定位复测、工程点交、场地清理等费用⑨特殊地区施工增加费。

3. 现场经费：指为施工准备、组织施工生产和管理所需费用，内容包括：

（1）临时设施费，指施工企业为进行建筑安装工程施工所必需的生活和生产用的临时建筑物、构筑物和其他临时设施费用等，内容包括：临时设施的搭设、维修、拆除或摊销费。

（2）现场管理费，内容包括：①现场管理人员的基本工资、工资性补贴、职工福利费、劳动保护费等。②办公费③差旅交通费④固定资本产使用费⑤工具用具使用费⑥保险费⑦工程保修费⑧工程排污费⑨其他费用。

间接工程费，由企业管理费、财务费、其他费用和计划利润、税金组成。

1. 企业管理费：指施工企业为组织施工生产经营活动所发生的管理费用，内容包括：①管理人员的基本工资、工资性补贴及按规定标准计提的职工福利费②差旅交通费③办公费④固定资产折旧、修理费⑤工具用具使用费⑥工会经费⑦职工教育经费⑧劳动保险费⑨职工养老保险费及待业保险费用⑩保险费⑪税金⑫其他。

2. 财务费用：指企业为筹集资金而发生的各项费用，包括企业经营期间发生的短期贷款利息净支出、汇兑净损失、调剂外汇手续费、金融机构手续费、以及企业筹集资金发生的其他财务费用。

3. 其他费用：指按规定支付工程造价（定额）管理部门的定额编制管理费及劳动定额管理部门的定额测定费，以及按有关部门规定支付的上级管理费。

4. 计划利润：指按规定应计入建筑安装工程造价的利润。依据不同投资来源或工程类别实施差别利率。

5. 税金：指国家税法规定的应计入建筑安装工程造价内的营业税，城市维护建设税及教育费附加。

其他费用：

1. 旧房屋购置：指建设单位和企、事业单位购置的各种旧房屋和其他建筑物，但不包括由房地产开发公司统一开发建设的商品房屋购置。

2. 基本畜禽支出：指农林建设单位的基本畜禽购置，包括新建农场外购的大牲畜（如种畜）、各种禽类（如鸡群、鸭群等）。不包括老农场自繁自养或外购补充的基本畜禽支出。基本畜禽支出一般包括：基本畜禽购置费用；基本畜禽在移交生产单位前所发生的各种饲养费用。

3. 林木支出：指各种经济林木的造林费用。一般包括：整地、种植和幼林抚育等支出。

4. 办公生活用家具、器具购置：指为保证新建、扩建、改建项目投产初期正常生产经营所必需购置的办公和生活用家具、用具的费用。包括办公室、会议室、资料档案室、阅览室、文娱室、食堂、浴室、理发室、单身宿舍和设计规定必须建设的托儿所、卫生所、招待所、中小学校等的家具、用具。

5. 建设单位管理费:指建设单位所发生的管理费用。包括工作人员的工资、工资附加费、劳保支出、办公费、差旅交通费、劳动保护费、工具用具使用费、固定资产使用费、零星固定资产购置费、招募生产工人费、技术图书资料费和其他管理性质的开支。

6. 土地征用及迁移补偿费:指通过划拨方式取得无限期的土地使用权而支付的土地补偿费、附着物和青苗补偿费、安置补偿费以及土地征收管理费等,以及行政事业单位建设项目通过出让方式取得土地使用权而支付的出让金。不包括非行政事业单位建设项目通过出让方式取得有限期的土地使用权而支付的出让金。

7. 勘察设计费:指建设单位自行或委托勘察设计单位进行工程水文地质勘察、设计所发生的各项费用。

8. 研究实验费:指为建设项目提供或验证设计数据、资料进行必要的研究试验,按照设计规定在施工过程中必须进行试验所发生的费用,以及支付科技成果和先进技术的一次性技术转让费。不包括应由科技三项费用开支的费用和应由间接费开支的施工企业对建筑材料、构件和建筑物进行一般鉴定、检查所发生的费用及技术革新的研究试验费,以及应由勘察设计单位的事业费或基本建设投资开支的费用。

9. 可行性研究费:指在建设前期进行建设项目可行性研究而发生的费用,包括为进行可行性研究而购置的固定资产。

10. 施工机构转移费:指按规定支付给施工企业因成建制地调来承担施工任务而发生的一次性搬迁费用。

11. 设备检验费:指按照规定支付给商品检验部门的进口成套设备检验费。建设单位对进口成套设备自行组织检验所发生的费用,应计入设备、工器具购置。

12. 负荷联合试车费:指单项工程(车间)在交工验收以前进行的负荷联合试车亏损(即全部试车费减去试车产品销售收入和其他收入后的差额)。单机试运或系统联动无负荷试运所发生的费用,应计入安装工程投资。

13. 土地占用、使用费:指因进行固定资产投资活动而占用土地,按规定应支付的土地使用税、耕地占用税、以及应支付的土地复垦费用和土地损失补偿费用。

14. 退耕退牧还林还草、土壤改良、城市绿化等投资:指列入县及县以上投资计划的,有资金投入的退耕退牧还林还草、土壤改良、城市绿化等投资。

15. 建设期应付利息:指在建设阶段应支付的各种利息,包括采取分期付款方式进口成套设备应支付的利息,向银行或其他金融机构借款应支付的利息,以及因发行或使用各种债券进行固定资产投资应支付的利息。不包括超过建设期或投产后应付的各种利息。

16. 政府收费:指在投资过程中发生的各种政府收费。主要有土地增值税、城市维护建设税、城市基础设施配套费、教育纲附加、排污费、城市水资源费、电力增容费等。

17. 企业债券发行费:指筹措债券资金而发生的债券发行费用,包括支付给银行的代理发行手续费和债券的设计、印刷等费用。

18. 合同公证费及工程质量监测费:指建设单位按规定支付给司法部门的合同公证费和支付给工程质量监测部门的工程质量监测费。

19. 国外借款手续费及承诺费:指因向境外借款而支付的手续费和承诺费。

20. 汇兑损益:指利用外资或外汇进行固定资产投资,由于不同时间、不同汇率而产生的外汇兑换差额。

21. 临时设施费:指按照规定拨付给施工企业的临时设施包干费,以及建设单位自行施工所发生的临时设施实际支出。包括临时设施的搭设、维修、拆除费或摊销费,以及施工期间专用公路养护费、维修费。

22. 坏账损失:指建设单位按规定程序报经批准确实无法收回的预付及应收款项。

23. 固定资产亏损及损失:指在固定资产建造和购置过程中,由于管理不善、设计方案变更、重大自然灾害等原因造成的工程报废净损失、固定资产净损失、器材处理亏损和设备净盘亏。

24. 其他:指在建设阶段发生的除上述各种费用以外的其他费用,如国外设计及技术资料费、出国联络费、外国技术人员费、取消项目的可行性研究费、编外人员生活费、停缓建维护费、商业网点费、供电贴费和行政事业单位建设项目发生的非常损失等。

计算固定资产投资额的价格:固定资产投资额是以货币形式表现的建造和购置固定资产的工作量指标,计算固定资产投资额的价格,应该反映一定时期固定资产的价值,即建造或购置固定资产所耗费的社会必要劳动时间。为真实反映固定资产投资活动的规模、水平和效果,便于进行综合平衡,原则上应以实际价格作为计算固定资产投资额的价格依据。

1. 建筑安装工程投资额的价格

由于建筑产品的单个性及周期长的特点,建筑安装工程投资额一般按预算价格计算。预算价格,是在施工图设计阶段根据一定时期的预算定额计算出来的工程总费用。由于预算定额的编制有一定的时间间隔和相对稳定性,预算价格不能完全反映当期的实际水平。因此,以预算价格计算建安工程投资额时,应将经建设单位与施工单位双方协商同意,且经商业银行同意拨款的工程价差、量差,视同修改预算价格。建筑安装工程应按修改后的预算价格计算投资完成额。

实行招标投标的建安工程,以中标价格作为计算建安工程投资额的价格依据。中标后价格有调整的,以调整后的价格作为计算投资完成额的价格依据。

对于某些工程已进入施工,但施工图预算尚未编出的,可根据工程进度先按设计概算或套用相同结构、类型工程的预算价格计算,待预算编出后再进行调整。

建设单位议价购料供应给施工单位,材料价差部分未转给施工单位的,建设单位应将这部分价差包括在建安工程投资额中。

2. 设备、工具、器具购置投资额

一律按实际价格，即支出的全部金额计算。外购设备、工具、器具除设备本身的价格外，还应包括运杂费、仓库保管费等。自行建造的设备、工具、器具，按建造过程中实际发生的全部支出计算。如果设备已经安装，而实际价格尚未结出，可暂按设计(计划)价格计算，待实际价格结出后再行调整。

3. 其他费用的计算价格

一般按财务部门实际支付的金额计算。为保证统计数字的及时性，基层单位可根据会计账面数字填报，不必等财务决算或财务报表编出。在报送投资统计月报时，可根据报告期发生的其他费用报送初步数字或预计完成数，待年报时根据会计账表进行调整。

三、房地产价格

房地产：从广义上讲，房地产是房产与地产的总称，指国家、集体及个人所拥有的房屋和土地。但就我国目前房地产业的业务范围而言，它包括归国家所有的城镇生产性或非生产性用地(城市地产)，及附着在其上的城镇生产、生活用建筑和辅助设施(城市房产)和对这些建筑、辅助设施的管理等。农村生产用地、用房及宅基地等不属城市房地产业的业务范围。国家有偿征用农村土地用于城镇建设时，只有所有权转让过程结束后，才纳入城市房地产业的经营范围。

商品房：进入房屋市场进行交易，第一次进行产权登记的商品房屋。

二手房：进入房屋市场进行交易，第二次以上进行产权登记的商品房屋。

房产价格：房产价格按取得所有权(使用权)的方式分为房屋销售价格和房屋租赁价格两种形式。

房屋销售价格：房屋销售价格指房产所有权转移时买卖双方实际成交的价格(合同价格)。房产买卖时，买房人购买的是房产的所有权，卖房人将房产所有权出让，同时要获得房产所有权出让的价值补偿。它主要包括商品房销售和二手房销售两部分。

房屋租赁价格：房屋租赁价格指房屋的所有人出租房屋而取得的实际租金。在此种流通形式中，房屋所有权不变，承租者支付房租，获得一定时期内的房屋使用权；出租者放弃或出让一定时期内的房屋使用权。它包括住宅租赁、办公楼租赁、商业用房租赁和工业用房租赁等。

商品房销售价格：商品房销售价格是指进入房屋市场进行交易的房屋，第一次进行产权登记时的实际交易价格(合同价格)。其价格由成本、税金、利润、代收费用等组成，它受地段、层次、朝向、质量、材料差价等因素的影响。

住宅：住宅是专供居住用的房屋。它主要包括经济适用房、普通住宅、高档住宅和廉租房等，职工单身宿舍和学生宿舍等也包括在内。

非住宅：非住宅是指除住宅以外的其它房屋。它主要包括办公楼、商业用房和工业仓储用房等。

私房：私房是指由个人或家庭购买、建造并拥有产权的房屋。一般情况下，居民可以自由出租或出售。

经济适用房：经济适用房是指具有政策和社会保障性质的商品住宅，是国家为解决中低收入家庭住房问题而修建的普通住房，具有经济性和适用性的特点。经济性是指住宅价格相对市场价格而言，是适中的，能够适应中低收入家庭的承受能力；适应性是指在住房设计及其建筑标准上强调住房的使用效果，而不是降低建筑标准。这类住宅因减免了工程报建中的部分费用，其成本略低于普通商品房，故称为经济实用房(安居工程住宅)。其认购是有标准的。集资、合资所建房屋也属于经济适用房。

普通住宅：普通住宅是指按所在地一般民用住宅建筑标准建造的居住房屋。普通住宅主要包括多层住宅和高层住宅。多层住宅是指2-6层(含6层)的楼房；高层住宅是指6层以上的楼房，高层住宅多安装电梯。由于各地对多层和高层的定义不一致，划分标准各地可根据实际情况酌情确定。

高档住宅：高档住宅是指按超出普通住宅建筑标准建造的高标准住宅，通常包括别墅和高档公寓。

别墅是指在郊区或风景区建造的园林式住宅，一般拥有独自的私家车库、花园、草坪、院落等。

高档公寓一般是指其单位建筑面积销售价格高于当地普通住宅销售价格一倍以上的高档次住宅，通常为复式住宅顶层有花园或多层住宅配有电梯并拥有较好的绿化、商业服务、物业管理等配套设施。

办公楼：办公楼是指机关、团体、企业、事业、学校、医院等单位的各类办公用房。其中，档次较高的、设备较齐全的为写字楼，条件一般的为普通办公用房。

写字楼：写字楼是指机关、团体、企业、事业、等单位的高档次办公用房。一般拥有较完备的办公设施，且交通便利，服务设施齐全。

商业用房：商业用房是指用于商业经营服务活动的房屋。如商场、酒店、饭店、度假村等。

工业仓储用房：指用于工业生产、存储活动的房屋。

工业厂房：工业厂房指直接用于工业生产或为工业生产配套的各种房屋。工业厂房主要包括车间、辅助用房及附属设施用房。凡工业、交通运输、商业、建筑业以及科研、学校等单位中的厂房都应包括在内。

仓库：仓库指工业、交通运输、商业、供销、外贸、物资及其他企事业单位等用于物资存储的房屋。

土地交易价格：土地交易价格是指房地产开发商或其他建设单位在进行项目开发之前，为取得土地使用权而实际支付的价格，不包括土地的后续开发费用、税费、各种手续费和拆迁费等。土地交易方式主要包括：政府出让、政府划拨、政府租赁、政府其它、市场转让、市场出租和市场抵押。

居住用地：居民住宅用地指用于建造居民居住用房所用的土地。其中主要包括经济适用房用地、普通住宅用地和高档住宅用地。

工业仓储用地：工业用地指工业生产或与工业生产相配套的各种活动所占用的场所，包括车间用地、仓库用地、辅助用房用地及附属设施用房用地等。

商业、旅游、娱乐用地：商业、旅游、娱乐用地指用于开展商业、旅游、娱乐活动所占用的场所。如用于建造商店、粮店、饮食店、公园、游乐场、影剧院、俱乐部等用地。

其他用地:其他用地指用于建造服务业用房、办公用房、教育用房、医疗用房、科学实验研究用房等所占用的土地。如理发馆、照相馆、旅馆、办公室、教室、医院、科研所等占用的土地。

项目地段:项目地段是指根据项目所在地段的土地级别而划分的项目等级。其中,土地级别是指根据土地使用价值及所处地段繁华程度的不同而划分的土地等级。目前各地的标准不一,例如北京市的土地级别分为一、二、三、四级、…、十级,而福建省的土地级别分为一、二、三、四、五级。土地没有进行级别划分的地区,我们可以将其按繁华、较好、一般和偏僻等划分为一、二、三、四级。

项目结构:项目结构是按房屋建筑的主要承重部分(如梁、柱、墙及各种构架)所用的主要材料划分为不同的结构类型,一般可分为:

(1)钢架结构:承重的主要结构是用钢材建造的。

(2)钢、钢筋混凝土结构:承重的主要结构是用钢、钢筋混凝土建造的。如一栋房屋的一部分梁柱采用钢制构架,一部分梁柱采用钢筋混凝土建造。

(3)钢筋混凝土结构:承重的主要结构是用钢筋混凝土建造的。

(4)混合结构:承重的主要结构是用钢筋混凝土和砖木建造的。如一栋房屋的梁是用钢筋混凝土制成,以砖为承重墙;或者梁是木材制造,柱是钢筋混凝土建造的。

(5)砖木结构:承重的主要结构是用砖、木材建造的。如一栋房屋是木制房架、砖墙、木柱建造的。

(6)其他结构:凡不属于上述结构的房屋都归此类。如土砖木结构(土基墙、砖柱、木梁)、木结构、竹结构、砖拱结构、窑洞等。

随着施工技术的发展和新型材料的问世而出现的一些新结构,按上述划分标准分别列入有关结构中。

权数:权数表示某商品销售的金额占全社会商品销售总金额的比重,通常以千分之多少表示。如:在商品房销售中,住宅和非住宅销售额分别占商品房销售总额的700‰和300‰,那么住宅和非住宅的权数就分别为700和300。

附录2　城市调查统计方法的简要说明

一、城镇居民家庭收支调查(城镇住户调查)

(一)调查方法

城镇居民可支配收入和收支资料是通过城镇住户抽样调查得到的。城镇住户调查采用住宅框选取调查户样本。调查对象包括中国城镇区域内的所有住户。住户调查城镇采用分层随机抽样的方法确定,首先,按照城镇规模将全国所有省(区、市)的城镇划分为三层:大中城市(地级和地级以上的城市)、县级市和县城(镇);第二,按各层人口占全省(区、市)人口的比例来分配每层的样本量;第三,按城镇就业者年人均工资从高到低排队,依次计算各城镇人口累计数,然后根据样本量的大小随机起点等距抽取所需数量的调查城镇。

调查户的抽选工作分两步进行。第一步进行一次性的大规模城镇住户基本情况抽样调查,采取分层、二(多)阶段、与大小成比例(PPS方法)的随机等距方法选取调查样本也称一相样本;第二步根据城镇住户基本情况抽样调查取得的家庭人口、就业人口、收入等资料进行分组,从中按比例抽出一个小样本也称二相样本,作为经常性调查户,开展家庭日记账工作,以取得可支配收入和相关收支资料。

为了增强样本代表性,城镇住户调查实行样本轮换制度。调查城镇中的经常性调查户要求每年轮换1/2,也就是每年有1/2的调查户要退出调查,再从一相样本中抽选1/2的新调查户替代之。

最后,由国家统计局对城镇住户调查数据进行全国汇总,得出城镇居民可支配收入和相关收支资料。

(二)开展一次性城镇住户基本情况抽样调查的必要性

城镇住户基本情况抽样调查每三年进行一次,其目的主要是为经常性调查提供抽样框和为经常性调查数据评估提供基础资料,是我国开展住户调查工作的主要特点和方法。各调查市、县采取分层、二(多)阶段、与大小成比例(PPS方法)的随机等距方法选取调查样本。取得调查户家庭人口、就业人口、收入等辅助资料后,根据这些资料进行分组,从中按比例抽出一个小样本也称二相样本,作为经常性调查户,开展日记账工作。

进行城镇住户基本情况抽样调查,首先可以全面系统地收集我国城镇居民家庭人口、就业、收入、消费的基本情况,为全面构建社会主义和谐社会提供基础资料,为各级党委和政府研究和解决好医疗、教育、住房与社会保障等人民群众最关心、最直接、最现实的利益问题提供决策参考信息。

其次,是为了抽选常规调查记账户,为常规城镇住户调查提供基础抽样框。常规城镇住户调查一直采用二相法抽选调查户。每三年在全国选出一个大样本(或称一相样本)开展基本情况抽样调查,并以此为分层依据,从中抽出一个小样本(也称二相样本)作为常规调查户,开展连续日记账工作。

第三,可以评估现行城镇住户调查中样本及数据的科学性,提高常规城镇住户调查的代表性。由于一些中小城市样本量较小,利用大样本调查的资料进行排队,采用分层、等距等抽样技术,能大大提高抽样的设计效应,尤其是对调查户数相对较少的市(县),作用更加明显。

第四,可以有效控制样本抽选或轮换时的随意性,进一步加强国家对基层常规调查户的抽选和监控,尽量避免随意换户和人为换户现象,为提高常规住户调查数据质量提供科学依据。

(三)城镇居民可支配收入与农民人均纯收入的区别

城镇居民可支配收入指调查户可用于最终消费支出和其它非义务性支出以及储蓄的总和,即居民家庭可以用来自由支配的收入。它是家庭总收入扣除经营性支出、交纳的个人所得税、个人交纳的社会保障费以及调查户的记账补贴后的收入。计算公式为:

可支配收入=家庭总收入-经营性支出-交纳个人所得税-个人交纳的社会保障支出-记账补贴

农民人均纯收入是指农村住户当年从各个来源得到的总收入相应地扣除所发生的费用后的收入总和。纯收入主要用于再生产投入和当年生活消费支出,也可用于储蓄和各种非义务性支出。“农民人均纯收入”按人口平均的纯收入水平,反映的是一个地区或一个农户农村居民的平均收入水平。计算方法为:

纯收入=总收入-家庭经营费用支出-税费支出-生产性固定资产折旧-农村内部亲友赠送

(四)恩格尔系数的概念及其经济含义

19世纪德国统计学家恩格尔根据统计资料,对消费结构的变化得出一个规律:一个家庭收入越少,家庭收入中(或总支出中)用来购买食物的支出所占的比例就越大,随着家庭收入的增加,家庭收入中(或总支出中)用来购买食物的支出则会下降。推而广之,一个国家越穷,每个国民的平均收入中(或平均支出中)用于购买食物的支出所占比例就越大,随着国家的富裕,这个比例呈下降趋势。

恩格尔系数是根据恩格尔定律得出的比例数,是表示生活水平高低的一个指标。其计算公式如下:

$$恩格尔系数 = \frac{食物支出金额}{总支出金额}$$

除食物支出外，衣着、住房、日用必需品等的支出，也同样在不断增长的家庭收入或总支出中，所占比重上升一段时期后，呈递减趋势。

（五）基尼系数的概念及经济含义

20 世纪初意大利经济学家基尼，根据洛伦茨曲线找出了判断分配平等程度的指标，设实际收入分配曲线和收入分配绝对平等曲线之间的面积为 A，实际收入分配曲线右下方的面积为 B。并以 A 除以 A + B 的商表示不平等程度。这个数值被称为基尼系数或称洛伦茨系数。如果 A 为零，基尼系数为零，表示收入分配完全平等；如果 B 为零则系数为 1，收入分配绝对不平等。该系数可在零和 1 之间取任何值。收入分配越是趋向平等，洛伦茨曲线的弧度越小，基尼系数也越小，反之，收入分配越是趋向不平等，洛伦茨曲线的弧度越大，那么基尼系数也越大。如果个人所得税能使收入均等化，那么，基尼系数即会变小。联合国有关组织规定：若低于 0.2 表示收入绝对平均；0.2 ~ 0.3 表示比较平均；0.3 ~ 0.4 表示相对合理；0.4 ~ 0.5 表示收入差距较大；0.6 以上表示收入差距悬殊。

二、价格调查

（一）居民消费价格指数的含义和作用

居民消费价格指数是度量消费商品及服务项目的价格水平随时间而变动的相对数，反映居民家庭购买的消费品及服务价格水平的变动情况。它是宏观经济分析和调控、价格总水平监测以及国民经济核算的重要指标。

在日常经济生活中，大体来说 CPI 它有三个用途，一是测量通货膨胀之用，如果 CPI 在一段时期内连续高幅度上涨，就可以说发生了严重通货膨胀；二是用于国民经济核算，比如核算城市运输业价值量时要扣除物价上涨因素，从而得到了城市运输业实际成果的变化情况；三是作为利益关系方的利益调整参照系数，比如在一些西方国家中作为劳资双方工资调整的依据。

（二）居民消费价格指数的调查和编制方法

国家统计局每月在直辖市、省会城市、自治区首府城市和大连、青岛、宁波、厦门、深圳市，以及其他选中的调查市、县进行价格调查，即调查城乡居民购买并用于日常生活消费的商品和服务项目的价格。调查方式采用派员定时、定点直接调查采价。一般性商品（服务）每月调查 2 至 3 次，对于与居民生活密切相关、价格变动比较频繁的商品（服务），每 5 天调查一次价格，价格变动不频繁的规格品（服务）每月调查 1 次。目前我国编制指数的地区根据各地情况选择了 550 ~ 750 个代表规格品进行调查。

各调查点每月定期报送调查数据，国家统计局根据上报数据，运用国际通用的计算方法计算出全国及分省、36 个大中城市的居民消费价格指数。每月定期发布居民消费价格总指数及分类价格指数（按用途划分为 8 个大类：食品、烟酒、衣着、家庭设备用品及维修服务、医疗保健和个人用品、交通和通信、娱乐教育文化用品及服务、居住）。

（三）编制现行居民消费价格指数需要调查的主要内容

日常生活中，城乡居民消费的商品和服务项目包罗万象、品种繁多、变化多样。为了及时准确地编制出每个月的 CPI，就要在成千上万种的商品和服务项目中选出一部分用来编制 CPI。也就是说，CPI 不是用全部商品和服务项目编制的，而是挑选重要的商品和服务项目用于编制 CPI 的商品和服务项目。计算 CPI 的商品和服务项目一旦被选中，一般要使用五年，最短的也要使用两三年。

如何确定每种商品和服务项目的重要性呢？目前全国有城乡 12 万户居民要把自己家的支出一笔一笔地记录下来，这些数据被国家统计局收集、加工出来，就得到了全国城乡居民的消费结构，并由此确定了日常消费的商品及服务项目在消费总额中的重要程度。

（四）为什么公布的居民消费价格指数与百姓的感受不一样？

老百姓的日常感受与国家统计局公布的居民消费价格指数不一致是很正常的情况。一般来说，导致这种情况的出现有这么几点原因：

1. 居民消费价格指数在我国叫做城乡居民消费价格指数，代表全国的平均水平。由于我国城乡人口有 13 亿，这 13 亿消费者中有农民有城市居民，有富人也有低收入者，有生活在东南沿海经济较发达地区的居民，也有生活在中西部经济欠发达地区的居民，所以居民消费价格指数是 13 亿人平均水平的居民消费价格指数。因而，当某个人谈对居民消费价格指数的感受时是他（她）的个体感受，个体感受肯定会与平均水平的居民消费价格指数有差异。打个比方吧，假如说我国平均海拔是 2000 米，可是我国有世界上最高的高原　青藏高原，有世界海拔最高的山峰　珠峰，而东南沿海大多在海拔几百米左右。那么，如果生活在东南沿海的人就会感到这个平均海拔高了，而如果生活在青藏高原就会感到这个海拔太低了。

2. 国家统计局公布居民消费价格指数时，公布的大多是总指数和类指数，作为消费者比较时，总是用自身感受的某种具体商品或服务项目价格的变动情况与居民消费价格总指数或某类指数比较，从而得出居民消费价格指数走势与感受不一致的结论。比方说吧，国家统计局公布的 9 月份居民消费价格指数同比上涨 1.5%（但居住类商品和服务项目却上涨了5%），如果这段时间您正好装修房子，买的建筑材料价格上涨了许多，当您看到1.5%的价格涨幅时，肯定感到国家统计局公布的居民消费价格指数低了。

3.“人往高处走，水往低处流”的潜意识在起作用。每个人都希望自己的生活蒸蒸日上、日子一天比一天好，因此总是希望市场价格不涨或者下降才好。在这种心理的作用下，一种情况是人们一般对市场上商品或服务项目价格的下降不敏感或者没什么反映，但对商品或服务项目价格的上涨比较敏感；另一种情况是，有些商品价格下降很大，但大家日常生活中不常消费这些商品，所以对这些商品价格的下降就不敏感，而对日常生活中经常消费的商品或服务项目价格的上涨反映强烈（比如说，近几年来手机、彩电大幅度降价，但这些商品我们不经常消费，所以就不敏感，而水、电、燃气价格大幅度上涨，而这些商品我们天天要消费，所以我们感受强烈）。

4.收入水平和消费水平的不同导致了对价格指数感受的不同。改革开放以来，我国的国民经济有了巨大发展，人民生活水平也有了极大提高，但高收入者毕竟只是少数，绝大多数城乡居民收入水平和消费水平还不高。一般来说，收入水平和消费水平的高低会造成对价格指数感受的差异。高收入者消费水平高，消费内容广，对价格上涨的承受能力强；反之，低收入者消费水平低、消费面窄，收入主要用于吃、穿、医疗和子女的教育等方面上，对价格上涨的承受能力低。近几年来，一些生活必需品不断涨价，因此低收入者、老百姓反映敏感，感觉实际消费价格上涨的幅度应该比公布的居民消费价格指数数据高。

（五）生产者价格指数的概念及内容

生产者价格指数是价格统计指数体系的重要组成部分。它反映的是一定时期内产品出售或购买（也称产出和投入）的价格以及服务所收取费用价格的变动情况，国际上统称为PPI（producer price index）。生产者价格指数主要包括三部分：一是农产品生产价格指数，二是工业生产者价格指数（有些国家只编制制造业生产者价格指数），三是服务业生产者价格指数。在我们国家农产品生产价格指数是从2002年正式开始编制的，在此之前一直编制农产品收购价格指数。工业生产者价格指数包括工业品出厂价格指数和原材料、燃料、动力购进价格指数两部分，这是我国起步最早、编制技术也较为完善的一种生产者价格指数。服务业生产者价格指数是起步最晚也是亟待完善的一种生产者价格指数。除上面提到的三种生产者价格指数，我国还编制了固定资产投资价格指数，包括建筑安装工程投资价格指数（它的前身为建筑业价格指数）、设备工器具购置价格指数以及其它费用投资价格指数三部分。应该说，目前我国涵盖第一、第二产业的生产者价格指数已经较为完善，而且已基本上满足了国民经济核算的需要，尤其是开展了二十多年的工业生产者价格指数无论是它的调查范围还是调查方法已得到国际同仁的认可。相比之下，我们的服务业生产者价格调查工作则远远落后于其他国家，很难满足国民经济核算的需要。因此，弄清我国服务业生产者价格统计现状及未来的发展方向，已成为一项摆在我们面前的重要工作。

（六）开展工业品价格调查的目的和任务

工业品价格调查的主要任务是按照科学的方案调查收集代表企业中代表产品的价格资料，编制工业品价格指数。它包括工业品第一次出售时的出厂价格和企业作为中间投入的原材料、燃料、动力购进价格。工业品价格是在国民经济活动中处于生产环节或上游领域的价格，其价格波动对国民经济、对下游产品价格变化都有重要影响。工业品价格指数是我国价格体系的重要组成部分。

工业品价格调查的目的在于及时、准确、科学地反映全国及各地区的各工业行业产品价格水平和各种工业产品价格的变动趋势及幅度，为国民经济核算、计算工业发展速度、宏观经济分析和调控、理顺价格体系提供科学、准确的依据。我国的工业品价格统计工作从1986年建立到现在，走过了20年的历程。这期间，工业品价格调查的方法制度不断更新，调查企业、调查产品不断增加，调查网点日益完善。工业品价格指数从总体上看，基本反映了我国工业品价格的变动趋势和变动幅度，为宏观经济分析和决策，为理顺我国价格体系，为统计分析和核算，为科研、教学部门和社会公众了解国情，提供了大量宝贵的资料，发挥了应有的作用。尤其是2004年以后，根据国际惯例及国民经济核算的需要，国家统计局正式采用价格指数法计算工业发展速度，从而使工业品价格指数的应用范围进一步扩大了。

（七）工业品价格指数在县区级计算工业发展速度中的应用

我国现行工业品价格统计制度按照国际统计一般规则的要求，不断改进和完善，正在努力接近国际先进水平，得到不少国际组织和外国专家的好评。2002年，我国加入国际货币基金组织（IMF）的通用数据公布系统（GDDS）。工业品价格调查制度经IMF专家严格审核，已登上IMF的GDDS网站，和我国居民消费价格统计等少数统计制度一起享受如此殊荣。目前，工业品价格调查的企业为50000多家，包括大、中、小等各种规模的企业，也涵盖了国有、集体、其它等各种经济类型的企业。调查市县为430多个，各省（自治区、直辖市）均编制了本省的工业品价格指数，35个大中城市及部分有条件的地级市也编制了本地区的工业品价格指数。县区级由于产业结构比较单一，一般不编制本地区的工业品价格指数，但代表性的企业要参与工业品价格的上报，以保证地市级或更高一级指数的代表性。为满足地、市、县计算发展速度的需要，现在各省（自治区、直辖市）建立了定期向地、市、县统计部门反馈分行业工业品价格指数资料的制度，各地、市、县根据本地的工业结构，选择有关行业的工业品价格指数计算工业发展速度。由于计算发展速度时，采用的是当地的行业资料做权数，因而具有足够的代表性。

（八）现行房地产价格调查统计中包括的主要内容

从广义上讲，房地产是房产与地产的总称。因此房地产价格调查的内容主要包括以下几个部分：

房屋销售价格。从进入房地产市场的渠道看，房屋销售价格包括商品房和二手房两大部分。

房屋租赁价格。房屋租赁价格包括住宅、办公楼、商业娱乐用房、工业仓储用房和其他用房五部分。

土地交易价格。土地交易价格包括居民用地、工业仓储用地、商业旅游娱乐用地和其他用地四部分。

物业管理价格。物业管理价格包括住宅、办公楼、商业娱乐用房和工业仓储用房四部分。

房地产价格调查采用重点调查与典型调查相结合的方法。调查方式采用报表与走访相结合的方式。目前我国房地产价格调查在七十个大中城市开展,调查样本超过1万个。

(九)固定资产投资价格调查主要目的

固定资产投资是社会再生产的重要环节,其规模、速度、结构、比例和效益直接影响国民经济的发展。各类投资品价格作为生产领域价格是国民经济价格体系中的重要组成部分。

固定资产投资价格调查的目的在于及时、准确地反映全社会及各类工程固定资产投资中涉及的各类投资品和取费项目价格的变动趋势和变动幅度,消除按现价计算的固定资产投资指标中的价格变动因素,真实地反映全社会及各类工程固定资产投资的规模、速度、结构和效益,为国家及各部门科学地制定、检查固定资产投资计划和进行国民经济核算提供科学的、可靠的依据。

(十)固定资产投资价格调查的主要任务

1. 调查和搜集全社会及各类工程固定资产投资经济活动中涉及的各种价格资料和费用资料,并掌握各种平均价格水平和费用标准。

2. 编制与固定资产投资经济活动有关的各种价格指数,(如固定资产投资价格总指数及主要分类指数、分工程类别投资价格指数等),准确地反映全社会及各类工程固定资产投资价格变动幅度和变动趋势。

3. 结合固定资产投资经济和建筑业经济活动中的主要指标(如投资规模、效益和建筑业产值、成本等),积极开展统计分析,并及时反映新情况和新问题,为宏观决策提供咨询服务。

(十一)通货膨胀的基本概念和含义

通货膨胀最初指因纸币发行量超过商品流通中的实际需要量而引起的货币贬值现象。纸币流通规律表明,纸币发行量不能超过它象征地代表的金银货币量,一旦超过了这个量,纸币就要贬值,物价就要上涨,从而出现通货膨胀。通货膨胀只有在纸币流通的条件下才会出现,在金银货币流通的条件下不会出现此种现象。因为金银本身具有价值,作为贮藏手段的职能,可以自发地调节流通中的货币量,使它同商品流通所需要的货币量相适应。而在纸币流通的条件下,因为纸币本身不具有价值,它只是代表金银货币的符号,不能作为贮藏手段,因此,纸币的发行量如果超过了商品流通所需要的数量,就会贬值。例如,商品流通中所需要的金银货币量不变,而纸币发行量超过了金银货币量的一倍,单位纸币就只能代表单位金银货币价值量的1/2,在这种情况下,如果用纸币来计量物价,物价就上涨了一倍,这就是通常所说的货币贬值。此时,流通中的纸币量比流通中所需要的金银货币量增加了一倍,这就是通货膨胀。在宏观经济学中,通货膨胀主要是指价格和工资的普遍上涨。通货膨胀在现代经济学中意指整体物价水平上升。一般性通货膨胀为货币之市值或购买力下降,而货币贬值为两经济体间之币值相对性降低。前者用于形容全国性的币值,而后者用于形容国际市场上的附加价值。两者之相关性为经济学上的争议之一。通货膨胀之反义为通货紧缩。无通货膨胀或极低度通货膨胀称之为稳定性物价。

三、城市基本情况统计

(一)城市统计的基本概念和基本任务

城市基本情况统计是以城市总体为观察对象,反映城市经济、社会等各个方面活动规律的科学,是具有全面性、综合性、地区性等特点的一项统计工作。基本任务和职责是搜集、整理、分析反映城市规模、经济发展、社会发展、城市建设、生态环境的基本现状及其发展变化的基础资料。为研究制定城市发展战略和城市总体规划;为加强城市建设和管理,更好地发挥城市的整体功能和综合效益;为加强城市在全国和区域经济中的地位与作用;为有效的开展城市之间、地区之间乃至国际间的比较研究;为反映和研究城市居民生活环境与状况、城市居民生活质量等提供科学依据。城市统计指标体系可归纳为五个部分:

1. 城市人口和劳动力资源统计。包括人口状况、劳动力的素质与结构等。

2. 经济发展。包括综合经济、农业、工业、建筑业、商业、外贸、投资、财政金融、保险等。

3. 社会发展。包括居民收入与消费、居住、医疗、教育、文化、社会服务、旅游等。

4. 基础设施。包括道路与交通、邮政与通讯、水、电等基础设施。

5. 环境与环境保护。包括城市绿化、环境状况、城市环境保护和治理情况。

(二)调查方法

城市统计主要采用条块结合的统计方法,根据指标体系的内容,各城市统计部门每年从相关部门收集资料,以反映城市发展的全貌,并报上级统计部门,以全面反映区域和全国城市发展状况。